工业元宇宙中的智能制造云服务

陆剑峰　张 浩　余春龙　赵荣泳　著

U0877051

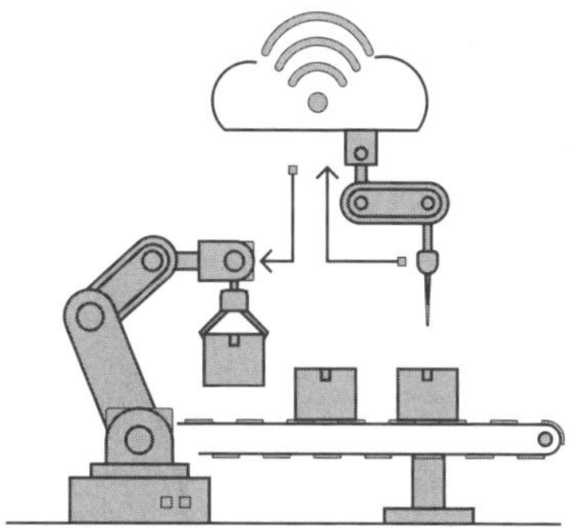

化学工业出版社
·北京·

内容简介

元宇宙作为物理世界在信息空间的一个映射，既反映了物理世界的客观存在，又能高于客观存在呈现出一个新的世界。元宇宙在第二产业的应用与发展，即工业元宇宙，具有广阔的发展空间和应用需求。本书在介绍了元宇宙和工业元宇宙的基本概念后，围绕适应工业元宇宙的制造新模式——云制造展开讨论，介绍了云制造的基本概念和云制造系统的总体架构，以及制造云服务的接入、虚拟化、服务化、供需匹配和优化调度等方面的技术；此外，以低碳制造为背景介绍了制造云服务平台机制设计方法，并且从工业云平台和数字孪生应用两个角度介绍工业元宇宙的导入案例。

本书可以作为从事智能制造、工业互联网平台、企业管理等相关工作的科研人员、管理人员和高校教师的参考书，也可供智能制造工程、自动化、人工智能、计算机等相关专业的研究生和高年级本科生作为参考之用。

图书在版编目（CIP）数据

工业元宇宙中的智能制造云服务 / 陆剑峰等著. 北京 : 化学工业出版社，2026. 1. -- ISBN 978-7-122-49557-0

Ⅰ. F407. 4-39

中国国家版本馆CIP数据核字第202594ML01号

责任编辑：要利娜　于成成
文字编辑：李亚楠
责任校对：边　涛
装帧设计：王晓宇

出版发行：化学工业出版社
（北京市东城区青年湖南街 13 号　邮政编码 100011）
印　　装：北京云浩印刷有限责任公司
710mm×1000mm　1/16　印张 19½　字数 359 千字
2026 年 2 月北京第 1 版第 1 次印刷

购书咨询：010-64518888　　售后服务：010-64518899
网　　址：http://www.cip.com.cn
凡购买本书，如有缺损质量问题，本社销售中心负责调换。

定　　价：108.00元

版权所有　违者必究

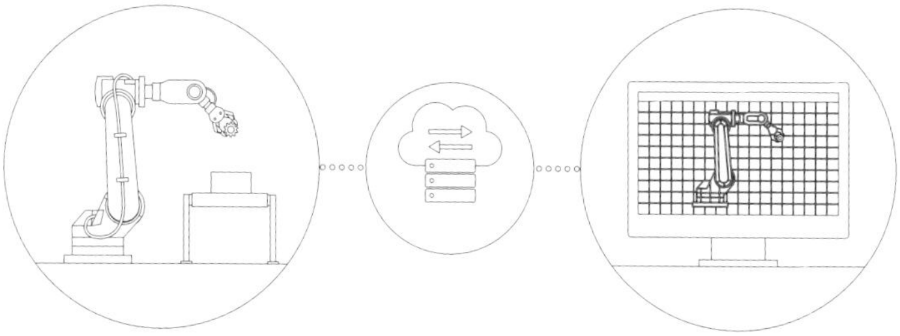

Preface 前言

随着计算机技术的发展，在依托计算机形成的数字空间中，数据、信息、知识、流程越来越多。人类劳动的对象和工具，也越来越多地从物质世界转向了数字世界——通过各种程序来加工各类数据，形成各种信息和结果。而这个数字化结果，能直接或间接地影响我们的日常生活和工业生产。数字空间不仅能满足游戏、娱乐、购物、社交等需求，就连“制造”这一伴随着人类诞生而产生的活动，也受其影响，正在经历从以体力劳动为主转变为以数字空间的脑力劳动为主的过程。当今社会，越来越多的劳动者从事这些以数字对象为主体的脑力劳动。这个趋势让人们越来越强烈地感觉到存在一个和现实世界平行的另一个世界——元宇宙。

元宇宙超越了物理世界的时间和空间限制。在元宇宙的作用下，资源配置的时空阻隔效应被打破，供需能实现精准预测和匹配，要素组合效率和生产效率实现飞跃，数字经济效益得到显著提升。在元宇宙中，数据传输、转换、改造和运用的成本低于物理世界，数字技术与实体经济深度融合形成新生态，进而能拓展市场空间。元宇宙虚实相融、场景交互、万物互联的特点，不仅给商业流通和金融应用带来了极大的便利，而且可以成就制造业的智能革新，建成产品设计、生产制造、制造管理和销售及服务一体化的工业元宇宙（Industrial Metaverse）。

工业元宇宙是以 XR（Extended Reality，扩展现实，也可以看作是虚拟现实 VR、增强现实 AR、混合现实 MR 技术的总称）技术、数字孪生技术为代表的新型信息通信技术与实体工业经济深度融合的工业生态，它通过 XR、人工智能、物联网、云计算、区块链和数字孪生等技术实现人、机、物的无缝连接，将数字技术与现实工业结合，促进实体工业高效发展，构建起覆盖全产业链、全价值链的全新制造和服务体系，是工业乃至产业数字化、智能化发展的全新阶段。工业元宇宙可以引导制造模式向“共享经济”“范围经济”和“长尾经济”转变，助力制造要素精准匹配，加速产业数字化规模发展，为解决社会信用成本高、交易风险大、不合理竞争等问题提供新方案。

工业元宇宙是制造过程数字化转型的未来，体现了数字化应用“系统→元域→超元域→元宇宙”的融合过程。工业元宇宙可以通过工业互联网技术、数字孪生技术、云制造技术等逐步导入并最终形成。工业互联网和工业云平台技术提供了工业元宇宙底座和交互技术，数字孪生支持工业元宇宙与现实宇宙接口的构建，而云制造则体现了工业元宇宙下的制造模式变革。工业元宇宙下的社会和经济活动有其自身的特点，在元宇宙空间中，制造要素都形成了数字分身，因此可以具有比现实宇宙中更加灵活的组成和运行方式。在工业元宇宙中，制造各要素的组成及其运作规律都会发生变化，制造过程不再是传统制造的“数字化复刻”，而是会以一种全新的方式来使用制造能力，促使物理世界制造资源的高效、绿色化使用。

云制造是一种网络化制造新模式，利用云平台、虚拟化等技术把物理制造资源和制造能力虚拟化、服务化，在工业云平台上构建制造云服务池，通过制造云服务的供需匹配与执行来实现企业之间制造活动的互联与协同，实现“分散资源集中使用、集中资源分散使用”，是一种弹性、灵活、高效的制造模式。云制造可以作为工业元宇宙下的制造新模式。

目前，针对工业互联网或工业元宇宙下的制造模式探讨的图书尚不多见。本书针对云制造这一充分利用数字化、网络化环境特点的制造新模式进行介绍，全书分 9 章，第 1 章介绍元宇宙和工业元宇宙的背景，第 2 章介绍云制造模式，第 3 章介绍实现制造云服务的相关技术基础，第 4 章介绍云制造系统的总体框架和面向制造全生命周期的应用，第 5 章介绍制造资源和制造能力的接入、虚拟化和服务化方法，第 6 章介绍制造云服务的供需匹配与优化方法，第 7 章介绍制造云服务资源调度的智能化技术，第 8 章以低碳制造为例，介绍基于云平台的机制设计问题，第 9 章从工业云平台、数字孪生应用两个角度，介绍工业元宇宙的导入案例。

本书由同济大学电子与信息工程学院陆剑峰副教授，同济大学兼职教授、上海电力大学自动化工程学院张浩教授，同济大学机械与能源工程学院余春龙助理教授，同济大学电子与信息工程学院赵荣泳长聘副教授共同撰写完成。

课题组指导的同济大学电子与信息工程学院、机械与能源工程学院的部分研究生参与了相关技术研究、资料收集和整理工作：2024 年毕业的吴伟博士、韩调娟博士和高文韬硕士提供了书稿的部分章节内容；在读博士研究生宋佳霖（2023 级）和吴昊（2024 级），在读硕士研究生林俊杰（2022 级）、李一诗（2022 级）、张开宇（2022 级）、茅建鹏（2023 级）、王增恒（2023 级）、朱鹏择（2023 级）和陈伯箫（2024 级）等同学在资料汇总和书稿整理方面做了较多工作。

本书的研究工作得到了国家自然科学基金面上项目“信息不对称下云制造服务供需匹配机制与优化策略”（编号：72171173）、国家自然科学基金青年科学基金项目“面向 3D 打印平行机的精确调度算法与动态调整机制研究”（编号：72301196）的支持；本书的撰写工作也得到了智能云科信息科技有限公司、迅济智能科技（上海）有限公司等单位领导及专家的支持和帮助。本书的出版获得了化学工业出版社的大力支持，编辑在图书出版过程中给予了细致的指导。此外，在撰写本书的过程中，还参考和引用了国内外有关资料。在此一并表示诚挚的谢意！

由于时间及作者水平有限，书中难免存在一些缺点和不足之处，敬请读者批评指正。

著者

目录　Contents

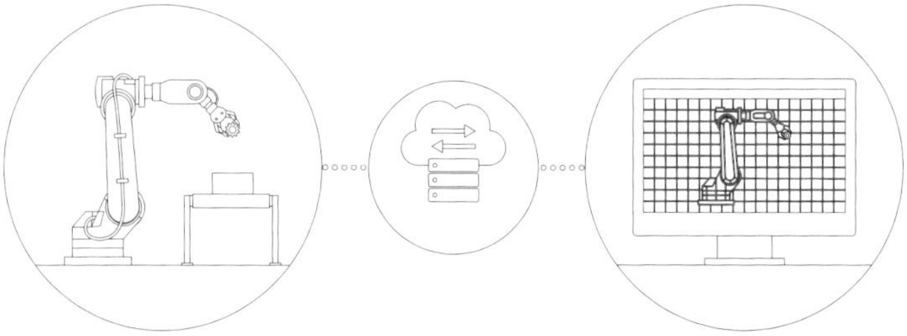

第7章

制造云服务资源调度的智能化技术

第8章

基于制造云平台的低碳制造——博弈与机制设计

第 **9** 章

工业元宇宙的实施及应用

262 ~ 297

附录

缩略语表

298 ~ 302

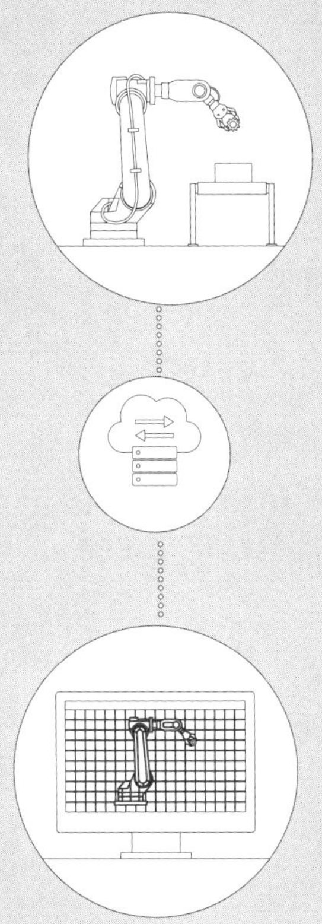

第 1 章

从元宇宙到工业元宇宙

1946年，世界上第一台通用电子计算机ENIAC（Electronic Numerical Integrator and Computer，电子数值积分计算机）诞生的时候，计算机（有的也翻译成电脑）还只是被用于数值计算。随着大规模集成电路技术的发展，计算机的体积越来越小，价格越来越便宜，其从一个专业的数值计算设备逐渐演变为一个通用的信息处理设备，在各个行业得到应用。计算机带来的信息革命使人类进入了信息化时代，人们的生产、生活越来越离不开计算机的支持。

计算机作为一种设备是物理存在的，然而计算机带来的数字化空间，逐渐形成了和人类活动的物质世界平行的另外一个世界。在这个数字化世界中，存放着各种数据、信息和知识，这个世界在不断扩大和深入，逐渐改变了人类原有的生产、生活方式。这个看似虚拟却又实际存在的数字化世界的未来是什么？答案就是"元宇宙"。

1.1

元宇宙

1.1.1 元宇宙的发展历程

1）元宇宙的由来

"元宇宙"（Metaverse）一词最早出现于1992年Stephenson的科幻小说*Snow Crash*（《雪崩》）[1]，其中描述了一个与现实世界平行的虚拟空间，人们通过使用交互式设备连接后进入虚拟世界，这个虚拟世界就是Metaverse。在Metaverse中，真人都有一个数字分身（Avatar），正常情况下Avatar不会死亡，若在格斗等活动中Avatar被杀死，则数字分身会被踢出系统，即"死亡"。即便如此，真人依然可以创造一个新的数字分身进入Metaverse。在Metaverse中，有社交、虚拟资产、交易等和现实世界中一样存在的社会经济活动，甚至有道德、文化等方面的设定。

Metaverse一词在国内最早翻译为"超元域"。"meta"是来自希腊语的英语词根，一般含义是"在……之后或超出"，中文往往翻译成"元"，如："metadata"指"元数据"，一般解释为"定义数据的数据"；"meta-knowledge"指"元知识"；等等。"verse"来自"universe"，表示"宇宙"。因此，"Metaverse"更多地被翻译为"元宇宙"。"宇宙"一词，在游戏或动漫领域，是指故事或背景环境的世界设定，一般包括人物及其相互关系、技能、世界元素、道德等要素。由于动漫或游戏，都是在一个虚拟世界中进行演绎的，因此，通过宇宙设定，可以让故事或游戏按照一定的规则来运行。一般动漫或游戏中的宇宙都是多元化的，某个人物在一个宇宙中死亡后，可以在另外一个宇宙中复活，从而开始一系列新的故事。我国的神话小说，如《封神演义》《西游记》等，也都拥有自己的世界设定，包括至高无上的神、门派、人物、价值观和道德等，构成了各自的故事“宇宙”。

Metaverse 这个词在其提出之后的近 30 年里，并没有引起大家的重视。直到 2021 年，Roblox 公司把这个词写入招股书并成功上市，才引起大家的关注。同一年，Facebook 公司更名为“Meta”，“元宇宙”这一概念进一步得到社会各界的关注。因此，2021 年可称作“元宇宙元年”

2）元宇宙成为战略新兴技术

当今时代，新兴技术层出不穷，产业发展也日新月异。对新技术的梳理与分析成为各国、各企业发展和竞争中的重要工作。成立于 1979 年的 Gartner（高德纳）公司作为全球权威的 IT（Information Technology，信息技术）研究与顾问咨询公司，为客户提供论证报告及市场调研报告，协助客户进行市场分析、技术选择、项目论证和投资决策。自 2007 年起，Gartner 公司每年都会公布各机构需要了解和关注的首要战略技术发展趋势，总结为年度“十大战略新兴技术”，如 2010 年的“云计算”、2012 年的“大数据”、2017 年的“数字孪生”等。同时，Gartner 公司利用其在 1995 年起发布并不断更新的技术成熟度曲线，来描述一项技术从萌芽到可进行商业化的过程。成熟度曲线常作为评估技术发展周期的一种预测模型，2022 年的成熟度曲线见图 1-1。

从图 1-1 中可以看出，Gartner 公司 2022 年将“元宇宙”归入“技术萌芽”阶段，2023 年，Gartner 公司将其列入十大战略新兴技术，属于开拓性技术。元宇宙的提出，可以看作是信息技术、人工智能技术等相关技术发展到一定程度后的必然事件。元宇宙技术展现了在以 ICT（Information and Communications Technology，信息与通信技术）为基础的数字技术不断发展的背景下，人类对数字世界活动的探索和展望。

1.1.2 元宇宙的定义和体系架构

1）元宇宙的定义

2023 年，Gartner 将元宇宙定义为一个由虚拟技术增强的物理和数字现实融合而成的集体虚拟共享空间，该空间具有持久性，能够提供增强沉浸式体验。Gartner 预计完整的元宇宙将独立于设备并且不属于任何一家厂商。它将产生一个由数字货币和非同质化通证（Non-Fungible Token，NFT）推动的虚拟经济体系。Gartner 预测，到 2027 年，全球超过 40% 的大型企业机构将在基于元宇宙的项目

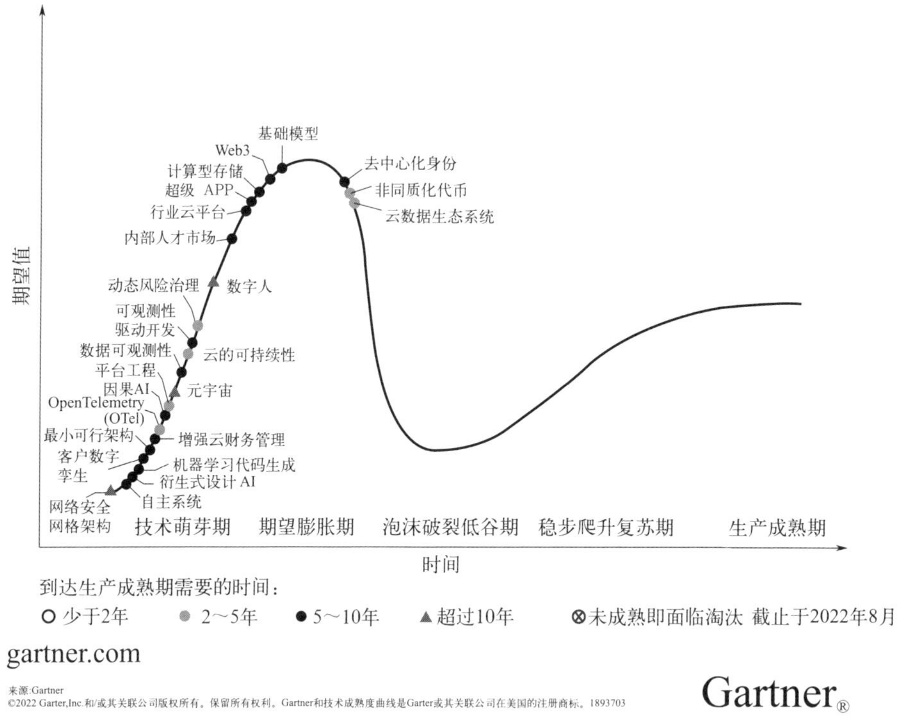

图 1-1　2022 年 Gartner 新兴技术成熟度曲线公布最新技术趋势 [2]

中使用 Web3.0、增强现实（Augmented Reality，AR）、云以及数字孪生等技术来增加收入 [3]。

对于元宇宙的定义尚缺乏一个公认的、统一的认识，不同学者、企业和机构对于元宇宙的见解各不相同。部分观点认为，元宇宙是一个现实宇宙的“平行宇宙”，是一个虚拟空间。例如，在 Roblox 公司的招股书中，元宇宙一词通常用来描述宇宙中持久的、共享的三维虚拟空间，其包括八大因素：身份（Identity）、朋友（Friends）、沉浸感（Immersive）、低延迟（Low Friction）、多元化（Variety）、随时随地（Anywhere）、经济（Economy）和文明（Civility）。维基百科对元宇宙的定义是：元宇宙是一个集体虚拟共享空间，由虚拟增强的物理现实和物理持久的虚拟空间融合创建，包括所有虚拟世界、增强现实和互联网的总和。Meta 公司 CEO 马克 · 扎克伯格认为，元宇宙是继互联网之后的计算平台，可以看作是实体化的互联网，“一个你身处其中的互联网”。王文喜等 [4] 认为，元宇宙实质上就是广义网络空间，在涵盖物理空间、社会空间、赛博空间以及思维空间的基础上，融合多种数字技术，将网络、软硬件设备和用户聚合在一个虚拟现实系统之中，形成一个既映射于又独立于现实世界的虚拟世界。方巍等 [5] 认为，元宇宙是一个新的综合性技术概念，基于沉浸式互联网技术、物联网技术、交互技术、电子游戏技术、人工智能技术、Web3.0、数字藏品 /NFT、5G/6G、区块链技术和数字孪生技术等，构建映射真实物理世界的虚拟世界，在这个虚拟世界中，用户可以使用其虚拟化身进行交互并完成现实世界中对应的任务。

另外一个观点是，元宇宙不再仅仅局限于虚拟空间，而是在扩展现实、互联网、云计算等技术支撑下形成的虚拟世界与现实世界交互的互联网与社会新形态。从这一观点出发，虚拟世界的构建将是未来元宇宙社会建立的关键，但虚拟世界并不等同于元宇宙，而仅是元宇宙的一部分，元宇宙实际是随科技发展所形成的未来虚实交互的社会形态[6]。Gartner 的定义应该也属于这种观点。中国自动化学会专家咨询委员会名誉主任委员孙柏林认为，“元宇宙”将以虚实融合的方式，深刻改变现有社会的组织与运作，形成虚、实两极的新型生活方式，催生线上、线下一体的新型社会关系，并从虚拟维度赋予实体经济新的活力[7]。这些观点注重虚拟世界和实体世界的融合，特别是在经济方面，是虚拟经济和实体经济的融合。

2023 年，中国信息通信研究院（简称“信通院”）发布了《元宇宙白皮书（2023 年）》，其对元宇宙的定义是：元宇宙不是某项“新的技术”，而是区块链、XR（Extended Reality，扩展现实）、宽带通信、人工智能等现有技术发展到一定阶段后以“新的组织聚合方式”衍生出的互联网新业态[8]。元宇宙不等同于下一代互联网，但是它孕育了某些新元素、新趋势。相比于当前互联网的业务，元宇宙具备 3D（三维）沉浸式用户体验、实时永续的网络访问、多重互操作等若干关键特性。从技术视角看，元宇宙是基于多种信息技术有机结合，沉浸式、自主化、虚实融合的数字网络空间。从经济视角看，元宇宙是基于互联网平台价值重构、数字内容通证化、内容创作货币化、开放互通的新型经济体系。从社会视角来看，元宇宙是基于现实世界社会活动与人际关系时空深度延伸的新型网络社会。元宇宙一定程度上回应了未来数字世界发展的必然趋势。2023 年 9 月 8 日，工业和信息化部等五部门联合印发《元宇宙产业创新发展三年行动计划（2023—2025 年）》，其定义“元宇宙是数字与物理世界融通作用的沉浸式互联空间，是新一代信息技术集成创新和应用的未来产业，是数字经济与实体经济融合的高级形态”。

本书认为，元宇宙和现实宇宙不是包含关系，元宇宙是和现实宇宙有交叉，但是又有其自身运行特点和规律的一个“半平行宇宙”。元宇宙的运行和现实宇宙的运行不是相互独立的，相互之间通过特定的接口连接。其关系如图 1-2。

在元宇宙的初始发展阶段，因为技术和需求的渐进性，从现实世界会映射出不同的元宇宙，如消费元宇宙、工业元宇宙、娱乐元宇宙、旅游元宇宙等，不同的元宇宙有不同的特点和范围。未来的发展趋势是这些元宇宙会统一成一个大

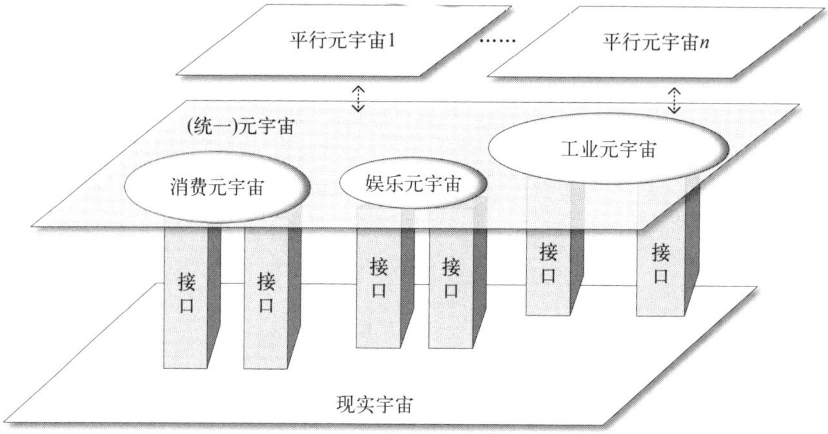

图 1-2　元宇宙和现实宇宙的关系

的、统一的元宇宙（图 1-2 中用统一元宇宙表示），类似于我们所在的现实宇宙，包容万物。未来可能为了不同的发展需要，存在多个平行元宇宙，体现了元宇宙的不同演化方向。

在元宇宙和现实宇宙之间，会有不同的接口来实现交互。例如，娱乐元宇宙通过 VR（Virtual Reality，虚拟现实）/AR（Augmented Reality，增强现实）/MR（Mixed Reality，混合现实）设备来实现从现实宇宙到虚拟空间、从虚拟空间到现实宇宙的转换；工业元宇宙中通过传感器来把现实宇宙中的数据传输到数字空间，并且通过智能设备执行数字空间中的指令，加工出现实宇宙中的产品，实现虚实共融。

2）元宇宙的体系架构

针对元宇宙的技术架构，国外学者提出了 7 层架构，如图 1-3，包括基础设施层、人机接口层、去中心化层、空间计算层、创作者经济层、发现层和体验层。基础设施层包括基本的计算支持（硬件和软件）、通信等支持；人机接口层包括支持多媒体和 VR/AR/MR 技术的泛在计算终端；去中心化层包括区块链、边缘计算、智能体和微服务等技术；空间计算层包括 3D 引擎、VR/AR/MR 技术、多任务界面、空间地理地图等内容；创作者经济层包括设计工具、资产市场、工作流和商业等；发现层包括广告网络，设计、商店和代理商等；体验层包括游戏、电子竞技、剧场和购物等。

信通院提出了包括发展维度（技术、体验、经济、社会 4 个视图）、应用场景、应用特征的元宇宙体系架构[8]（图 1-4）。元宇宙的核心功能原理是数字网络空间与物理世界的开放互联与深度融合，涉及技术、体验、经济与社会多维视图。从技术视图看，沉浸式技术与分布式信任成为元宇宙两大技术驱动主线。从

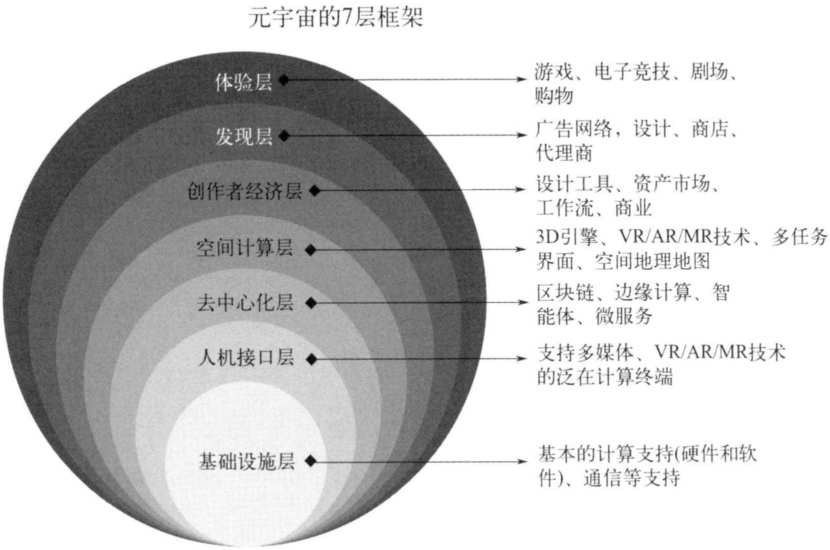

图 1-3　元宇宙的 7 层架构 [9]

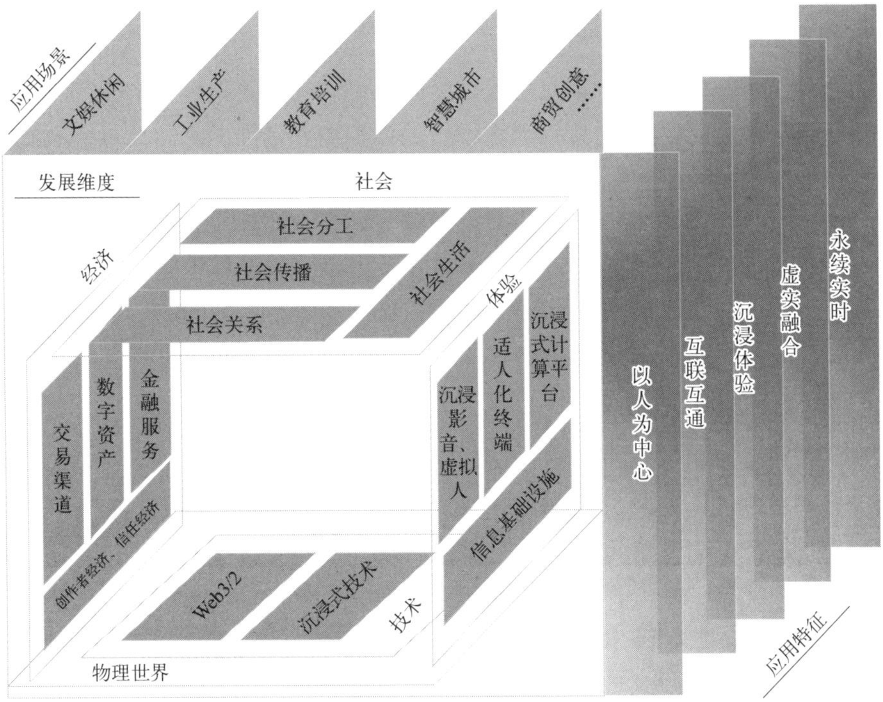

图 1-4　信通院提出的元宇宙体系架构 [8]

体验视图来看，元宇宙从终端入口、3D 沉浸影音、沉浸式计算平台、信息基础设施等多个方面助推电子信息与通信业的创新发展。经济视图中，交易渠道、数字资产与创作者经济成为元宇宙新型经济体系中的组成要素。社会视图中，元宇宙有望创造一种新的虚实融合的社会景观，并对现有的网络社会产生影响。

国内有专家提出包括基础设施、基础能力、应用能力和应用 4 个层面的技术组成架构 [10]，见图 1-5。该架构通过不同层次展现了组成元宇宙的相关技术。

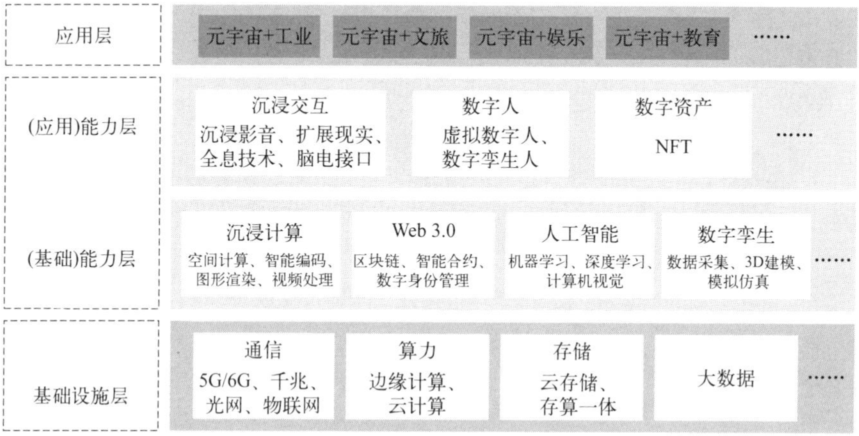

图 1-5 元宇宙技术组成架构

元宇宙作为综合性技术体系，包括了基础设施层、能力层（平台层）和应用层多个领域的技术。基础设施层为元宇宙的交互和连接提供基础，包含通信网络基础设施、算力基础设施、存储基础设施和新技术基础设施（如大数据分析等），主要负责数据的实时传输与分发、存储计算与处理、挖掘与分析决策。基础设施层涉及如虚拟现实头盔、手套、智能设备以及网络基础设施等硬件设备。能力层是构建元宇宙的关键，包括元宇宙基础能力和应用能力。基础能力层为元宇宙提供计算、智能、协同、联结等基础性服务，应用能力层为元宇宙的应用开发提供专门化服务。依靠能力层，元宇宙为用户提供虚拟空间和社交互动等元宇宙要素的开发工具，简化元宇宙应用的开发和部署。应用层是体现元宇宙价值的核心，为元宇宙经济提供交易和价值转移的路径，赋能工业生产、文化旅游、娱乐、教育培训等行业。完整的元宇宙形成后，会创造出新产品、新业态、新模式，为人类的生产生活方式带来颠覆式变革。

1.1.3 元宇宙：数字技术发展的未来

1）数字技术的融合推动了元宇宙的出现

数字技术是伴随着计算机的诞生而出现的，当计算机能用“0”和“1”来表达物理世界中越来越多的对象和过程的时候，数字技术也在不断发展。广义的数字技术可以包括计算机、通信、自动化、人工智能、大数据、互联网等多个领域的技术。元宇宙的诞生依靠多种数字技术的有机结合，主要包括互联网、人工智能、大数据、云计算、物联网、5G、区块链、XR、数字孪生、高性能计算等技术。元宇宙是新一代数字技术的融合创新。

计算能力的提升，以及网络互联的发展，让泛在计算、泛在互联成为可能。人们可以利用便携终端随时随地接入互联网，各类传感器也能越来越方便和快速地采集物理世界的各种运行数据，物理世界和数字世界的链接变得越来越简单和实时。随着数字世界中存放反映物理世界运行的数据越来越多，大数据、人工智能等技术不断发展进步，让数据的处理越来越快速和智能。在数字世界中，系统优化运行的配置参数可以被快速得到，通过数字世界和物理世界的融合，这些优化配置参数可以让物理世界的系统运行效率得到提升，实现生产力的进步。一开始，计算、互联和智能化能力的发展只是推动了单一场景下的系统优化，而当这些场景不断扩大，所覆盖的系统越来越多，从点到线再到面，逐步形成了自己的宇宙——元宇宙。

不同数字化应用场景的实现，以及不同应用场景的融合，也对数字技术提出了更高的要求。人工智能技术的发展需要不断增强的计算能力，移动互联网接入、XR 设备的小型化又需要更快的终端（算力）和更好的移动接入能力，这些需求也推动了相关技术在各自领域不断发展。作为一个多场景融合的综合应用，元宇宙能够顺利运行并支持各类角色的接入，需要各类数字技术突破原来的技术边界，实现更高层次的融合。随着元宇宙概念的推广和应用，其所覆盖的领域和范围越来越广，其对数字技术的要求会越来越高。元宇宙引领了数字技术的不断发展。

2）元宇宙促进数字经济和实体经济的发展

元宇宙突破了物理世界的时间和空间限制，在元宇宙的作用下，资源配置的时空阻隔效应被打破，供需实现精准预测和匹配，要素组合效率和生产效率实现飞跃，数字经济效益得到显著提升。在元宇宙中，数据传输、转换、改造和运用的成本低于物理世界，数字技术与实体经济深度融合形成新生态，进而能拓展市场空间。元宇宙有望成为数字经济发展的新契机，带来超预期的增量市场。在元宇宙中，大数据、人工智能、区块链、云计算、虚拟现实 / 增强现实等新一代信息技术将加速驱动数字产业化、数据价值化，促使知识和信息转化为“新生产要素”，拓展数字“新场景”，为数字技术与实体经济深度融合提供“新动能”[10]。

元宇宙也将彻底改变实体经济的运行方式。元宇宙虚实相融、场景交互、万物互联的特点不仅给商业流通和金融应用带来了极大的便利，而且可以成就制造业的智能革新，建成产品设计、生产制造、制造管理和销售及服务一体化的工业元宇宙。工业元宇宙可以引导制造模式向“共享经济”“范围经济”和“长尾经济”转变，助力制造要素精准匹配，加速产业数字化规模发展；通过区块链、智能合约等技术重构生产关系，为解决社会信用成本高、交易风险大、不合理竞争等问题提供新方案。

数字技术的推动，让元宇宙的概念得以产生并在娱乐、消费等领域得到应用。与此同时，数字技术的深入应用也推动了传统制造业的变革。制造这一古老的行业，越来越向数字化、网络化、智能化方向迈进，这一“由实向虚”的变革，可以看作是制造的“元宇宙化”。

1.2

制造的“元宇宙化”

1.2.1 数字化、网络化和智能化

1）制造的含义

“制造”是一项古老的活动，伴随着人类的诞生而进行。恩格斯在《劳动在从猿到人转变过程中的作用》中指出：“劳动是整个人类生活的第一个基本条件，而且达到这样的程度，以至于我们在某种意义上不得不说：劳动创造了人本身。……劳动是从制造工具开始的。”

虽然某些灵长类动物，如黑猩猩，也会选择和加工工具，如去掉枝梢和树叶，以树枝为工具，伸进白蚁穴中捕捉白蚁，但人类和动物在制作和使用工具上最根本的区别在于：动物没有对“超自然存在”“超世界存在”工具的欲求，而人对其的欲求和创造力则是无止境的。正是对“超自然”工具和物品的追求，推动了制造技术和制造对象的不断发展，也推动了人类文明的进步。

对于制造，一般解释为“把原材料加工成适用的产品或器物的方法与过程”，这是制造的“狭义”定义，只包含了一个制造对象的加工或装配过程。“广义”制造的定义是：按照（市场）需求，运用主观掌握的知识和技能，借助手工或可以利用的客观物质工具，采用有效的方法，将原材料转化为最终物质产品，并进行销售、运输、维护和回收的全过程。这个定义包含了产品设计、工艺设计、产品制造、销售运维、企业管理等一系列内在联系的运作和活动，涉及了把原材料变成对客户有用产品的全过程，如图 1-6 所示。

产品设计是指从客户或市场需求出发，制定设计任务书，进行方案设计和技

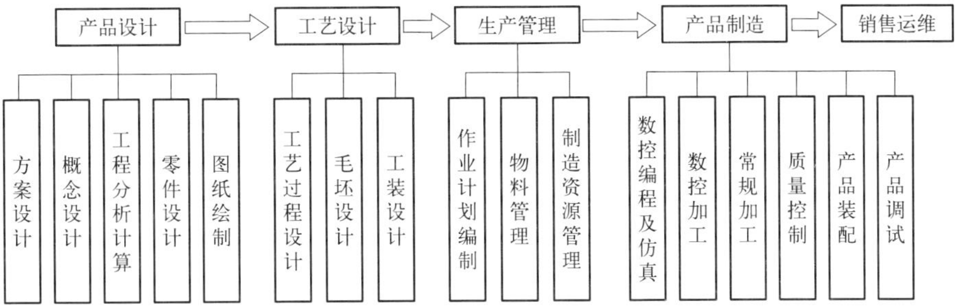

图 1-6　产品制造的一般过程

术设计等一系列工作；工艺设计指根据产品设计功能、性能以及加工工艺和经济等要求选择合适加工方法；生产管理包括在产品生命周期中各过程、各个层级的管理活动；产品制造是指完成产品零件加工和部件装配过程，完成整个产品的调试和装配；销售运维包括针对消费者的需求和期望的营销活动，以及针对产品运行维护活动。这个过程体现了产品的全生命周期，涉及产品从需求分析、设计、制造、销售、使用、维修、报废到回收再生产的整个过程。产品全生命周期如图 1-7 所示。

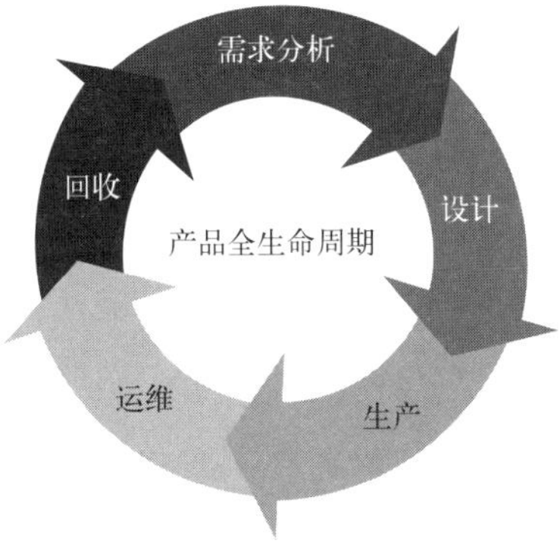

图 1-7　产品全生命周期

2）制造的意义

各个国家根据社会再生产所处的阶段和社会生产活动历史发展的顺序对产业结构进行划分，根据我们国家 2018 年发布的“国家统计局关于修订《三次产业划分规定（2012）》的通知”[11]，对行业类别划分为第一产业、第二产业、第三产业。第一产业是指农、林、牧、渔业（不含农、林、牧、渔服务业）等，是直接和自然资源打交道的行业。第二产业主要指工业和建筑业，具体有采矿业（不含开采专业及辅助性活动），制造业（不含金属制品、机械和设备修理业），电力、热力、燃气及水生产和供应业，建筑业等。第二产业是对自然资源获取和利用的相关行业。第三产业即服务业，包括除第一、第二产业以外的其他行业，如金融业，住宿和餐饮业，租赁和商务服务业，交通运输、仓储和邮政业，科学研究和技术服务业等。第三产业是为前面两个产业以及居民生活服务的各类行业。

制造业属于第二产业，是工业的主体，是国民经济持续发展的基础。18 世纪 60 年代，以蒸汽机为代表的机器被广泛应用，产生了第一次工业革命，人类进入工业化时代。第一次工业革命推动了制造业的快速发展，使其在国家经济结构中的比重快速提高，同时也实现了人类经济的第一次飞跃。全面建设社会主义现代化国家必须有坚实的物质基础。制造业作为最重要的产业，是国家富强的基石，是制造强国、现代化强国的必要支撑。制造业是生产资料和生活资料形成、国防装备生产、科学实验装置构建等的依托，是现代化的动力源之一。制造业既占有基础地位，又处于前沿和关键位置，很多最新的科技成果都在制造业首先得到应用和发展。所以，制造业既古老又年轻。

工业一般指提取自然资源或加工原材料以形成产品的过程。从这个角度来说，第二产业中的采矿业、能源行业（电力、热力、燃气等），其产品特殊，可以看作是广义的"制造业"。建筑业虽然不属于传统的工业范畴，但是随着装配式建筑等新概念建筑方式的应用，建筑行业也越来越多地采用了制造业所使用的工业化技术。同时，第三产业本身就包含制造相关服务行业。因此，本书以制造业为主进行讨论，但是所谈论的内容在整个第二、第三产业都有所涉及和应用。

以制造业为代表的工业是实体经济的重要组成部分。实体经济是一国经济的立身之本、财富之源，是现代化产业体系的支柱，是以中国式现代化实现中华民族伟大复兴最坚实的物质基础。党的十八大以来，党和国家领导人多次强调发展实体经济的重大意义。党的十九大报告、二十大报告均提出要把发展经济的着力点放在实体经济上，同时指出要推进新型工业化，加快建设制造强国、质量强国、航天强国、交通强国、网络强国、数字中国。因此，立足实体经济、壮大实体经济是构筑未来发展战略优势的重要支撑，也是夯实中国式现代化物质基础的根基。与此同时，随着新一轮数字信息革命的到来，传统制造业与数字信息革命来到了历史交汇处，如何把握数字信息革命机遇，把我国建设成世界一流的制造业强国，是当下一个重要的现实问题。

3）制造面临的挑战

制造的核心是满足客户对各类产品的需要，随着社会和技术的进步，制造所面临的市场以及客户需求都在不断发生着变化。这里以汽车为例，来看制造发生的变革。图 1-8 展示了汽车从单件定制化产品，发展成为大批量生产的工业产品，又演变成支持大批量定制工业消费品的发展过程。

本茨发明三轮机动车（汽车）并获取德国专利的时候，汽车是一个机械结构

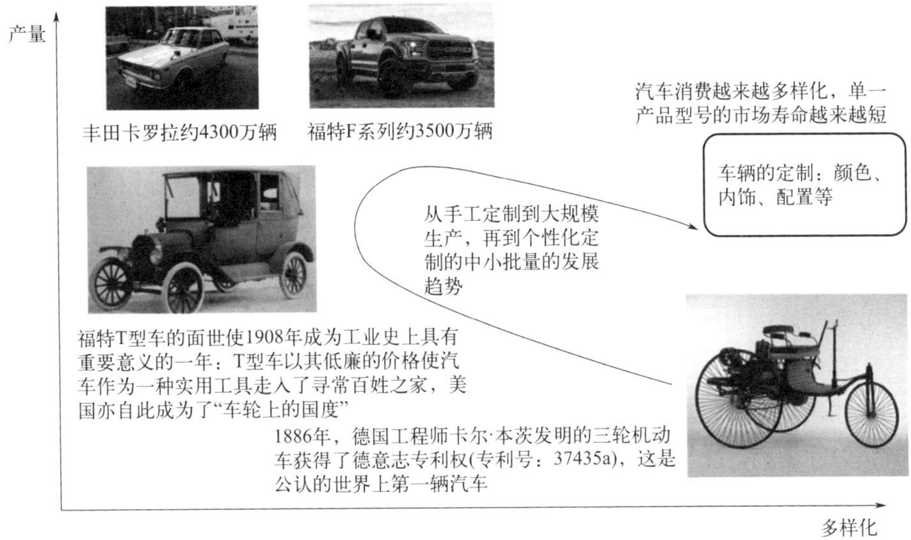

图 1-8 汽车产量和品种的变化

体，它是“单件定制”生产的，即根据用户的需要而制造，每辆车可能在组成、外观、配饰上都不一样，由于其采用手工制造方式，产量是非常低的。随着福特流水线生产模式的发展和成熟，汽车进入“量化生产”阶段。福特 T 型车基于自动化流水线大量生产，成本大大降低，汽车成为普通人能消费的商品。量化生产能大大降低生产成本，但是其缺点就是产品型号的单一。历史上销售最多的单一汽车型号是丰田的卡罗拉。在当今汽车市场，单一产品不能满足用户的需求，单个型号的汽车在市场上的生命周期大大缩短，用户开始追求定制化汽车产品，在颜色、内饰、配置等方面都有其个性化需求。整个汽车制造从单一定制到少品种大量生产，再到多品种的个性化定制生产，成了一个历史的轮回，体现了一种螺旋发展规律。

在这个发展过程中，汽车也从单一的“机械结构体”变成了“机械 - 液压气动 - 电气”的综合体，后面又加上汽车电子和软件，成为“机械 - 液压气动 - 电气 - 电子 - 软件”的综合体，汽车越来越复杂，汽车产品中的知识含量越来越多，当今汽车 70% 的创新来自汽车电子，60% 的汽车电子创新又属于软件创新。

总体而言，当前制造所面临的市场以及客户需求有以下变化趋势。

① 产品知识含量越来越多，专业化分工明显。产品知识含量增加带来的产品复杂性，导致没有一个企业能完成产品所有零部件的生产制造，每个企业都在某个领域有独特的知识优势，只有综合各个领域领先企业的零部件，才能实现领先的最终产品，占领市场高端。这就导致当今的制造，更加注重企业之间的分工合作，产业链、供应链、创新链协同成为当今企业发展的主体。

② 个性化产品需求越来越多。当物质满足基本要求后，用户就开始追求个性化的定制需求，以满足自己独特的消费需要。

③ 统一的大市场已经多元化，以前的生产方式不能保持原有的利润，需要细分市场。越来越多的产品面向“长尾市场”。传统的制造是关注市场的“大多数”，这些大多数对产品的需求比较容易统一，这样就能用少量的产品种类满足大量用户的需求。随着市场竞争的加剧，以及用户生活水平的提高，越来越多的“长尾”需求被挖掘并满足。“长尾”的概念如图 1-9 所示，指需求量少但是产品种类多的那部分市场需求，也就是传统意义上的“定制市场”。在第三产业市场，定制化服务已经越来越多地被开发并被用户所接受，如个性化租赁服务、装潢服务、个性化物流服务等。对于第二产业来说，往往这类市场属于“高端市场”，其产品附加值高，单件产品价格也高。如果在新技术支持下，定制产品的制造成本能被有效控制，企业将获取更多的利润。因此，细分市场也越来越多地得到企业的重视。

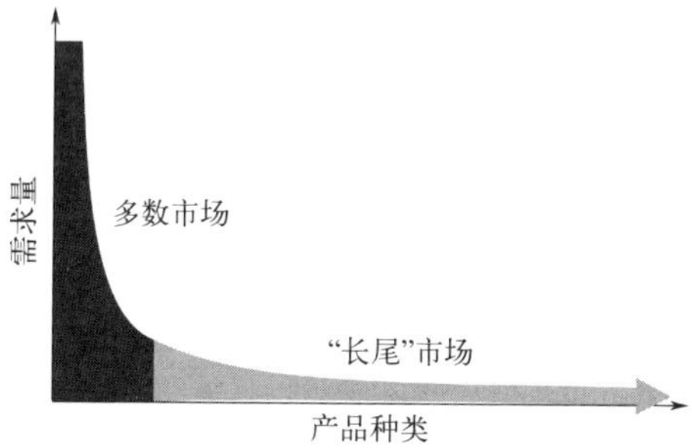

图 1-9 “长尾”市场

上述变化给制造带来了更大的不确定性、多样性和复杂性。个性化的需求是不稳定的，不同的客户其需求不一，而且会受到经济、社会各类因素的影响；个性化程度越来越高，使得每个细分市场的规模越来越小且不断变化，产品开发速度日益加快，产品生命周期缩短，这些因素都给制造过程带来了更大的不确定性。

产品的不确定性、多样性和复杂性增大，就需要提高制造过程的灵活性和适应性，要求制造系统能适应市场的变化。而传统的工业化是一个大规模、标准化、稳定的过程，这些不确定性会大大影响制造企业的运营过程，导致企业成本的上升以及交付期的延迟。为了应对这一变化，各国都开始利用信息技术、人工智能技术等带来的技术变革，通过实施智能制造战略来改造传统制造业，使制造企业通过数字化转型升级，建立智能制造系统（Intelligent Manufacturing System，IMS），形成智能化制造模式。

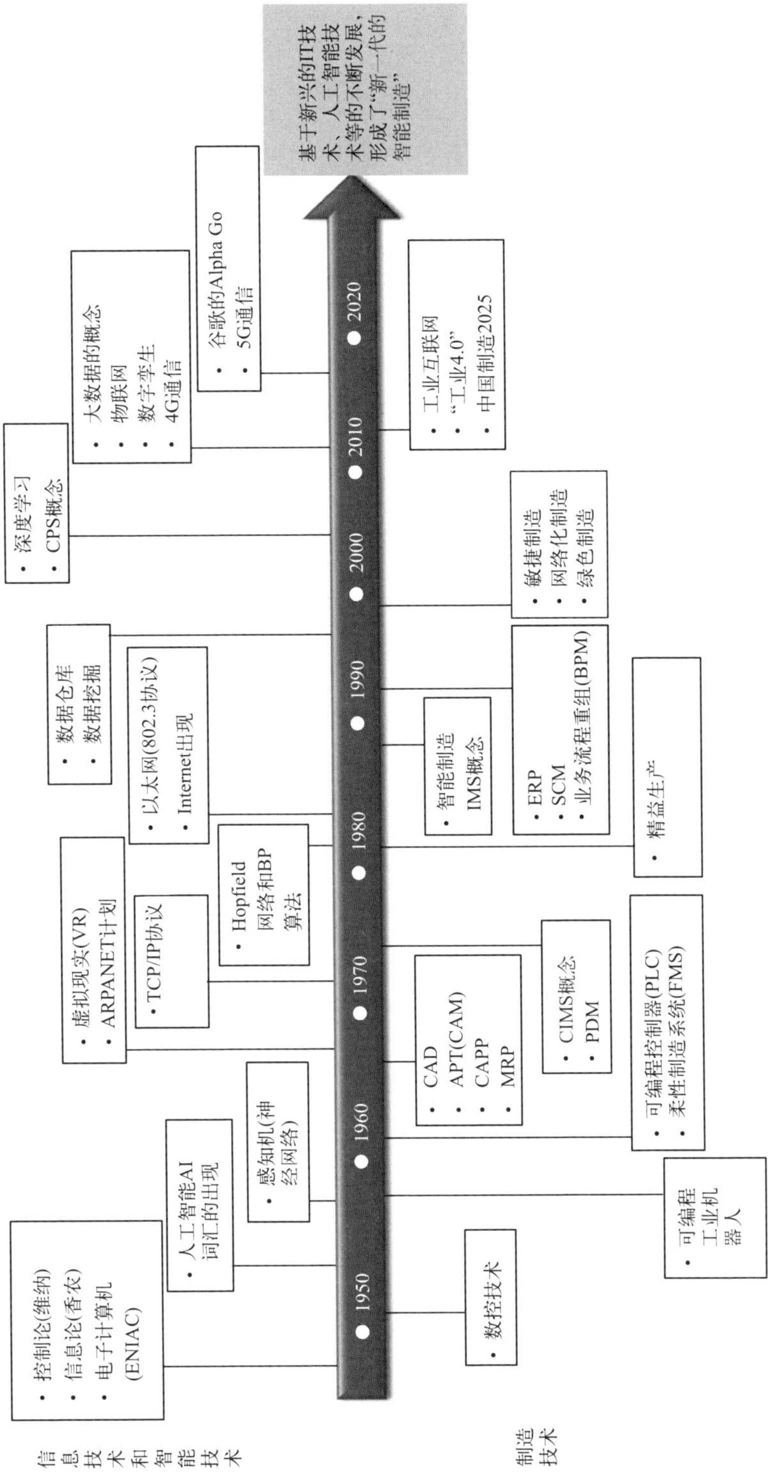

图 1-10　相关技术的发展推动了智能制造的出现

4）智能制造

智能制造概念是伴随着信息技术、人工智能技术和制造技术的发展而产生的，智能制造技术的内涵也在不断发展。图 1-10 表述了信息技术、智能技术和制造技术的发展共同推动智能制造技术出现和发展的一个过程。需要注意的是，这里“新一代的智能制造”是相对 20 世纪 80 年代提出的“智能制造”概念而言的，随着以大数据、云计算、工业互联网等为代表的新兴 IT 技术和以深度学习为代表的新一代人工智能技术的不断发展，新一代智能制造在其内涵、实现方式、应用模式等各个方面都和原来的“智能制造”不同。

1988 年，美国学者赖特（Paul Kenneth Wright）、伯恩（David Alan Bourne）正式出版了智能制造研究领域的首本专著 *Manufacturing Intelligence*（《制造智能》），就智能制造的内涵与前景进行了系统描述。其将智能制造定义为“通过集成知识工程、制造软件系统、机器人视觉和机器人控制来对制造技工们的技能与专家知识进行建模，以使智能机器能够在没有人工干预的情况下进行小批量生产”。

1991 年，日、美、欧共同发起实施的“智能制造国际合作研究计划”定义智能制造系统是一种在整个制造过程中贯穿智能活动，并将这种智能活动与智能机器有机融合，将整个制造过程从订货、产品设计、生产到市场销售等各个环节以柔性方式集成起来的能发挥最大生产力的先进生产系统。

2011 年，美国智能制造领导联盟（Smart Manufacturing Leadership Consortium，SMLC）发表了《实施 21 世纪智能制造》报告，定义智能制造是先进智能系统强化应用、新产品快速制造、产品需求动态响应，以及工业生产和供应链网络实时优化的制造。其核心技术是网络化传感器、数据互操作性、多尺度动态建模与仿真、智能自动化，以及可扩展的多层次的网络安全。

2018 年，中国工程院周济、李培根等院士联合发表的《走向新一代智能制造》一文中指出，广义而论，智能制造是一个大概念，是先进信息技术与先进制造技术的深度融合，贯穿于产品设计、制造、服务等全生命周期的各个环节及相应系统的优化集成，旨在不断提升企业的产品质量、效益、服务水平，减少资源消耗，推动制造业创新、协调、绿色、开放、共享发展 [12]。

李培根院士在《智能制造概论》中定义智能制造为：把机器智能（智能技术）融合于制造的各种活动中，以满足企业相应的目标 [13]。这个定义简单而明确，其中，制造活动是包括广义制造定义中的设计、工艺、加工、设备运维和购销等各个环节的活动；机器智能是指物联网、工业互联网、智能传感、大数据、人工智能等相关技术；企业相应的目标，就是 T、Q、C、S、E。T（时间，Time）指缩短产品生产加工时间，从而能缩短产品的上市时间；Q（质量，Quality）指不断改进产品的质量，追求高品质产品；C（成本，Cost），指企业不断降低产品制造成本，以提升产品的竞争能力并增加利润；S（服务，Service），指企业提供高质量的服务，一个好产品应该是能更好地支持产品服务的，是“易被服务”的；E（环境，Environment）指产品的环境友好性，包括产品的低碳、易被回收等，有利于企业实现绿色制造及可持续发展制造战略。这些目标，有些是相互冲突的，企业在运营过程中需要平衡这些目标的相互关系，实现自身经济和社会效益的最大化。

智能制造的特征包括：①优化。利用数字化、智能化手段，对企业运营目标“TQCSE”不断优化，表现为面向企业核心竞争力的多目标综合优化。②动态适应。客户化定制、“长尾制造”、全球化市场带来了更多的不确定性，产品的个性化、小批量成为越来越明显的特点，需要制造系统能动态适应、快速响应各类变化和需求。③环境友好。制造不是单方向地从大自然掠取资源，而是应该同时考虑保护自然环境，保护地球这一大家庭。④融合。智能制造是制造活动、机器智能、人、社会等各要素的相互关联和融合，智能制造系统的实现是制造技术、信息技术、控制技术和人工智能技术等多学科技术的融合应用。

5）制造的数字化、网络化和智能化

信息化和数字化，是当今发展的两个高频词。一般认为，信息化是利用各类信息技术将物理世界对象的相关数据采集、存储、传输、处理的过程，也包括将传统的业务流程转化为计算机和网络等技术所支持的流程。和“信息化”一词类似的是“工业化”，信息化最初是由西方工业发达国家提出并完善起来的，其出发点是探讨工业化和工业社会之后人类社会发展的社会形态演进规律。

数字化是将物理世界的对象精准映射到数字世界中，通过数字世界的相关操作和处理来实现优化的一个过程。这里的数字世界，更多的是指基于数字计算机技术构成的数字空间。从这个意义上说，数字化不只是对物理世界对象和流程的数据采集、传输和处理，还包括建模、仿真和优化，其需要更加精确地实现对物理对象的刻画。以管理流程为例，信息化只是利用计算机来辅助实施传统流程，提升效率，而数字化是利用计算机和网络技术来改变企业或组织的运营模式和业务流程，实现业务模式的数字化转型，并能通过仿真模拟实现全局优化、业务服务创新、生态系统重构及组织运营模式变革。

《走向新一代智能制造》一文，综合智能制造相关范式，结合信息化与制造业在不同阶段的融合特征，总结、归纳提出三个智能制造的基本范式[12]（图 1-11），也就是：数字化制造、数字化网络化制造、数字化网络化智能化制造——新一代智能制造。

数字化制造的主要特征表现为：第一，数字技术在产品中得到普遍应用，形成“数字一代”创新产品；第二，广泛应用数字化设计、建模仿真、数字化装备、

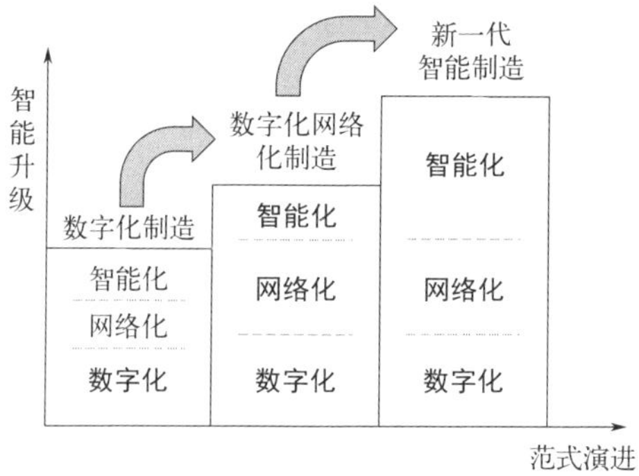

图 1-11　智能制造的三个基本范式演进[12]

信息化管理；第三，实现生产过程的集成优化。需要说明的是，数字化制造是智能制造的基础，随着技术发展，其内涵也不断发展，贯穿于智能制造的三个基本范式和全部发展历程。

数字化网络化制造是智能制造的第二种基本范式，也可称为“互联网＋制造”，或第二代智能制造。德国的“工业 4.0 战略计划”报告和美国的“工业互联网”报告所阐述的，就属于这个范式。

新一代人工智能技术与先进制造技术深度融合，形成新一代智能制造——数字化网络化智能化制造。新一代智能制造将重塑设计、制造、服务等产品全生命周期的各环节及其集成，催生新技术、新产品、新业态、新模式，深刻影响和改变人类的生产结构、生产方式乃至生活方式和思维模式，实现社会生产力的整体跃升。新一代智能制造将给制造业带来革命性的变化，将成为制造业未来发展的核心驱动力。

中国推进智能制造应采取“并联式”的发展方式，采用“并行推进、融合发展”的技术路线：并行推进数字化制造、数字化网络化制造、新一代智能制造，以及充分应用高速发展的先进信息技术和先进制造技术的融合式技术创新，引领和推进中国制造业的智能转型。

在大力普及“互联网＋制造”的过程中，首先要实现数字化制造，要特别重视各种先进技术的融合应用，“以高打低、融合发展”。一方面，使得广大企业都能高质量完成“数字化补课”；另一方面，尽快尽好应用新一代智能制造技术，大大加快制造业转型升级的速度。

1.2.2　制造服务化：从提供“有形”的产品到提供“无形”的服务

1）制造服务化的提出及其意义

随着智能制造技术的不断深入和应用，制造企业的价值创造逻辑也发生了变化。传统制造企业的业务核心是产品的生产和销售，借助大规模生产实现规模经济效益。在智能制造环境下，企业的价值体现在满足客户需求以及为客户创造价值，除了提供产品外，向客户提供解决方案和服务成为新的价值创造手段。典型的例子有：IBM 公司（国际商业机器公司）由传统的电脑制造商向服务咨询提供商转变；航空界的巨头罗尔斯·罗伊斯公司首创发动机租赁服务模式，成为服务型制造的典范。

制造的服务化（Servitization）最早由范德默韦（Vandermerwe）和拉达（Rada）等学者于 1988 年提出[14]，指制造企业由仅仅提供物品（或包括附加服务）向提供物品加服务构成的“产品 - 服务包”转变。完整的“包”（bundles）包括物品、服务、支持、自我服务和知识，并且服务在整个“包”中居于主导地位，是增加值的主要来源。2016 年 7 月，工信部等三部门联合发布了《发展服务型制造专项行动指南》，强调了服务型制造的重要性。指南中指出，在服务型制造形势下，制造业企业通过创新优化生产组织形式、运营管理方式和商业发展模式，不断增加服务要素在投入和产出中的比重，从而实现以加工组装为主向“制造 + 服务”转型，从单纯出售产品向出售“产品 + 服务”转变。

服务型制造是顺应时代潮流的重要发展模式，20 世纪 70 年代以来，发达国家相继完成工业化建设，进入“服务经济”时代。德国“工业 4.0”战略、美国“制造业回归”政策等，均表明世界经济呈现出从“生产型制造”向“服务型制造”转变的发展趋势，服务已经成为全球制造业企业获得新竞争优势的重要手段。“十四五”规划中提出，推动现代服务业同制造业融合，巩固壮大实体经济根基，由此，以制造和服务系统发展为导向的服务化战略，通过围绕产品全生命周期，在产前、产中、产后提供异质性和针对性服务，成为支撑中国制造业高质量发展的重要途径。同时，数字、技术、信息等高端服务要素逐渐渗透制造业转型升级过程。制造服务化的提出也加速了第三产业的发展，并且能反向推动第二产业更好地发展。

2）制造服务化的内涵

服务是用户与提供者之间共同实现价值增值的过程，是以满足用户需求为目标，以无形方式结合有形资源，在用户与服务提供商之间发生的一系列活动。制造企业的服务包括：

① 提供产品。产品是为了满足客户需要而进行设计、制造、安装的传统意义上的制造目标产物。一般产品是有形的、物质的。严格意义上说，提供产品并不是制造企业的服务，但是从能满足用户需求来说，产品是服务的基础，属于服务有形资源。

② 产品支持与产品状态维护。这是制造企业最早为客户提供的服务，是伴

随着有形产品而提供的、为了产品有效使用而进行的服务，如产品安装、产品维护保养、产品维修等服务。

③ 与产品制造相关的生产性活动支持。这是制造企业为其他企业提供的制造服务，如设计服务、加工服务、装配服务等。这些服务是为帮助其他企业完成制造加工某个环节而进行的。

④ 新兴服务。这些服务是随着技术和市场的发展而出现的，如生产资料或产品的租赁服务。企业从提供产品变成了提供服务。例如，每年大学新生报到，想要自己的宿舍里能有一台空调，传统的模式是购买空调，但是空调一般使用寿命较长，等大学毕业后，空调的处置又成问题。这个时候，空调制造商如果能提供租赁服务，那么学生宿舍可以租赁空调，按年收费。通过空调租赁，空调制造商在一个空调上得到的租赁总收益要比卖出一个空调多，而学生四年拥有空调的总体成本比买一个空调要节约很多，这是一个双赢的局面。目前，空调租赁业务在校园得到了普及。同样的，为了加工某个特殊产品的某个工序，企业可以从买机床变成租机床，这样也能大大降低固定资产的投入。

制造服务化是指传统制造企业通过运营模式调整和业务重组，由出售单一的“物品”，转变为出售“物品 + 服务包”，由此升级为综合问题解决方案提供商。制造的服务化体现在以下几个方面。

① 面向产品制造的服务。企业将整个制造环节中低能力、低附加值的任务外包，维持重要工序和核心零部件生产环节的自主生产。这样加工企业和任务发包企业之间就建立了服务供需关系。

② 面向产品服务的制造。将服务模式融入制造的各个环节，为用户提供个性化、系统化、服务化的服务需求解决方案。用户将参与到产品的制造过程中，最大程度地满足用户个性化需求。

③ 面向服务的制造。在计算机技术领域，常把硬件或软件提供某种功能称为“提供某种服务”。例如，CPU 进程管理服务、存储服务、网络服务等。20 世纪 90 年代，为了解决异构计算机系统的计算资源相互利用问题，出现了面向服务的架构（Service Orient Architecture，SOA）。类似该定义，在制造领域也出现了面向服务的制造（Service Orient Manufacturing，SOM）一词，SOM 指采用制造服务来实现不同制造单元之间的交互，以解决不同企业、不同架构下制造系统之间的资源、功能的互相访问、互联互通问题。云计算是利用不同的服务实现资源的按需获取、按用收费，如基础设施即服务（Infrastructure as a Service，IaaS）、平台即服务（Platform as a Service，PaaS）、软件即服务（Software as a Service，SaaS），而云制造是参考云计算的“服务”模式，实现异构制造资源、制造能力的相互访问和共享的一种 SOM 方式。关于云制造的具体概念将在本书

第 2 章详细介绍。

1.2.3 制造活动从实体世界转向数字世界

前面在介绍智能制造的部分，给出了信息技术、智能技术和制造技术发展的一个简图（图 1-10），随着信息技术的不断发展，结合各类制造活动的需求，出现了计算机辅助设计（Computer Aided Design，CAD）、计算机辅助制造（Computer Aided Manufacturing，CAM）、数字控制（Numerical Control，NC）、物料需求计划（Material Requirement Planning，MRP）和企业资源计划（Enterprise Resource Planning，ERP）等各类技术。这些技术的出现和发展，推动了整个制造全过程的数字化转变。具体体现在：

① 制造对象的数字化。利用 CAD、计算机建模和 DMU（Digital Mock-Up，数字样机）等技术实现产品设计方案的数字化定义，改变了传统的基于纸质图纸（物理对象）对产品设计方案的定义方式，在数字空间实现了产品的数字定义。

② 制造过程的数字化。利用 CAPP（Computer Aided Process Planning，计算机辅助工艺规划）、CAM、NC 等技术，实现对产品制造加工过程的数字化定义。传统存在于纸质工艺卡片上，或者体现为操作工人技能的产品加工过程信息与知识被数字化了，可以实现在不同加工设备间、不同制造工厂间的传递。

③ 制造管理的数字化。通过 ERP、MES（Manufacturing Execution System，制造执行系统）、PLM（Product Lifecycle Management，产品全生命周期管理）等理念和相关软件的推广实施，实现了制造管理的数字化，管理数据、管理对象、管理流程都能用数字化的方式进行表达，能被实时展示和查询。

④ 制造系统的数字化。利用 DF（Digital Factory，数字化工厂）、生产系统的建模仿真等概念和技术，实现对制造系统的数字化表示，能实现数字空间的工厂运行仿真、监控，体现了物理制造系统在数字化空间的“孪生”。

通过这些数字化转变，制造从一个纯粹的现实世界“物理化”过程，转变成了一个信息处理的过程。1973 年提出的 CIM（Computer Integrated Manufacturing，计算机集成制造）概念，就包含了“信息制造观”内容：制造是一个信息的处理过程，是信息推动的一个增值的过程。制造从实体过程变成了一个数字空间的“虚拟化”的过程。

制造的数字化或者说“虚拟化”，可以大大降低制造过程对实体资源的依赖。传统制造的设计、工艺、生产、管理、安装运维服务、回收等各类制造活动，可以在数字世界中进行，并且能更好地完成。这个转变可以降低制造过程的成本，同时也能提升效率。制造过程不同环节的数字化也让制造活动在现有宇宙之外的虚拟世界中运行成为可能，推动了“工业元宇宙”概念的出现和实现。

1.3

工业元宇宙

1.3.1 工业元宇宙：数字技术和制造技术发展的交汇点

1）工业元宇宙的定义

目前，元宇宙的大量应用还是在第三产业，马鑫等[15]对2023年2月前的262篇元宇宙文献进行了分析，发现第三产业（146篇）是元宇宙的主要应用产业，其中在公共管理、交通运输和卫生工作等行业，元宇宙的应用前景广阔，而在第二产业（12篇）和第一产业（0篇），元宇宙的应用仍较为有限。从应用范围上看，45个行业中已有22个开始探索元宇宙应用，教育（47篇）、文化（31篇）和信息技术服务（19篇）行业的探索最多且远超其他行业。《元宇宙产业创新发展三年行动计划（2023—2025年）》指出，元宇宙有望通过虚实互促引领下一代互联网发展，加速制造业高端化、智能化、绿色化升级，支撑建设现代化产业体系。元宇宙在第二产业的应用与发展，即工业元宇宙（Industrial Metaverse），具有广阔的发展空间和应用需求。工业发展新阶段即发展万物智联的智慧工业互联网系统的新需求，正是工业元宇宙发展的重要背景及推动力，它将催生工业元宇宙在技术、模式、业态等方面得到进一步的发展。

对于工业元宇宙，比较普遍的一种定义是：工业元宇宙是以XR技术、数字孪生为代表的新型信息通信技术与实体工业经济深度融合的工业生态，它通过XR、AI（Artificial Intelligence，人工智能）、IoT（Internet of Things，物联网）、云计算、区块链和数字孪生等技术，实现人、机、物和系统等的无缝连接，将数字技术与现实工业结合，促进实体工业高效发展，构建起覆盖全产业链、全价值链的全新制造和服务体系，是工业乃至产业数字化、智能化发展的全新阶段[7]。

工业元宇宙是指在新发展理念指引下，在新一代人工智能技术引领下，借助新时代各类新技术群跨界融合，实现工业领域中“人、虚拟空间与现实空间”虚实映射/交互/融合、以虚促实、以虚强实的工业全要素链、全产业链和全价值链（三链）智慧、协同、开放、服务、互联的复杂数字工业经济系统[16]。

工业元宇宙可以看作是元宇宙相关技术在工业领域的应用，将现实工业环境中的研发设计、生产制造、营销销售、售后服务等环节和场景在虚拟空间实现全面部署，通过打通虚拟空间和现实空间，实现工业的改进和优化，形成全新的制造和服务体系，达到降低成本、提高生产效率、高效协同的效果，促进工业高质量发展。工业元宇宙的概念成为继工业互联网之后，影响企业数字化转型的新动能。有专家认为，企业数字化转型的终局就是工业元宇宙[17]。工业元宇宙覆盖工业产品的设计、生产、应用、服务全过程，将促进工业经济发展，虚实协同，展现智能制造的未来形态[7]。

2）工业元宇宙是制造数字化转型的未来

智能制造让产品数字化、制造过程数字化、管理数字化、工厂数字化等相关技术和应用得到融合，推动了制造企业数字化转型。企业数字化让一个企业的各类资源在数字空间得以有效管理，各项活动在数字空间高效运行。依托工业互联网平台，不同的企业可以开展协同制造，实现更大范围的数字化集成。而当围绕企业运行的各项资源、各个组织都能在数字空间得以运行，则制造企业的各项活动都能在一个闭合的数字空间中开展，这个过程，是“数字企业→数字供应链→数字社会”的转变。企业数字化转型形成了一个个数字系统，这些系统通过企业间的合作和供应链协同，形成一个个“元域”（数字体系），而不同的产业链 / 供应链通过产品集成、应用集成，形成一个个“超元域”，最后，这些不同的超元域进一步进行社会融合，形成“元宇宙”。因此，工业元宇宙体现了制造数字化发展的未来。

数字技术的发展，使人类生产力得到了巨大的发展，人类的劳动对象也在发生变化。传统的劳动对象，例如制造业的对象，是物理世界存在的各类“实体”资源，如金属材料、非金属材料、液体和气体材料等。而信息技术的出现，让在数字空间的数据、程序、算法、模型也成了一种“劳动对象”。制造也从以体力劳动为主转变为在数字化空间的脑力劳动为主。当今社会，越来越多的劳动者从事这些以数字对象为主体的脑力劳动，这个趋势让人们逐渐活动在现实宇宙之外的“元宇宙”，工业元宇宙最终形成并不断发展。

1.3.2 工业元宇宙的特征和系统架构

1）工业元宇宙的特征

由于工业元宇宙的相关技术在不断发展，“系统→元域→超元域→元宇宙”的过程在进行中，很难说某个系统或者某个虚拟空间就是工业元宇宙。参考《雪崩》里面对于 Metaverse 的一些描述，以及一些游戏元宇宙的设定，可以分析元宇宙中的某些特征，供工业元宇宙实现过程中进行参考。

① 底座。底座是元宇宙的一个基本设定，如《雪崩》里面的黑色球体和宽阔的大街，《我的世界》（*Minecraft*）游戏里面的沙盒等。底座是元宇宙的一个“宇宙空间”，是众多要素在里面活动、生存的环境。工业元宇宙也需要一个自己的“底座”。工业云平台可以是一个“底座”，众多要素在平台上进行交互。

② 数字化身（Avatar）。在《雪崩》或者一些游戏中，数字化身（数字分身）是真人在虚拟世界中的映像，由真人操作其行动。一个真人可以创作一个或多个数字化身。对于工业元宇宙，也需要有工业元素在虚拟世界中的数字化身。工业要素“人、机、料、法、环”在工业元宇宙中都要有其数字化身，这样才能在元宇宙中进行工业活动；而且，这个数字化身应该和实际要素是实时对应和关联的。

③ 与实际世界的交互方式。在《雪崩》中，真人通过 VR 设备进入元宇宙。目前，一些游戏或者娱乐元宇宙，也都是通过 VR 设备进入。VR 创造一个和现实“割裂”的虚拟环境，让人可以潜心于虚拟空间，这样真人可以通过其数字化身在元宇宙中进行活动。工业元宇宙中，“人、机、料、法、环”中的后 4 类要素，需要通过感知 / 执行接口来与虚拟世界中的数字化身交互，这样也能让现实中的生产要素进入元宇宙，并且能根据元宇宙中交互的结果反馈到现实世界。这个交互方式就是前面图 1-2 中元宇宙和现实世界的接口。

④ 去中心化设定。元宇宙是一个巨大的环境，《雪崩》中没有中心管控机制，只是设定一些基本规则，对个人（指元宇宙中的数字化身）没有干涉。工业元宇宙也是如此。参与到工业元宇宙的各类企业、用户、政府机构等都是自主决策主体，没有一个统一的决策机制来“命令”各个主体进行行动，只能通过某种规则、机制设计来约束各个主体的行为。工业元宇宙空间是一种去中心化的结构。

⑤ 虚拟资产。元宇宙中，人可以拥有自己的资产，如房子、土地等。在工业元宇宙中，也会有虚拟资产进行交易，这个“虚拟资产”可以是产品设计方案，也可以是某个系统的运行数据（数字资产），或者是知识。这涉及资产确权等相关技术。

⑥ 社交和交易。数字化身在元宇宙中活动，会发生社交和交易等行为，这也是元宇宙运作的一个目的。工业元宇宙的存在，也是为了提升企业和用户、企业之间、企业和政府机构等多主体之间的交互能力，降低交易成本。数字经济是元宇宙中的重要组成部分。

⑦ 文化和规则。《雪崩》描写的真实世界是大都市的场景，普通大众生活环境和生活质量普遍较低，两极分化严重，充斥着混乱和暴力等负面因素；作者幻想的元宇宙中几乎不存在所谓道德规范和行为准则，人们进入元宇宙可以超脱现实束缚，追求极致的自由。但是，过度的自由会带来无政府主义、极端的利己主义等思潮，这种文化和现实生活相互影响，会带来很多负面的因素。在 Roblox 对元宇宙描述的八大关键特性中，包括了文明（Civility）这一要素，元宇宙中的人、组织通过社交、交易会衍生出大家共同遵守的规则，慢慢会形成自己的文化体系。在工业元宇宙中，“人、机、料、法、环”对应的数字分身在运行过程中要遵循工业技术的基本原理，以及工业化社会的基本准则和现实世界的法律、法规、道

德规范，因此，在工业元宇宙运行过程中，必须有其自身的文化和规则的约定。

以上几点，只是类比元宇宙的一些基本特性而分析得到工业元宇宙所具有的一些特性要素，当然，这些要素并不是工业元宇宙的充要条件，一个虚拟空间是不是“工业元宇宙”，还需要具体分析。2024 年 1 月，元宇宙相关的标准工作刚刚起步[18]，随着相关标准体系的建立，对于工业元宇宙的建立和评估会越来越规范、明确。

2）工业元宇宙的系统架构

工业元宇宙体现了元宇宙和现实世界“虚实融合、以虚促实、共同发展”的特点，充分利用元宇宙相关技术来提升工业企业服务用户的能力，满足用户的个性化需求。工业元宇宙体系架构在元宇宙架构基础上加上工业化特征，形成自身独有的工业元宇宙系统架构，见图 1-12。

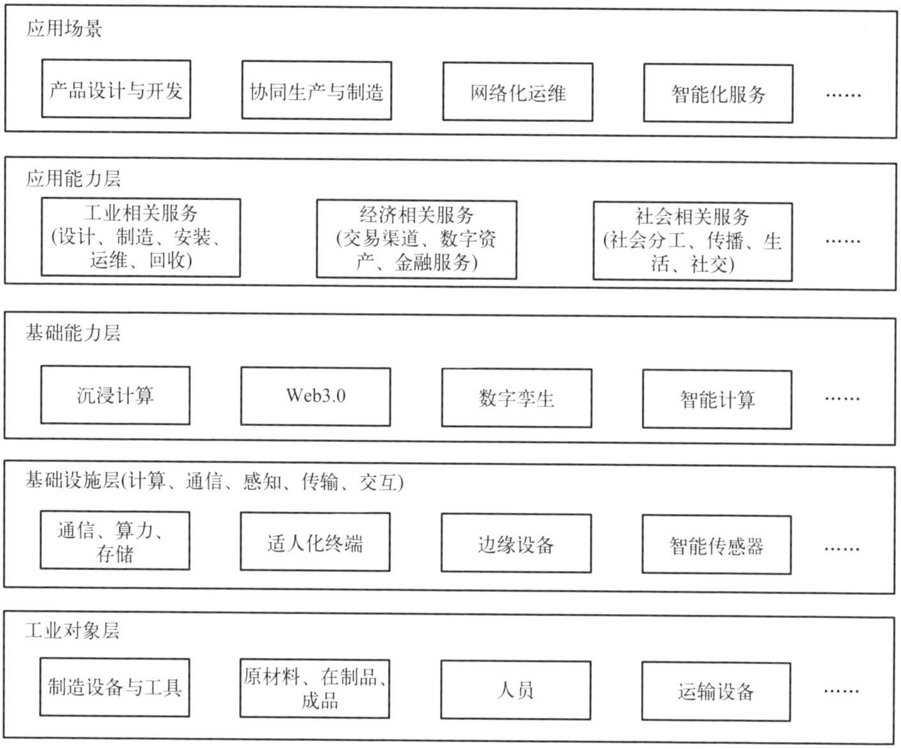

图 1-12　工业元宇宙系统架构

工业元宇宙运行的数据和模型来源是物理世界的工业活动参与者，即工业对象层所包括的内容。在元宇宙中，这些工业对象通过建模和数据互联，形成元宇宙的数字分身，并且能参与到工业元宇宙的各项活动中。

基础设施层实现了工业元宇宙和现实世界的接口，包括感知、传输、执行三大功能。感知和执行是元宇宙和现实宇宙的接口，不同的工业对象有不同的交互方式，类似消费或娱乐元宇宙，人员可以通过 XR 设备进行交互；而工业设备和加工对象，通过传感器、RFID 标签等方式进行感知，通过工业机器人、数控机床等执行操作指令，实现虚实世界的互通共融。基础设施层的传输基于工业物联网、工业互联网实现数据、信息、模型、知识的传递。

基础能力层是元宇宙通用技术，属于构建各类元宇宙都需要的支持技术。应用能力层根据元宇宙运行过程需求，以计算服务的形式提供各类支持，包括与工业过程相关的各类服务、与经济活动相关的各类服务，以及元宇宙社会的相关服务。这些服务为元宇宙的各项活动开展提供了基本的保证。

应用场景面向典型的制造环节，综合应用相关功能模块，实现工业元宇宙的价值。

工业元宇宙和其他领域元宇宙的不同之处，在于以下几点。

• 基础设施层。相比于娱乐元宇宙、消费元宇宙，工业元宇宙需要接入的物理对象众多、类型复杂，不同工业活动所涉及的对象都要有效接入到工业元宇宙中，这对基础设施层提出了更高的要求。需要根据不同的对象，选择不同的感知和执行方式，针对不同实时性要求的场景，选择不同的网络传输方式。这是工业元宇宙构建的复杂之处。

• 应用能力层。不同的工业运作有其自身的领域机理模型，又称“物理模型”，“物理”指代物理世界，包括物理、化学、生物等各类现实宇宙中各个单元运作的机理，所有现实世界的对象在运行过程中都会遵循这些模型。因此，在应用能力层，需要不同的服务来实现工业元宇宙中这些数字分身运行的工业机理。同样地，管理模型、经济模型、社会模型等人和组织的运作模型也需要通过不同的服务来实现。

• 应用场景。工业元宇宙的应用场景，是“虚实融合”的场景。传统工业企业运行的结果是各类工业品，是现实宇宙存在的对象。因此，工业元宇宙不能脱离现实宇宙独立存在，在虚拟空间运行后的最终结果，也要在现实宇宙中“落地”。

基于以上内容，本书主要讨论的是应用能力层所包含的工业云服务的实现原理、运作机制及典型应用场景，这些内容是工业元宇宙运作的核心部分。制造的数字化、网络化，为工业元宇宙的实现提供了基础。

1.3.3 工业元宇宙的主要组成和技术导入

工业元宇宙是制造过程数字化转型的未来，其实现依托于众多现有技术的进一步发展和深度融合。根据工业元宇宙的特征分析，工业元宇宙的主要组成包括元宇宙底座、数字分身之间的交互、元宇宙与现实宇宙的接口、元宇宙中的新运行规律，这些组成部分可以通过现有的工业互联网技术、数字孪生技术、云制造技术等逐步导入并最终形成。

1）工业元宇宙底座和交互：工业互联网和工业云平台技术

元宇宙中的底座是元宇宙空间中诸多要素交互的一个平台，或者说一个闭合的环境。在这个底座提供的环境中，现实世界各元素的数字化身各自运行并进行交互，实现元宇宙中的社会与经济活动。工业互联网技术为工业领域各要素的互联与交互提供了支持，而工业云平台为工业活动中产生的数据、模型、知识等的存储与应用提供了基础条件。因此，工业互联网和工业云平台技术能为元宇宙底座和交互提供技术导入。

2）工业元宇宙与现实宇宙的接口：数字孪生技术

工业元宇宙中的数字分身与现实宇宙中的工业要素需要双向互动，一方面反映现实宇宙中各要素的运行状态，另一方面，工业元宇宙中的运行结果要实时反馈到现实宇宙中执行。这个也是工业元宇宙和娱乐元宇宙、消费元宇宙不同的地方。

数字孪生体现为现实世界中的物理实体到虚拟世界中的镜像化数字模型的精准映射，并充分利用二者的双向交互反馈、迭代运行，以达到物理实体状态在数字空间的同步呈现，通过镜像化数字模型的诊断、分析和预测，进而优化实体对象在其全生命周期中的决策、控制行为。数字孪生“虚实同步”的特点，为工业元宇宙与现实宇宙的接口提供了技术导入。

但是和现有的数字孪生技术应用不同，工业元宇宙比数字孪生具有更广阔的想象空间，工业元宇宙所反映的虚拟世界不只有现实世界的映射，还具有现实世界中尚未实现甚至无法实现的体验与交互。另外，工业元宇宙更加重视虚拟空间和现实空间的协同联动，从而实现虚拟操作指导现实工业。

3）工业元宇宙下的制造模式变革：云制造技术

工业元宇宙下的社会和经济活动有其自身的特点，在元宇宙空间中，制造要素都形成了数字分身，因此可以具有比现实宇宙中更加灵活的组成和运行方式。在工业元宇宙中，制造各要素的组成及其运作规律都会发生变化，制造过程不再是传统制造过程的“数字化复刻”，而是会以一种全新的方式来使用制造能力，促使物理世界中制造资源的高效、绿色化使用。

云制造（Cloud Manufacturing，CMfg）是一种网络化制造新模式，利用云平台、虚拟化等技术把物理制造资源和制造能力虚拟化、服务化，在工业云平台上构建制造云服务池，通过制造云服务的供需匹配与执行来实现企业之间制造活动的互联与协同，实现“分散资源集中使用、集中资源分散服务”，是一种弹性、灵活、高效的制造模式。云制造可以作为工业元宇宙下制造新模式的导入技术。

要有效实现云制造模式，需要解决制造资源和制造能力的平台接入、虚拟化和服务化问题，以及云平台上制造云服务资源的高效匹配与调度优化等一系列问题，这正是本书后续部分所介绍的内容。

参考文献

[1] Stephenson N. Snow Crash[M]. New York:Bantam Spectra, 1992.

[2] Perri L.What's new in the 2022 gartner hype cycle for emerging technologies[EB/OL]. (2022-09-09) [2024-11-28]. https://www.gartner.com/cn/information-technology/articles/what-s-new-in-the-2022-gartner-hype-cycle-for-emerging-technologies.

[3] Groombridge D.Gartner top 10 strategic technology trends for 2023[EB/OL]. (2022-12-15) [2024-11-28]. https://www.gartner.com/cn/information-technology/articles/gartner-top-10-strategic-technology-trends-for-2023.

[4] 王文喜, 周芳, 万月亮, 等. 元宇宙技术综述 [J]. 工程科学学报, 2022, 44 (4): 744-756.

[5] 方巍, 伏宇翔. 元宇宙: 概念、技术及应用研究综述 [J]. 南京信息工程大学学报, 2024, 16 (1): 30-45.

[6] 黄捷. 元宇宙下的控制与决策综述 [J]. 模式识别与人工智能, 2023, 36 (2): 143-159.

[7] 孙柏林. 工业元宇宙: 未来工业发展的重要推动力量（上）[J]. 电气时代, 2022 (9): 14-18.

[8] 中国信息通信研究院, 虚拟现实与元宇宙产业联盟. 元宇宙白皮书（2023 年）[R/OL]. (2023-11-23) [2024-11-28]. https://www.caict.ac.cn/kxyj/qwfb/bps/202311/P020240326626098688125.pdf.

[9] HoloNext. Metaverse 101: Understanding the seven layers of the metaverse[EB/OL]. (2022-03-02) [2024-11-28]. https://holonext.com/metaverse-101-understanding-the-seven-layers/.

[10] 陈凤仙, 欧阳日辉, 刘嘉瑞. 元宇宙助推数字经济高质量发展的运行机理与实践路径 [J]. 新疆师范大学学报(哲学社会科学版), 2024, 45 (5): 102-115.

[11] 统计局. 关于修订《三次产业划分规定（2012）》的通知[EB/OL]. (2018-01-01). [2024-11-28]. https://www.gov.cn/zhengce/zhengceku/2019-09/06/content_5427893.htm.

[12] 周济, 李培根, 周艳红, 等. 走向新一代智能制造[J]. Engineering, 2018, 4 (1): 28-47.

[13] 李培根, 高亮. 智能制造概论 [M]. 北京: 清华大学出版社, 2021.

[14]Vandermerwe S, Rada J. Servitization of business: adding value by adding services[J]. European Management Journal, 1988, 6 (4): 314-324.

[15] 马鑫, 王芳. 元宇宙的概念、技术、应用与影响——一项系统性文献综述 [J]. 图书情报工作, 2023, 67 (18): 113-128.

[16] 李伯虎, 李潭, 柴旭东. 工业元宇宙: 工业发展新阶段的赋能者 [J]. 前沿科学, 2022 (4): 42-48.

[17] 李剑峰. 工业元宇宙 [M]. 北京: 电子工业出版社, 2022.

[18] 国家标准化管理委员会. 首个元宇宙标准化项目研究组启动工作 [EB/OL]. (2024-02-09) [2024-11-28]. https://www.sac.gov.cn/xw/bzhdt/art/2024/art_4fdca73f90434c3698eed474619e707f.html.

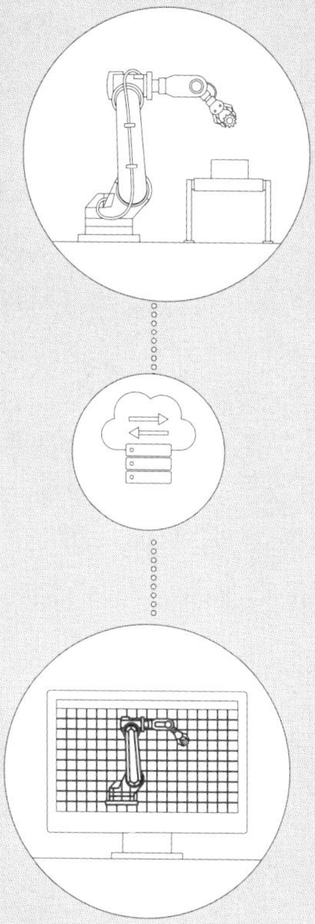

第 2 章

工业元宇宙中的制造模式——云制造

在工业元宇宙中，各类制造要素都以数字化形式存在，面向产品全生命周期的制造活动也都在元宇宙中开展，各制造主体之间可以跨越地理位置的约束直接互联。在这一背景下，制造系统的组成形式和运作方式都会发生变化，云制造模式因为考虑了制造资源和制造能力的虚拟化服务化，让制造服务在云平台上灵活组合和弹性供给，成为适应工业元宇宙中制造要素数字化运行和交互的一种新制造模式。

“云制造”一词，既可以代表一种技术——能实现制造资源、制造能力弹性供给、按需共享使用的相关技术总称，也可以代表一种制造模式——制造要素的组成及制造要素之间的关系形式。制造模式决定了制造系统的组成形式和运行方式，伴随着人类的进步，出现了诸多的制造模式，本章先对典型制造模式逐一介绍，再介绍云制造模式。

2.1

制造模式——基本概念和典型模式

2.1.1 工业革命与制造模式

1）从第一次工业革命到第四次工业革命

2013 年，德国提出了“工业 4.0”。工业化的发展经历了以下阶段，即以蒸汽机为代表的“工业 1.0”，以电力应用为特点的“工业 2.0”，以自动化、信息化为特点的“工业 3.0”，以及以智能化、CPS（Cyber-Physical Systems，信息物理系统）为特点的“工业 4.0”。“工业 4.0”的提出，让大家都开始讨论“第四次工业革命”，借以分析新兴的信息技术与智能化技术给当今社会带来的变革。

（第一次）工业革命（又叫产业革命），指的是以手工技术为基础的工场手工业转变为以机械化生产为基础的工厂制度的过程，它始于机器的诞生（约在 18 世纪中叶），终于工作母机（即机床）的出现（约 19 世纪中叶）。从世界历史的整体角度来说，（第一次）工业革命是在英国独家发生的一个重大历史事件。工业革命的技术基础是詹姆斯·瓦特发明了“万能蒸汽机”。其实在瓦特之前，纽可门也有一种蒸汽机的设计，只是纽可门所设计的蒸汽机只能往复运动，且锅炉会交替有冷水进入冷却和加热生成蒸汽，降低了热效率。蒸汽机的出现，标志着人类开始掌握将热能转化为机械推动力的手段，这是人类对自然能源利用史上的一次革命。蒸汽机的应用使原来的人力纺纱机改变成为机械纺纱机，这样就从手工作坊变成了蒸汽机工厂。同时，出现了蒸汽驱动的三轮车和蒸汽机船，彻底改变了人类的生产和生活面貌，从此人类进入了“蒸汽时代”，以往人力或畜力驱动的装置由蒸汽机驱动，极大提升了生产效率。蒸汽机的出现推动了一系列新兴产业的发展，火车、汽车、轮船、机械化工厂开始出现，一个工业化社会雏形就形成了。工业化社会的特征是生产机械化、劳动分工化、经济市场化和管理科学化。

第二次工业革命发生在 19 世纪 60 年代后期，其间欧洲国家和美国、日本的资产阶级革命或改革的完成，极大地推动了社会生产力的发展，对人类社会的经济、政治、文化、军事、科技和生产力产生了深远的影响。资本主义生产的社会化大大加强，垄断组织应运而生。电力的广泛应用，拉开了第二次工业革命的序幕。第二次工业革命的技术基础是电力应用化技术（发电机、电动机）、电报和电话。电力开始用于带动机器，成为新的主要能源，人类进入了电气时代。

第三次工业革命（科技革命）以原子能、电子计算机、空间技术和生物工程的发明和应用为主要标志，是涉及信息技术、新能源技术、新材料技术、生物技术、空间技术和海洋技术等诸多领域的一场信息控制技术革命。第三次工业革命的技术基础是电子技术与信息技术，两者的有机融合给工业带来了新的革命性发展机遇，出现了数控机床、可编程（逻辑）控制器（Programmable Logic Controller，PLC），以及计算机辅助设计（CAD）、计算机辅助制造（CAM）、制造资源计划（Manufacturing Resource Planning，MRPII）等制造领域的计算机应用技术，实现了大规模自动化生产，大幅提高了产品质量和制造效率，提升了制造的柔性化水平，极大地推动了生产力的发展，人类进入自动化时代。在工业领域之外，第三次工业革命进一步将人类从体力劳动中解放出来，不仅改变了人们的生活观念，提高了人们的生活水平，有力地推动了人类社会的经济、政治、文化领域的变革，而且还影响了人类的生活方式和思维方式，随着科技的不断进步，人类的衣、食、住、行、用等日常生活的各个方面也发生了重大的变革，奠定了现代生活的基础。

随着新兴信息技术和人工智能技术的快速发展，智能科技带来了人类历史上的“第四次工业革命”。这一次工业革命不再局限于某一特定领域。无论是移动网络和传感器，还是纳米技术、大脑研究、三维打印技术、材料科学、智能信息处理等，甚至它们之间的相互作用和辅助效用均是此次工业革命涉足的领域，而这样的组合势必产生强大的联动力量。此次工业革命不再是某一个产品或服务的革新，而是整个系统的创新。这场革命将对社会、经济、金融产生巨大的影响。第四次工业革命的技术基础包括物联网、大数据、机器人、人工智能、工业互联网、数字孪生等。第四次工业革命可以实现大规模个性化定制、远程运维、网络协同制造等新型生产方式，生产自组织、柔性化程度逐渐提高，人类进入智能化时代。

2）制造模式及其变化

技术的发展推动了工业革命的产生，同时也带动了新的制造模式出现和发展。例如，1913 年 4 月，福特公司试验了第一条流水线，用来装配飞轮磁电机。原来一台电机的装配需要 20 分钟，流水线把装配工作分解成 29 道工序，时间减少到 13 分 10 秒。这样生产组织发生变化，出现了一种新的制造模式——量化生产模式。

制造模式是企业在经营、管理、运行过程中的组织和技术系统的组成形态及运作模式，其包括内在组成以及外在关系两部分。制造过程的运行、制造系统的体系结构，以及制造系统的优化管理与控制等均受到制造模式的制约，必须遵循制造模式确定的规律。

一般来说，制造生产目标和技术决定了制造模式。制造生产目标包括制造战略和功能目标两大部分。制造战略是企业为实现长期经营目标，在整体战略框架下对生产系统进行系统性规划和资源配置的核心决策体系，典型的制造战略如成本领先战略、快速响应战略和聚焦细分领域的集中化战略等；功能目标包括成本、质量、交货形式、柔性、创新等方面。这些目标是相互牵制、相互影响的，一个企业会有优先考虑的目标。企业在选择制造生产目标的时候会受到客户和市场需求的影响。技术包括产品及制造技术（如机械结构、金属切削、材料、环境等方面的技术）、信息技术和智能化技术等。技术不断发展，推动了制造模式的变化和新的制造模式的出现，如图 2-1 所示。

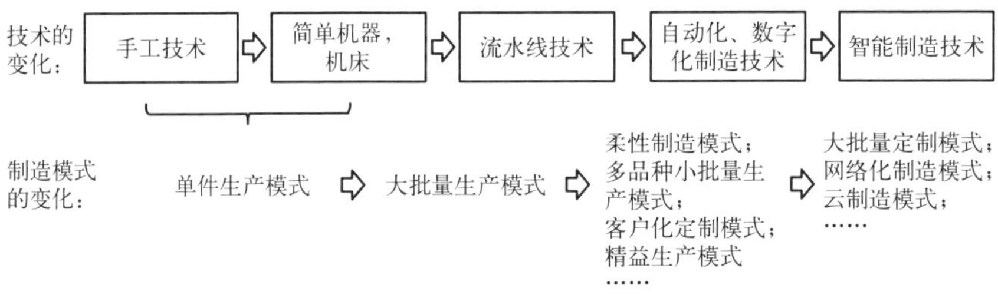

图 2-1　技术变化带来制造模式变化

下面介绍几种典型的制造模式。

2.1.2 单件生产到大批量生产

1）单件生产

单件生产模式，又称手工作坊生产模式，是人类文明最初级的生产方式。这种生产方式可以概括为“熟练工人使用通用设备，精确地生产客户为之支付的产品。一次只生产一种产品”[1]。这种生产方式以单件小批量和定制生产形式为主，每件定制化产品都在一台小型设备（如缝纫机、机床等）上单独进行制造，并辅以有限的技术支持[2]。

单件生产模式主要以单件小批量和定制生产形式为主，尽管这种生产模式在某些熟练工人的操作下可以生产出高质量的产品，但是其生产效率极低，从而导致其生产周期较长，产品价格高，质量难以持续保证，服务的市场面狭窄。单件生产模式下的生产物流管理一般是凭借个人的劳动经验和师傅定的行规进行管理，个人的经验智慧和技术水平起了决定性的作用。由于每个产品都由单独的工人独立生产，因此即使是大批量生产也不具有规模效应。

手工作坊的发展大致可分为三个阶段。

第一个阶段就是从原始制造业开始的零散制造，一般由农业生产者或者畜牧业生产者兼任制造，按使用要求进行产品的单独制作、单件生产，产品的零部件完全没有互换性，制作产品依靠的是操作者自己高度娴熟的技艺。

第二个阶段是第二次社会大分工，即手工业与农业相分离，形成了专职工匠，手工业者完全依靠制造产品谋生，制造产品不是为了自己使用而是为了同他人交换。

第三个阶段是以瓦特蒸汽机的发明为标志，形成近代制造体系，使用的是手动操作的机床。从业者在产品设计、机械加工和装配方面都有较高的技艺，大多数从学徒开始，最后成为制作整台机器的技师或作坊业主。

单件生产的组织方式可以分成分散式和集中式[3]。分散式是相对低级的形式，商人为保障其货源而统一采购原材料，委托分散的手工工场进行加工，并支付一定的加工费，成品产出后工场主再将之交付给商人。分散式的单件生产一般以单个的家庭工场为基本组织形式，生产者以家庭成员为主，加工产品所需的工具和设施多由商人提供，家庭工场本身拥有的资本量极低，以提供劳动获取报酬为主要的盈利方式。集中式是在工场进行生产，工场的所有者以富有商人为主，他们在经营商业的同时开设手工工场，生产方式是购买机器（如纺织机械）等生产工具并雇佣工人生产，其工场场地不再局限于家庭，生产经营规模一般大于分散式的单件生产，在这样的集中式工场中，普遍对生产工序和工人职责进行分工，其生产效率明显高于分散式的单件生产。

14 世纪的佛罗伦萨，有钱的羊毛商人开设了与众不同的工场，直接控制和组织呢绒的生产。他们把许多作坊组织起来，雇佣工人对羊毛进行加工、洗刷、梳净，然后将其分给城市或农村的手工业者纺成线、织成呢子。其他技术较为复杂的工序，如染色、碾平等，则由较大的手工工场完成。14 世纪中期，在佛罗伦萨的城区和近郊，从事呢绒生产的手工工场约有 200 家，年产呢绒几万匹。这就是资本主义生产关系的萌芽。

第一次工业革命后，由于机器的使用，出现了工厂，但是最终产品的制作模式还是单件定制模式。其特点是：①根据用户的需求完成设计、制造；②工人技术水平高，工人手工操作进行生产，一个工人要完成多个工序，工人的培养方式是师傅带徒弟式的少量培养模式；③工序集中，在一个工位完成所有加工工序，或者完成装配工作；④技术集中，一个工人能完成加工和装配所有工作；⑤采用通用机械，实行单件生产，产品的组成部件、零件不能互换，只能有针对性地进行装配；⑥管理层次简单，工厂组织机构分散，基本就是雇主和雇工的关系；⑦产量低，质量差，成本高。

19 世纪 80 年代，汽车产业的单件手工生产模式在法国得到了广泛应用，并于 19 世纪末在整个欧洲蓬勃发展。若干年后，西欧和美国出现了数百家以单件生产为生产模式的公司[2]。时至今日，单件生产仍然存在于跑车这一特殊市场中（除去其生产过程中所使用的先进工具和软件设备）。

19 世纪后期，实用技术得到了快速发展，科学逐渐融入工业生产，电力、炼钢和化工三大部门带动整个工业进步，出现了对现代社会影响深远的发明，如内燃机、电话、电报等。同时，出现了零件的互换性方法，以及大型企业的科学管理方法。这些因素推动了大批量生产模式的出现。

2）大批量生产

1908 年，世界著名的福特 T 型车诞生。福特设想像生产别针和火柴那样生产 T 型车，因此对生产技术进行了一系列的改进，并将改进后的生产方式称为大批量生产方式。

大批量生产方式，又称大规模生产方式、量化生产模式，是指以恒定的流量生产大量标准化产品，采用流水生产线生产方式，在劳动组织上，最大限度地采用分工的原则。以装配为例，大批量生产的产品、零部件实现标准化，装配尽量简单化，复杂产品的装配工作被分为简单的装配工序分配到流水线上的每个工位，每个工位由掌握简单装配技能的工人来完成工作。福特公司采用大批量生产方式后，总装每辆轿车的工时由 750 分钟下降到 93 分钟，减少了 88%。福特公司基于流水线的大批量生产方式，大幅度地降低了汽车成本（T 型车刚出现的 1908 年，价格是 \$850/ 辆，1926 年降低为 \$290/ 辆），社会需求的猛增又进一步刺激了汽车工业的飞速发展，劳动生产率大幅度提高，推动了世界汽车工业的发展。

大批量生产采用工序分解的流水线生产方式，按设计好的工艺流程顺序生产，有固定节拍，对工人技术要求低，所谓“技能内置于工具中”，即通过工具的设计来减少对工人技能的要求。例如，设计专门的卡具来进行工件测量，降低对工人测量技能的要求。

由于流水线的设计和建立需要大量的投入，而且流水线所需要的机器及专门工具又是针对特定产品的专门化设计，采用的是“刚性自动化”技术，因此，福特流水线所采用的大批量生产方式的最大缺点就是产品单一、缺乏柔性。同时，为了保障流水线不间断运行，需要以过量的库存、过多的供应厂家、过多的工人和过大的生产场地作为连续生产所必需的缓冲，这样也造成大量流动资金的积压。

20 世纪中叶，随着以电子、原子能、计算机等技术为推动力的第三次工业革命的发生，组成制造流水线的设备也发生了根本性的变化，数控机床逐渐代替专门机床和组合机床，PLC 也代替了电气线路，计算机辅助系统逐渐得到广泛应用，传统流水线的刚性自动化技术逐渐过渡到柔性自动化技术，大批量生产模式也发生了一定的变化，出现了柔性制造系统（Flexible Manufacturing System，FMS）、多品种小批量生产方式，也出现了基于新兴管理思想的新制造模式，如丰田的精益生产模式。

2.1.3 精益生产

1）产生背景和基本内容

精益生产模式起源于日本丰田汽车公司，因此有时又被称为“丰田生产方式”。精益生产模式是在 20 世纪中期为应对日本在第二次世界大战后面临的经济困境而出现的。第二次世界大战后，日本的汽车市场比欧美小得多，企业资金短缺，无力购买大量厂房与设备，日本之外的市场实行贸易保护主义，影响了产品的出口。20 世纪 50 年代，丰田汽车公司的新一代领导人到美国汽车制造厂进行了考察，回国后得出了结论：大量生产模式不适用于日本。之后，以丰田为代表的日本汽车制造业通过实施精益生产模式，以低成本、高质量的突出优势迅速占领美国汽车市场，引发了美日之间长达几十年的汽车贸易战。

1984 年，美国麻省理工学院集中了一批高级专家，研究日本汽车工业的运作方法。1990 年，美国麻省理工学院的研究团队发表了“国际汽车共同研究报告”。在报告中，他们将丰田生产方式命名为 Lean Production（精益生产），随后他们将该报告中精益生产相关研究内容编写成为《改变世界的机器》著作。精益生产逐渐被世界制造业所认识，并掀起了一股变革制造方式的热潮。1996 年，美国研究人员詹姆斯·沃马克和丹尼尔·琼斯在他们的著作《精益思想》中，将精益生产的理念进一步提炼，提出了精益思想的五个关键原则，即“按特定产品精确地指定价值，确定每种产品的价值流，使价值流不受干扰，让客户从生产商那里获得价值，追求完美”[4]。

“Lean Production”中文翻译为“精益生产”，“精益”取“精”字中的完美、周密、高品质和“益”字中的利益、增加的意思，更有“精益求精”的含义。精益生产既是一种原理、一种新的管理理念，又是一个新的生产模式，它是继量产制造模式之后，对人类社会和人们的生活方式影响最大的一种制造模式。

精益生产模式是指运用多种现代管理方法和手段，以社会需求为依据、以充分发挥人的作用为根本，有效配置和合理使用企业资源，最大限度地为企业谋求经济效益的一种新型生产方式。它是重新塑造一个企业，使之成为精干的、高度柔性的、低成本的、世界级竞争者的战略武器。丰田的管理者将精力集中于生产过程的整体优化——改进技术、理顺物流、杜绝超量生产、消除无效劳动和浪费、有效利用资源、降低成本、改善质量，达到以最少的投入实现最大产出的目的。

精益生产的核心是消除浪费，丰田认为企业存在7种浪费：①过量生产（Overproduction）；②库存（Inventory）；③搬运（Conveyance）；④返工（Correction）；⑤加工过程不当（Over-processing）；⑥多余动作（Motion）；⑦等待（Waiting）。企业现有的生产能力包括产出和浪费两部分，如果生产能力一定，则降低浪费可以提升产出的能力。以一个产品的生产周期为例（图2-2），只有产品的加工时间是增加附加价值的时间，其余时间有些虽然必要，但如能缩短就可以提升制造效率。

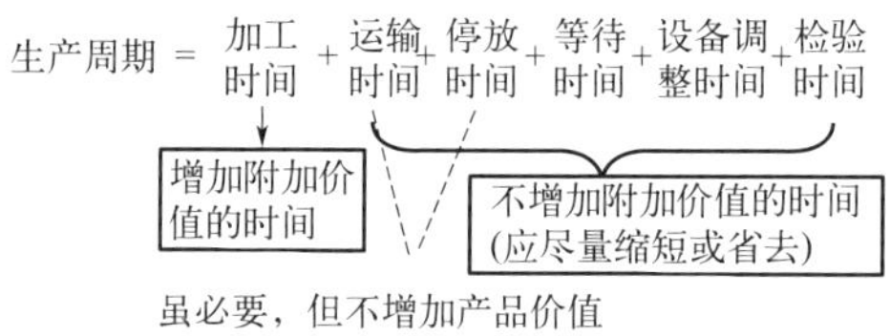

图 2-2　生产周期的时间组成

精益生产的两大原则包括自働化❶与准时化（Just in Time，JIT）。门田安弘教授在其著作《新丰田生产方式》中把自働化称为“软技术”，准时化称为“硬技术”[5]。

2）自働化

自働化是当生产出现问题时，设备或生产线具有自动停止或作业员工主动使之停止的能力。自働化依靠有判断力的生产人员和具备人的智能的机器，在必要时可以使生产线主动停止。在精益生产中，这被称为“停止的艺术”。

自働化的实施是推行“以人为中心”的管理，强调人的作用（这也是在“動”旁边加一个人字旁的原因），其管理思想是赋予工人一定的作业管理决策权，企

❶ 精益生产中“自働化”的“働”采用的是日本汉字，“自动化”中“动”的繁体字是“動”，但是日本汉字加了一个人字旁，表示“自働化 = 人 + 自動化”。在本书中，精益生产相关内容中使用“自働化”。

业把雇员看作比机器更重要的固定资产，充分发挥职工的创造性、主动性，不断提高职工素质。这和福特的大批量生产模式是不一样的，在大批量生产模式中，工人是机器的附庸，普通工人是不能让流水线停下来的，机器比工人更重要。

自働化的实施中，需要多能工，并且实行少人化。多能工，就是“一人多机”，一个工人能操作多台机器设备，或者能完成多个工序，员工作业多能化可以实现少人化作业，减轻人员调配的困难，有利于提高整体效率。少人化是指企业生产系统随着产量的变动，能弹性地调整生产线上的作业人员数量，以便尽量用较少的人力完成较多的生产工作。

针对生产中的问题，需要进行“全向沟通”，即和所有相关人员共同讨论问题及可能的解决方法，收集他们的意见，并对解决途径取得一致共识，即决策过程中的“协商、疏通与服务”。员工也注重“持续改善”，这个过程涉及员工以及他们的监督者和经理。将工人们分为小组是为了处理生产上面的问题，然而，组成小组还有一些不是很明显但是同样很重要的目的。小组会培养鼓舞工人们的责任感，同时小组会鼓励组员参加社区活动，不仅会提高他们的归属感，而且也很容易提高他们的工作技巧。

自働化能实现停止，这需要“安灯系统”的支持。安灯系统，是指每个设备或工作站都配备呼叫灯，收集生产线上每个工位有关设备和质量等信息，如果生产过程中发现问题，操作员可以拉灯绳亮灯，或让灯自动打开，以吸引其他人员的注意，使问题得以及时处理。在安灯系统中，需要关注频繁亮灯的工位而不是亮灯时间长的工位，因为频繁亮灯，表示没有找到问题的核心，所以问题重复发生，频繁拉灯会造成工位停顿，带来浪费。需要说明的是，现代生产线上的“安灯系统”都是通过电子设备进行显示，而不是传统的电灯。

自働化的实施还包括防错防呆技术和目视管理技术。防错防呆技术是通过优化工作地点和日常工作程序（包括产品设计），从源头上预防操作失误，从而避免在生产过程中发生无意识差错。因为工人在长时间工作中可能会出现注意力不集中而导致出错，当出现操作失误或发现不良品时，就会出现夹具不能装配，或者机器不能加工的情况，这样可以避免不良品流出或者发生生产事故。例如，冲床需要双手扶住手柄才能往下压，这是为了防止单手将冲床头往下压的时候，另外一个手在下面而导致受伤；生产区域设计不同的区域，把合格品和不良品分开存放，是为了防止拿取物品时的混淆；等等。目视管理的原则就是工作状态应该很容易地被观察到，如果哪里出了问题，应该很容易地被发现，继而被立刻纠正。这一方面可以认为是防错防呆的一个应用和延伸，另一方面，通过可视化，整个车间都得到了持续的改善以及很好的维持与管制。目视管理的具体措施遵循“5S 准则”：①整理（Sort），清除不必要的东西；②整顿（Set in order），每个物品都有指定位置，并且只能摆放在指定位置；③清洁（Shine），保持整洁；④标准化（Standardize），将前面3步中获得的“好经验”标准化；⑤素养（Self-discipline），制定规则并按照规则持续改进。

3）准时化

准时化（JIT）的含义是“只在需要的时候，按需要的量，生产所需的产品”。JIT是精益生产的一个主要组成部分，指的是精确安排生产流程的时间节点。该系统根据生产流程的需要来确定货物的需要数量和时间，确保货物被准时运送到生产线上，并在到达后立即被使用（加工或装配），从而有效减少浪费。JIT系统看似简单，但实际上非常复杂，其中的许多特点只有在工厂中实践过才能理解[6]。JIT是精益生产模式的“硬技术”，是精益生产计划管理的核心。因此，有些管理专家也称精益生产方式为JIT生产方式、准时制生产方式、适时生产方式或看板生产方式。

准时化生产是通过“看板管理”来实现的。看板（Kanban）是个日语名词，表示一种挂在（贴在）零件（或者装零件的容器）上的标签或卡片，或者是流水线上各种颜色的信号灯、图像等。在生产过程中，看板作为一种管理工具，主要用于调节和控制生产与物流、传递指令信息，并确保所需物品的及时生产与搬运。看板的作用是触发物料投放和控制在制品的库存数量，是实现精益生产的重要工具。精益生产通过看板管理，成功制止了过量生产，实现了“在必要的时刻生产必要数量的产品”，从而彻底消除了在制品过量的浪费以及由此衍生出来的种种间接浪费。看板生产过程如图2-3所示，其使用原则为：①后一道工序按照“看板”到前一道工序去领产品。②前一道工序根据“看板”的种类和数量进行生产，前工序只补充生产后工序取用的部分。出现断料时，前工序要优先生

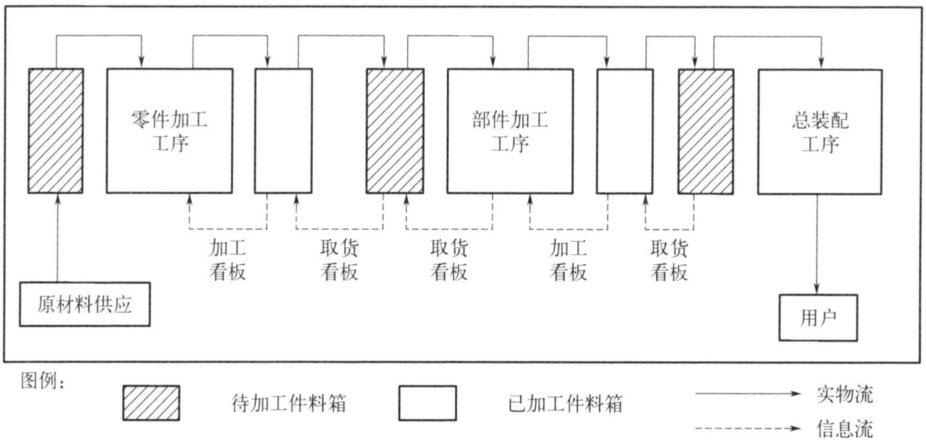

图2-3　看板生产过程

产所缺的料，并负责送到后工序。③没有“看板”时不制造、不运送，以防止过量生产和过量运送。④“看板”一定挂在作业的相关实物上，一个料箱（或一个基本运输单元）一张看板；⑤必须生产百分之百的合格品，不向后工序传送不合格品；⑥通过指出问题、解决问题，逐步减少“看板”的数量。

准时化生产原则的实施，将传统的基于 MRP（物料需求计划）的“推动式”生产控制系统变为“拉动式”生产控制。传统的生产方式，由生产计划部门基于 MRP 规则计算每种零部件的需要量和各生产阶段的生产提前期，确定每个零部件的投入生产计划，按计划发出生产和订货指令，每个车间按指令进行生产，并将实际完成情况反馈到计划部门，不管后车间和后工序是否需要，均将生产完的零部件送到后车间和后工序。这种基于 MRP 的生产控制机制，一切生产活动按中央作业计划的指令进行，所有的零部件和材料项目均通过中央库存系统控制和转换：材料按计划被送到零件加工工序；零件按计划送到总装，以计划触发和推动生产活动。而准时化原则是将必要的材料和零件，以必要的数量，在必要的时间，送达必要的地点，即一切生产活动包括制造、搬运、交货、供应，只有在需要产生时才发生，是用需求触发和拉动生产活动。

实现准时化生产，人员和设备要具有柔性。生产线能根据生产人员的能力随时调整、改变，避免出现多余人员。设备要具备诸如快速换模技术等快速调整技术，普通操作工人通过清楚而精确的操作指导书就能进行设备换模，实现生产的转变。零部件分“通用”和“专用”两大类，不同产品的“通用”部件可以统一放在一个区域，灵活取用。

准时化生产需要体现企业协同的价值共创。因为企业都是供应链中的一个环节，要实现准时化生产，就需要和上下游企业协同，共同创造产品与服务的价值。需要供应商能根据看板及时、足量地向客户供货，这样整个供应链才能精益化运行。工业互联网技术和工业云平台的发展，为跨企业的协同提供了有力的技术支撑，这也使得精益生产模式在工业互联网技术的支持下得到更好的实现和发展。

4）精益生产的优点

精益生产的目标是“零目标”，即：①“零”切换浪费，实现多品种混流生产；②“零”库存，能消减库存；③“零”浪费，实现全面成本控制；④“零”不良，实现产品高品质；⑤“零”故障，提高运转率；⑥“零”停滞，快速反应，缩短交期；⑦“零”事故，安全生产第一。

通过实施精益生产模式，可以降低人力资源需求，缩短新产品开发周期，大大减少生产过程中的在制品库存，从而能减小工厂占用空间，减少成品库存，提升产品质量。精益生产模式和大批量生产模式、单件生产模式的比较见表 2-1。

表 2-1 几种制造模式的比较

特性	单件生产	大批量生产	精益生产
工艺	简单。 利用通用工具和设备制造，采用非标准的零部件进行装配	复杂。 应用专用设备制造，采用标准件装配。在改制新产品时要花费很多时间与钱	复杂。 高度柔性生产。 应用标准尺寸的零部件进行总成，相当容易改型生产新产品
劳动力	高度熟练技术工人	非常熟练的设计人员，非熟练与半熟练的可更换生产工人。每人有单一的任务	团队组织，多面手工人，不仅可操作多台、多种设备，还可以做简单维修。人人对产品负责，工人参与管理
协作厂关系	与用户和协作厂关系密切，大多数协作厂位于一个城市	松散关系。在总装厂内有大量库存，以便在协作厂发生变化时使生产连续进行	与用户、协作厂关系密切，共同开发，应用准时化送货系统，尽量靠近协作厂与用户
产量	非常低	极高	极高
产品品种	非常宽，产品按照用户的特种要求制作	标准设计，品种少，变型少	大大增加变型产品的范围

2.1.4 网络化制造与敏捷制造

1）网络化制造

网络化制造模式是指将先进的网络技术、信息技术与制造技术相结合，构建面向企业特定需求的基于网络的制造系统，并在系统的支持下，突破空间地域对企业生产经营范围和方式的约束，开展覆盖产品全生命周期全部或部分环节的企业业务活动（如产品设计、制造、销售、采购、管理等），实现企业间的协同和各种社会资源的共享与集成，高效、高质量、低成本地为市场提供所需的产品和服务。网络化制造是基于网络的制造企业各种制造活动及其所涉及的制造技术和制造系统的总称。在网络化制造环境中，生产模式已从按库存生产转变为按订单生产，客户积极参与，向制造系统提交工作要求，这些要求往往是高度定制化的[7]。在网络化制造中，制造作业请求可能来自具有竞争关系的不同客户，具有不同能力的机器分布在不同的地理位置，以执行产品的各种操作[8]。

网络化制造的概念出现得比较早，在 Internet（互联网）开始流行的 20 世纪末期和 21 世纪初就已经被提出了，当时的网络是指 Internet 以及基于 Internet 技术的企业内网（被称为 Intranet）。网络化制造的具体形式，包括应用服务提供商（Application Service Provider，ASP）、制造网格（Manufacturing Grid，MGrid）、敏捷制造（Agile Manufacturing，AM）和全球化制造（Global Manufacturing）等。随着网络技术的发展，特别是云计算、工业互联网等新技术的出现，网络化制造模式出现了新的变化，例如，后面介绍的云制造就是网络化制造模式的一种新形式。

2）敏捷制造

20 世纪 70 年代后，美国在整个国际市场中占有的份额急剧下降，20 世纪 80 年代后期，美国意识到必须夺回在制造业上的优势，向日本学习精益生产方式，但是效果也不尽如人意。1991 年，美国通用汽车公司（GM）和理海（Lehigh）大学的雅柯卡（Iacocca）研究所在美国国防部的资助下，于 1994 年底提出了《21 世纪制造企业战略》报告。这份报告的结论性意见是：全球性的竞争使得市场变化太快，单个企业依靠自己的资源进行自我调整的速度赶不上市场变化的速度。为了解决这个影响企业生存和发展的世界性问题，报告提出了以虚拟企业或动态联盟为基础的敏捷制造模式。

敏捷制造是指以高素质、协同良好的工作人员为核心，通过持续采用最新的标准化、专业化的网络及技术手段，在信息集成与共享的基础上，以分布式结构动态联合各类组织，构成优化的敏捷制造环境，从而快速高效地实现企业内外部资源的合理配置，生产出符合用户需求的产品。其核心思想是，提高企业对市场变化的快速反应能力，满足顾客的要求；除了充分利用企业内部资源外，还可以充分利用其他企业乃至社会的资源来组织生产。

敏捷制造概念出现的时代，是供应链管理从出现到成熟的年代。现代企业的竞争，已经不再是单个企业之间的竞争，而是一个企业的供应链和另一个企业的供应链之间的竞争。只有和其他企业快速合作形成“企业联盟”，才能在多变的市场中有竞争能力。

敏捷制造的一个重要概念就是“虚拟企业”，或者称为企业动态联盟，其是针对某个市场机会、由各个制造独立资源（人员、资产和其他资源）形成的临时伙伴关系，一旦产品竞争力消退或者合作任务完成，这个临时伙伴关系组织就会解散。虚拟企业是基于企业核心能力资源的一种外部优化整合，即企业将投资和管理的注意力集中于企业本身的核心能力上，而一些非核心能力或自己短时间内尚不具备的核心能力则依靠外部的动态联盟伙伴提供。

敏捷制造强调基于互联网的信息开放、共享和集成。敏捷制造面对的是全球化激烈竞争的买方市场，采用可以快速重构的生产单元构成的扁平组织结构，以充分自治的、分布式的协同工作代替金字塔式的多层管理结构，注重发挥人的创造性，变企业间的“你死我活”的竞争关系为既有竞争又有合作的“共赢”关系。随着电子商务、互联网等技术的广泛深入应用，敏捷制造模式已经越来越多地被显式或隐式地采用。

2.1.5 大规模定制

市场需求、技术水平和管理方法三者互动，推动生产水平不断地前进。市场需求是企业技术进步和生产方式演变的动力源泉。市场需求包括客户需求和企业需求，而随着物质的丰富和生活水平的提高，客户需求变得越来越个性化。今天的顾客与过去的顾客大相径庭，过去的顾客只满足于得到自己的产品，而如今的客户想要一切——最高质量的产品、最快的交货速度、最高水平的产品定制，但却不愿支付相应的价格 [9]。

大规模定制（Mass Customization）是 20 世纪 80 年代后期出现的一种新的制造模式，目的是满足消费者对产品多样性的需求，同时也是企业在竞争激烈的细分市场中脱颖而出的一种选择 [10]。1970 年，美国未来学家 Toffler（托夫勒）提出 Mass Customization 设想：以类似于标准化和大规模生产的成本和时间，提供满足客户特定需求的产品和服务。1993 年，派恩（Joseph Pine）在 *Mass Customization: The New Frontier in Business Competition*（《大规模定制：企业竞争的新前沿》）一书中第一次对大规模定制进行了系统论述：企业正在经历这样一场转变，即从大规模生产标准产品转变为有效地提供满足单个客户想法和需求的产品和服务，因此产生了“大规模定制”的制造模式；大规模定制的核心是在保持产品品种的多样化和定制化急剧增加的同时，不增加成本。

大规模定制的概念，可以从广义和狭义两个角度去理解。从广义的角度，大规模定制是一种现代制造和管理模式，面向多元化的、细分的市场和个性化的客户需求，在大批量的基础上生产和销售定制产品并提供相应的服务，其代表了一种通过高度的过程敏捷性、柔性和集成性向每个客户提供个性化的产品和服务，从而获得经济效益的能力。从狭义的角度，大规模定制是一种方法和技术，被看成是利用信息技术、柔性的过程和敏捷的组织机构，以接近大规模生产的效率和成本，提供能满足各个客户特殊需求的一系列产品并提供相应的服务。

大规模定制以满足客户的个性化需求为核心，通过企业的快速反应和低成本两个手段，提供高度个性化的产品或服务，在较低的定制成本下提升快速响应市场变化的能力。

不同的学者对大规模定制有不同的分类方法，如图 2-4 所示，从这些分类方法上也可以看出大规模定制的不同实现方法。

在大规模定制技术中，有一个“客户订单分离点”（Customer Order Discoupling Point，CODP）的概念，通过 CODP 可以把企业生产产品的经营活动分成两个阶段，如图 2-5 所示，在 CODP 之前的阶段可以是大规模生产，CODP 之后的阶段是定制生产。大规模定制是“完全定制”和“完全标准化（大规模生产）”之间的一个战略连续体。根据 CODP 在生产过程中的位置不同，可以把大规模定制分成按订单销售（或称为按库存生产）、按订单装配、按订单制造、按订单设计等不同类型。

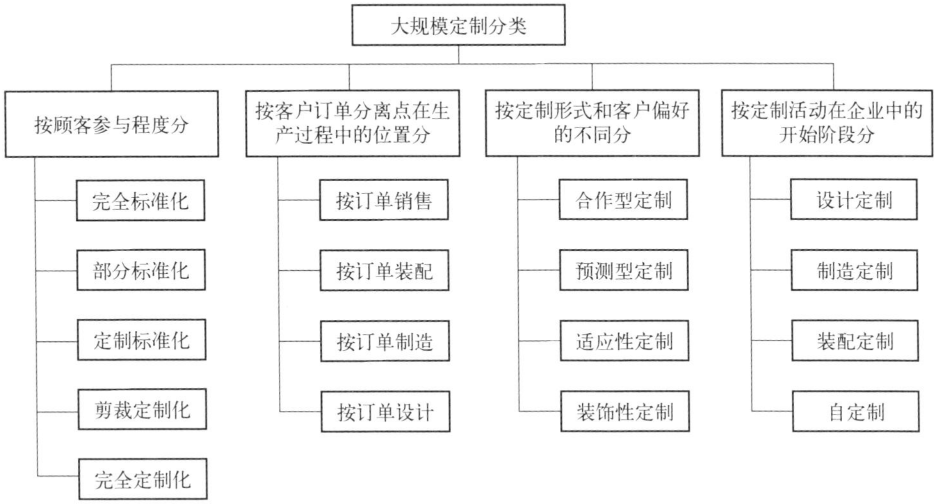

图 2-4　大规模定制的不同分类方法

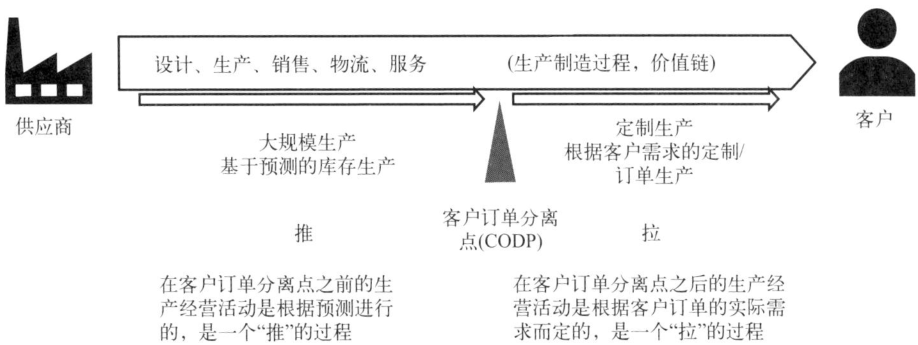

图 2-5　大规模定制中的 CODP 概念

以低成本、高质量和定制化的产品和服务最大化地满足客户的个性化需求，是企业一贯追求的目标，大规模定制制造模式为企业实现这一目标提供了一条有效途径，其很好地解决了“大批量”和“定制”之间的矛盾，在不牺牲企业经济效益的前提下，最大限度地满足不同客户的个性化需求。大规模定制的实现是一个渐进的、不断优化的过程，包括在批量不变的情况下的成本不断降低、在成本不变的情况下批量不断减少两种转变过程。

与大规模生产相比，大规模定制的重点是相对较低的单件产品产量。如今，大规模定制模式的应用和发展是显而易见的，客户可以通过从预定义模块中进行选择来定制某些大规模生产的产品，来自不同工业 / 市场领域的大量产品都采用了不同程度的大规模定制技术，涉及家居、食品工业、电子产品、大型工程产品、汽车工业以及数控机床等不同行业。

2.2

云制造

2.2.1 云制造基本概念

尽管网络化制造在资源服务化建模与封装、资源配置与调度、协同设计、工作流管理等领域取得了显著进展，但在进一步扩大和深化应用以实现显著经济效益的过程中，仍面临技术和运营模式上的诸多挑战。这些挑战包括服务模式问题（如缺乏集中管理和运营，缺乏有效的利益分配机制，服务效率、质量和及时性难以保障等）以及技术问题（如资源的动态分配、智能化匹配、物理设备的嵌入式接入与使用等）。这些问题限制了网络化制造模式的大范围应用推广。云计算为解决网络化制造存在的问题提供了新的思路和契机，云安全模式和相应商业化云安全产品对解决网络化制造中的安全问题提供了新的技术手段，再加上嵌入式系统技术的快速发展，为实现终端物理设备智能嵌入式接入提供了使能技术。

2010 年，李伯虎院士等 [11] 首次提出了一种面向服务的网络化制造新模式——云制造。云制造是一种利用网络和云制造服务平台，按用户需求组织网上制造资源（制造云），为用户提供各类按需制造服务的一种网络化制造新模式。云制造技术将现有网络化制造和服务技术同云计算、云安全、高性能计算、物联网等技术融合，实现各类制造资源（制造硬设备、计算系统、软件、模型、数据、知识等）统一的、集中的智能化管理和经营，为制造全生命周期过程提供可随时获取的、按需使用的、安全可靠的、优质廉价的各类制造活动服务。作为一种制造服务模式，云制造有其自身的生命周期，包含以下几个阶段：制造任务的提出、制造任务的分解、制造资源（能力）的定义、制造资源（能力）的发布、制造资源（能力）的匹配和选优、制造资源（能力）的组合、制造合作关系的确定（商业合同的签订）、生产制造、物流配送和制造任务的完成。

现代信息技术如云计算、物联网以及智能计算等发展迅速，以其为基础的产业更新层出不穷，而现有的制造技术也在其中找到了契机。云制造即以新兴信息科技为基础，构建了一种基于网络、面向服务的智慧化制造方法。它将资源提供者的制造资源和制造能力进行虚拟化管理并整合形成一个云服务池为用户统一提供服务。因此终端用户只需要通过登录网络，也就是“云端”，就可以按照任务需求使用制造资源或制造能力服务 [12]。依托于上述这种云制造模式而运行的系统也就是所说的制造云，它是通过互联网和物联网等智慧化地将资源提供方、资源需求方、制造云运营方、资源、机器、终端用户以及各类环境信息深入糅合在一起，并最终提供制造资源与能力服务。云制造服务平台作为云制造系统的核心，可以给资源提供者提供接口，将各种制造资源或制造能力虚拟化并纳入至平台中提供服务，并且为资源进行综合管理和按需使用提供支撑环境。

云制造的概念模型如图 2-6 所示，包括“一个核心支持、两个过程、三大实体和三种角色”。一个核心支持，即云平台；两个过程，即制造资源和制造能力的接入与接出；三大实体（对象），即制造资源和制造能力、服务池以及制造全生命周期应用。云制造概念中相关用户的角色有三种[13]，分别是服务提供方、制造云运营方（管理方）和服务需求方。服务提供方负责对制造所需的制造资源和制造能力进行虚拟化和服务化，将服务注册到云服务池中；而制造云运营方主要完成对云端服务池中的服务的集中管理，根据服务需求方发送的应用请求，动态、按需地为其匹配服务；由于制造云运营平台的存在，服务需求方可在云平台上动态灵活地调用各种类型的制造云服务。

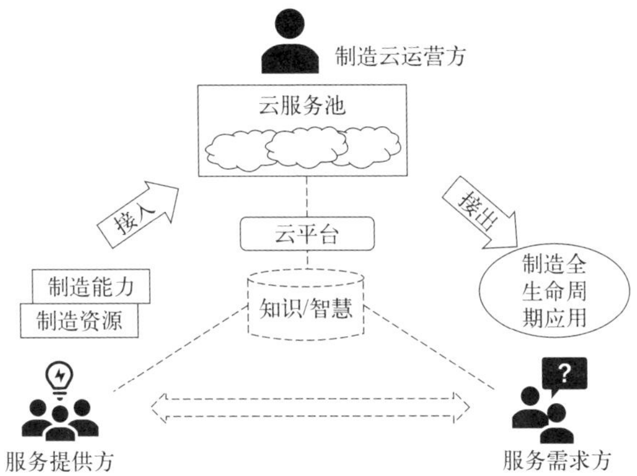

图 2-6　云制造的概念模型

云制造的服务内容可以分为制造资源服务和制造能力服务两类。制造资源是指客观存在的、具有静态传输介质的一种资源形式。制造资源包括硬制造资源、软制造资源和其他制造资源，硬制造资源包括制造生产加工设备（机器、加工中心）、计算设备、仿真设备、测试设备等，软制造资源包括制造过程中的模型、软件、（大）数据等，其他制造资源包括金融资源、人力资源等。

制造能力是指在某一具体制造活动过程中形成的能力，体现了对制造资源的使用、配置和整合能力，反映了制造企业或制造实体完成某一任务及预期目标的水平。制造能力包括论证能力、设计能力、仿真能力、生产加工能力、试验能力、经营管理能力、运营能力、维修能力、集成能力等。可以把制造能力看作是

“制造能力 = 任务 + 制造资源 + 人 + 知识”，即人利用知识，操作制造资源，实现制造能力。例如，设计能力是设计人员利用设计知识，借助设计软件和设计工作站，为客户完成设计任务的一种制造能力。

2.2.2 制造云服务及其特征

1）制造云服务

云制造系统是一种开放的复杂系统，能够集成全球分散的制造资源、制造能力，并且能够为服务需求者提供按需服务。云制造是一种面向服务的制造（SOM）的概念，把云计算中的“平台即服务”（PaaS）、“软件即服务”（SaaS）的理念拓展至“制造即服务”（Manufacturing as a Service，MaaS）。在云制造的过程中，首先是各类大、中、小制造服务企业将自身各类制造资源和制造能力，通过虚拟化技术、服务化技术发布到云服务平台的云服务资源池中。其中，最重要的一点是引领制造业从面向产品的生产转变为面向服务的生产。在云制造资源的集成和服务过程中，形成了论证为服务、设计为服务、仿真为服务、生产加工为服务、试验为服务、运营为服务、管理为服务、维修为服务、集成为服务等各类制造云服务。

制造云服务是对制造企业已有的各类制造资源、制造能力及其组合进行虚拟化、服务化，形成制造服务在制造云上发布的结果。制造云服务是构成制造云的重要组成部分，其有两个较为重要的概念，一个是耦合，另一个是粒度。

耦合原有的含义是指在软件工程中对象之间的依赖性大小，即对象与对象之间的关系紧密程度。一般来说，系统中对象之间的耦合程度越高，即相互依赖性越大，则系统的复杂度也就越高，系统的维护成本也就越高。因此，软件系统中的对象设计，应该使对象之间的耦合程度最低。而云制造是一种面向服务的制造（SOM）模式，制造云服务正是这样一种低耦合的对象。但由于制造云服务间的协同需求，其在信息交互上的需求针对不同订单有所不同，因此在信息交互上的复杂度、服务参与主体间的信息耦合度也有所不同。根据耦合度不同，制造云服务主要可分成如下类型。

① 简单交互服务。简单交互服务间的耦合程度较低，构成的服务链复杂度较低。往往是一些由单家服务商提供的简单无组合的制造云服务，或者是较为固定的、拥有成熟工艺流程的生产流程服务，如市场中已有的、涉及多家企业的、完整成熟的生产过程服务。

② 复杂交互服务。复杂交互服务间的耦合程度较高，构成的服务链复杂度也较高。这些服务往往是为了满足一些个性化定制或者复杂的服务需求，需要由多家服务提供商协作完成。其在服务链运作过程中，会有跨层次、跨粒度的信息交流。

对于粒度的解释，在物理意义上，粒度是指颗粒的大小；在数据意义上，粒度是指数据库中数据的细化和综合程度。针对制造云服务，粒度指的是服务参与主体的操作范围大小。根据粒度不同，制造云服务主要分成以下几种类型。

① 原子粒度服务。原子粒度服务功能单一，不可再分。在云制造环境下，表现为功能单一的加工制造设备、功能组件、功能模块或程序方法所映射的服务，其具有事务的原子性特点，即执行过程要么全部成功完成，要么全部失败。在云制造环境下，大量的中小型企业将其剩余产能，包括制造资源和制造能力，以制造云服务的形式发布到云制造服务平台上，而这些中小型企业原本就不具备大型复杂流程 / 工艺的制造服务能力，这些剩余产能往往可能是一台机床设备资源或不可再分的工站级加工能力。因此，原子粒度服务是云制造服务平台上的重要组成部分，也是增加服务协同难度的重要因素。

② 小粒度组合服务。小粒度组合服务是原子粒度服务的简单组合集成，只是为了把原子粒度服务组合到一起，形成一个较为完整的、能完成一项具有固定流程业务的组合服务。针对该类小粒度组合服务的调用，只要知道服务需求者的需求业务对象，该服务就会自动调用相应的原子粒度服务完成任务。

③ 中粒度组合服务。中粒度组合服务不仅是原子粒度服务、小粒度组合服务的简单组合，同时还包含了业务流程对服务的逻辑关系控制，是通过一定的业务流程控制和简单的信息交流，完成服务需求的组合服务。

④ 大粒度组合服务。大粒度组合服务是若干中粒度组合服务的协同组合。其过程往往需要各个组合元素的有机协调，存在复杂的多目标调度问题。该类服务往往是能为服务需求商提供完整的个性化服务产品的组合服务。

云服务的耦合度和粒度影响了云制造的服务协同难度。服务粒度越大，服务的功能也就越强大，同时业务逻辑也越复杂，服务耦合度上升，这样服务执行的协同难度也就越大。此时，需要从服务需求的分解开始，形成服务粒度和服务组合复杂度合适的服务实例，以期减小云服务执行过程的协同难度。

2）制造云服务的特征

结合制造云服务的类型分析，在云制造环境下，制造云服务具有以下典型特征。

（1）多样性

云制造是一种涉及多领域、多学科的先进制造模式，涉及生产制造的设计、仿真、加工、运维等多方面。云制造平台所面临的服务需求者从传统可知的、同一地区的对象转变为未知的、跨地区的需求对象，另外服务需求者的需求往往具有一定的定制性，需要多个领域、多类服务提供者协同合作来满足服务需求者的需求。制造云服务不仅涉及硬件实物服务，还包含了仿真设计、生产管理等软件信息服务。制造云服务呈现出多样性的特点。

（2）跨层次性

云制造服务平台上的服务提供者（企业），将其不同粒度、不同层次的加工能力、加工资源、业务作为云服务发布。这些云服务根据服务需求者的需求匹配组合，形成符合特定需求的云服务组合。因此，制造云服务流程将不再局限于传统层次分明的集中式业务流，而是转变为不同粒度、不同层次服务融合的扁平化结构，体现了云服务的跨层次性特点，如图 2-7 所示。

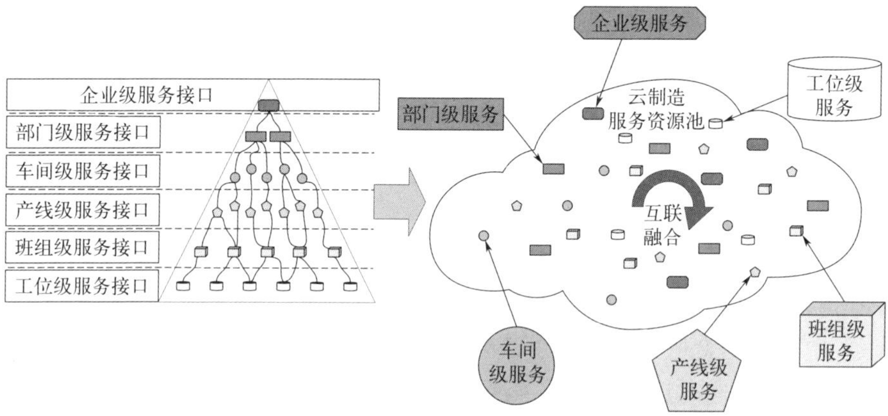

图 2-7 业务流程转变

（3）异构性

制造云服务涉及多行业、多地区的服务提供商，强调“分散资源集中使用”，将分散在不同地区的多行业制造服务集中起来；同时，从服务需求者角度讲，强调“集中资源分散服务”，将云服务平台上集中的云服务及其组合用来服务不同地理位置的多用户。因此，不同服务提供商所提供的云服务、服务需求者按需定制的服务组合，在业务流程、服务数据等方面都存在异构性。

（4）动态性

云制造通过云计算、物联网、嵌入式等技术实现制造设备的接入和制造资源的管理，通过服务提供者进行服务注册的方式将制造服务接入云服务平台，构建一个自治的、自维护的、可不断扩展的云服务资源池，这是一个持续动态的过程。同时，服务提供过程由于匹配过程、实施过程的不确定性，也是动态变化的。

（5）不确定性

制造云服务的不确定性主要体现在服务提供过程的动态变化中。在云制造中，制造云服务对服务需求的匹配无法得到最优解，往往是得到满足需求的一个或多个服务组合方案，这体现了制造云服务的不确定性。

（6）数量庞大

由于制造云服务的多样性和跨层次性，云服务在数量上非常庞大。云制造的出现使得中小企业能够通过将自身所能提供的服务注册到云制造平台上，从而使原本少为人知的、分散的制造资源和制造能力得以被发现和利用；同时，各类企业不仅可以保留传统的产品服务，还可以将自身最擅长的某个制造环节、业务流程单独作为云服务注册到云制造平台上。云平台的服务池中包括各种不同粒度、不同层次的制造服务，使其数量变得非常庞大。

2.2.3 制造云服务流程分析

1）制造云服务一般流程

基于第 2.2.1 节中的角色及关系概述，云制造中服务交易执行的一般流程如图 2-8 所示，主要分为三个阶段。

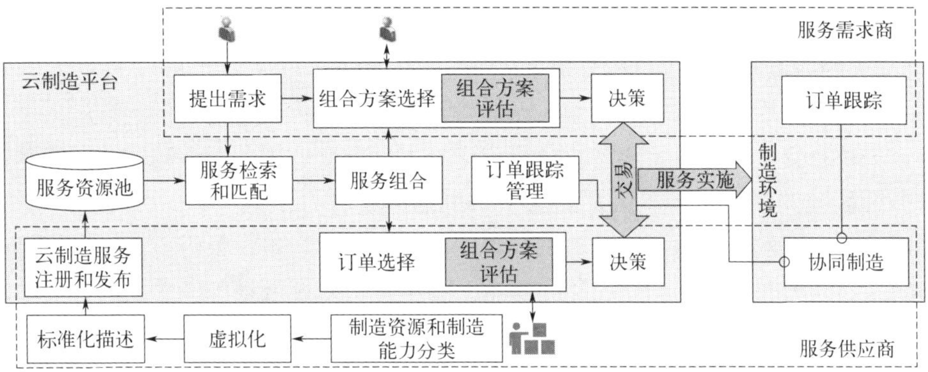

图 2-8　制造云服务一般流程

① 阶段一：制造云服务接入过程，是从实际制造资源端将制造资源和制造能力虚拟化、服务化后，发布到云制造服务资源池。

已在云制造平台上完成注册的云制造服务供应商首先将其各类制造资源和制造能力进行虚拟化，然后通过标准化描述，以 Web 服务的形式发布到云制造平台上。云制造平台对所有服务提供商发布的制造云服务进行集成后，形成云服务资源池。

② 阶段二：制造云服务接出过程，从云服务匹配、组合到服务实例的形成。

服务需求商提出自身个性化服务需求，云制造平台检索、组合和匹配服务资源池中的服务资源，形成满足服务需求商的备选服务方案集，并且反馈给服务需求商。服务需求商可根据合适的评估手段进行方案选择，最终进行决策，与相关服务提供商进行交易确认。

③ 阶段三：制造云服务执行过程，即从制造服务实施与制造全生命周期监控到服务产品交付。供需双方在确认服务方案后进入服务实施阶段，由于此阶段对于服务供应商来说，可能会同时收到来自不同订单的服务请求，因此其存在“纵向”的自身生产计划安排问题；同时，制造云服务的执行往往是跨多地域、跨多企业的制造流程，因此同一订单的服务供应商间也存在“横向”合作协同的问题，如图 2-9 所示。

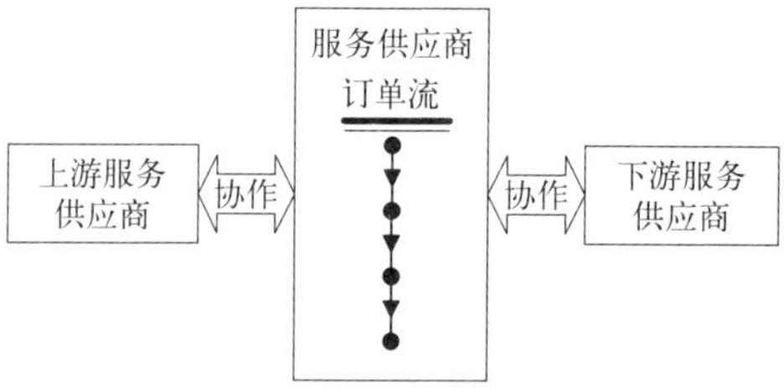

图 2-9　制造服务实施过程

2）制造云服务接入过程分析

在制造云服务的接入过程中，云服务具有动态进化的特点。云制造服务资源池处于动态变化中，随着更多服务供应商将不同粒度的服务接入和注册，云制造服务资源池的规模不断扩大。这对于云制造系统各方来说，是一把“双刃剑”，其好处不言而喻，使得各类分散的制造资源得以集中利用，为服务需求商提供更多的选择，但其带来的问题也较为突出。其中一个问题就是服务需求的分解和服务粒度选择问题。如图 2-10 所示，一个企业针对不同的产品制造需求，可以直接选择寻求产品制造的服务，或者把产品制造需求进行分解，形成部门级的生产服务（设计仿真、生产加工、装配）需求。不同的产品可以选择不同的服务需求

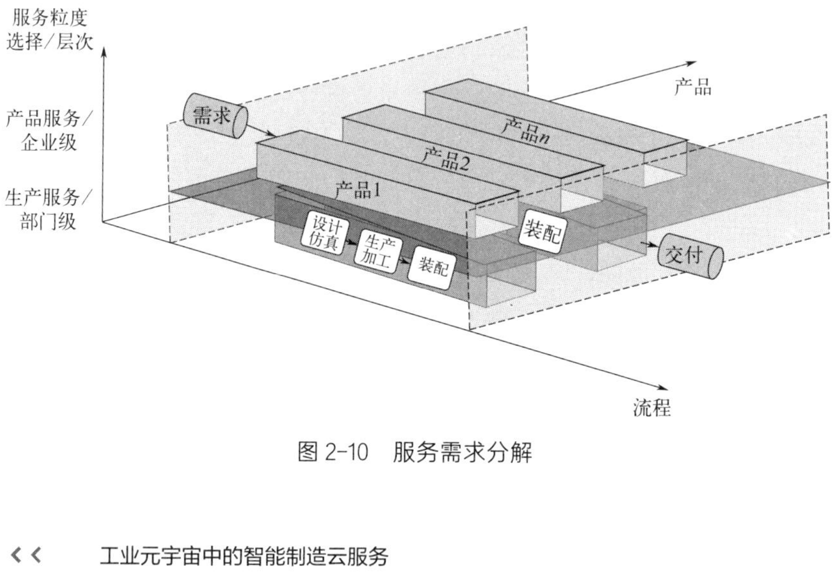

图 2-10　服务需求分解

粒度。图 2-11 展示了从服务粒度选择 / 层次维度和流程维度的更细化的表达，云制造平台可不对服务需求进行分解而直接选择对应的服务产品，也可将服务需求分解成部门级服务流程组合，甚至可将部门级服务分解成更细粒度的部件级服务、零件级服务等流程组合。图 2-11 中将部门级服务“生产加工”环节细化成“部件 1、2、3 生产服务”的组合服务流程，其中部件服务仍可进一步分解成更细粒度的组合服务流程。因此对于云制造服务平台来说，云服务的多样化、多粒度等特性使得服务需求分解、服务组合有了更多的选择可能，给云平台带来了更大的需求分解压力和更高的要求。对于云服务需求商来说，服务需求分解方案众多，这也会给其带来不小的选择困难。

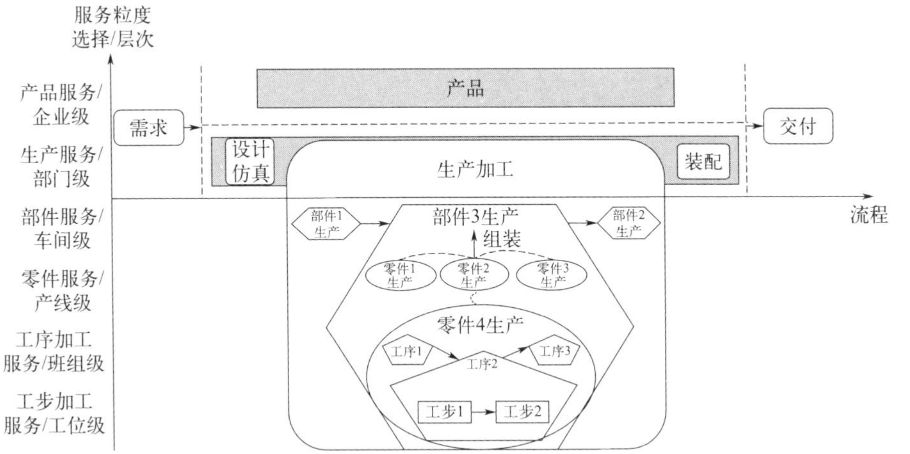

图 2-11　服务需求粒度分解

同时，对于同质服务，通过激烈竞争也将会形成“优胜劣汰”的进化机制，往往是一种零和博弈。因此，对于云制造服务企业来说，其需将具有竞争力的服务资源发布到云平台上，以提升自身服务的竞争力，避免被淘汰。例如，对于一些 ODM（Original Design Manufacturer，原始设计商）服务商来说，其虽然具备完整服务产品的生产工艺知识和成熟的供应链，但是在服务链中可能存在某个服务环节相比 OEM（Original Equipment Manufacturer，原厂设备制造商）服务商在生产技术等因素上不存在优势，此时在云制造模式下，其单个服务环节可能失去竞争力。因此，这就需要 ODM 服务商结合自身完备的生产工艺知识等优势，提高自身在单项服务环节上的竞争力。云服务供应商可以将自身生产工艺知识固化到云平台的服务流程中，以便提升自身企业服务的竞争力和影响力。

3）制造云服务执行过程分析

云制造系统是一个由云制造服务平台、众多服务供应商和服务需求商组成的复杂系统。在不同的时刻，众多服务供应商和服务需求商在云平台形成的不同服务供应链中可能扮演着不同的角色。服务执行过程从动态、异地分布的服务资源获取，到个性化定制的协同服务产品交付，其中不仅包含了信息空间的数据流协同，还包含了物理空间中的物流、人员流协同。制造云服务执行过程实际上是一种制造云服务供应链的服务实施过程，是由彼此相互独立的、不同利益主体构成的分散式供应链内部的协同过程，其具有以下特点。

（1）供应链中的信息不对称

制造云服务供应链中，若没有良好的信息交互机制，则各服务主体会形成“信息孤岛”，各服务商所获得的信息有限，不能很好地配合协作。因此，这就需要在云制造服务供应商之间形成良好的信息交互机制，打破信息壁垒。

（2）供应链成员的自治性利益要求

制造云服务供应链中，各服务供应商和其他服务商是竞争和博弈的关系。若没有良好的供应链协同协议，实现供应链管理程序化、标准化和规范化的协定，每个服务供应商只会主动寻求有利于自身的信息，按照自身利益最大化的方式工作，而不会按照统一的程序、标准和规定执行服务。因此，这就要求云服务供应链中能有标准统一的协同协议，从而优化供应链运作，降低云服务供应链的人员成本、时间成本等，达到全局优化的目的。

（3）供应链中的不确定性

制造云服务供应链中，需要考虑服务需求侧和供应侧的不确定性因素对服务供应链造成的影响，通过对干扰事件和系统状态的预测来降低这些不确定性给服务供应链带来的不稳定性。因此，需要采取一定的手段来监控干扰事件和系统状态，这可以通过服务跟踪的方法来实现。

2.2.4 从云制造 1.0 到云制造 3.0

云制造 1.0 主要关注通过网络和云平台组织制造资源，为用户提供按需制造服务。它侧重于将现有的制造资源和服务，通过网络化制造和服务技术与云计算融合，实现资源的统一管理和智能化经营。

李伯虎院士团队于 2012 年提出了云制造 2.0——智慧云制造的概念，它是云制造 1.0 的进一步发展和升级。智慧云制造是以用户为中心、以产品 + 服务为主导的，制造全系统随时随地、按需构建与运行的，以互联化、服务化、个性化、柔性化、社会化为主要特征的制造产品和服务用户的智慧制造模式。智慧云制造在制造模式、手段和支撑技术（智慧化的信息技术和智慧化的制造技术）方面都体现了智慧特征。这里的“智慧”强调了：①创新驱动；②以用户为中心的人、机、物、环境、信息的深度融合；③数字化、网络化（互联化）、智能化的深度融合；④工业化与信息化的深度融合；⑤智慧地运营制造全系统和制造全生命周期的活动。智慧云制造形成了以“泛在互联、数据为源、开放共享、跨界融合、自主智慧、万众创新”为特征的互联网 + 世界的新产业生态 [14]。

李伯虎院士团队于 2017 年提出了云制造 3.0，它是一种在“智能 +”时代背景下提出的新型智能制造系统。云制造 3.0 是基于泛在互联网，在新一代智能科学技术引领下，深度融合新一代智能科学技术、新制造科学技术、新信息通信科学技术和新制造应用领域专业技术 4 类新技术，形成的数字化、网络化、云化、智能化技术新工具。它构建了以用户为中心的统一经营的新智能制造资源、产品与能力的服务云（网），使用户通过新智能终端及新智能制造服务平台便能随时随地按需获取新智能制造资源、产品与能力服务。该系统可对新制造全系统、全生命周期活动（产业链）中的人、机、物、环境、信息进行自主智能的感知、互联、协同、学习、分析、认知、决策、控制与执行，实现制造全系统及全生命周期活动中的人、技术 / 设备、管理、数据、材料、资金（六要素）及人员流、技术流、管理流、数据流、物流、资金流（六流）的集成优化；形成一种“以用户为中心，人 / 机 / 物 / 环境 / 信息优化融合”的互联化（协同化）、服务化、个性化（定制化）、柔性化、社会化、智能化的智能制造新模式，以及“万物互联、智能引领、数据驱动、共享服务、跨界融合、万众创新”的新业态，进而优质、高效地完成制造全生命周期的各类活动，实现高效、优质、节省、绿色、柔性地制造产品和服务用户，提高企业（或集团）的市场竞争能力 [15]。

云制造 3.0 的体系架构是云制造 1.0 系统架构的进一步智能化，它依托新一代人工智能技术，融合了人、信息（赛博）空间与物理空间，形成了一种智能制造资源、能力和产品智能互联协同服务的系统（云）。

总结来说，从云制造 1.0 到 3.0，其核心理念和应用范围都在不断扩展和深化。云制造 1.0 阶段侧重于基础的资源共享和服务提供，2.0 阶段强化了个性化和智慧化特征，而 3.0 阶段则是一个全面的、集成化的智能制造解决方案，它不仅包含了前两个阶段的特点，还加入了更多的智能化和网络化技术，使得制造过程更加智能、高效和环保。李伯虎院士团队于 2024 年将这样的智能集成制造的发展总结为三个阶段：数字化制造（如计算机集成制造）；数字化、网络化、局部智能化制造（如工业 4.0、云制造 1.0 及 2.0 等）；完善的（高质量）数字化、网络化、智能化制造（如云制造 3.0 等）。他们认为：随着社会工业持续的需求及智能制造相关技术不断发展，智能制造的技术、产业、应用将迈进一个新的发展阶段，即“高质量智能制造”的新阶段 [16]。高质量智能制造系统的支撑（赋能）技术体系如图 2-12 所示，包括新制造技术、新信息通信技术、新智能科学技术、新制造应用领域专业技术、工业元宇宙技术、生成式 AI 技术等。

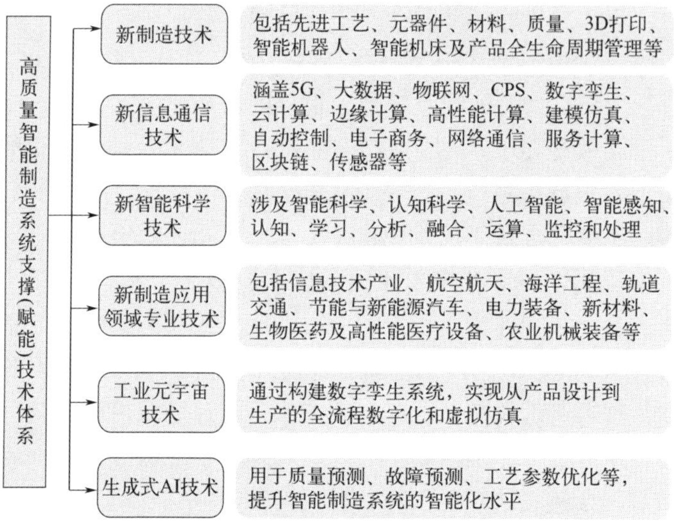

图 2-12　高质量智能制造系统的支撑（赋能）技术体系[16]

2.3

云制造与工业元宇宙

在云制造中，服务平台作为核心支持，服务需求方在平台上发布需求，然后通过云平台匹配到服务池中的制造云服务，通过制造云服务的组合和执行，完成相应的制造环节。服务供需和执行都是在云制造服务平台中完成。虽然云制造概念的提出比工业元宇宙要早，但是云制造以制造云服务作为制造过程交互要素，能灵活组合和弹性供给，符合工业元宇宙下制造模式的变革需求。云制造和工业元宇宙的概念比较如下。

（1）制造云服务：制造资源或制造能力的数字替身

在现实世界的制造活动中，制造资源或者制造能力是多种多样的，不同企业会提供不同的制造资源与制造能力，云制造把这些不同的、多样的、异构的资源与能力统一封装成制造云服务，在服务平台上进行发布。制造任务的需求被描述成对制造服务的需求，制造资源或能力的提供方被描述成服务提供方，通过服务供需匹配来实现制造供需对接，通过服务执行来实现制造过程。

由于制造云服务是在制造云服务平台上以数字化的形式存在和执行的，因此，可以把制造云服务看作是不同类型、不同粒度、异构的制造资源或制造能力的“数字化身”，而制造云服务平台则提供了工业元宇宙的“底座”，这样，服务需求方、服务供应方可以在元宇宙中通过对制造服务的操作来实现在元宇宙中的制造。

（2）云服务的接入和接出：元宇宙的虚实融合

工业元宇宙是和现实宇宙有交互的一个数字空间中的“平行宇宙”，工业元宇宙的运行不能脱离现实宇宙，同时，其制造结果往往也需要回归到现实宇宙。在云制造概念模型中，“两个过程”包含了制造资源 / 制造能力的接入和云服务的接出，云服务接出后实现制造全生命周期的应用。这个“接入”和“接出”就是云制造和现实世界的交互接口，可以看作是工业元宇宙和现实宇宙的接口。通过“接入”，实现现实宇宙到元宇宙的映射；通过“接出”，实现元宇宙到现实宇宙的反馈与执行。最终，在现实宇宙中实现产品加工制造全过程。

（3）制造云服务匹配与调度：元宇宙中的制造重组

当企业的制造资源 / 制造能力统一发布成制造云服务接入制造云平台后，云服务就会在虚拟空间中统一调配、统一调度，实现跨时空的优化调度。这就是工业元宇宙中的“制造重组”。在云平台中，服务资源突破传统制造资源的时空约束，可以在更大范围内进行供需对接，这样企业所能服务的区域大大扩展，制造需求也更容易被实现。

制造服务的供需对接与交易，体现了工业元宇宙中的交易和社交特征。工业元宇宙中的交易尤其凸显数字化经济的特点，这些特点反映到制造云平台的运行和管理上，也呈现出平台经济的一些特征，如双边市场、网络外部性等，这些都是传统供应链交互中所不具备的。

（4）神似大于形似：云制造更注重制造运行内在逻辑

当前云制造系统的实施和运行不一定需要一个支持 XR 的三维体验环境，它只是在数字空间中对制造资源和制造能力的一种重组和优化运行。很多制造云服务的匹配和执行，可能只有一些结果的数据呈现，对制造过程的三维模拟和映射没有进行更多展示。这是因为在当前云制造环境下，由于模型、算力和网络的限制，服务执行的三维展示和实时映射不能很好地完成，而且用户也是优先考虑制造服务执行结果，对过程监控的需求不那么迫切。在工业元宇宙中，由于具有更好的三维模型基础，加上 XR 技术等的应用，可以提升云制造运行过程的沉浸感体验，例如，在工业元宇宙下，利用多个设备加工云服务构建成虚拟车间后，服务需求方可以看到和实际车间一样的一个虚拟车间内各个设备的运行情况，并能进行实时分析，这样可以提升服务需求方对制造资源的管理能力和优化运行决策能力。

当前，云制造模式已经在部分行业和供应链中得到应用，但是参与企业的覆盖面和参与制造活动的深度都有局限，还没有形成大范围的、涉及全产业链所有企业的制造云服务平台。市场上呈现多平台并行的特点，平台之间的互联互通还存在瓶颈。云制造系统的实施和运行可以为数字化、网络化、智能化技术的应用提供研究探索的平台，为实现完全的工业元宇宙提供实施经验积累。未来建成工业元宇宙后，将为云制造模式的深入广泛应用提供一个广阔的空间。

参考文献

[1] Yoram K. The global manufacturing revolution:product-process-business integration and reconfigurable systems[M]. New York: John Wiley & Sons, Inc., 2010.

[2] Mourtzis D, Doukas M. The evolution of manufacturing systems: from craftsmanship to the era of customisation[M]//Handbook of research on design and management of lean production systems. Hershey:IGI Global, 2014: 446-477.

[3] 蒋陆军. 历次工业革命与组织模式演进 [J]. 现代管理科学, 2019, 7 (6): 36-38.

[4] Womack J P, Jones D T. Lean thinking—banish waste and create wealth in your corporation[J]. Journal of the Operational Research Society, 1997, 48 (11): 1148.

[5] 门田安弘. 新丰田生产方式 [M]. 3 版. 保定: 河北大学出版社, 2008.

[6] Hirano H. JIT implementation manual: The complete guide to just-in-time manufacturing,（6-volume set）[M]. New York: Productivity Press, 2019.

[7] 严隽琪. 数字化与网络化制造 [J]. 工业工程与管理, 2000, 5 (1): 8-11.

[8] Varela M L, Putnik G D, Manupati V K, et al. Integrated process planning and scheduling in networked manufacturing systems for i4.0: a review and framework proposal[J]. Wireless Networks, 2021, 27: 1587-1599.

[9] Kumar A. From mass customization to mass personalization: a strategic transformation[J]. International Journal of Flexible Manufacturing Systems, 2007, 19: 533-547.

[10] Da Silveira G, Borenstein D, Fogliatto F S. Mass customization: literature review and research directions[J]. International Journal of Production Economics, 2001, 72 (1): 1-13.

[11] 李伯虎, 张霖, 王时龙, 等. 云制造——面向服务的网络化制造新模式 [J]. 计算机集成制造系统, 2010, 16 (1): 1-7.

[12] 李伯虎, 张霖, 任磊, 等. 云制造典型特征、关键技术与应用 [J]. 计算机集成制造系统, 2012, 18 (7): 1345-1356.

[13] 李伯虎, 张霖. 云制造 [M]. 北京: 清华大学出版社, 2015.

[14] 李伯虎, 柴旭东, 张霖. 智慧云制造——一种互联网与制造业深度融合的新模式深度融合的新模式、新手段和新业态 [J]. 中兴通讯技术, 2016, 22 (5): 2-6.

[15] 李伯虎, 柴旭东, 侯宝存, 等. 云制造系统3.0——一种“智能+”时代的新智能制造系统 [J]. 计算机集成制造系统, 2019, 25 (12): 2997-3012.

[16] 李伯虎, 李潭, 柴旭东, 等. 发展高质量智能制造 奋力推进新型工业化 迈进中国式工业现代化的新征程 [J]. 新型工业化理论与实践, 2024, 1 (2): 11-26.

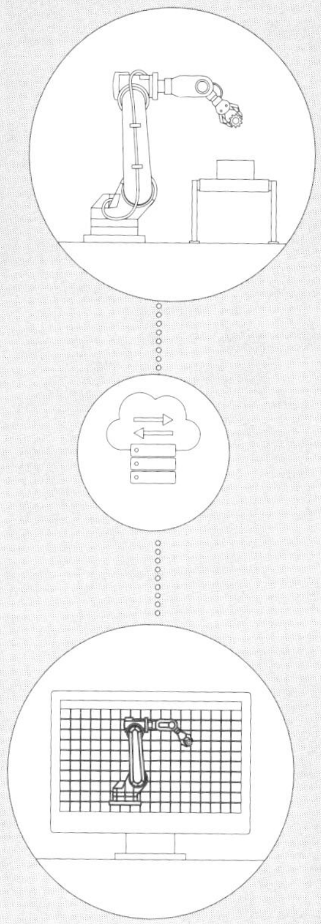

第3章

制造云服务的技术基础

元宇宙是新一代数字技术的融合创新。数字技术和制造技术的发展，推动了工业元宇宙的出现。云制造通过制造云服务实现跨企业的制造资源、制造能力共享，并且通过服务匹配、服务组合、服务执行来实现制造任务的供需和制造资源调度，完成整个制造过程。这需要解决物理世界中制造资源和制造能力的接入、虚拟化、服务化问题，以及服务的供需匹配、调度优化、执行及跟踪等问题。云计算、工业互联网等技术的出现和发展为制造资源互联提供了新的解决方案，推动了云制造模式的出现和发展。本章对推动云制造模式的出现、支撑制造云服务的发布和执行的基本技术进行介绍，这些技术见图 3-1，总体分为系统 / 建模技术、计算技术和网络技术。

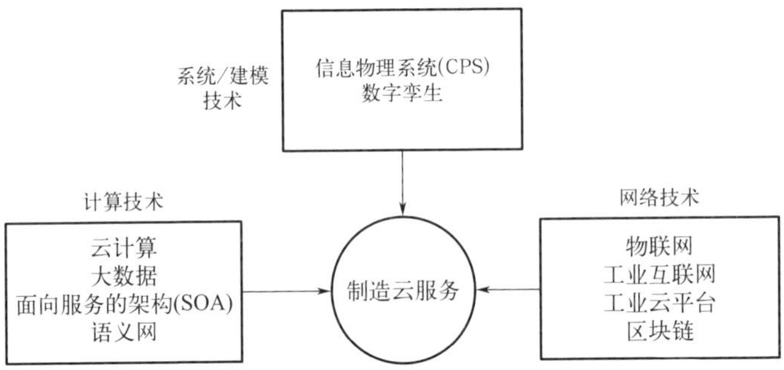

图 3-1　制造云服务的主要支撑技术

“系统 / 建模技术”是指把制造活动建模成制造云服务的相关技术，包括信息物理系统（CPS）和数字孪生两个技术，确切地说，CPS 和数字孪生属于一种“理念”，也就是考虑物理世界和信息世界关系的一种思考方法，因此，本书把它作为系统技术和建模技术来考虑。“计算技术”包括云计算、大数据、面向服务的架构（SOA）和语义网等相关技术，属于计算模式、数据表达方法等方面的技术。“网络技术”包括物联网、工业互联网、工业云平台和区块链等与网络相关的技术。

需要说明的是，图 3-1 中对这些技术的划分比较主观，不一定严谨，只是为了表述上的方便。例如，面向服务的架构、语义网也可能算作网络技术，但是本书暂时把它们列为计算技术，因为它们属于计算架构以及数据表达方面的技术。另外，本章所述的相关技术也只是众多推动云制造模式实现、运行与发展的一部分技术，其他技术，如智能化技术、决策方法（如博弈论）等将在后续章节结合其具体应用进行介绍。

3.1
系统 / 建模技术

3.1.1 信息物理系统

1）CPS 基本概念

信息物理系统（CPS），又可以称为赛博物理系统、信息物理融合系统等，本书参考《中国制造 2025》中的名词定义，称为“信息物理系统”。CPS 最早在 1992 年由美国国家航空航天局（National Aeronautics and Space Administration，NASA）提出。2006 年，美国国家科学基金会科学家海伦·吉尔（Helen Gill）对 CPS 的概念进行了详细描述。2013 年，德国提出“工业 4.0”，其核心系统就是 CPS，引起了大家的关注。由于各国发展现状不同，对于 CPS 的理解也有所不同。美国国家基金会（NSF）认为，CPS 是通过计算核心（嵌入式系统）实现感知、控制、集成的物理、生物和工程系统。在 CPS 系统中，计算被“深深嵌入”到物理系统中。CPS 的功能由计算和物理过程交互实现。欧盟第七框架计划指出，CPS 包含计算、通信和控制，它们紧密地与不同的物理、机械、电子和化学过程融合在一起。由工业和信息化部信息化和软件服务业司、国家标准化管理委员会工业标准二部指导，中国信息物理系统发展论坛发布的《信息物理系统白皮书（2017）》对 CPS 的定义是：CPS 通过集成先进的感知、计算、通信、控制等信息技术和自动控制技术，构建了物理空间与信息空间中人、机、物、环境、信息等要素相互映射、适时交互、高效协同的复杂系统，实现系统内资源配置和运行的按需响应、快速迭代、动态优化[1]。

CPS 体现了信息空间和物理空间的互相融合，国内相关学者对信息物理系统的特征总结为“数据驱动、软件定义、泛在连接、虚实映射、异构集成、系统自治”[1]。信息物理系统的本质是构建一套信息空间与物理空间之间基于数据自动流动的状态感知、实时分析、科学决策、精准执行的闭环赋能体系（图 3-2），解决生产制造、应用服务过程中的复杂性和不确定性问题，提高资源配置效率，实现资源优化。CPS 内部的信息空间和物理空间、CPS 之间、CPS 和人之间都有连接。

CPS 的四大核心技术要素为“一硬”（感知和自动控制）、“一软”（工业软件）、“一网”（工业网络）、“一平台”（工业云和智能服务平台）。其中感知和自动控制是 CPS 实现的硬件支撑；工业软件固化了 CPS 计算和数据流程的规则，是 CPS

的核心；工业网络是互联互通和数据传输的网络载体；工业云和智能服务平台是CPS数据汇聚和支撑上层解决方案的基础，对外提供资源控制和能力服务。

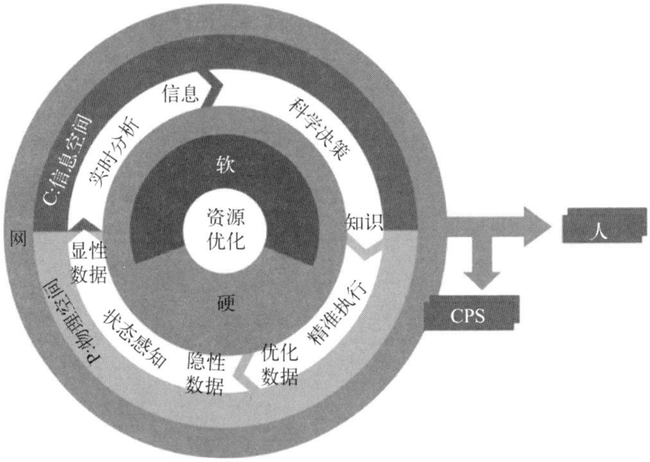

图 3-2　CPS 本质[1]

CPS具有层次性，一个智能部件、一台智能设备、一条智能产线、一个智能工厂都可能成为一个CPS。同时CPS还具有系统性，一个工厂可能涵盖多条产线，一条产线也会由多台设备组成。因此，可将CPS层次划分为单元级、系统级、体系级三个层次。CPS构建了一个能够连通物理空间和信息空间，驱动数据在其中自动流动，实现对资源优化配置的智能系统。这套系统在有机运行过程中，表现出数据驱动、软件定义、泛在连接、虚实映射、异构集成、系统自治的CPS典型特征。

CPS概念随“工业4.0”而为广大用户所重视，但是CPS的概念不仅限于制造领域，建筑、城市都可以看作是一个CPS系统或者CPS体系。

2）HCPS

2018年，中国工程院周济、李培根等院士发表了《走向新一代智能制造》一文，里面除了提出了“数字化-网络化-智能化”这一智能制造范式外，还提出了“人-信息物理系统”（Human Cyber-Physical Systems，HCPS）的概念[2]。

传统制造系统包含人和物理系统两大部分，是完全通过人对机器的操作控制去完成各种工作任务的系统，是一种“人-物理系统”（HPS）。信息系统（Cyber System）的引入使得制造系统同时增加了“人-信息系统”（Human-Cyber Systems，HCS）和“信息-物理系统”，并形成了HCPS。随着新一代人工智能技术的发展，形成了新一代“人-信息-物理系统”（图3-3）。其主要变化在于：

第一，人将部分认知与学习型的脑力劳动转移给信息系统，因而信息系统具有了“认知和学习”的能力，人和信息系统的关系发生了根本性的变化，即从“授之以鱼”发展到“授之以渔”；第二，通过“人在回路”的混合增强智能，人机深度融合将从本质上提高制造系统处理复杂性、不确定性问题的能力，极大地优化了制造系统的性能。

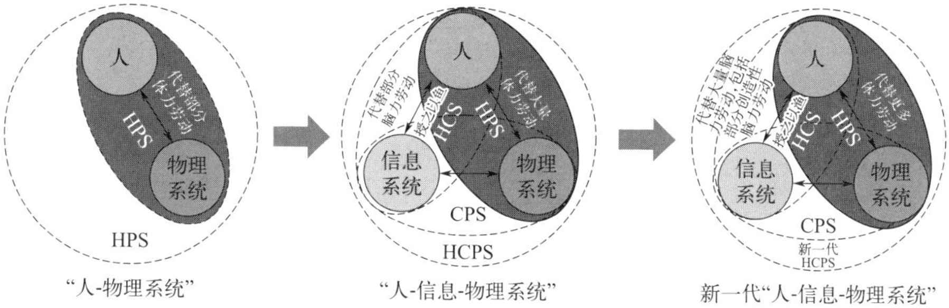

图 3-3　从“人－物理系统”到新一代“人－信息－物理系统”[2]

从系统构成看，HCPS 是以人为中心、由人 - 物理系统（HPS）进化而来，是由人、信息系统和物理系统有机集成的综合智能系统，包括 HPS、人 - 信息系统（HCS）、信息物理系统（CPS）等子系统，是当代和未来世界有效解决形形色色问题的一种普适形态和观念，覆盖人类生产和生活的方方面面。其中，物理系统是主体，是制造活动能量流与物质流的执行者；信息系统是主导，是制造活动信息流的核心，辅助或者代替人类对物理系统进行感知、认知、分析决策与控制，使物理系统以最优的方式运行；人是整个系统的主宰和关键，一方面，人是物理系统、信息系统的创造者，信息系统的“智能”是由人赋予的；另一方面，人也是系统的使用者、运营者和管理者。因此，无论是物理系统还是信息系统都是为人类服务的。相比于传统 HPS 中人对机械系统的直接作用，在 HCPS 中，部分劳动者从枯燥、繁琐的体力劳动中解脱出来，物理系统（机械）可更好更快地完成大量机械工作（即机械自动化），同时信息系统也有效提高了脑力劳动的自动化水平（即知识自动化）。

HCPS 的发展过程实质也是信息技术不断发展的过程，即从数字化（HCPS 1.0）、网络化（HCPS 1.5）走向智能化（HCPS 2.0）。

3.1.2 数字孪生

1）数字孪生基本概念

产品孪生（Twin）的概念最早于 20 世纪 60 年代出现在 NASA 的阿波罗项目中[3]，该项目为了对正在太空中执行任务的飞行器做出精确的状态反映和运行预测，制造了两个完全相同的空间飞行器，一个用于在太空中执行任务，另一个在地球上用于同步反映在太空中执行任务的飞行器的飞行状况，并进行操作模拟，辅助航天员在危急时刻做出正确的决策。在地球上的飞行器被称为 Twin，也就是孪生体。如果物理对象在数字空间有一个与其一致的孪生体，那就是“数字孪生”。

数字孪生可以概括为：以模型和数据为基础，通过多学科耦合仿真等方法，完成现实世界中的物理实体到虚拟世界中的镜像化数字模型的精准映射，并充分利用二者的双向交互反馈、迭代运行，以达到物理实体状态在数字空间的同步呈现，通过镜像化数字模型的诊断、分析和预测，进而优化实体对象在其全生命周期中的决策、控制行为，最终实现实体与数字模型的共享智慧与协同发展[4]。

数字技术的发展，使万物皆可“数字化”与“孪生化”，在未来的世界中，数字孪生技术将应用在生活的方方面面。数字孪生不局限于构建的数字化模型，不是物理实体的静态、单向映射，不应该过度强调物理实体的完全复制、镜像，虚实二者也不是完全相等的；数字孪生不能割离实体，并非物理实体与虚拟模型的简单加和，二者不一定是简单的一一对应关系，可能出现一对多、多对一、多对多等情况；数字孪生不等同于传统意义上的仿真 / 虚拟验证、全生命周期管理，并非只是系统大数据的集合。

2）数字孪生的特征

数字孪生的概念正处在不断发展的过程中，不同的应用场景下的数字孪生系统、数字孪生系统所在生命周期中的不同阶段都呈现出不同的特征，因此，很难通过一个标准的特征来判断某个应用系统“是”或者“不是”数字孪生系统。总体来说，与传统的建模仿真、实时监控、组态软件等相比，数字孪生系统有以下特征。

（1）多领域综合的数字化模型

数字孪生作为仿真应用的发展和升级，与传统的仿真方式有着巨大的区别。数字孪生技术解决问题的出发点在于建立高保真度的虚拟模型，在虚拟模型中完成仿真、分析、优化、控制，并以此虚拟模型完成物理实体的智能调控与精准执行，即系统构建于模型之上，模型是数字孪生体的主体组成。数字孪生的模型贯穿物理系统的整个生命周期。以产品数字孪生为例，针对新产品的设计，传统的产品仿真主要涉及产品本身的建模与仿真工作，不包括其工艺优化、制造过程规划、服务运维、回收处置等阶段的模型与仿真。而数字孪生不仅具备传统产品仿真的特点，从概念模型和设计阶段着手，先于现实世界的物理实体构建数字模型，而且数字模型与物理实体共生，贯穿实体对象的整个生命周期，建立数字化、单一来源的全生命周期档案，实现产品全过程追溯，完成物理实体的细致、精准、忠实的表达，其模型的构建需要考虑产品全生命周期的数据和行为表述。

数字孪生体和物理实体应该是"形神兼似"的。"形似"就是几何形状、三维模型上要一致，"神似"就是运行机理上要一致。数字孪生体模型不但包括三维几何模型，还包括多领域、多学科的物理、管理等机理模型。数字孪生体模型可以根据几何、物理、行为、管理规则等不同建模领域划分为多维度空间；还可以视为三维空间维、时间维、成本维、质量维、生命周期管理维等多维度交叉作用的融合结果，并形成对应的空间属性、时间属性、成本属性、质量属性、生命周期管理属性。数字孪生模型的构建应按层级逐级展开，形成单元级、区域级、系统级、跨系统级等多尺度层级，各层级逐渐扩大，完成不同的系统功能。

（2）以模型为核心的数据采集与组织

数据是数字孪生的基础要素，其来源包括两部分，一部分来自物理实体对象及其环境，另一部分由各类模型仿真产生。多种类、全方位、海量动态数据推动实体 / 虚拟模型的更新、优化与发展。高度集成与融合的数据不仅能反映物理实体与虚拟模型的实际运行情况，还能影响和驱动数字孪生系统的运转。

物理系统的智能感知与全面互联互通是物理实体数据的重要来源，是实现模型、数据、服务等融合的前提。感知与互联主要指通过传感器、物联网、工业互联网等技术将系统中人、机、物、环境等全要素异构信息以数字化描述的形式接入信息系统，实现各要素在数字空间的实时呈现，驱动数字模型的运作。

数据的组织以模型为核心。信息模型是对物理实体的一个抽象，而多学科、多领域的仿真模型需要不同的数据驱动，并且也会产生不同的数据。这些数据通过信息模型、物理模型、管理模型等不同领域的模型进行组织，并且通过基于模型的单一数据源管理来实现统一存储与分发，保证数据的有效性和正确性。

（3）双向映射、动态交互、实时连接和迭代优化

物理系统、数字模型通过实时连接，进行动态交互，实现双向映射。物理系统的变化能及时反映到数字模型中，数字模型所计算、仿真的结果，也能及时发送给物理系统，控制物理实体的执行过程，这样就形成了数字孪生系统的虚实融合。孪生数据链接成一个统一整体后，系统各项业务得到了有效集成与管控，各业务不再以孤立形式展现，实现了业务数据共享，业务功能也趋于完善。

数字孪生系统需要适合应用场景的实时连接。"实时连接"在不同的应用场景下，其物理含义是不同的。对于控制类应用（设备的在线监控），实时可能指小于 1s 甚至需要毫秒级的数据交互，而对于生产系统级应用，可能 10s 甚至 1min 的数据交互都是允许的，对于城市等大系统，部分数据可以以分钟甚至小时为单位进行更新，也算满足"实时连接"的定义。

如今的智能产品和智能系统呈现出复杂度日益提高、不确定因素众多、功能趋于多样化、针对不同行业的需求差异较大等趋势，而数字孪生为复杂系统的感知、建模、描述、仿真、分析、诊断、预测、调控等提供了可行的解决方案。数字孪生系统必须能不断地迭代优化，即适应内外部的快速变化并做出针对性的调整，能根据行业、服务需求、场景、性能指标等不同要求完成系统的拓展、裁剪、重构与多层次调整。这个优化在数字空间发生，同时也同步在物理系统中发生。

（4）推演预测与分析等智能化功能

数字孪生将真实运行物体的实际情况结合数字模型在软件界面中进行直观呈现，这个是数字孪生的监控功能。数字孪生的监控一般构建于三维可视化模型之上，各类数据按模型的空间、运行流程、管理层级等不同维度进行展示，能让用户直观感受系统运行状态，便于做出决策。

展示的数据不但包括采集得到的实时数据，也包括基于这些数据结合相关分析模型之后的数据挖掘结果，可以进一步提取数据背后富有价值的信息。分析结果也叠加到展示模型中，可以更好地展示实体对象的内部状态，为预测和优化提供基础。

数字孪生系统具备模拟、监控、诊断、推演预测与分析、自主决策、自主管控与执行等智能化功能。信息空间建立的数字模型本身就是对物理实体的模拟和仿真，用于全方位、全要素、深层次地呈现实体的状态，完成软件层面的可视化监控过程。而数字孪生不局限于以上基础功能的实现，还应该充分利用全周期、全领域仿真技术对物理世界进行动态的预测。预测是数字孪生的核心价值所在。动态预测的基础正是系统中全面互联互通的数据流、信息流以及所建立的高拟真性数字化模型。动态预测的方式大体可以分为两类：一类根据物理学规律和明确的机理计算、分析实体的未来状态；另一类依赖系统大数据分析、机器学习等方法所挖掘的模型和规律预测未来。第二类更适合于现如今功能愈加多样化、充满不确定性、难以用传统数学模型准确刻画的复杂控制系统。在虚拟端完成推演预测后，根据预测结果、特定的应用场景和不同的功能要求，采用合理的优化算法实时分析被控对象的行为，完成自主决策优化、管理，并控制实体对象精准执行。

3）数字孪生应用对象类别

从孪生对象的组成来说，数字孪生的应用可以分成产品数字孪生和系统数字孪生。

产品是生产活动的结果，是满足特定需求的物品或服务。工业产品一般是有形的物理产品，服务产品一般是无形的、满足用户需求的一系列活动及其结果。产品数字孪生，就是在信息空间构建产品的数字孪生体，对于物理产品，一般包括产品的三维几何模型及相关的机理模型和数据模型；对于服务产品，一般包括活动过程模型及相关的机理模型和数据模型。

系统是由相互作用、相互依赖的若干组成部分结合而成的，具有特定功能和一定结构的有机整体。一个系统可能是更大系统的组成部分。一条柔性加工单元、一条流水线、一个车间、一个工厂、一个城市都是一个系统，但是系统的复杂程度不一。

产品数字孪生和系统数字孪生有时候没有严格的划分边界，但是其应用过程的着重点不同。一般来说，产品数字孪生着重将一个产品看作一个整体，从满足、维持和延长其设计性能的角度来考虑；系统数字孪生则更多地从系统组成部分的协同运行、实现系统多个目标优化的角度来考虑。产品出厂之后，一般组成相对固定，其内部各部件之间的约束和通信关系较为稳定，而系统可以通过对其组成部分的结构或逻辑关系进行调整以实现更优的运行目标。

对于制造行业来说，产品数字孪生和生产系统数字孪生是有区别但又密切相关的两类数字孪生系统。产品是生产系统的生产对象和生产结果，生产系统的优化运行可以影响到产品的质量和成本；同时，产品的设计需求又会对生产系统提出新的要求，促进生产系统的不断演化。

3.1.3 系统 / 建模技术与制造云服务

CPS 和数字孪生都体现了泛在连接、虚实映射，因此，两个概念有一定的联系。CPS 更多地可以看作是一个理念，而数字孪生是一种技术实现。从广义上说，数字孪生系统可以看成是一个 CPS 系统或 CPS 体系，体现了物理对象和信息空间虚拟模型之间的互动。

CPS 是一个系统的整体理念，它着重于控制。CPS 的状态感知、实时分析、科学决策、精准执行是一个单元或一个系统的完整功能。制造云服务和物理世界的制造活动可以看作是一个 CPS 系统，通过虚拟空间服务的交互与执行来最终控制物理世界的制造活动。

制造云服务是制造资源、制造能力在制造云平台上的体现，可以看作是工业元宇宙中制造资源、制造能力的数字化身。因此，制造云服务和其所对应的制造资源 / 制造能力有“孪生”的关系：制造云服务是制造资源、制造能力在虚拟空间中的一个“数字孪生体”。但是制造云服务又不是真正的数字孪生体，因为在云制造的服务供需匹配中，并不要求制造云服务能体现出和现实世界一致的三维形象，即制造云服务更多的是制造资源、制造能力的“神似”而不是“形似”，因此，还不能说是数字孪生。

制造云服务是制造资源、制造能力数字化身的关系，让 CPS 理念和数字孪生技术在制造云服务的抽象、封装、发布和执行等过程中得以应用，并且可以基于

CPS 建模思想和数字孪生“模型 + 数据”驱动的思想，来构建制造云服务和实施云制造，因此，本书把这两个技术看作是驱动制造云服务的“系统 / 建模技术”。

3.2

计算技术

3.2.1 云计算

1）云计算概述

随着信息技术的发展，产生的数据量呈爆炸式增长。为了解决传统数据中心模式下成本高昂、资源管理复杂、扩展性有限等问题，2006 年 8 月，谷歌（Google）公司在圣何塞举办的搜索引擎战略大会上首次提出了“云计算”（Cloud Computing）这一术语，通过将计算资源虚拟化，并以服务的形式提供给用户，使得企业可以更加灵活和高效地处理数据。同年，亚马逊（Amazon）公司推出了动态计算云服务，标志着云计算服务的商业化起步。

目前受到广泛认同的云计算定义是由美国国家标准与技术研究院（National Institute of Standards and Technology，NIST）提出的：云计算是一种能够通过网络以便利的、按需付费的方式获取计算资源（包括网络、服务器、存储、应用和服务）并提高其可用性的模式。这些资源来自一个共享的、可配置的资源池，并能够以投入很少的管理工作或与服务供应商进行很少的交互来快速提供和释放[5]。

如图 3-4 所示，云计算提供了一个全新的基于互联网的商业服务模型，即用户可以通过互联网以按需、可扩展、按量付费的方式租用需要的服务[6]。

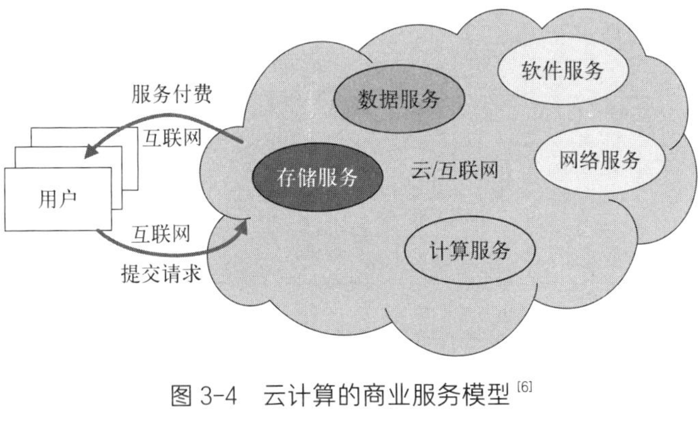

图 3-4　云计算的商业服务模型[6]

云计算与计算机“虚拟化”技术相关，可将计算资源虚拟成各类服务资源，按需配置和分发。云计算架构按照服务类型自下而上被划分为基础设施即服务、平台即服务和软件即服务三类[7]。

基础设施即服务，就是将计算资源、存储资源、网络资源等计算机基础资源作为一种虚拟化资源，供用户按需使用。例如，网络虚拟服务器资源，就是将计算资源（CPU）、存储资源（内存和硬盘）、网络资源（带宽）打包成一台虚拟服务器，供用户租赁。云计算的一个特点就是弹性可扩展，当用户由于业务需要扩展计算、存储或网络资源时，可以通过申请并订购更高级的服务合同来无缝地升级虚拟服务器，而虚拟服务器上的软件部署不用更改和移植。

平台即服务，是将平台资源作为可以订购的服务资源，供用户使用。平台资源一般是指具有一定基础功能的高级软件资源，例如，Web 服务器，就是一个通用的信息发布平台；数据库服务，也可以作为一个平台，可以称为 DaaS（Database as a Service，数据库即服务）。工业互联网平台就提供了很多专门的平台服务资源，例如，设备接入平台、数据分析平台等。平台服务可以让用户专注于自己的专门应用开发，一些基本的、底层的功能可以让平台服务商去完成。PaaS 服务提供的是供用户实施开发的平台环境和能力，包括开发测试、能力调用、部署运行等。

软件即服务，是指将软件作为一种可以订阅的服务提供给用户。相对来说，SaaS 更多的是为最终用户所使用，如果说 IaaS、PaaS 更多的是商用（to B）应用，SaaS 则包含更多的零售（to C）应用。例如，微软推出的 Office 365 就是一个 SaaS，用户可以租赁 Office 应用以及相应的网盘功能，在任何一台移动终端上进行办公应用。SaaS 还包括 ERP、CRM（Customer Relationship Management，客户关系管理）、MES 等商业、工业软件的应用，可以降低企业部署成本，提高软件的可用性。SaaS 提供实时运行软件的在线服务，服务种类多样、形式丰富，常见的应用包括 CRM、社交网络、电子邮件、办公软件、OA（Office Automation，办公自动化）系统等。

云计算按照部署方式可分为公有云、私有云和混合云。公有云一般面向大众、行业组织、学术机构、政府机构等，核心属性是共享资源服务；私有云仅仅在企业或组织范围内部所使用，可以有效控制其安全性和服务质量；混合云将单个或多个私有云和单个或多个公有云互联为一体，既拥有公有云的功能，又可以满足用户基于安全和控制原因对私有云的需求。

云计算平台也称为云平台，是指基于硬件资源和软件资源的服务，向用户提供计算、网络和存储能力的计算平台。云计算平台可以分为以数据存储为主的存储型云平台、以数据处理为主的计算型云平台，以及计算和数据存储处理兼顾的综合云计算平台。

随着互联网智能终端设备数量的急剧增加，以及5G和物联网时代的到来，传统云计算中心集中存储、计算的模式已经无法满足终端设备对于时效、容量和算力的需求。将云计算的能力下沉到边缘侧、设备侧，并通过中心进行统一交付、运维、管控，是云计算的重要发展趋势，形成“云 - 边 - 端”的应用架构。

在“云 - 边 - 端”架构中，“云”是指传统云计算的中心节点，有丰富的云计算产品形态和资源，是边缘计算的管控端，负责全网算力和数据的统一管理、调度、存储。“边”，又称基础设施边缘（Infrastructure Edge），属于云计算的边缘节点，靠近设备和数据源，拥有充足的算力和存储容量。例如，传统云计算的CDN（Content Delivery Network，内容分发网络）节点，物联网场景中的设备控制中心。“端”，又称设备边缘（Device Edge），主要指终端设备，如手机、汽车、智能家电、工厂设备、传感器等，是边缘计算的“最后一公里”。

边缘计算目前面临的主要挑战有：①云边端协同：统一的交付、运维、管控标准；②安全：边缘服务和边缘数据的安全风险控制难度较高；③网络：边缘网络的可靠性和带宽限制；④异构资源：对不同硬件架构、硬件规格、通信协议的支持。

2）云计算关键技术

云计算以数据为中心进行密集计算，融合了多种技术。云计算的重要技术特点是资源的分散化、虚拟化和管理的集中化[8]。云计算关键技术主要包括以下几个方面。

① 虚拟化技术。虚拟化是云计算的核心技术，云计算通过使用虚拟化将应用程序和数据在不同层次以不同的方式展现给用户，为云计算的使用者和开发者提供便利。虚拟化分为两种主流模式：一种是将大型服务器虚拟化为多个小型服务器，为多个用户提供服务；另一种是将多个服务器虚拟成一个服务器，完成用户指定功能。

② 云存储技术。云存储作为云计算的重要组成部分，承担着最底层以服务形式收集、存储和处理数据的任务，并在此基础上展开上层的云平台、云服务等业务。该技术综合运用分布式文件系统、集群应用和网格技术等，通过应用软件让网络中大量的、不同类型的存储设备协同工作，共同提供数据存储和业务访问功能。云存储技术利用多台服务器分担处理任务，提高了系统的可靠性、可用性和存储速度。

③ 云数据管理技术。云计算需要采用有效的云数据管理技术对海量、异构、非确定性的数据和信息进行分析和处理，构建高度可用和可扩展的分布式数据存储系统。云计算的数据管理层次可分为数据组织与管理、数据集成与管理、分布式并行处理与数据分析。云数据管理技术旨在实现对非确定性数据的管理与集成，为

用户提供高效的查询等服务[9]。

④ 云计算安全技术。云计算安全技术让企业和组织能够放心地将自己的数据交付给云服务提供商进行管理，能够大规模应用云计算技术与平台。云计算领域的安全威胁有数据安全风险、虚拟化风险、终端风险以及接口安全风险等几类。针对云计算平台存在的安全风险，所涉及的安全技术包括物理设备管理、数据安全、虚拟化安全、访问控制管理以及可信云计算等，需要对安全风险进行管控，尽量将风险降至最低，以确保云计算平台的安全与稳定[10]。

3.2.2 大数据

1）大数据概述

大数据是信息技术高度发展的产物，互联网、物联网、移动计算等信息技术的不断发展和深入应用，产生了海量的数据。2013 年，维克托 · 迈尔 · 舍恩伯格在《大数据时代：生活、工作与思维的大变革》一书中指出，大数据带来的信息风暴正在变革我们的生活、工作和思维，大数据开启了一次重大的时代转型。维克托认为，大数据的核心就是预测。这个核心代表着我们在分析信息时的三个转变。第一个转变是，在大数据时代，我们可以分析更多的数据，有时候甚至可以处理和某个特别现象相关的所有数据，而不再依赖于随机采样。第二个改变是，研究数据如此之多，以至于我们不再热衷于追求精确度。第三个转变因前两个转变而促成，即我们不再热衷于寻找因果关系。该书的出版，引起了业界对大数据研究的热潮。

各个领域的专家从不同的角度对大数据进行了定义。研究机构 Gartner 给出了这样的定义：“大数据”是需要新处理模式才能具有更强的决策力、洞察发现力和流程优化能力来适应海量、高增长率和多样化的信息资产。大数据具有 4 个典型的特征（“4V”特征）：Volume（数据量大）、Velocity（速度快）、Variety（数据种类繁多）、Value（数据价值大）。大数据的特征主要表现在 4 个层面：第一，数据体量巨大，所需要处理的数据从 Petabyte 级别到 Exabyte 级别，甚至是 Zettabyte 级别。第二，数据增长速度快，对数据处理速度也要求快。当今社会，每时每刻都有大量数据被获取和存储。同时，只有快速处理才能有效利用其价值。第三，数据类型繁多，包括文字、图像、视频、地理位置信息等，涵盖结构化、半结构化和非结构化数据。第四，价值密度较低，但商用价值大。从表面上看，很多数据没有价值，但是通过大量数据的整合处理，可以挖掘出整体蕴藏着的巨大价值。

大数据的获取、传输、存储、分析和处理成为提高企业竞争力的关键因素。伴随着大数据处理技术的应用，“数据资源”成为很多企业或组织的一项新资产，各行各业的决策从“业务驱动”变成了“数据驱动”，也催生了“数据驱动的建模方法”的应用。

针对大数据的特征，很多传统的数据分析处理技术不能适应大数据环境，例如，大数据的大量数据，给传统的软件和存储模式提出挑战；大数据的分布式、低价值密度、高价值也给软件架构提出新需求；大量异质的、非结构化的数据也给数据存储和处理方法提出新要求。大数据处理的关键技术包括数据采集和预处理、数据存储和管理、数据分析与挖掘。数据科学是伴随大数据发展的一门新兴的学科，深度学习方法的出现为大数据处理提供了新的模式，并且给大数据的应用提供了新的手段。

2）工业大数据与制造大数据

大量工业设备在其运行过程中，通过传感器、控制器等采集和处理了大量的数据。这些数据被有效地存储起来，形成了工业大数据。工业大数据作为对工业相关要素的数字化描述和在信息空间的映像，也符合大数据的“4V”特征。相比于其他类型大数据，工业大数据还具有反映工业逻辑的多模态、强关联、高吞吐量等新特征。

多模态是指工业大数据反映工业系统多方面特征及其各方面要素，涉及工业领域中“光、机、电、液、气”等多学科、多专业信息化软件产生的不同种类的结构化和非结构化数据。比如，三维产品模型文件不仅包含几何造型信息，还包含尺寸、公差、定位、材料等其他信息；同时，航空、轨道交通、化工等复杂产品对象的数据又涉及机械、电磁、流体、声学、热学、化学等多学科、多专业。

强关联反映的是工业的系统性及其复杂动态关系，包括两个方面。一方面是工业系统加工处理对象和工业系统本身的关联，一个产品在加工过程中会和工业系统发生关联，而由于产品组成复杂，组成产品的零件、部件和组件会和多个生产系统关联；另外一方面是指工业大数据会有明显的时效性，有时间序列关联，通过时间戳把多个传感器、多维度的感知数据关联起来，综合反映工业系统的状态。

高吞吐量即工业传感器要求瞬时写入超大规模数据。工业大数据来自传感器和工业软件，因为要满足实时感知，所以其监控频率高，会高速产生大量的数据。以风机装备为例，根据 IEC 61400-25 标准，持续运转风机的故障监测，其数据采样频率为 50 Hz，如果单台风机每秒产生 225 KB 传感器数据，按 2 万台风机计算，全量采集则写入速率要求为 4.5GB/s。总体而言，机器设备产生的时序数据的特点包括海量的设备与测点、数据采集频度高（产生速度快）、数据总吞吐量大、7×24h 持续不断，呈现出“高吞吐”的特征[11]。

对于制造云来说，产品全生命周期活动产生了大量的工业数据，反映了制造系统的状态、活动和趋势，具有极高的工业应用价值。此外，在制造云中海量制造资源与能力的整合，以及基于此开展的云设计、云生产、云试验、云售后、云管理等各类云制造活动，也在不断产生数据。制造云中的大数据，主要来自如图 3-5 所示的三个方面，包括产品数据、能力数据、资源设备数据。

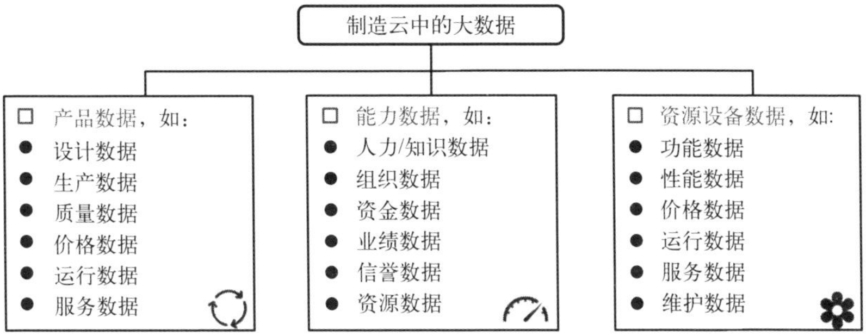

图 3-5　制造云中的大数据来源

制造云通过对大制造系统所产生的大数据进行有效的采集、管理、分析，并提供各类增值服务（图 3-6），挖掘大数据的价值。制造云中大数据的价值在于能够精确、高效、智能地应用于云制造全生命周期活动及全系统，促进云制造的智慧化；显著提升企业在产品研制、管理与服务方面的效率、质量和成本控制能力，降低能耗，实现以产品加服务为主导的随时随地按需服务化、个性化、柔性化、社会化和绿色化制造。

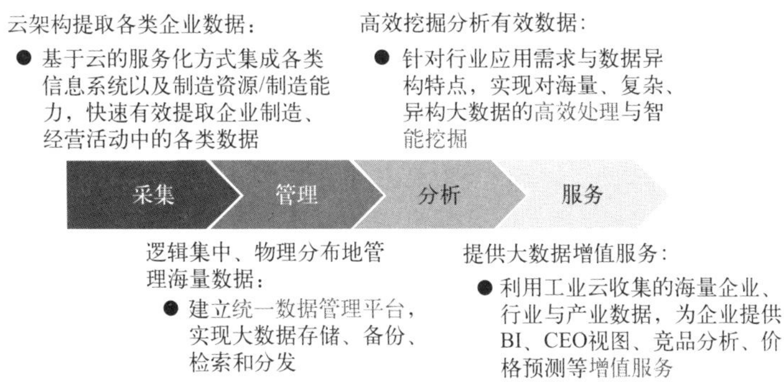

图 3-6　制造云对大数据处理各个阶段的支持作用

3.2.3　面向服务的架构

1）面向服务的架构和 Web 服务

当今用户在使用不同的计算终端时，已经感受不到不同计算平台、不同操作系统带来的跨平台、跨终端访问问题。而在 20 世纪 80~90 年代，同一台计算机上的不同应用软件、不同计算机上的应用软件之间进行数据交互和功能互访是个大问题。这些不同的计算终端可能运行的是不同的操作系统，并且是基于不同的网络进行互联的。传统的面向过程、面向对象的软件设计方法和程序调用方法，都不能解决这些跨平台调用问题，虽然微软提出了诸如 OLE（Object Linking and Embedding，对象链接与嵌入）、COM（Component Object Model，组件对象模型）、DCOM（Distributed Component Object Model，分布式组件对象模型）等技术，但是局限于 Windows 平台，涉及 Unix、Linux 等平台就无能为力了。不同的程序设计语言所编制的应用程序也不能互访，为软件功能重用带来了重重障碍。

20 世纪 90 年代末，Gartner 公司提出了面向服务的架构（SOA），让这个问题有了新的解决方法。它是为解决互联网环境中服务共享、服务重用和业务集成而提出来的一种新的分布式软件系统架构。Gartner 对其的定义为：SOA 是一种 C/S（Client/Server，客户端 / 服务器）架构的软件设计方法，其中应用由服务和服务使用者（也称为客户或服务请求者）组成。SOA 与大多数通用的 C/S 架构模型的不同之处在于，它着重强调构件的松散耦合，并使用独立的标准接口。

面向服务的架构是一个组件模型，它将应用程序的不同功能单元封装成服务（Service）。服务共享一个契约（Contract），服务之间信息交换的标准契约得到描述，服务之间就可以交互；服务具有可重用、自治性和松散耦合的特征。当单个服务无法独立完成任务时，可以通过服务组合来完成。服务的底层逻辑是不可见的，与服务的具体消费者无关，只有契约规定的部分暴露在外面，一般被称为接口（Interface）。

服务的接口采用中立的方式定义，独立具体实现于服务的软硬件平台、操作系统和编程语言，这样使得服务可以使用统一和标准的方式进行通信。软件的开发过程就成为服务开发、服务部署、服务组织、服务调用的过程，使得跨平台、跨终端的功能调用得到实现，大大降低了软件开发和部署的难度。

SOA 是一种架构模式，是设计原则，而基于 SOA 用得最多的一个技术规范就是 Web 服务（Web Service）。Web 服务是一套标准，它定义了应用程序如何在 Web 上实现互操作性。通过 Web 服务标准，可以查询和访问用任何编程语言、在任何平台上写的 Web 服务。Web 服务之所以得到广泛应用，一是因为基于 Internet 的 Web 应用得到广泛的应用，另外一个原因是 Web 应用基于 HTTP 协议（80 端口），这个端口在企业防火墙中通常处于开放状态（用来进行 Web 网页访问），因此 Web 服务就容易穿透防火墙实现跨网络的访问。Web 服务的目标是即时装配、松散耦合以及自动集成。

W3C（World Wide Web Consortium，万维网联盟）组织颁布了一系列 Web 服务标准，构成了 Web 服务的整个标准体系，遵循这个标准就能实现不同软件模块间的重用。在电子商务和企业管理软件领域，Web 服务的典型技术标准包括 SOAP（Simple Object Access Protocol，简单对象访问协议）、UDDI（Universal Description, Discovery and Integration，通用描述、发现和集成服务）和 WSDL（Web Services Description Language，Web 服务描述语言）。

SOAP 是一种轻量的、无状态的交换数据协议规范，具有可扩展、格式简单、平台独立、与操作系统和编程语言无关的优点，其可以和现存的超文本传输协议（Hyper Text Transfer Protocol，HTTP）、简单邮件传输协议（Simple Mail Transfer Protocol，SMTP）等 Internet 基础协议或应用程序相结合使用。Web 服务利用 SOAP 提供的消息交互协议和消息处理框架可以在不同服务之间实现基于 XML（Extensible Markup Language，可扩展标记语言）结构化信息的交换，通过网络发现并远程调用所需 Web 服务。UDDI 是一种免费的可用于描述、发现、集成 Web 服务的规范，具有与平台无关、体系开放、创新自由、广泛支持等特点。基于这种规范，用户可根据实际需要通过 UDDI 动态查找、调用 Web 服务，也可在 UDDI 注册中心发布自己开发的 Web 服务以供其他用户使用。WSDL 从句法层面对 Web 服务的功能进行描述，包括 4 个不同的粒度：数据类型、消息、方法和访问端口。一个基于 SOAP 协议的 Web 服务调用过程见图 3-7。

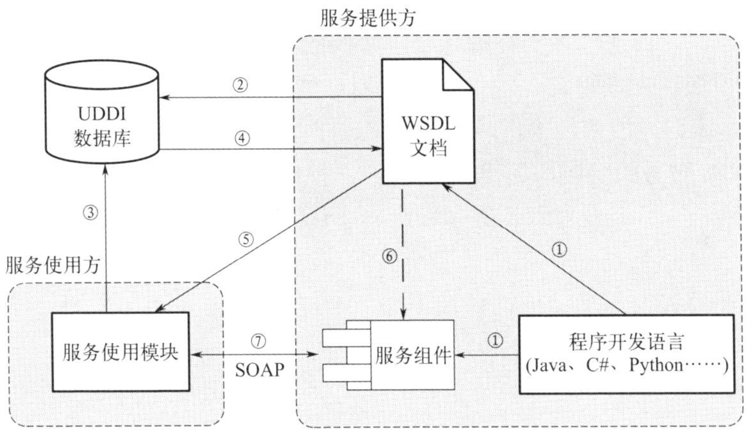

图 3-7　SOAP 协议的一般调用过程

图 3-7 中，服务提供方首先把需要提供的软件功能以服务组件的形式发布成 Web 服务，明确 Web 服务地址和服务端口并形成 WSDL 文档（图中的第①步），然后在 UDDI 数据库中进行注册（第②步）；服务使用方（需求方）首先通过 UDDI 进行服务检索（第③步），查询到服务后，会得到这个服务的 WSDL 文档（第④、⑤步），由于 WSDL 文档里面说明了提供服务的地址和端口（第⑥步），服务使用方就可以直接和服务组件进行通信，利用 SOAP 协议来使用该 Web 服务（第⑦步）。

基于SOAP规范的Web服务缺点是实现复杂，一个URL（Uniform Resource Locator，统一资源定位符）对应的Web服务包含很多方法，各个方法的调用形式不同，参数类型不同，导致访问的编程复杂；同时，由于信息传递是通过基于SOAP规范的XML文件实现，数据传递过程必须进行必要的打包（Envelop）操作，增加了数据传送量。2000年，由罗伊·托马斯·菲丁（Roy Thomas Fielding）提出的REST（Representational State Transfer，表述性状态转移）风格的Web服务在Web级规模交互上存在优势。在REST世界中，资源即状态，而互联网就是一个巨大的状态机。每个网页是其一个状态；URL是状态的表述；REST风格的应用则是从一个状态迁移到下一个状态的状态转移过程。在REST式的架构中，关注点在于资源，使用标准方法检索并操作信息片段，同时需要制定信息的表示。REST利用简单的HTTP、URI（Uniform Resource Identifier，统一资源标识符）标准和JSON（JavaScript Object Notation，JavaScript对象标记）表达格式构建起轻量级的Web服务，从而大幅度提升了开发效率和程序性能，也为构建下一代高性能、高可伸缩性、简单性、可移植性、可靠性的Web程序提供了一个架构风格上的准则。

用Web服务实现SOA的好处是：可以实现一个中立平台来获取服务，取得更好的通用性。目前，移动终端与云平台间的功能访问都是采用Web服务形式。商务领域和管理领域等实时性低、数据相对复杂的应用，使用SOAP协议较多；而轻量化、实时性要求较高的场景应用REST风格接口规范较多。

2）Web服务的编制与编排

诸如电子商务、企业管理等领域，一个任务涉及复杂的工作流程，需要一种协议让多个Web服务协同以完成一个任务。基于工作流程的Web服务组合协同方法可以大致分为两类：一类是基于服务编制（Orchestration）的协同，另一类是基于服务编排（Choreography）的协同。

服务编制是从单个服务参与主体的视角去描述自身服务内部的业务流程以及执行过程，其描述标准主要是WS-BPEL（Web Service Business Process Execution Language , Web服务业务过程执行语言）。通常的服务编制是指集中式管理，即组织中存在一个具有对所有服务控制作用的中心控制引擎——中心协调者（Central Coordinator），它控制和协调组织内所有成员服务之间的信息流和业务流，并且它也是所有成员服务间交流的“传递者”。如图3-8所示，中心控制引擎在依次调用相关成员服务后，成员服务将相关数据结果返回给中心控制引擎，在中心控制引擎调用下一个服务的同时，把相关数据一同传递给下一个服务。另外，中心控制引擎还负责业务流程的异常处理和用户交互。服务编制的优势是服务流程简单明了、直观，但是由于中心控制引擎承担着大量的业务流控制、数据处理等任务，因此当成员服务数量多到一定程度时，过大的负载会导致业务流程控制和业务数据通信产生瓶颈问题。因此，这种方式很难适用于复杂的云制造环境，只适用于单个服务内部或少量服务之间的协同。

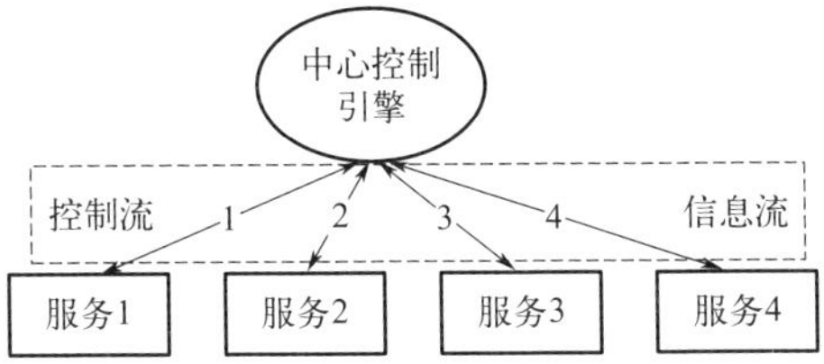

图 3-8　基于编制的服务流程

服务编排是从全局视角去协同服务各方之间的合作流程和交互协议，其描述标准主要是 WS-CDL（Web Service Choreography Description Language，Web 服务编排描述语言）。通过对服务的角色类型、关系类型、交互通道类型、交互数据类型和交互规则等的描述，实现服务之间的公共行为，即由服务编排协议去完成服务编制中中心控制引擎的作用，如图 3-9 所示。

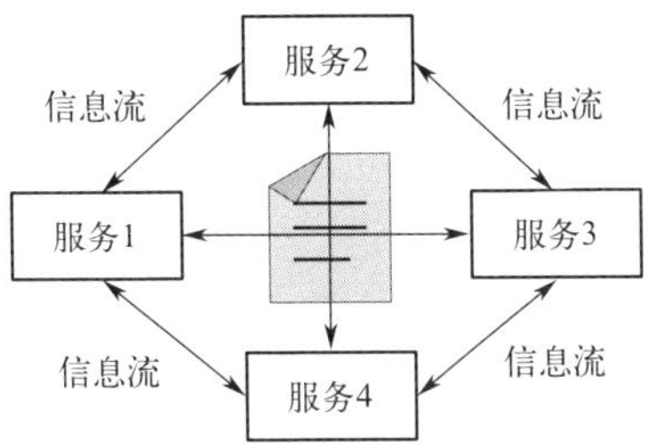

图 3-9　基于编排的服务流程

综上所述，服务编制和服务编排的对比见表 3-1。

表 3-1　服务编制与服务编排的对比

对比项	服务编排	服务编制
应用层次	较上层次	较下层次
视角	全局视角	局部（内部）视角
描述语言	WS-CDL	WS-BPEL
直观性	差	好
适用范围	复杂服务流程中的成员服务间协同	简单服务流程或服务内部流程协同

标准 WS-CDL 是万维网联盟（W3C）于 2005 年提出的一种 Web 服务编排语言描述规范，主要用来描述对等实体之间的协作关系。其利用基于 XML 的 Web 服务编排语言，强调以一个“导演”的身份去描述“谁应该跟谁交互、协商”，

是从需求层面上描述不同参与者之间的交互过程。WS-CDL 以一种全局、中立的观点来描述多个服务的交互，即平等地描述 Web 服务的交互，从全局的角度表达各服务的交互逻辑结构和控制行为，如图 3-10 所示，使得各 Web 服务能够以一种自组合的方式组合成业务流程，最大限度地实现 Web 服务的可重用性，这与云制造服务的目标不谋而合。这种模式比较契合云制造环境：参与云制造服务过程的组织都是对等的，大家遵循某种协议来进行制造云服务执行过程的协同。通常，在云制造服务中，往往有众多服务参与者（Participants），并承担一定的角色（Roles），存在跨系统、跨企业的业务交互，因此需要通过服务编排进行服务间的协同。

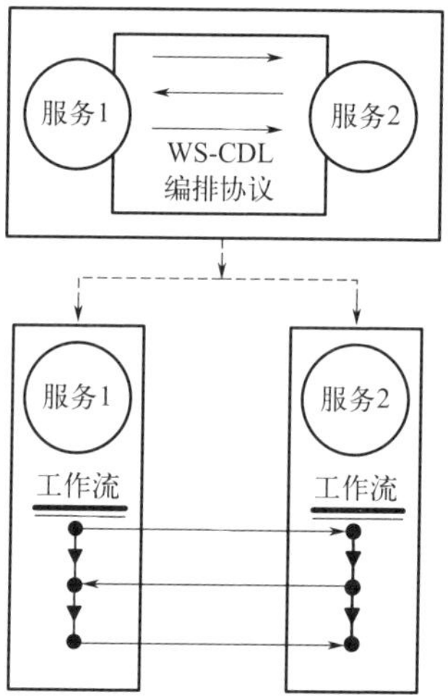

图 3-10　WS-CDL 编排过程

3.2.4 语义 Web

互联网给人类提供了一个信息交流的平台，人们可以在网上检索到自己需要的内容，但需要人自己去理解信息，也就是说，网上的信息更适合由人类自己去阅读与理解，计算机（或程序）并不能很好地理解这些信息。

尽管互联网上分布着大量的信息，但它们主要是以人为中心的，信息格式的异构性、语义的多样性和信息关系的不统一等因素使人们在信息的利用上存在困难。计算机在大规模信息处理方面具有很大的优势，但如果信息不能被形式化展示，就很难由计算机进行处理。因此，使计算机能够解析这些信息变得异常重要，基于此才能更好地发挥信息的作用。于是，语义 Web 诞生了。语义 Web 包含多种描述语言和推理逻辑，通过对数据建立本体，实现数据间关系的建立，那么计算机就可以通过推理检索出人们需要的结果。

将语义Web引入制造领域，通过使用语义Web技术来描述制造服务，可以使计算机能够理解服务信息。在服务发现阶段，计算机可以自动完成服务的检索，提取出符合用户需求的服务集。在服务组合阶段，可以实现服务组合自动化，用户只需在前台完成原子服务的选择和顺序定义，系统将自动完成服务的组合。

1）本体论的概念

Web是一个十分庞大的信息中心，里面的知识种类繁多，既包含通用的常用知识，也包含各行业的领域知识。要保证计算机能准确地理解这些信息，就需要制定统一的基于语义的知识描述方法。

本体论可以将一致的术语集应用于相同领域的知识之间，它能够概念化地表示对象。本体能够定义对知识的统一认识和共同理解，并从多个层级将词汇及其相互关系明确表述出来；本体对概念、术语及其相关关系进行统一的规范化描述，形成某一领域的基本知识框架，定义出一套共享的术语和信息表示结构，或者说一个可重用和可扩展的概念库，用来描述特定的领域；本体可以采用一阶谓词、产生式、语义网络和框架等知识表示方法进行描述。语义Web本体表示的是人们对某一领域中知识的共同理解。关于对网络的利用，必须定义一套统一语法的描述语言，只有这样，本体才能按照统一的语法格式来交换信息。早期的本体描述语言，都是为知识共享目的而设计的知识表述语言，主要有KIF、Ontolingua、OKBC、LOOM等。直到语义Web的提出，出现了一些基于Web的本体表示语言，如SHOE、XOL、RDF、RDFS、OIL、DAML、DAML+OIL、OWL等[❶]。

2）语义Web中的描述语言

（1）RDF和RDFS

RDF（Resource Description Framework，资源描述框架）是处理元数据（元数据是“关于数据的数据”，用来描述网络资源的数据）的基础，利用RDF对资源进行描述，可以让数据被计算机所理解，基于此，应用程序之间才可能实现数据的交换。RDF的作用是让计算机能够理解资源，从而能够自动对数据进行处理。

RDF的设计思想是让描述资源信息的方式更为灵活，因此RDF使用了一种简便的描述方法，即用三元组（主体、谓词、客体）来描述资源。RDF数据通常用（S，P，O）形式来表示，S代表主体，P代表谓词，O代表客体。每组数据可由RDF有向图表示，如图3-11所示。

❶ KIF：Knowledge Interchange Format，知识交互格式；Ontolingua：一种基于KIF的提供统一的规范格式来构建Ontology的语言；OKBC：Open Knowledge Base Connectivity，开放知识库接口；LOOM：Ontosaurus描述语言，一种基于一阶谓词逻辑的高级编程语言，属于描述逻辑体系；SHOE：Simple HTML Ontology Extensions，简单HTML的本体扩展；XOL：Ontology Exchange Language，本体交换语言；OIL：Ontology Inference Layer/Ontology Interchange Language，本体接口层/本体交互语言；DAML：DARPA Agent Markup Language，DARPA智能体标记语言。

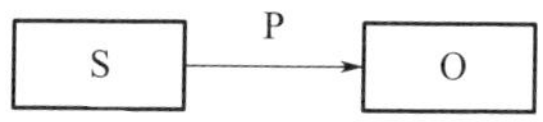

图 3-11　RDF 有向图

图 3-12 是一个 RDF 描述资源的实例，其定义了资源 Tom。Tom 具有属性 name（文字类型）、age（整数类型）、gender（文字类型），取值分别为 “Tom”“21” 和 “男”。

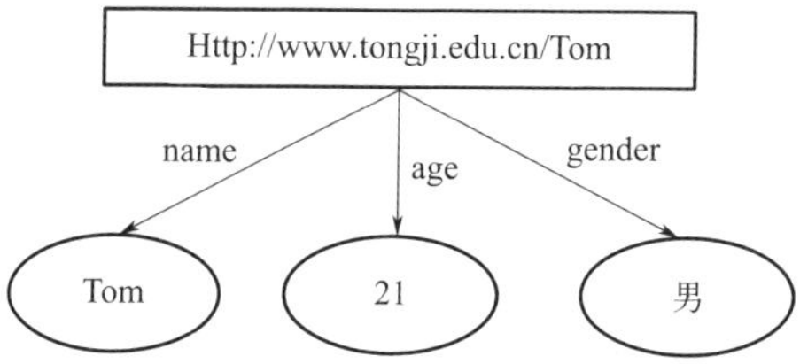

图 3-12　RDF 数据模型实例

RDFS（Resource Description Framework Schema，资源描述框架模式）对 RDF 描述的资源进行了封装，RDFS 和 RDF 一样用于描述元数据，但在 RDF 的基础上，RDFS 能够对约束、结构和词汇进行定义。如图 3-13 所示为 RDFS 对 RDF 描述资源的封装范例，其中 appl 表示面向特定应用的本体论域。

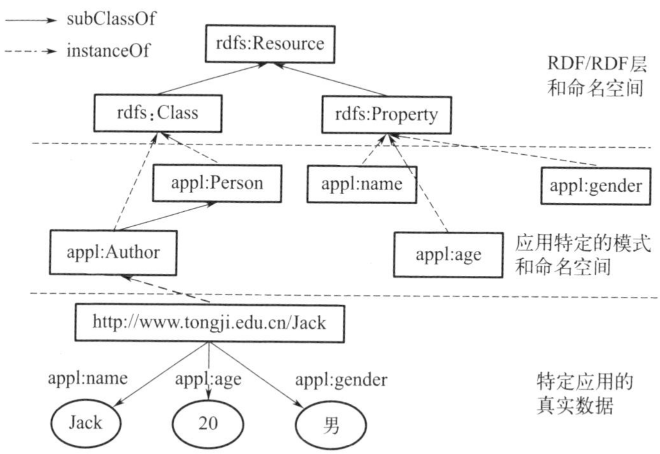

图 3-13　RDFS 范例

（2）OWL

为了在 Web 服务检索与匹配阶段提高服务发现的准确性，需要开发一种语言使得信息能够被计算机所理解。在这种需求下，OWL（Web Ontology Language，网络本体语言）产生了。OWL 是一种常用的语义 Web 语言，可用于表示事物的概念和事物之间的关系。OWL 是一种基于计算逻辑的语言，OWL 中表达的知识能够被应用程序调用。OWL 描述文档，也就是本体，可以发布到万维网中被其他 OWL 本体引用。

OWL 描述文档的建立遵循 XML/RDF 等标准，每个 OWL 文档都包含各种带有语义信息的本体。OWL 有三个分支语言，分别是：OWL Lite、OWL DL 和 OWL Full。OWL Lite 的表达能力最弱，主要为需要分类层次结构和简单约束的用户提供支持。OWL DL 能够尽可能地保持计算完备性和可判定性，计算完备性是指所有的结论都保证是可计算的，可判定性是指在固定的一段时间内就能执行完毕。OWL Full 适用于那些希望获得最大表现力和 RDF 语法自由且无计算保证的用户。OWL Full 中的一个类既可以作为个体的集合，也可以作为个体本身。在 OWL Full 中可以使用本体来加强词汇的语义，但目前还没有推理软件能支持 OWL Full 的每个功能的完整推理。

（3）OWL-S

OWL-S（Web Ontology Language for Services，服务网络本体语言）是在 OWL 的基础上提出的一个 Web 服务本体描述语言，它建立了一套标记语言，采用计算机可理解的语言标识来描述 Web 服务的能力和属性，并试图利用语义描述和逻辑推理使得 Web 服务的自动化发现、组合成为可能。OWL-S 从三个方面定义了 Web Service，如图 3-14 所示。Service 类是 Web Service 的基本模块，任何一个资源都能映射为 Service 的实例，presents、describedby 和 supports 是三个属性；类 ServiceProfile、ServiceModel 和 ServiceGrounding 分别为上述三个属性的对应值，分别解释了关于服务的三个问题，即服务能为用户提供什么功能、服务如何工作，以及如何同服务交互。

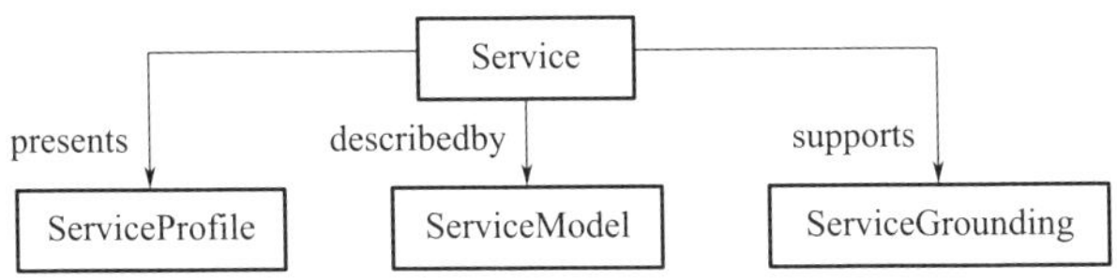

图 3-14　OWL-S 格式的 Service 本体

① ServiceProfile，描述服务是干什么的。服务需求方可根据 ServiceProfile 中的内容，初步判断该服务是否符合需求；同时，服务需求方也可使用 ServiceProfile 描述服务发现条件，即服务需求，从而使得服务发现过程中的匹配能够更加方便。ServiceProfile 通过三个方面描述服务：

a）服务提供方的黄白页信息，如服务提供方的联系方式、公司名称、地址等。

b）服务的 IOPE 功能信息。I（Input）表示输入信息，O（Output）表示输出信息，P（Precondition）表示前提条件，E（Effect）表示服务执行的预期结果。

c）服务的其他特征。包括服务的所属分类、服务 QoS（Quality of Service，服务质量）信息等。

ServiceProfile 具有双向性的特点，既可以用于描述服务提供方提供的服务的功能，又可以用于描述服务需求方所需的服务的需求。因此，服务匹配阶段可以通过匹配 ServiceProfile 中的信息实现。

② ServiceModel，描述服务的执行过程。服务提供方通过 ServiceModel 描述服务的执行过程，包括服务的输入 / 输出、工作流程等。服务需求方通过 ServiceModel 可以实现以下四个方面的工作：

a）根据服务过程信息判断服务是否满足需求；

b）组合多个单一服务来完成复杂任务；

c）执行期间调节各方的活动；

d）对服务的执行过程加以监控。

每个服务通常都对应一个过程（Process），用于服务的运行、计划、合成和监控等。ServiceModel 中的过程有三类：简单过程、原子过程以及组合过程。简单过程是个抽象概念，既不能绑定服务映射地址，也不能被直接调用。原子过程可以被直接调用，但它是过程中的最小单元。组合过程由若干原子过程或组合过程组合而成。

③ ServiceGrounding，描述的是如何访问到服务。ServiceGrounding 中的“wsdlgrounding”节点含有指向 WSDL 文档的 URL 路径，从而实现服务描述的重用，并能通过编程调用服务。

WSDL 和 OWL-S 两种描述语言是互相补充的，两种语言要突出描述的重点有所不同，WSDL 的优点在于对消息的绑定，而 OWL-S 能够更清楚地表述服务语义。OWL-S 规范中 ServiceGrounding 不是通过定义语法来对具体消息进行描述，而是利用 WSDL 来对具体消息进行描述，从而间接地使用了 WSDL 的优势。

3）语义 Web 的查询与存储

RDF4J（原名 Sesame）是一个开源的处理 RDF 数据的 Java 框架，包括对 RDF 数据的解析、存储、推理和数据查询等。RDF4J 包含一个易于使用的接口，可以连接到所有领先的 RDF 存储解决方案。通过 SPARQL（SPARQL Protocol and RDF Query Language，SPARQL 协议和 RDF 查询语言）可以连接图数据库，通过创建应用程序可以加强数据和语义 Web 之间的连接。

RDF4J 提供了两种 RDF 数据库（基于内存存储和基于本地存储），同时支持很多第三方存储解决方案。该框架为开发人员提供了大量的工具，以充分利用 RDF 和相关标准的能力。RDF4J 完全支持 SPARQL 进行查询和更新操作，并能够在本地远程访问 RDF 知识库。最后，RDF4J 支持所有主流的 RDF 文件格式，包括 RDF/XML、Turtle、N-Triples、N-Quads、JSON-LD、TriG 和 TriX 等。

SPARQL 是一种标准的 RDF 查询语言。它的查询语法同关系数据库类似。图 3-15 展示了一个 SPARQL 语句，该查询语句是一个基本图模式（Basic Graph Pattern，BGP），由六个三元组模式（Triple Pattern）子句组成。SPARQL 语言最主要的特征就是其基于模式匹配的查询语句。三元组是 SPARQL 中的标准模块，三元组集合能组成一个复杂的匹配块，如 BGP 等。常见的 SPARQL 模式匹配方式除了 BGP 之外还有如下几种：Group Graph Pattern（组合图模式）、Optional Graph Pattern（可选图模式）、Alternative Graph Pattern（交替图模式）、Pattern on Named Graph（命名图模式）。

BGP
(Basic Graph Pattern)

```
SELECT ?x ?y ?z WHERE{
  ?x rdf:type ub:GraduateStudent.
  ?y rdf:type ub:University.
  ?z rdf:type ub:Department.
  ?x ub:memberOf?z.
  ?z ub:subOrgranizationOf ?y.
  ?x ub:undergraduateDegreeFrom ?y.
}
```

图 3-15　SPARQL 示例

Triple Pattern 是 SPARQL 中最基础的匹配单元，通过三元组（S，P，O）的形式进行表述。Triple Pattern 在主体、谓词、客体三个位置上，可以是具体的值，也可以是变量，变量由问号加变量名组成。多个 Triple Pattern 单元可以通过使用相同变量来表示单元间的连接关系。Triple Pattern 所有可能的表示形式如表 3-2 所示。

表 3-2　Triple Pattern 所有可能的表示形式

类别	表达式	语义
Q1	（S P O）	若存在则返回该三元组，否则返回空
Q2	（S P ?O）	给定 Subject、Predicate，返回对应三元组中 Object 值
Q3	（S ?P O）	给定 Subject、Object，返回对应三元组中 Predicate 值
Q4	（S ?P ?O）	给定 Subject，返回对应三元组中 Predicate 与 Object 值
Q5	（?S P O）	给定 Predicate、Object，返回对应三元组中 Subject 值
Q6	（?S P ?O）	给定 Predicate，返回对应三元组中 Subject 与 Object 值
Q7	（?S ?P O）	给定 Object，返回对应三元组中 Subject 与 Predicate 值
Q8	（?S ?P ?O）	返回所有的三元组

3.2.5　计算技术与制造云服务

面向服务的架构（SOA）推动了面向服务的计算（Service Orient Computing，

SOC）的发展，这种架构以服务为基本单位，通过服务组合技术快速构建分布式软件系统和企业应用的计算方式。其实，在计算机的内部，很多功能也是以服务方式来提供和调度的，例如，计算服务、存储服务、内存访问服务、总线访问服务等。服务是一种自描述、自包含、与平台无关的自治计算单位，便于跨应用、跨终端、跨平台的应用。云计算是 SOC 发展的结果，通过弹性的、易于访问的各类服务，来让计算资源和计算能力随处可得、易于访问和结算，大大降低了企业计算能力的部署复杂度和应用成本。

云制造概念是在云计算服务的基础上，结合制造活动的特点提出的，很多云制造的基础概念和运行特征，参考了云计算的相关理念，而云制造的具体实施，特别是软制造资源的共享和服务，可以直接采用云计算的相关技术实现，因此，云计算提供了云制造的基础计算环境支持。

工业大数据分析为制造云服务的智能化提供了支持。云计算的应用和推广带动了大数据分析技术的发展，而云制造的发展也带动了工业大数据分析技术的发展。如果没有云制造模式的支持，则企业不可能存储和获取大量数据，也就不可能基于工业云平台进行大数据分析；没有工业大数据技术的应用，大量被采集的制造过程数据也就失去价值，从而降低了智能化的水平。因此，大数据技术是云制造推广和发展的关键技术之一。

面向服务的架构、语义 Web 为制造云服务过程的自动化提供了技术支撑，它们为制造云服务的封装与表达提供了技术规范，使得服务的封装、发布、检索、匹配、执行过程实现自动化。SOA 和语义 Web 技术出现得比较早，而且也不是为了云制造而产生的，但是它们可以为制造云服务的具体实施提供标准化的支撑。

总之，计算技术的发展为云制造的出现与发展提供了保障；同时，云制造也为计算技术的应用提供了新的场景，促进了相关计算技术的发展。

3.3 网络技术

3.3.1 物联网与工业物联网

物联网的概念最早由美国麻省理工学院（MIT）在 1999 年提出。当时，研究人员研发了一种基于网络的无线射频识别（Radio Frequency Identification, RFID）系统，旨在通过 RFID 等信息传感设备将所有物品连接到互联网，实现智能识别和管理。最初，物联网主要针对物流系统，使用射频识别技术作为条码识别的替代品，以实现对物流系统的智能化管理。随着技术和应用的不断发展，物联网的内涵也发生了显著变化。2005 年，国际电信联盟（ITU）在突尼斯召开的信息社会世界峰会（WSIS）上正式定义了“物联网”（Internet of Things，IoT）的概念，并发布了 *ITU Internet Reports* 2005——*The Internet of Things*，详细介绍了物联网的特征、相关技术、面临的挑战以及未来的市场机遇。

物联网是指通过各种信息传感设备，如无线射频识别、红外感应器、全球定位系统、激光扫描器等，以及网络技术，将所有物品连接到互联网，实现信息交换和通信，以实现智能化的识别、定位、跟踪、监控和管理。物联网是数字网络的应用拓展和延伸，它所涉及的网络架构、实现技术、典型应用场合与电信网和互联网紧密相关，核心在于对由“物”产生的数据识别、搜集、传送、计算和处理。物联网的主要特点包括以下几点。

① 全面感知。利用射频识别、二维码、传感器等感知、捕获、测量技术，随时随地对物体进行信息采集和获取。

② 可靠传送。通过将物体接入信息网络，依托各种通信网络，随时随地进行可靠的信息交互和共享。

③ 智能处理。利用各种智能计算技术，对海量的感知数据和信息进行分析和处理，实现智能化的决策和控制。

④ 互联互通。实现物品与物品、物品与人、人与人之间的智能化交互。

物联网技术涉及多个领域，不同行业往往对这些技术有着不同的应用需求和形态。物联网的技术构成主要包括感知与标识技术、网络与通信技术、计算与服务技术以及管理与支撑技术四大体系[12]。

感知和标识技术是物联网的基础，负责采集物理世界中发生的物理事件和数据，实现外部世界信息的感知和识别，如传感器、RFID、二维码等。传感技术利用传感器和多跳自组织传感器网络，协同感知和采集网络覆盖区域内的信息。传感器技术依赖于敏感机理、敏感材料、工艺设备和计量技术，对基础和综合技术的要求极高。识别技术涵盖物体识别、位置识别和地理识别，是实现全面感知的基础。物联网标识技术主要有二维码和 RFID 标识，对象标识体系是物联网中的一个重要技术点。

网络与通信技术是物联网信息传递和服务支撑的基础，通过泛在的互联功能，实现感知信息高可靠性、高安全性传送。物联网需要结合各种有线及无线通信技术，特别是近距离无线通信技术。由于物联网终端通常使用工业科学医疗频段通信，频段内设备众多，包括现有的 Wi-Fi、超宽带、ZigBee、蓝牙等设备，频谱空间极其拥挤，制约物联网的大规模应用。为提高频谱资源利用率，需提升物联网规模化应用的频谱保障能力，确保异种物联网的共存及互联互通互操作。

计算与服务技术是物联网的核心支撑和最终价值体现。物联网应用大规模发展后，海量感知信息的计算与处理成为一项重大挑战。通过数据融合、高效存储、语义集成、并行处理、知识发现和数据挖掘等技术，实现物联网“云计算”中的虚拟化、网格计算、服务化和智能化技术，其核心在于利用云计算技术实现信息存储资源和计算能力的分布式共享，为海量信息的高效利用提供支撑。

管理与支撑技术是确保物联网实现“可运行—可管理—可控制”的关键，包括测量分析、网络管理和安全保障等方面。随着网络复杂性的提高与新型业务的不断涌现，结合高效的物联网测量分析技术，建立面向服务感知的物联网测量机制与方法。安全是基于网络的各种系统运行的重要基础之一，物联网的开放性、包容性和匿名性决定了信息安全隐患不可避免地存在。通过物联网安全技术，满足机密性、真实性、完整性和抗抵赖性的四大要求，同时解决用户隐私保护与信任管理问题。

以工业无线技术为核心的工业物联网（IIoT）是当前物联网领域最活跃的主要发展方向。通过支持设备间的交互与互联，工业物联网提供了一种低成本、高可靠性、高灵活性的下一代泛在制造信息系统和环境，能够显著降低自动化成本并扩展自动化系统的应用范围[13]。

标准通信协议在工业物联网的发展中起到了关键作用。过去，工业物联网领域中存在多种通信标准，如 ZigBee、ISA100、WirelessHART 等，不同标准之间的互操作性差，导致设备之间难以兼容。此外，由于工业物联网协议主要应用于条件苛刻的工业过程控制领域，其对可靠性、低功耗和实时性的要求远高于普通物联网协议。因此，制定工业物联网协议时面临两大挑战：①在复杂工业环境中实现高可靠、低功耗的无线通信；②将大量资源受限的边缘节点接入基于 IP 的互联网。2013 年，国际互联网工程任务组（IETF）成立了 6TiSCH（IPv6 over the TSCH mode of IEEE 802.15.4e）标准组，负责制定一套开放、完整的工业物联网标准协议。IETF 6TiSCH 工业物联网协议是在各种现有标准和技术基础上逐步发展起来的，有效解决了以上两个关键难题。

IETF 6TiSCH 工业物联网在网络层引入 IPv6 技术，可以解决海量的资源受限物联网节点无缝接入基于 IP 的互联网问题；在链路层引入时隙跳频技术，可以解决复杂工业环境下无线通信的可靠性和功耗的问题。IETF 6TiSCH 工业物联网凭借其低功耗、高可靠、实时性以及支持 IPv6 技术等特点，推动了工业化与信息化的融合，促进了工业物联网协议的标准化发展，将在未来工业物联网领域起到至关重要的作用[14]。

目前，5G 在实时性、可靠性、高并发、高带宽、广覆盖等方面的技术指标优于其他无线网络。5G 网络正快速发展成为工业物联网应用增长的主要驱动力，未来工业物联网的新应用和商业模式都需要海量连接作为基础，如何在支持海量设备连接的同时保证网络的性能稳定是 5G 待解决的关键性问题。另外，5G 作为新一代蜂窝网络，集成了诸多技术以增强网络性能。当前工业物联网中的数据呈现出更加庞大且复杂的特性，未来基于 5G 的应用中，不仅 5G 的各级设备需要更为安全的保证，基于 5G 布设的上层应用与人的生活息息相关，也需要更为安全的运行机制。因此，设计人员不仅需要考虑本地的信息安全问题，还需要考虑上层服务及远程交互的信息安全问题。

3.3.2 工业互联网

当前，以数字化、网络化和智能化为主要特征的第四次工业革命正在迅猛发展，与我国制造业的转型升级达成历史性交汇。新一代信息技术，如互联网、大数据和人工智能，正与工业制造技术深度融合，推动制造模式、产业组织方式和商业运行机制的颠覆式创新，催生出融合发展的新技术、新产品、新模式和新业态。这为制造业的转型升级注入了新动能，拓展了新的边界。工业互联网作为新一代信息通信技术与现代工业技术深度融合的产物，是制造业实现数字化、网络化和智能化的重要载体，已成为推动新一代信息网络技术与制造业深度融合的重要桥梁和突破口。

相较于工业物联网，工业互联网的概念更加广泛。它涵盖了通过互联网连接的工业系统和设备，包括机器、传感器、控制系统及人员等，不仅涉及设备的连接，还包括整个生产系统的智能化，涵盖数据的收集、分析和应用。通过这些数据优化生产流程，提高效率，降低成本。工业互联网的目标是实现工业的全面连接，推进工业的数字化、网络化和智能化，从而推动工业的转型升级。

2012 年 11 月，美国通用电气公司（GE）发布了《工业互联网：打破智慧与机器的边界》白皮书，定义工业互联网为将传感器及其他先进的仪器仪表嵌入各种机器，通过收集和分析海量数据来改进机器性能和提高系统与网络的效率。工业互联网的核心主要包括：智能设备（嵌入传感器和软件的机器，可以生成大量的数据）、高级分析（利用大数据分析技术，从收集的数据中提取有价值的信息和见解）和人员参与（通过数据驱动的洞察来辅助决策，提高生产力和效率）。

2016 年，工业互联网产业联盟（AII）发布了《工业互联网体系架构（版本 1.0）》，提出工业互联网的核心是基于全面互联而形成数据驱动的智能，网络、数据、安全是工业和互联网两个视角的共性基础和支撑。工业互联网体系架构如图 3-16 所示。

其中，“网络”是工业系统互联和工业数据传输交换的支撑基础，包括网络互联体系、标识解析体系和应用支撑体系，表现为通过泛在互联的网络基础设

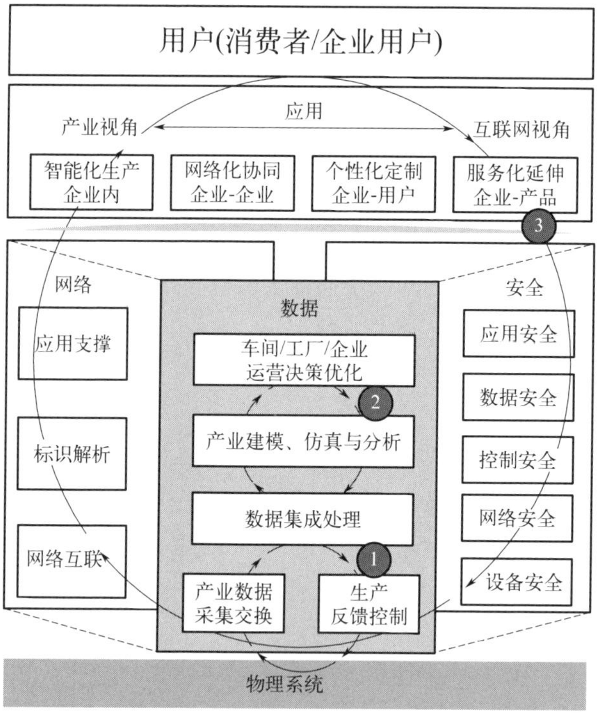

图 3-16　工业互联网体系架构 1.0 [15]

施、健全适用的标识解析体系、集中通用的应用支撑体系，实现信息数据在生产系统各单元之间、生产系统与商业系统各主体之间的无缝传递，从而构建新型的机器通信、设备有线与无线连接方式，支撑形成实时感知、协同交互的生产模式。

“数据”是工业智能化的核心驱动，包括数据采集交换、集成处理、建模分析、决策优化和反馈控制等功能模块，表现为通过海量数据的采集交换、异构数据的集成处理、机器数据的边缘计算、经验模型的固化迭代、基于云的大数据计算分析，实现对生产现场状况、协作企业信息、市场用户需求的精确计算和复杂分析，从而形成企业运营的管理决策以及机器运转的控制指令驱动下，覆盖机器设备、运营管理到企业协同各类制造活动的智能和优化。

“安全”是网络与数据在工业中应用的安全保障，包括设备安全、网络安全、控制安全、数据安全、应用安全和综合安全管理，表现为通过涵盖整个工业系统的安全管理体系，避免网络设施和系统软件受到内部和外部攻击，降低企业数据被未经授权访问的风险，确保数据传输与存储的安全性，实现对工业生产系统和商业系统的全方位保护。

基于三大体系，工业互联网重点构建三大优化闭环，即面向机器设备运行优化的闭环，面向生产运营决策优化的闭环，以及面向企业协同、用户交互与产品服务优化的全产业链、全价值链的闭环，并进一步形成智能化生产、网络化协同、个性化定制、服务化延伸四大应用模式。

2020 年，工业互联网产业联盟在工业和信息化部的指导下，凝聚产业界共识，研究制定了《工业互联网体系架构（版本 2.0）》，在继承 1.0 版本的核心理念、要素和功能体系的基础上，从业务、功能、实施等三个视图重新定义了工业互联网的参考体系架构，并逐一进行了深入分析。此外，还对工业互联网技术体系进行了梳理，概括为制造技术、信息技术以及两大技术交织形成的融合技术，如图 3-17 所示。其中，制造技术支撑构建了工业互联网的物理系统，信息技术勾勒了工业互联网的数字空间，融合技术驱动了工业互联网物理系统与数字空间的全面互联与深度协同。

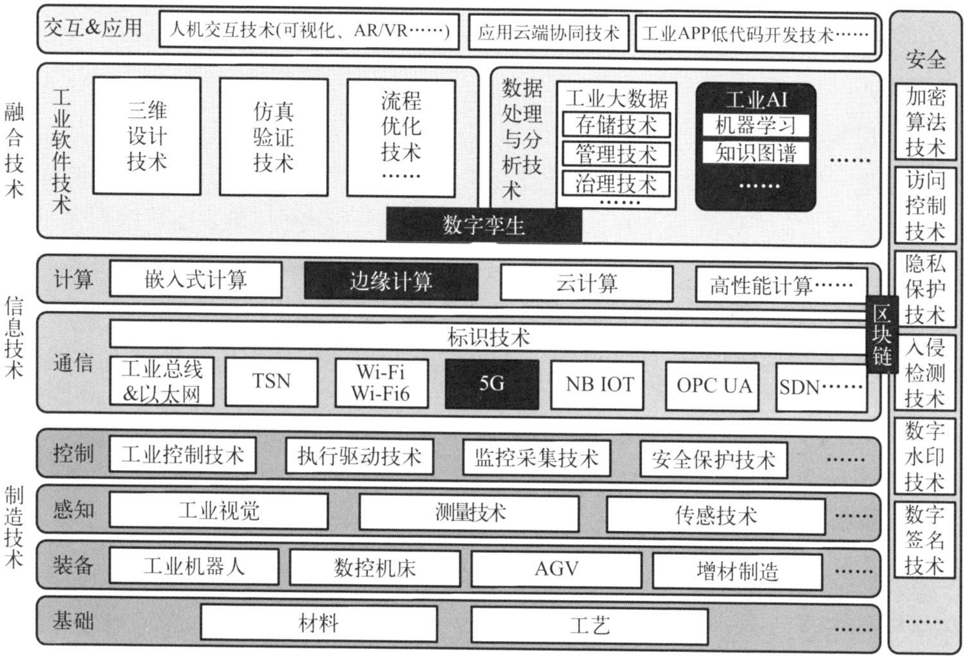

图 3-17 工业互联网技术体系架构（版本 2.0）[15]

工业互联网作为全新工业生态、关键基础设施和新型应用模式，通过人、机、物的全面互联，实现全要素、全产业链、全价值链的全面连接，正在全球范围内不断颠覆传统制造模式、生产组织方式和产业形态，推动传统产业加快转型升级、新兴产业加速发展壮大。

3.3.3 工业云与工业互联网平台

工业云以服务的形式对外展现。工业云服务是通过信息资源和业务能力整合、面向工业提供服务支持的一种云服务模式。通过云计算、物联网、大数据和工业软件等技术手段，将人、机、物、知识等有机结合，为工业构建一种特有的服务生态系统，向用户提供资源和能力共享服务，如存储服务、应用服务、社区服务、管理服务、研发设计服务和生产制造服务等。工业云服务常见的方式有工业软件即服务（SaaS）、工业基础设施即服务（IaaS）、工业平台即服务（PaaS）等方式。相比于互联网云，工业云面向工业领域，更侧重于工业业务环节，其工业应用除了利用互联网共享模式获取工业应用工具和系统外，还包括收集、存储企业生产经营的相关数据，通过分析这些数据，帮助企业进行经营决策。随着工业物联网的快速发展，工业生产产生了大量数据，对这些数据的分析处理正是工业云的优势所在[16]。

工业互联网平台是面向制造业数字化、网络化、智能化需求，构建基于海量数据采集、汇聚、分析的服务体系，支撑制造资源泛在连接、弹性供给、高效配置的工业云平台。

通过构建精准、实时、高效的数据采集互联体系，建立面向工业大数据存储、集成、访问、分析、管理的开发环境，实现工业技术、经验、知识的模型化、标准化、软件化、复用化，不断优化研发设计、生产制造、运营管理等资源配置效率，形成资源富集、多方参与、合作共赢、协同演进的制造业新生态。

美国通用电气公司构建了全球第一个工业大数据分析的工业云 PaaS 软件平台 Predix，该平台服务可以将各种工业资产设备和供应商相互连接并接入云端，同时提供资产性能管理（Assert Performance Management, APM）和运营优化服务。这个服务的安全层经过特殊设计，能够满足高敏感度工业设备企业的需要。西门子面向市场推出了工业云平台 MindSphere，其目的在于分析工业领域的大数据集，提供工业数据记录、传输、存储、管理和分析（预测性维护、资产分析等）等服务，并提供开发框架服务，使得原始设备制造商、最终用户、合作伙伴和应用程序开发人员可以创建自己的应用程序，利用开放的基础架构进行数据分析，如在线检测工业机器人、优化关键设备机组的运行等。

近年来，我国高度重视工业云的发展，相关部门陆续出台了一系列政策鼓励工业云的发展，把工业云作为推进两化深度融合的重要抓手。全国各地方政府纷纷进行工业云发展规划，着力建设工业云平台，积极推广工业云应用，全面引导企业上“云”。工业云促进了行业的互联互通，聚集和共享制造资源与创新资源，实现了全社会的协同制造和协同创新，为共享经济打下了基础。

工业互联网平台的典型架构见图 3-18。第一层是边缘层，通过大范围、深层次的数据采集，以及异构数据的协议转换与边缘处理，构建工业互联网平台的数据基础。第二层是平台层，基于通用 PaaS 叠加大数据处理、工业数据分析、工业微服务等创新功能，构建可扩展的开放式云操作系统。第三层是应用层，构建满足不同行业、不同场景的工业 SaaS 和工业 APP，形成工业互联网平台的最终价值。

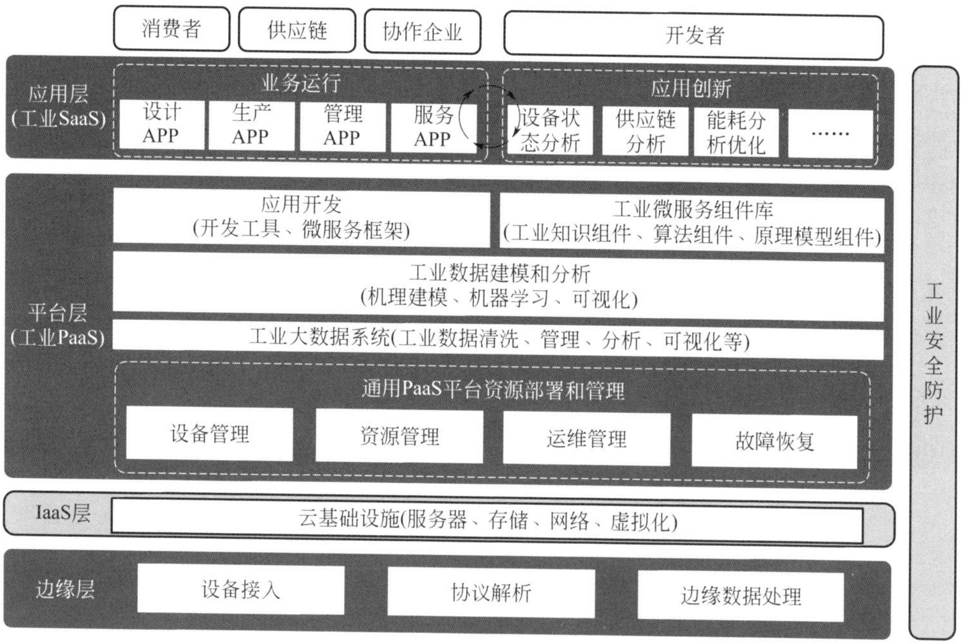

图 3-18　工业互联网平台功能架构[17]

工业互联网平台的应用包括：

① 基于平台的信息化应用。得益于平台的“连接 + 数据可视化”能力，传统的生产管理类信息化应用得到更为广泛的普及。其中，在生产监控分析领域应用最为广泛，在物料管理、排产调度等方面也有智能化解决方案。

② 基于平台大数据能力的深度优化。基于平台的大数据能力，以“模型 + 深度数据分析”模式在设备运维、产品服务、能耗管理、质量管控、工艺调优等场景获得大量应用，并取得较为显著的经济效益。

③ 基于平台协同能力的资源调配和模式创新。借助平台整合产业链资源，探索制造能力交易、供应链协同等应用，成为部分企业的实践选择。

3.3.4 区块链与非同质化通证

1）区块链

区块链（Block Chain）的概念由中本聪（Satoshi Nakamoto）于 2008 年提出，并于 2009 年随着比特币（Bitcoin）网络的上线运行首次得到实际应用。区块链是一种去中心化、公开透明、可追溯、多方共同维护的分布式数据库[18]，它以区块的形式存储数据，将数据区块依照时序以链条的形式存储，并且用密码学的方式确保不可篡改、不可伪造和可追溯。区块链技术可以为金融、经济、科技甚至政务等各领域带来深刻变革。

区块链中的每个区块都由区块头和区块体两个部分组成，区块头中包含了上一个区块的哈希值、难度值、交易哈希值、时间戳以及默克尔根等数据，而交易记录则存储在区块体中，包括转账记录、调用智能合约等。这种设计使得数据在网络中无法被篡改，因为任何尝试修改一个区块的数据都会破坏整个链的连续性。

区块链具有以下核心优势：

① 去中心化：去中心化是区块链最基本的技术特征，在区块链上，数据的验证、记账、存储、维护和传输等都是基于分布式结构的，采用数学和加密算法的方法来建立节点间的信任关系，而非依赖于中心化机构。这种分布式结构使得各个节点参与到整个区块链的运行当中，多个节点共同记录和维护数据，避免了单点故障和数据垄断，不需要第三方机构的信任背书。

② 不可篡改性：在区块链技术中，因为其共识算法规定了对数据进行修改的极端严格的条件。每当新区块被创建时，都会将前一区块的哈希值嵌入其中，这种设计使得区块之间紧密相连，形成了一种不可篡改的数据链。若意图篡改某一区块的交易数据，则必须回溯并重新计算且验证该区块之前所有区块的交易记录和哈希值，这种操作的复杂性和难度极高，几乎不可能实现。

③ 可编程性：区块链的可编程性指的是它作为一个可编程平台，通过智能合约实现各种应用逻辑。智能合约类似于计算机程序，可以在区块链上自动执行，无须人为干预。因此，智能合约可以实现自动化的业务流程，满足各种复杂逻辑和规则，从而创造出新的应用场景。工程师可以将各种规则和逻辑封装成代码，并将其上传到区块链上。其他用户可以调用这些智能合约，实现各种业务逻辑。智能合约可以被用来创建去中心化的应用程序，实现交易、资产管理、身份验证、投票等各种功能。通过智能合约，区块链的可编程性为其开发带来了更大的灵活性和可扩展性。

④ 可追溯性：区块链上的数据普遍使用常用的加密和签名算法来保证数据的正确性和一致性。在每个区块链节点上都可以立即验证链上数据的正确性。区块链上的所有交易数据和记录都是公开可查的，可以完整追溯事务发生的过程，形成不可否认的审计线索。

2）非同质化通证

非同质化通证（NFT），也称为非同质化代币，在区块链系统中，又称作非同质化数字资产。NFT 是一种可以存储独特数据资产的描述单位，最初来源于以太坊的合约标准，可理解为不可互换代币，也可解释为非同质化令牌。NFT 具有独一无二、不可复制、算法加密、可自由交易的特点。

“同质化”指每个资产都是相同的，可相互替换且可分割。我们在日常生活中使用到的同质化资产有美元、比特币以及企业发行的积分等。而“非同质化资产”则指每个资产是独一无二的，相互完全独立。比如，房地产就是一种非同质化资产，每个房地产的布局、面积、位置、用地规划、公用设施和估值都是不同的，因此是独一无二的。

NFT 在这个“非同质化”的概念上进一步做了扩展，利用以太坊等区块链网络来代表独一无二的实物或数字资产。NFT 的所有权通过公共区块链网络进行验证和追踪，用户可以验证每个 NFT 的真实性，并追踪溯源。因此，NFT 真正的定义应该是：由原创者在区块链上发行的“真实性证明”，通过加密技术来证明 NFT 的持有者是官方标的资产的真实所有者。

NFT 的特性让它在某些领域有先天的优势。例如，在版权确权方面，利用区块链技术，为每一个数字藏品在区块链平台赋予唯一的哈希值，与创作者绑定在一起，版权的归属可以在各自的数字钱包里查到。另外，如在身份验证场景中，NFT 中包含记录在其智能合约中的身份信息。智能合约是在区块链平台上用计算机代码编写的合约。当满足某些条件时，智能合约就会执行合约要求的一系列任务。NFT 还可以与其他智能合约进行交互，无须人工干预。得益于此，驾驶证、护照、出生证明等都可以拥有一个具有可证明性的 NFT。

NFT 的应用包括数字艺术品 NFT、游戏 NFT、NFT 藏品、音乐专辑 NFT、房地产 NFT 等。NFT 可以将虚拟属性和数字属性绑定作为其唯一标识。NFT 可将任意的数字内容通过链接进行链上映射，NFT 中的每个价值属性都能够按照稀有程度、流动性、数量等进行标记。通过数字内容的价值映射方式，数字资产、游戏设施和土地产权等都能拥有交易的价值属性实体，实现自定义价值的自由交换，在数字世界中被赋予新的价值和意义。

3.3.5 网络技术与制造云服务

云制造模式是网络化制造模式的一种具体实现方式，是基于云计算、工业互联网等技术的发展而产生的一种制造新模式。网络技术是制造云服务实施的基础。

物联网、工业互联网、工业云平台都可以归纳为 21 世纪发展起来的“新兴 IT 技术”，是推动技术变革和生产模式变化的新兴动力。这些技术本身也在不断发展，正是这些技术的发展，让原本难以取得实际效益的网络化制造模式得到真正的实现。

制造云服务是分布式运行的，服务供需双方都有自己的决策主体，各方在云服务平台上进行交易，这就需要一种新的安全认证体系和数字资产保护体系来保证各方信息安全和资产安全。区块链技术为网络交互中的安全性提升提供了一种新的解决方案，NFT 概念为数字资产的确权、定价提供了解决方法。这些技术的不断发展，为制造云服务的实施和云制造带来的制造模式变革提供了技术保证。

参考文献

[1] 郭楠, 贾超.《信息物理系统白皮书（2017）》解读（上）[J]. 信息技术与标准化, 2017 (4): 36-40.

[2] 周济, 李培根, 周艳红, 等. 走向新一代智能制造 [J]. Engineering, 2018, 4 (1): 28-47.

[3] Rosen R, Wichert G V, Lo G, et al. About the importance of autonomy and digital twins for the future of manufacturing[J]. IFAC-Papers OnLine, 2015, 48 (3): 567-572.

[4] 陆剑峰, 张浩, 赵荣泳. 数字孪生技术与工程实践: 模型 + 数据驱动的智能系统 [M]. 北京: 机械工业出版社, 2022.

[5] Peter Mell, Timothy Grance. The nist definition of cloud computing[J]. Communications of the Acm, 2010, 53 (6): 50.

[6] 孙傲冰, 姜文超, 涂旭平, 等. 云计算、大数据与智能制造 [M]. 武汉: 华中科技大学出版社, 2020.

[7] 中国（上海）数字城市研究院. 城市数字孪生导论 [M]. 上海: 同济大学出版社, 2023.

[8] 王书为. 云计算的研究现状及应用分析 [J]. 信息与电脑（理论版）, 2019, (9): 20-21.

[9] 刘正伟, 文中领, 张海涛. 云计算和云数据管理技术 [J]. 计算机研究与发展, 2012, 49 (S1): 26-31.

[10] 陈新, 王洪信, 陈娜, 等. 云计算安全技术分析 [J]. 科技广场, 2016 (10): 100-102.

[11] 王建民. 工业大数据技术综述 [J]. 大数据, 2017, 3 (6): 3-14.

[12] 孙其博, 刘杰, 黎羴, 等. 物联网: 概念、架构与关键技术研究综述 [J]. 北京邮电大学学报, 2010, 33 (03): 1-9.

[13] 王平, 魏旻. 工业物联网标准及技术综述 [J]. 自动化博览, 2012, 29 (S1): 44-46.

[14] 杨伟, 汪浩, 万亚东, 等. IETF 6TiSCH 工业物联网研究综述: 标准、关键技术与平台[J]. 计算机科学与探索, 2020, 14 (3): 361-376.

[15] 余晓晖, 刘默蒋, 昕昊, 等. 工业互联网体系架构2.0 [J]. 计算机集成制造系统, 2019, 25 (12): 2983-2996.

[16] 徐泉, 王良勇, 刘长鑫. 工业云应用与技术综述 [J]. 计算机集成制造系统, 2018, 24 (8): 1887-1901.

[17] 工业互联网产业联盟. 工业互联网平台白皮书 [R/OL]. (2017-11-21)[2024-11-28].https://www.miit.gov.cn/cms_files/filemanager/oldfile/miit/n973401/n5993937/n5993968/c6002326/part/6002331.pdf.

[18] 邵奇峰, 金澈清, 张召, 等. 区块链技术: 架构及进展 [J]. 计算机学报，2018, 41 (5): 969-988.

第4章

云制造系统总体框架和面向制造全生命周期的应用

4.1

云制造系统总体框架

云制造模式需要依靠云制造系统进行具体实现，智能制造云服务也需要云制造系统来提供运行环境。从发展来看，一个云制造系统就是一个“准工业元宇宙”，现实宇宙中的各类制造相关要素接入这个“元宇宙”，各类制造活动在这个“元宇宙”中开展，并且能和现实宇宙实现互动，完成制造任务。基于第 2 章的分析，云制造系统是指能支持制造云服务封装、发布、检索、匹配、运行等服务全生命周期活动，为服务需求方、服务提供方和平台运营方（服务管理方）提供各类接入、接出和管理功能，能实现云制造模式的数字化系统。由于云制造是依托工业云平台开展的，云制造系统也是基于云平台实现的，有时候也称“云制造系统”为“制造云平台系统”。本章分析云制造系统的组成及其应用。

4.1.1 云制造系统的多视图描述

1）系统的基本概念及多视图描述方法

系统，是由若干相互联系、相互作用的要素所组成的具有一定结构和功能的整体。要素之间相互联系、相互作用，系统中的每个要素都具有自己独特的结构和功能，组成整体后又具备了新的功能。系统具有集合性、整体性、相关性、层次性、动态性和目的性等基本特性。

根据系统的组成和运行特点，可以分成简单系统、随机系统和复杂系统。简单系统，系统内部所涉及的元素比较少，可以用较少的变量去描述，变量之间的关系往往可以用线性方程或简单微分方程来描述，如牛顿力学系统。随机系统，系统内部元素和变量比较多，但是这些元素之间的融合关系是微弱的，一般用统计的方法去分析，如热力学系统。复杂系统，系统内部元素和变量数目很多，且彼此之间存在强烈的耦合关系，难以用线性、定常微分方程去求解；其一般包含很多子系统，子系统之间存在耦合关系，子系统既独立演化，也和其他子系统一起相互演化，存在如“涌现”等特性，如生物系统、企业管理系统、城市系统等。云制造系统涉及制造全生命周期的活动，包含各类相关的企业，因此，属于典型的复杂系统。

为了设计出云制造系统的组成架构，需要对云制造系统进行全面的分析。对于复杂系统，可以采用多视图的建模分析方法。多视图建模是指系统设计师利用独特且相互独立的模型来构建或模拟同一系统的不同方面，即用不同的建模语言从系统不同的视角出发去搭建和完善整个系统。常见的视图包括控制视图、数据视图、功能视图、资源视图四个基本视图，以及由这四个基本视图派生、组成的知识视图、服务视图。这些视图的基本功能和表述工具见图 4-1。

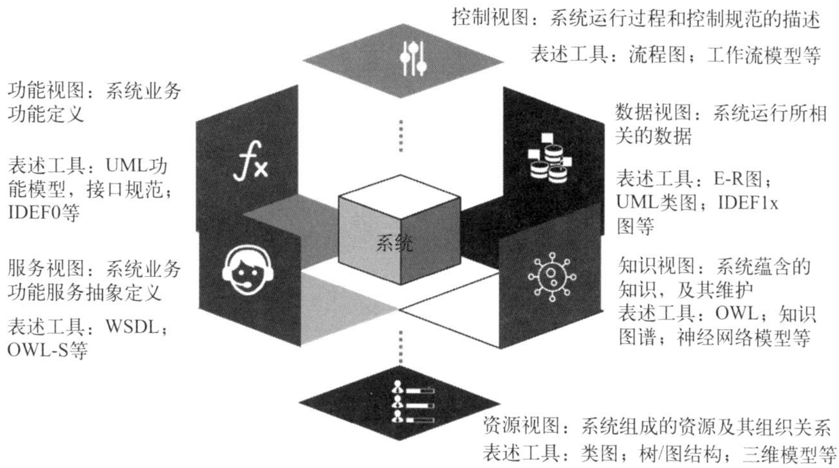

图 4-1　多视图表示方法

① 功能视图。功能视图是对系统内部和外在的功能进行描述，包括业务相关的功能以及为了实现该业务而需要的辅助功能、维护系统正常运行的基本功能等。功能视图可以用 UML（Unified Model Language，统一建模语言）的功能模型、接口规范来描述，或者用 IDEF0（Integration Definition for Function Modeling，功能建模的集成定义）规范来描述。

② 服务视图。服务视图是功能视图的一个派生视图。某些系统功能可以发布成服务（如 Web 服务），这样便于被其他系统访问和调用。服务视图可以用 WSDL、OWL-S 等规范来描述。

③ 控制视图。控制视图是对系统运行过程和控制规范的描述，也是对系统各要素管理过程的描述。控制视图可以用流程图、工作流模型等工具来进行描述。

④ 数据视图。数据视图是对系统运作所有相关的数据要素进行描述，包括数据实体以及实体之间的关系。数据视图可以用 E-R 图（实体 - 关系图）、UML 类图、键值对（Key-Value）模型等工具来进行表达。

⑤ 知识视图。知识视图用来表达系统所蕴含的知识，例如，知识库、智能化模型、推理规则等。知识可以看作是一种特殊的“数据”，知识视图是从数据视图派生而来的，可以用 OWL、知识图谱、神经网络模型等进行表达。

⑥ 资源视图。资源视图提供了系统组成的资源描述以及资源之间的组织关系，是对系统各组成要素的一个说明。例如，系统的三维模型、布局模型、系统组成要素等都属于资源视图要表达的内容。资源视图组合形成组织视图，描述一个系统内部各个资源的组成关系。相同的要素通过不同的组成关系所构成的系统可能外在表现就不同，例如，石墨和金刚石都是由碳原子组成的，但是其碳原子组成关系不同，导致两者的物理属性不同。资源视图可以用类图、树 / 图结构、三维模型等来进行描述。

因此，对一个复杂系统进行描述和分析，需要不同专业的人员进行不同角度的建模，形成多视图模型，并且把这些多视图模型进行有效集成，才能构成一个系统的完整表达。

2）云制造系统的功能视图

云制造系统是云制造模式实现的载体，云制造系统的功能包括面向服务需求方、服务提供方以及平台运营方（服务管理方）的各个功能需求。图 4-2 表达了云制造系统的基本功能需求。

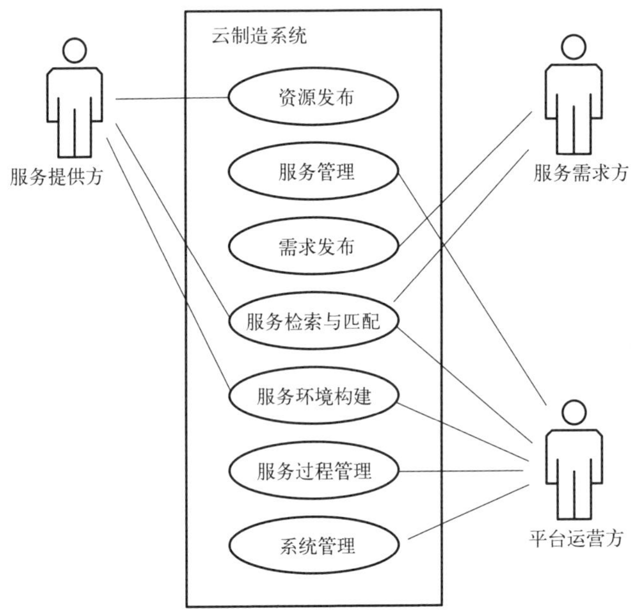

图 4-2　云制造系统的基本功能需求

根据云制造系统的基本功能需求分析，一个云制造系统的基本功能包括：

① 资源发布。资源发布功能主要是制造资源及制造能力的接入与服务化封装。这是针对制造云服务提供方的功能，首先让现实世界的制造资源、制造能力通过感知数字化，然后能接入到云平台中并形成虚拟化的资源与能力；其次，通

过标准化的服务化封装，把不同类型、不同形式、不同规模的制造资源、制造能力表示成统一的制造云服务形式，在云平台上发布。

这个过程也可以看作是现实世界和虚拟世界（工业元宇宙）间的一个接口，通过这个接口，制造资源、制造服务就形成了元宇宙中的数字化身，后续可以在数字世界中运行和优化。

② 服务管理。当云平台上具有很多云服务后，需要对制造云服务提供有效的管理。首先是制造云服务池的管理，包括编目、注册、检索、查询、更新等；其次是服务状态的跟踪与更新，由于现实世界中的制造过程是多变的，各类制造资源和制造能力受到诸多因素的影响，其在云平台上的数字化身——制造云服务需要及时反映现实世界中的变化，这样才能保证服务的有效性和匹配后的顺利执行。

③ 需求发布。这个功能是面向制造服务需求方的。当用户有制造活动需求，需要制造云服务的时候，通过云制造系统的需求发布功能来进行服务需求登记，登记后作为任务订单进入服务匹配和交易过程。

④ 服务检索与匹配。制造云平台上有制造云服务的供需信息后，就进入服务供需匹配和交易过程。首先是制造云服务的技术对接，即从服务池中选择满足服务需求方服务要求的云服务，当不能匹配到合适的云服务时，需要对服务需求进行分解，分解成子任务、原子任务来进行匹配；其次是云服务供需双方的交易，当技术对接完成后，形成服务供需候选集，需求方和供应方从各自的收益最优化角度来对服务供需对象进行商务评估，例如，需求方关注供应方的供货时间是否满足要求，供应方关注需求方的出价和是否能及时付款，双方经商务评估后进行服务交易过程；最后，服务交易意向明确，签订服务合同，服务提供方根据合同向服务需求方提供服务。

⑤ 服务环境构建。制造需求多种多样，而且有不同的粒度，有些只是加工某个工序，有些可能制造整个产品，有设计需求，也有加工需求。因此，针对客户的制造服务需求，云制造系统在完成匹配后，需要构建一个服务执行环境，把相关的服务组合起来，形成一个完整的服务包提供给用户。这个功能类似在元宇宙中的生产系统重建——为用户的个性化需求构建一个临时的个性化生产制造系统。如果用户是设计需求，可能就是为用户提供一个设计仿真环境；如果用户是制造需求，可能就是为用户提供一个虚拟车间或虚拟工厂，甚至结合三维技术，用户可以在这个虚拟工厂中漫游，看到自己的产品是如何被制造出来的。当然，虚拟车间中的每个设备可能实际上是位于世界的各个角落而不是真正在一个车间里面。

这个部分也需要服务的有效调度。当服务资源有冲突时，通过有效的服务调度算法，实现资源的优化利用。这个调度算法既要考虑到服务提供者的收益，也要考虑到服务需求方的收益，属于多目标的分散决策问题。

⑥ 服务过程管理。云制造系统需要跟踪服务执行过程，保障服务按期、按质地完成，保证服务正常结算，并且对整个服务匹配和交易过程进行评估，以利于云制造系统的健康发展。

如果服务过程中服务提供方发生意外，不能正常提供服务，云平台需要根据服务合同约定，为服务需求方提供备选服务，保证服务的正常完成。如果涉及服务提供方的更改，则需要调整服务执行环境，让制造云服务得以继续完成。

服务过程管理还包括服务执行完毕后的服务评价和服务提升反馈。根据服务供需双方对服务过程的评价，指导服务提供方进行服务能力的提升，以及指导服务需求方更好地构建服务需求表达能力。

⑦ 系统管理。云制造系统需要提供一些基本功能来保证整个系统的正常运行，如用户管理、安全管理、网络管理、服务流程管理等。这些功能和一般云计算服务类似，可以借鉴相关技术实现。需要注意的是，由于制造资源和制造能力的多样化，云制造管理的对象远比云计算资源复杂，因此，云制造系统管理涉及“云 - 边 - 端”的协同管理，而不只是云平台的管理。

当然，以上只是云制造系统的基本功能，一个具体的云制造系统要结合其行业、产业特征以及接入企业的特点，开发各类标准化功能和个性化工具；根据 SOA/SOC（面向服务的架构 / 面向服务的计算）的理念，这些功能也是通过“云 - 边 - 端”设备上提供的各类服务来实现的。

3）云制造系统的资源视图

云制造系统的资源包括系统本身的资源以及云制造服务过程的资源。系统本身的资源，是指组成云制造系统的硬件、软件、各类组织与个体等要素，以及这些要素的组织架构；云制造服务过程的资源，是指参与到云制造服务的资源，包括制造资源和制造能力，以及由制造资源和制造能力发布而成的各类制造云服务。云制造系统是开放运行的，因此，云制造系统的资源具有动态性。

对于一个云制造系统来说，其构建、运行过程中需要很多的组织机构参与，这些组织机构形成的云制造系统的组织资源，包括参与制造云服务供需的企业、政府机构、金融机构、技术研发机构和客户等，如图 4-3 所示。这些组织为云制造系统提供了各类相关的资源，如金融机构为云制造系统提供金融服务资源，技术研发机构为云制造系统提供知识资源等。

云制造服务过程的资源包括制造资源和制造能力。

制造资源是产品制造全生命周期中所需的各种物理要素的集合，是物理存在的、具有静态传输介质的一种资源形式。根据存在的具体形式不同，以及使用途

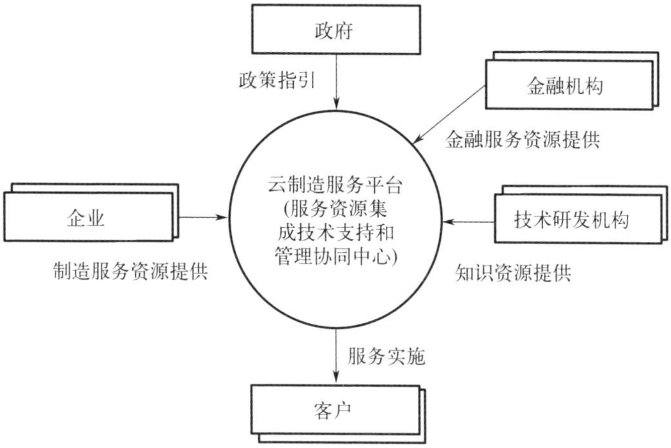

图 4-3　云制造系统的组织资源

径不同，制造资源可以分为硬制造资源、软制造资源以及其他制造资源[1]。

硬制造资源是指制造活动中所用的各种制造设备、计算设备以及产品制造所需要的物料、能源等资源。制造设备指产品全生命周期过程中所需要的各种实际的、具体的设备，包括数控机床、生产线系统、物流设备、检测设备等各种制造活动所需的专用设备；计算设备指各种计算系统硬件基础设施，该设施是信息化制造过程中所需要的，例如存储设备、运算器等；物料主要指原材料、坯件、在制品和产品等；能源主要指电能、燃料等；其他硬件资源还有车间、仓库、土地、运输工具、加工辅具等。

软制造资源是指制造活动中所需的专业计算机应用软件、模型、领域的本体知识和制造过程数据等资源。专业计算机应用软件主要指制造过程所需的专业软件，例如 AutoCAD、Pro E、Matlab、CATIA、Adams 等；模型是用于机械、控制、动力和热力学分析所需的模型等，主要是指在产品的全生命周期中涉及的各种经验模型；行业内产品需求、产品供应及供应链等信息是制造资源；制造活动中设计、生产、实验、管理、销售等各个环节所需的多学科、多领域知识也是制造资源。

其他制造资源，包括人力资源、资金资源等广泛意义上的资源。制造资源的分类如图 4-4 所示。

制造能力是在制造活动中，结合制造资源要素所表现出来的一种完成某种制造任务的能力，它是指制造企业为完成某一个目标，所需要的一种无形的、动态的资源形式。在制造过程中，制造能力主要体现为设计能力、生产加工能力、检测能力、销售能力、物流能力、仿真实验能力、管理能力、维护能力等，其定义如表 4-1 所示。

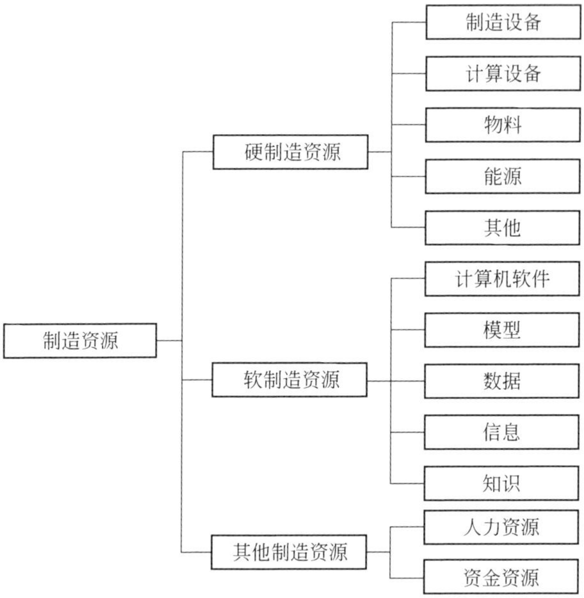

图 4-4　制造资源的分类

表 4-1　部分制造能力的定义

制造能力分类		定义
设计能力		设计人员结合相关设计知识，为完成某种产品或某项工艺的设计任务所表现出来的一种能力
生产加工能力		在确定的技术、条件和周期内，利用资源要素进行生产的能力
检测能力		检测人员利用相关检测工具或设备，来检测产品是否符合企业标准、行业标准等的一种能力
销售能力		通过某特定领域广泛的客户群网络和报价、议价、签订合同的能力
物流能力		结合物流设施，满足响应速度、物流距离，进行物流过程组织管理所形成的能力
其他能力	仿真实验能力	在资源、知识的支持下，实验人员顺利完成某项仿真任务或者仿真实验所表现出的一种能力
	管理能力	提高制造企业运营效率的能力
	维护能力	利用相关资源（如设备、工具等）、技术、知识，完成某一项或者某多项任务的维护、维修时能够表现出来的能力

制造能力与制造企业主体、制造活动、制造资源、知识是紧密联系在一起的，如图 4-5 所示。离开具体的活动任务、制造企业主体、相关的制造资源和知识要素，其制造能力便无法体现。

4）云制造系统的数据视图

数据视图是对云制造系统相关的数据进行建模和定义，包括数据的组成、数

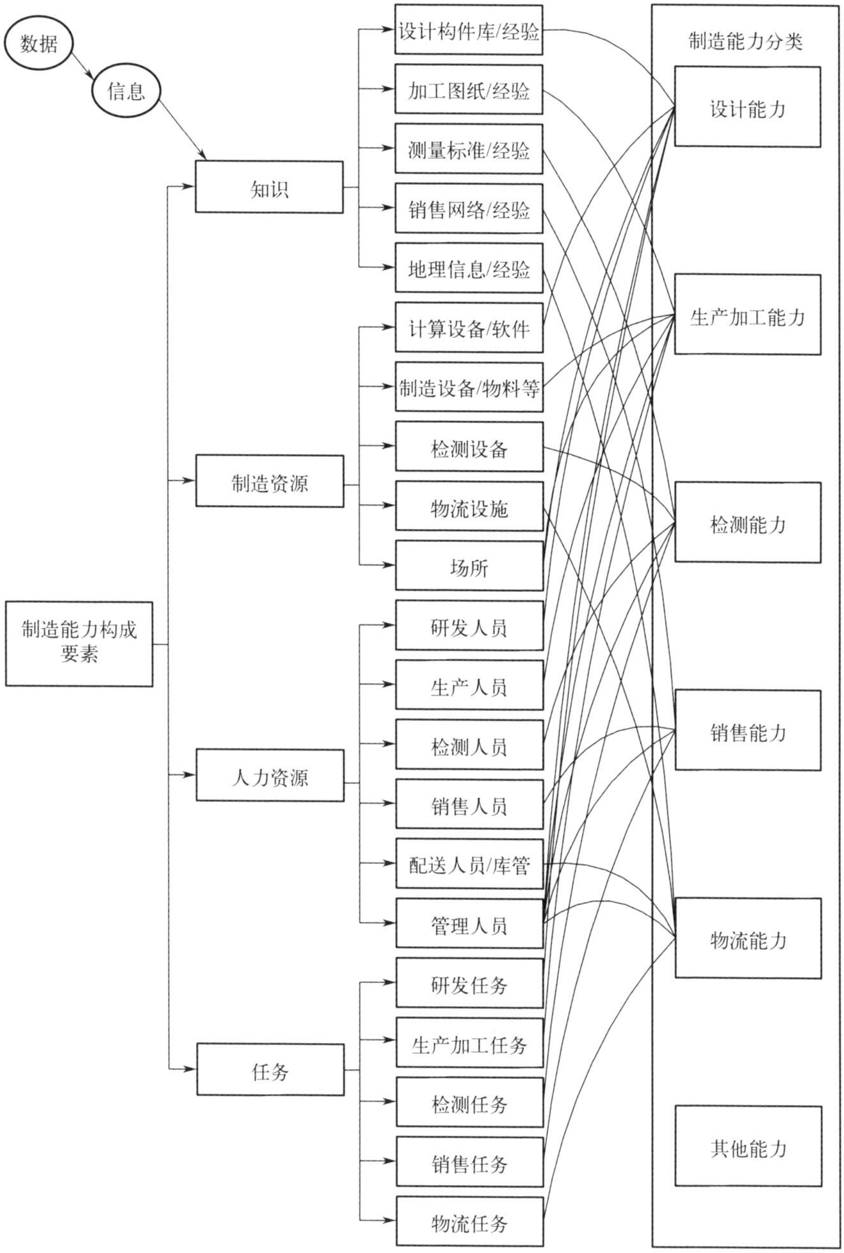

图 4-5　制造能力的体现和分类

据处理的流程和数据的处理方式。数据、信息、知识是一个不同层次的、依次递进的概念。从数据、信息、知识再到智能、智慧，是一个彼此关联的过程，是一个不断重用和提炼的过程。数据在反复关联与使用中提升为信息，信息在反复关联与使用中转化为知识，而知识则进一步提炼、累积为智能、智慧，转化为个人、组织或企业的创新能力，沉淀为个人、组织或企业的智力资产。

从这个角度来说，知识来源于信息处理，而信息又来源于数据的处理。因此，有些系统在数据视图之外，还有信息视图、知识视图，这些视图可以是数据视图的子图。

数据视图的表示方法有实体 - 关系（E-R）图、UML 类图和 IDEF1X 图等。

对于云制造系统，涉及的数据众多，和资源视图一样，既有云制造系统本身的数据，也有云制造系统运行后服务供需双方进行制造云服务活动的数据。云制造系统相关的数据可以从以下几个维度来进行分类。

① 按数据的来源划分。按产生数据的各类组织和资源来对数据进行分类。在构建数据视图时，要明确一个数据只能有一个来源。如果不同的源头都产生同一个数据，就需要把这个数据划分为两个不同的数据，否则数据就会产生冲突。

② 按数据所属生产活动阶段划分。根据产品生命周期、制造全过程等来划分各个阶段，包括设计、仿真、工艺制定、生产制造、安装调试、运行维护、回收等各个阶段的数据。每个阶段的数据主体是不同的，如设计数据来自设计企业，制造数据来自制造企业，使用数据来自用户。

③ 按数据所处的层次划分。根据一般制造企业的“制造金字塔”构成，可分为企业级、工厂级、车间级、产线级、设备级数据。

④ 按数据使用范围划分。根据数据的来源，确定数据的主体，进而可以进行访问控制、安全相关的定义。

⑤ 按数据的结构特征划分。数据可以分成结构化、非结构化和半结构化的不同类型，这些划分和数据的存储和处理方式相关。

⑥ 按数据的生成方式划分。数据的生成方式包括人工、自动和半自动。这个划分可以明确数据的来源和更新频率，便于对感知和执行对象进行定义。

以上不同的数据分类方法是从不同的角度来对数据进行整理，从而可以对数据的采集、处理、存储和使用进行相应的设计。具体到数据视图的表达中，可以以上述的某个分类作为主要结构来构建，其余分类可以作为相关属性进行关联，从而能全面地表达系统的数据。

5）云制造系统的控制视图

第 2.2.3 节给出了云制造服务的一般流程，根据这一流程，云制造服务系统的设计思想是：系统中首先具有流程管理模块，用于管理企业之间的订单服务流程以及其他流程。系统中的企业用户只需要登录一次，就可以访问到不同的供方企业注册发布的制造服务资源，在系统中完成服务检索、服务匹配等操作，从而能够按照自己的任务需求，来获取到相应的制造服务资源，进行使用。

云制造服务系统的一般工作流程如下所述。

① 作为供需双方的企业用户，首次访问云制造服务平台，在云平台上提交企业用户的注册信息并进行注册，同时云平台运营方会根据企业提交的注册信息对企业的信用进行初始评估。

② 身份验证。如果成功注册，平台会将用户的账号返回给用户，然后进入云制造系统；如果注册失败，则会返回至注册页面进行重新注册。

③ 登录后，企业用户首先在云平台中发布制造云服务资源信息（服务提供方信息）或者需求信息（服务需求方信息），同时制定本企业参与云制造服务的业务流程。

④ 服务需求方进行制造服务资源的搜索，然后通过供需匹配引擎找到与服务能力匹配、物流较为方便、报价比较合理、信用较高的服务提供方。

⑤ 服务需求方提交意向订单到云制造系统，并与服务提供方签订交易合同；云制造系统接受订单。

⑥ 供需双方在确定合作并签订合同之后，云制造系统要对该订单进行跟踪与管理，订单管理业务流程包括在线支付与收款、进度的跟踪与反馈、交货与验收和双方的交易评价等过程。

云制造服务平台的服务资源发布流程和服务需求检索流程如图 4-6 所示。无论是服务需求方，还是服务提供方，都需要在云平台上完成企业的注册与验证工作。由于在初始状态下，没有历史数据能够体现企业的信用，所以由云平台完成对企业的身份审核和初始信用评估。通过以上审核的企业能够在云平台上发布制造资源服务或者通过检索来使用服务，服务的发布和检索通过云平台的智能匹配引擎实现功能供需匹配，进入交易任务流程管理。服务执行完成后，服务供需双方可以在云平台上完成对服务执行过程的评价工作，至此，服务执行结束。

4.1.2 云制造系统的概念框架和应用实施总体架构

1）概念框架

概念框架是一个系统实施框架的抽象和简化组成。根据前面对云制造系统的功能需求及多视图分析，参考工业云平台的体系结构，得到云制造系统的概念框架如图 4-7。该框架由物理层、云制造平台层和制造云服务应用三个部分组成。

① 物理层：物理层包括物理世界存在的各类制造活动所涉及的制造资源及制造能力。这些资源一方面需要通过感知技术，接入到云平台，实现物理世界向

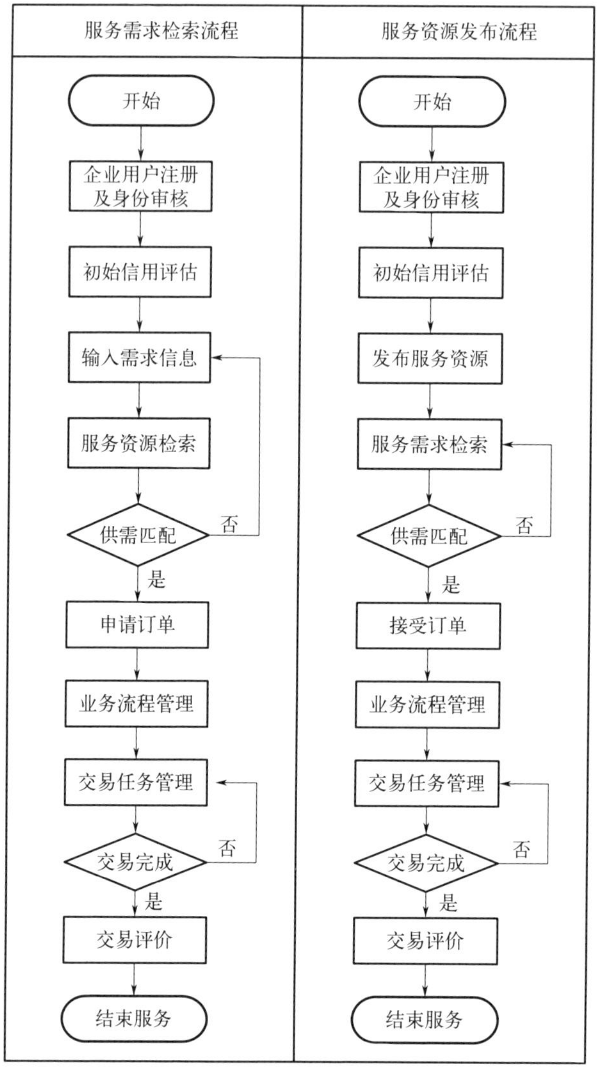

图 4-6 服务需求检索流程和服务资源发布流程

数字世界的转化，同时，通过制造云服务交易后的服务执行阶段，数字世界的决策结果、执行指令也需要物理层的资源去执行，这样才能完成整个制造活动。这是云制造平台和云计算平台不同的地方：云计算平台的基础设施比较统一，包括计算、网络、存储等设备，而云制造平台所涉及的资源对象多种多样，各不相同，这也给平台的感知层提出了新的要求。

② 云制造平台层：该层包括感知层、虚拟层、服务层和应用及接口层。感知层实现对制造资源、制造能力的感知与接入，是物理世界中制造元素到数字世界的接口。虚拟层实现把物理资源和能力抽象成虚拟制造资源与制造能力，实现

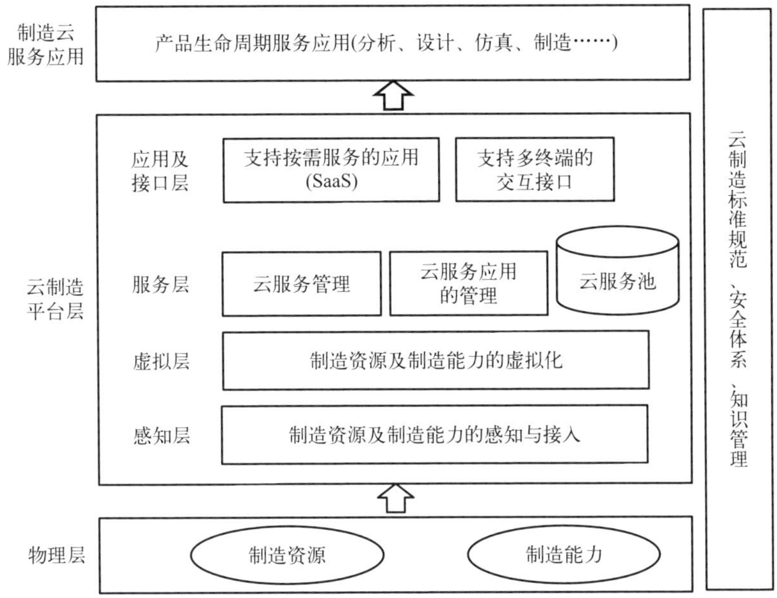

图 4-7　云制造系统概念框架

统一的表达，便于在数字空间进行供需对接和调度。服务层通过对虚拟资源和能力进行服务化封装后进入云服务池，并且实现对制造云服务池的管理和云服务的应用管理（如匹配、交易等）。应用及接口层提供对云服务的接口，以及一些基于 SaaS 模式提供的制造云服务应用（工业 APP）。

③ 制造云服务应用：面向制造业的各个领域和行业，针对各类应用场景的制造云服务具体应用。不同行业和领域的用户作为服务的需求方，通过云制造的门户网站，以及各种用户交互界面，例如移动终端、专用终端等，访问和使用云制造平台中的各类制造云服务，按需弹性供给，完成自己的各类制造任务。

2）应用实施总体架构

概念框架给出了云制造系统的一个抽象组成，具体到一个云制造系统的实现，需要根据行业、企业的特点以及在云平台开展的主要业务进行详细设计。不同的云平台，其结构是不相同的。例如，有针对行业开发的行业云平台，面向该行业的龙头企业和中小型配套企业提供服务，也有面向集团的集团云平台，面向集团内部相关企业提供制造云服务，前者类似公有云服务，后者类似私有云服务，其在系统接口、服务化工具普适性、服务组件设计和共享等方面都会有区别。虽然是不同的云制造平台，但是其概念框架都一致，都有一个平台支撑，并且在资源接入、服务访问与管理等功能方面都一致。

图 4-8 给出了一个云制造系统（云制造平台）的实施总体架构。和概念框架相比，这个架构更加详细，各个层的具体说明在后续章节会详细给出。

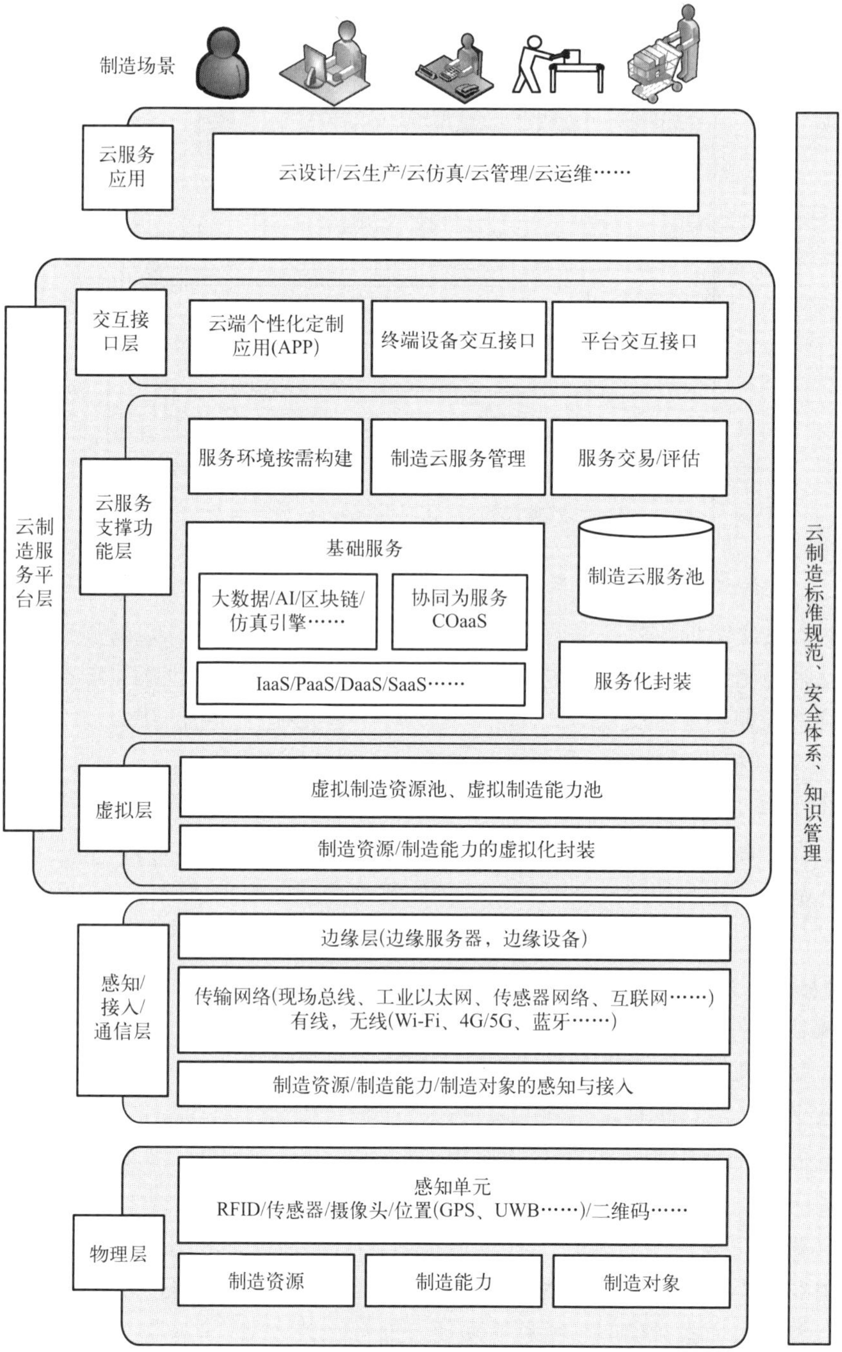

图 4-8　云制造系统实施总体架构

4.2

制造云服务的应用

制造云服务为产品全生命周期的制造活动提供支持，包括设计、仿真、工艺规划、生产加工、管理、产品运维等各个方面，由于不同的制造活动，其应用场景不同，制造云服务所支持的模式也各有不同。下面针对典型的制造活动场景进行云服务应用的介绍。

4.2.1 云设计

1）产品设计的变化及挑战

产品设计的方法，从最早的查手册计算、手工画图和物理模型验证，已经全面进入到计算机计算和计算机三维建模的时代，一些企业已经开始采用虚拟样机仿真设计技术以及基于模型的定义（Model Based Definition, MBD）理念，实现覆盖产品全生命周期的、全三维的信息共享。

虚拟样机（Virtual Prototyping, VP），又称数字样机，是指在产品设计开发过程中，将分散的零部件设计和分析技术（指在某一系统中零部件的CAD和有限元分析技术）集成在一起，在计算机上建造出产品的整体模型，并针对该产品在投入使用后的各种工况进行仿真分析，预测产品的整体性能，进而改进产品设计、提高产品性能的一种新技术。

目前产品设计的变化和挑战包括：

① 产品越来越复杂，产品知识含量越来越高，产品设计越来越需要多企业、跨领域的设计人员协同。虚拟样机工程也向网络化、智能化方向发展，数字样机需要多学科的分析和仿真。基于网络的协调设计将实现各类设计资源的高效利用，提升虚拟样机的设计效率和质量，达到复杂产品的“多元数据感知”和“智慧优化自决策”。以虚拟样机为核心的虚拟空间和以物理样机试制、试验和使用为核心的物理空间相互映射，相互影响。设计云服务将作为有效支撑，实现虚拟样机在云计算架构下的智能化设计。

② 个性化的产品设计需求越来越多，需要利用产品全生命周期的大数据来提升设计的质量和效率。图 4-9 展示了产品全生命周期的信息反馈过程。传统的产品设计所依据的信息来自技术和市场调研，而产品制造、运行阶段的数据并没有反馈给设计部门，这样导致产品设计和产品使用会带来脱节，而且制造过程的一些问题也不能被发现和改进。基于工业互联网实现产品全生命周期的数据采集

与存储，可以利用大数据分析技术来提取产品各阶段的有用信息，反馈于设计阶段，以提升产品的竞争力。

图 4-9　产品全生命周期的信息反馈

③ 新一代信息技术驱动下的创新优化并行工程模式的需求。传统设计过程是把整个产品开发全过程细分成很多步骤，每个部门和个人都只做其中的一部分工作，而且是相对独立进行的，工作做完以后把结果交给下一部门。并行工程是对产品设计及其相关过程（制造、运维支持等）进行并行、一体化的一种系统化工作模式。这种工作模式力图使（产品）开发者从一开始就考虑到产品全生命周期中的所有因素，包括质量、成本、进度和用户需求。随着互联网应用的普及和个性化产品开发的需要，基于云的并行工程逐渐成为重要趋势，包括：

a）基于云的用户定制、用户参与以及全过程监控；

b）基于云的开放式的集成产品开发团队，开展众创、众包、众筹、众扶，体现群体智能；

c）云端个性化工作台，按需获取各类资源，高效交流沟通，实现知识的协同创建、共享与按需推送；

d）实施模型驱动的系统工程（Model Based Systems Engineering, MBSE），基于云端统一产品模型的智能协同；

e）基于大数据的云设计；

f）基于云的过程集成，传统集中、串行的研制模式变成分布、并行的研制模式。

2）制造云设计服务

对于产品的设计过程，当用户需要计算机辅助设计（CAD）工具时，云制造服务平台可将各种计算机辅助设计软件功能封装为云服务提供给用户。同时，制造云服务将提供产品设计所需的多学科、跨领域知识，并在产品设计的各个环节提供智能化的帮助。产品设计中诸如三维可视化、复杂分析计算等任务往往需要高性能计算能力的支持，制造云平台可以动态组建高性能计算和软件环境，并作为虚拟机服务辅助计算。

在云制造环境下，设计软件和支持硬件被抽象为设计资源，设计人员、设计流程等被虚拟化为设计能力，设计结果以数字化的形式存在云端，设计资源和设计能力都被统一封装成设计云服务。用户的设计需求，以服务需求的形式发起，最终由不同的设计云服务协同完成设计任务。云服务具体实施的过程，是来自不同企业的、不同的设计人员按设计过程共同参与设计工作。为了缩短设计周期，设计过程之间也在不断协同进行。其中，不同设计过程的设计人员根据不同任务，异地异步地开展设计工作，具体设计过程由云平台通过流程管理服务进行调控。通过“设计及服务”实现“设计元宇宙”，带来“云设计”模式，其特点包括：

① 虚拟化和服务化：各类设计资源、设计能力都被虚拟化、服务化成设计云服务，发布到云制造服务池，供服务需求方进行匹配选择。通过虚拟化和服务化，消除了物理资源和能力的区域、规模、学科领域等不同带来的差别，在平台上能被统一表示、检索和调度，并且通过服务协同来实现不同资源间的对接，易于实现跨区域、跨企业、跨领域的协同。

② 协同化：协同是复杂产品设计的核心。以缩短研发周期和提高产品质量为目的，结合并行工程的特点，各角色用户开展协同设计，总体包括设计过程协同与设计专业协同两个部分。

③ 数据单一性及可追溯性：从设计阶段开始，各相关服务间传递统一的模型和数据，并在此基础上进行迭代和优化。设计过程数据和设计结果使用标准形式进行表达，使客户和设计人员易于沟通。整个设计过程和优化过程均会被记录，使设计过程可追溯。

④ 智能化：云平台在汇集各种资源和能力的同时，也汇集了各种知识并构建了跨领域多学科知识库。利用平台提供的数据服务，易于从数据中获取知识，应用到设计环节。同时，设计过程的相关数据也能为后续制造过程所共享，为制造生命周期的各环节、各层面提供系统的智能化支持。

3）云设计的相关技术

云设计所需要的相关技术包括[2]：

① 云并行工程总体技术。以并行工程模式为基础，以用户为中心，研究如何实现设计工具、环境和知识等方面的设计体验和能力增强。

② 云 CAD/CAM/DFx❶ 技术。研究在大规模定制化需求驱动下，实现客户定制信息与设计过程充分融合，设计过程基于互联网资源云端共享的理念。

③ 虚拟样机云设计技术。以虚拟样机为对象，在云计算整体框架下，充分利用各类软硬件资源，基于并行工程理念，实现复杂产品的高效设计。不同于传统的本地单机设计，云设计是多人员、跨地域、全过程的协作设计。

④ 基于大数据的云设计技术。通过对跨型号、跨批次、全生命周期数据的深层次挖掘，反馈设计制造共性问题，优化产品方案和生产流程。基于大数据的

---

❶ DFx，Design for X，一种系统化的设计方法论，其核心是在产品设计阶段就充分考虑产品全生命周期的各类需求，“X”代表不同环节或特性。

云设计技术的关键在于基于大数据的产品创新，通过对原有产品模型、知识、经验、规则，以及分析与仿真、试验与运行数据的梳理、分析，支撑产品创新，促进产品和品牌创新，增加产品附加值。

为了保障设计云服务中不同的云服务之间实现设计数据的共享和互通，可以采用数字主线（Digital Thread）技术来实现设计数据的表示和传递。

数字主线是一种可扩展、可配置的企业级分析框架，提供访问、综合并分析系统生命周期各阶段数据的能力，使产品设计商、制造商、供应商、运行维护服务商和用户能够基于高逼真度的系统模型，充分利用各类技术数据、信息和工程知识的无缝交互与集成分析，完成对项目成本、进度、性能和风险的实时分析与动态评估。数字主线围绕复杂产品全生命周期管理需求，实现全业务过程中数据、流程及分析的结构化分类管理，形成贯穿全生命周期的流程、模型、分析方法及应用工具，连接产品全生命周期各阶段孤立功能视图，形成一个集成视图。

数字主线为在正确的时间将正确的信息传递到正确的地方提供了条件，使得产品生命周期各环节的模型能够及时进行关键数据的双向同步和沟通，实现模型在各阶段的流动、重用与反馈。在数字主线运行过程中，数字主线各个环节中所收集的有关产品的模型和数据，构成了产品实体的数字孪生。数字主线和产品全生命周期的关系见图 4-10。

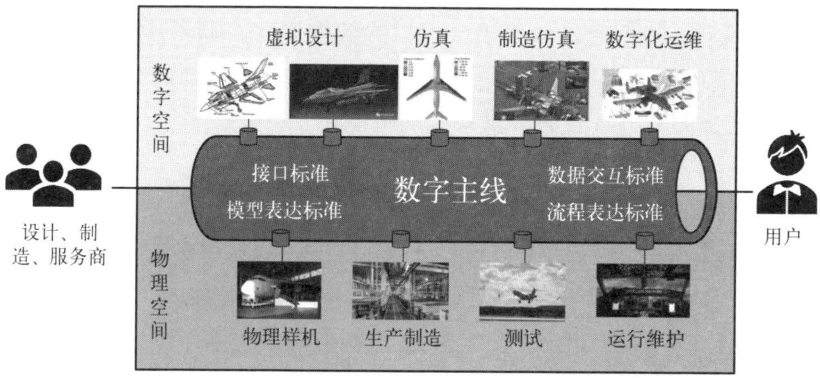

图 4-10　数字主线和产品全生命周期的关系 [3]

为了建立数字主线，需要形成一种以 MBD（基于模型的定义）为基础，为整个企业所共享的全面集成和协同制造的环境。在企业或供应链中，无论在何处的数据生产者和数据消费者，在制造过程的任何点上，都将连接到一个共同的数据源上。数据标准将从设计阶段开始，延伸到制造阶段，再到最后的装配阶段。数字主线的核心就是搭建一个涵盖产品生命周期全过程的协同环境，使统一的模型在产品生命周期各个阶段实现数据的双向流动、重用和不断丰富的过程。

4.2.2 云仿真

1）仿真技术在设计过程中的需求

仿真技术是以相似原理、模型理论、系统技术、信息技术以及建模与仿真应用领域的相关专业技术为基础，以计算机系统、与应用相关的物理效应设备及仿真器为工具，根据研究目标，建立并利用模型，参与已有或设想的系统进行研究、分析、设计、加工生产、试验、运行、评估、维护和报废（全生命周期）活动的一门综合性、交叉性学科。

仿真是建立在控制理论、相似理论、信息处理技术和计算技术等理论基础之上的，仿真以系统的模型（数学模型、物理模型或数学 - 物理效应模型）为基础，并在模型上进行实验。当前该技术主要依赖计算机支持，综合称之为建模与仿真技术（Modeling and Simulation）。

复杂产品的开发，一般涉及多学科、多专业，需要多学科的全产品系统级以及关键分系统 / 设备级的验证。以前是通过物理样机的方式进行试验验证，现在结合计算机辅助工程（Computer Aided Engineering，CAE）和数字样机（DMU）技术，采用建模与仿真的方法进行数字化验证。

在产品研发阶段采用仿真技术，有助于表达要求，能让客户通过使用系统的虚拟模型，将其需求实现可视化；虚拟模型在系统开发过程中可以不断丰富和完善，从而建立最终系统的虚拟原型（虚拟样机）。在系统概念论证阶段，仿真可以用来验证不同的技术方案；在试验阶段，可以减少所需的物理样机试验次数，并能拓展系统验证范围；在系统投入运行时，仿真可以用来训练系统的操作人员；在系统更新迭代阶段，基于原有仿真模型，可以分析和评估方案改进对系统的性能影响。

产品设计开发过程中，数字样机技术的广泛应用，催生了对仿真技术的更多、更高的要求。目前应用过程的主要问题在于：

① 计算机仿真试验系统的应用场景越来越广泛，试验人员希望通过计算机仿真试验来发现设计中的问题。但是，仿真专业人员、仿真资源一般都不在产品设计相关单位现场；不同的业务需求，需要不同的仿真试验环境；单一仿真不能满足复杂产品的全产品级仿真需求，需要多学科协同。因此，仿真试验技术有向虚拟化、服务化技术方向发展的需求。

② 随着产品复杂性的提升以及个性化定制越来越多，对仿真的环境和仿真的参数要求越来越多样化、复杂化。这就需要针对不同应用需求，实现仿真、试验资源的自动发现和动态组合。仿真过程需要动态改变系统参数、系统结构和信息流向。动态改变仿真运行环境，需要智能化、自适应的仿真技术。

③ 当仿真试验系统规模扩大后，传统的基于串行系统的模式不能满足高效率的要求，仿真时长远大于实际系统运行时间；需要能并发地进行不同工况的仿真试验，高效地进行大样本量的参数优化，提高仿真的效率。

基于云制造平台的云服务——仿真即服务（Simulation as a Service，SIMaaS），可以为用户提供按需供给、弹性易使用的仿真云服务，降低了仿真技术的应用门槛，推动了仿真技术在中小企业的产品开发过程中的应用，提高了产品研发的质量和效率。

2）制造云仿真服务

云仿真服务，或者称为仿真即服务（SIMaaS），是云制造服务平台根据仿真任务的需求，将所需的各种专业仿真软件、仿真模型、数据库和知识库等封装为云服务，并自动部署到虚拟计算节点中，动态构建虚拟化的协同仿真环境，实现面向仿真的制造云服务。由于产品的仿真环节往往需要大量软硬仿真资源的支持，云服务所封装的虚拟计算节点根据仿真计算对计算资源的需求，定制相应的运算器、存储器、操作系统和计算平台等硬资源并封装为虚拟机，为云仿真服务提供支持。对于仿真专用的硬件设备，能够通过智能感知服务、状态采集服务等对其进行监控。

云仿真将各类仿真资源服务化/虚拟化后封装成服务云池，并进行统一、集中、高效的管理和经营，实现了仿真资源的快速部署和虚拟化协同仿真环境的智能、灵活构建，能够充分支持多用户随时随地地按需获取仿真服务，增强了网络化建模仿真方法的能力。云仿真也是云制造的典型应用，具有以下优点：

① 敏捷化。在云仿真支持下，产品的研发周期大大缩短，规模庞大的仿真运行环境和仿真验证系统可以被快速部署和灵活构建。

② 服务化。在当今盛行的按需租用服务模式的影响下，为节省成本并降低投资风险，中小企业对按需获取仿真服务以支持制造全生命周期各阶段活动的需求大大增加。通过云仿真可以满足这些企业的需求，提升其产品的竞争力。

③ 绿色化。面对大量制造用户同时在线使用仿真服务的需求，仿真支撑平台/系统支持对分散和集中的各类仿真资源的优化管理、共享和经营，以降低能耗，提高资源利用率，实现资源增效。

④ 协同化。在云制造环境下，针对如复杂产品、生产线等的仿真任务规模和结构日益扩大和复杂的情况，迫切需要多用户获取持续稳定的仿真服务来协作完成仿真任务。云仿真可以联合各类仿真资源，实现多学科联合的综合仿真。

⑤ 智能化。云制造中的仿真应用变得愈加复杂，依托云平台，仿真系统能够智能地获取用户的需求并组织仿真服务，让用户可以专注于解决制造任务空间的问题。同时，结合智能化技术的应用以及平台算力的支持，能大大提升仿真过

程的智能化。

4.2.3 云工艺

1）工艺应用的需求

在产品开发过程中，工艺制定是连接产品设计与生产制造的关键环节。工艺可以决定产品量化生产的时间和成本，好的产品设计需要合理的工艺方案，才能“快、好、省”地被制造出来。

产品的工艺方案和企业的生产技术、设备配置情况等密切相关，因此，同样的产品在不同的企业中，其工艺方案可能大不相同，其生产成本、质量和时间也会各不相同。同时，制定详细的工艺方案需要占用工艺人员大量的时间，这导致在多品种小批量生产模式下，工艺方案往往是比较粗略的，一些具体的工艺参数需要现场工人自主凭经验决定，降低了产品质量的稳定性。随着生产分工的逐渐细化，以及供应链协同的推广，越来越多的企业把零件委托给专门工厂进行生产，如果不制定详细的工艺方案以及工艺规则，不同的工厂可能会有不同的制造方法，造成产品质量的不稳定。因此，工艺制定成为新产品开发的一个能力瓶颈。具体而言，现代制造对于工艺制定的需求与变化包括：

① 复杂性。产品越来越复杂，其知识含量越来越多，带来了产品工艺的复杂性，例如，一些新的材料需要特殊工艺处理，如果不加以说明，就会影响最终零件的使用性能。个性化的产品也需要个性化的工艺方案，这也带来了工艺制定的复杂性。

② 协同性。工艺方案需要与生产加工能力相适应，例如，不同供应商提供的毛坯可能会造成机加工工艺方案的不同，因此，在工艺制定的时候，需要上下游企业协同，以共同提高加工质量和效率，这给工艺规划带来了新的约束。

③ 智能化。在提高产品质量和生产效率、降低成本的过程中，工艺参数优化是一个永恒的话题。一方面，需要能利用生产过程中采集的大量数据，进行智能化分析，来改进生产工艺参数；另一方面，针对中小批量生产的特点，需要能从不同的产品生产参数中挖掘出具有普适性的工艺自适应优化规则，来更好地提升中小批量生产过程的生产效率。

基于云制造模式提供的云工艺服务，能为工艺制定和工艺优化提供新的解决思路。

2）制造云工艺服务

制造云工艺服务，或者说工艺即服务（Process Planning as a Service，PPaaS），是在云制造模式中，工艺设计以适应互联化、服务化、个性化和柔性化需求为目标，提供基于云的辅助工艺设计应用，以服务的形式进行发布，实现企业需求的个性化工艺设计功能定制，满足智能制造需求。云工艺服务将工艺设计过程涉及的大部分过程与资源（工艺知识、工艺决策、工艺仿真、工艺管理等）进行服务化封装，在云平台支持下统一组织和管理。云平台提供多粒度的工艺服务供用户调用和部署，使企业按需购买，在短时间内以较少的花费获得数字化工艺设计能力。

利用云工艺服务来进行工艺制定是计算机辅助工艺规划（CAPP）技术基于云技术的扩展与延伸，它能让信息化能力不足的企业快速增强数字化工艺设计与管理能力；同时，如果企业已经有了 CAPP 系统，能进一步提升 CAPP 能力，更好地实现与 CAD、PDM（Product Data Management，产品数据管理）、ERP、SCM（Supply Chain Management，供应链管理）等系统的集成；利用云平台的智能化能力，制造云工艺服务将显著提升工艺系统的智能化程度，提高工艺设计与管理水平，提升产品质量。

和云设计类似，云工艺服务更多地涉及制造软资源，可以为企业提供定制化的工艺规划、工艺系统解决方案。根据用户对工艺制定需求的不同，云平台可以提供不同粒度的云工艺服务，满足用户的不同需求。多粒度的工艺服务见图 4-11。基本粒度服务可以为用户提供单一工艺应用服务，如模型浏览、工艺文件管理、切削参数选择等服务，基本上是工艺制定过程中的某一个具体工作。中等粒度服务是工艺制定过程的一个环节，如产品设计数据管理、工艺方案设计等，每个中等粒度服务都是由基本粒度服务组成的，如果用户需要云平台提供工艺制定中某个环节的服务，可以选择购买中等粒度服务。系统粒度服务，属于一体化集成服务，为企业用户提供完备的工艺设计业务，不再是工艺设计的单个环节。云平台基于企业用户需求，将配置好的工艺设计各服务模块集成到一起，部署到企业用户制造系统中，提供本地 CAD/MES 等系统的接口。云平台与企业信息系统建立工艺资源更新与共享机制。

云工艺服务的特点包括：

① 工艺设计服务具备一定的智能性。工艺设计应用具备一定的自我学习能力。根据用户与工艺设计服务软件交互的结果自主学习，形成自己的知识体系；在后续的工艺设计中提高准确率，降低人工干预程度，缩短工艺设计周期。

② 工艺设计服务满足用户的个性化需求。适应用户企业不同的（产品）设计需求和硬件条件；工艺设计依托虚拟化的用户硬件条件和设计需求开展。

③ 工艺设计服务具备网络应用的便捷性。用户能在短期内获得工艺设计能力，适应不同层次工艺设计人员的能力，既保证工艺设计结果的可靠性，又注重用户体验。

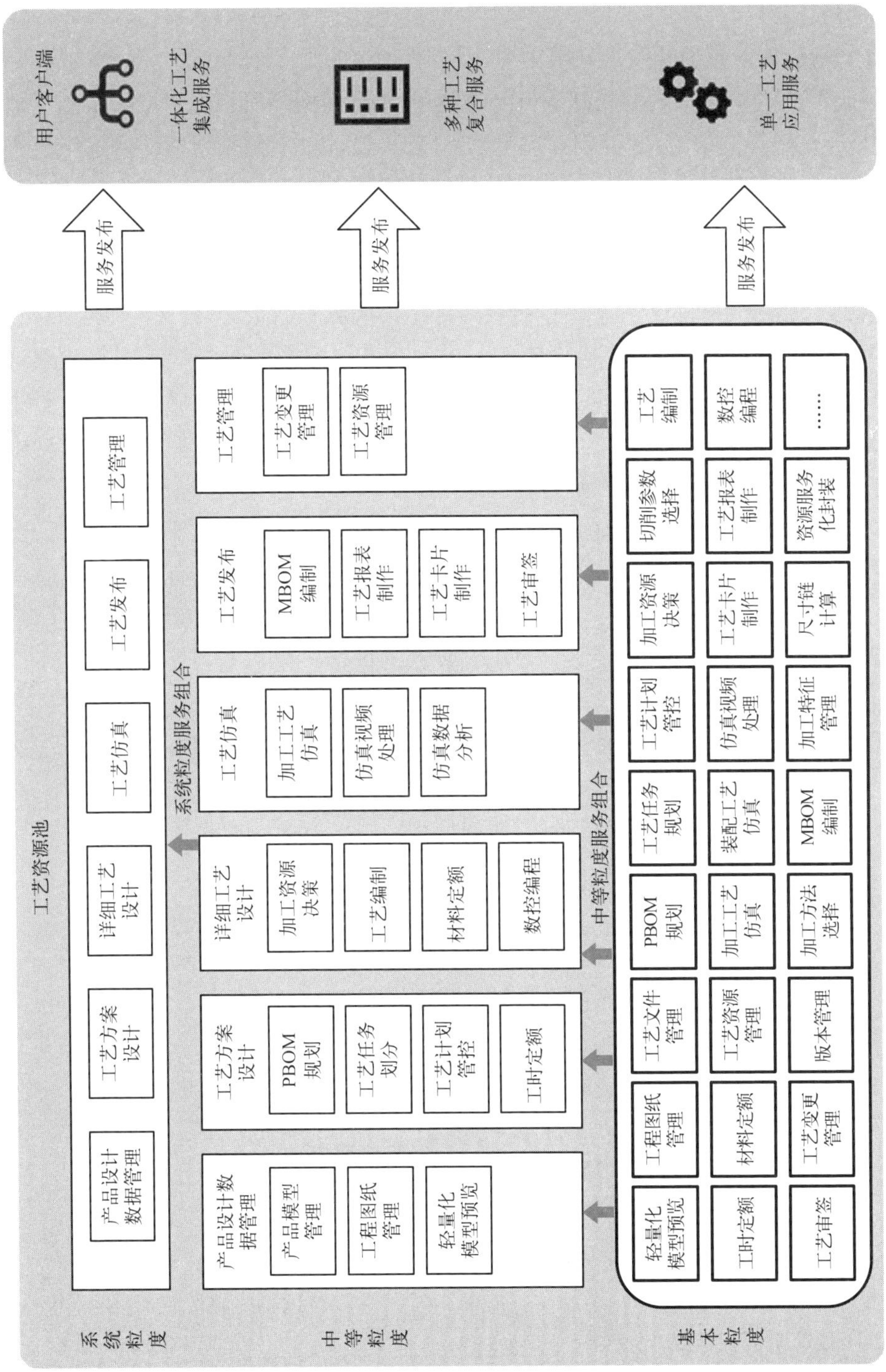

图 4-11　多粒度工艺服务[2]

4.2.4 云加工

1）制造装备应用的发展局限

生产加工环节是制造的核心环节，也是狭义制造概念所指的“原材料加工成适用的产品或器物的方法与过程”，即使制造实现了数字化和智能化，这个过程也无法脱离传统的物理世界，是数字化和物理世界的融合过程，也是信息流、能量流、物料流相结合的过程。生产加工环节会涉及各种不同的制造设备，通过这些设备完成制造加工任务。

在现代制造过程中，传统加工设备表现出来的弊端，主要有：

① 设备是孤立的。由于历史原因，不同企业中设备的数字化、网络化水平参差不齐，很多设备不能联网，行业内称之为“哑设备”。这些孤立的设备影响了制造的数字化、网络化发展，也就不可能实现智能化。随着数控技术、自动化技术的不断发展，这个问题在逐步得到解决。

② 设备难使用。设备升级换代解决了“哑设备”问题，但是，先进的、支持数字化网络化的设备带来的问题就是设备难使用，或者设备没有充分发挥应有的性能。例如，针对数控机床，普通工人可能只会启停机床、装卸工件，但是不会复杂零件的数控编程，更谈不上对工艺参数的优化。这会影响设备能力的充分发挥，带来了隐形的浪费。

③ 设备费用高。先进设备带来的另外一个问题就是设备价格贵，初期投资大。如果企业需要实现生产转型，需要一笔不菲的投入，但是当市场发生变化后，可能会带来设备的闲置和产能的过剩，造成浪费。另一方面，当市场需求激增的时候，受限于设备能力和投资能力，没有足够的设备能力完成订单，只能浪费掉市场机会。

④ 设备难升级。当前，很多软件和消费设备，例如，操作系统软件、移动电话终端等，都能在线升级。通过升级一方面可以修补系统缺陷，另一方面可以增加新的功能，提升设备性能。相比于消费类设备，机械加工设备往往是封闭式的架构，一般从出厂起，其功能和性能就被确定了，后期难以改进。随着设备数字化程度的不断提升，越来越多的设备成为一个 CPS 系统，即设备的功能很大程度上是由软件来进行控制和完成，这个时候，如果能通过软件升级来完善设备功能、改进设备缺陷、优化设备运行，就能提升设备使用效率，延长设备使用时间，降低浪费，提升设备竞争能力。

通过云制造模式提供的制造加工云服务，结合云设备技术，就能解决这些问题。

2）制造加工云服务的应用

制造加工云服务，也称作制造即服务（MaaS），是利用虚拟化技术来把加工过程中的制造资源和制造能力封装成加工服务发布到云平台，根据用户需求进行供需对接和服务匹配，在服务过程中，利用线上和线下结合的方式实现服务，完成加工任务。

相比于前述的云设计、云仿真、云工艺等服务，制造加工云服务更多地涉及硬制造资源，需要生产加工设备、物流设备的配合，同时要满足毛坯、零件、布局、产品生产次序和物料配送的约束。制造加工云服务的特点如下。

① 制造加工能力的按需弹性供给。生产加工能力需要硬件资源的支持，相比于云计算等软资源，传统的制造模式下硬资源的共享是个难题。通过制造加工云服务，能实现设备资源的共享，原来闲置的加工资源通过云平台接到订单，提高了设备开机率，减少了闲置浪费；而加工需求也能通过云平台及时找到附近的加工资源，快速完成加工任务。

通过虚拟化和服务化转换，设备资源和加工能力能方便地进行组合，这样分散的加工能力能被集中起来用于完成大的加工需求；同时，一个设备闲置时间可以分散成不同的服务单元被发布，这样大型设备的加工能力可以被分解成小段机时，分散使用，降低了长期租赁的费用。用户在需要加工的时候，不用购买设备，选择购买相应的加工机时服务即可，这减少了设备投资成本，从而降低了产品的固定成本。

② 云平台支持下的设备运行优化。设备接入到云平台，一方面能提供制造加工云服务，另一方面，云平台利用其智能化能力，也能为设备提供优化运行的指导。利用云平台所存储的大量设备运行数据和加工场景，进行数据挖掘和智能化分析，构建出设备优化运行模型。在设备运行时，可以根据设备加工参数和加工场景，选择合适的优化模型，对设备运行进行优化指导。基于云平台的优化，降低了对设备使用人员的技术要求，减少了设备使用者的投入成本，提高了设备使用效率。

通过云平台的资源调度，还能对接入到云平台上的制造资源和服务能力的运行进行优化，提升整个车间、工厂的运行效率，后面在介绍云管理的时候会详细介绍。

3）云装备的应用

随着数字化、网络化、智能化的发展，制造设备不再只是一个机械、电子、液压的组合体，而是成为一个 CPS 系统——包含了物理执行部件以及信息化的控制部件。例如，机床向数控机床发展，其由数字控制部分和机械执行部分组成，这两部分相结合，形成高度柔性的、高精密的数控机床；机器人，包括了机器人机械本体以及机器人控制部分，通过机器人编程形成不同的控制软件，控制机器人的动作。数字化、网络化设备的特点就是可以通过软件来对设备的动作进行定义，并且能通过软件调整适应不同的加工环境。

前面的分析也指出，很多数字化设备是封闭的，限制了设备的发展。以数控系统为例，数控系统的内部开放和外部相对封闭的软硬件体系结构限制了智能化技术的应用。数控系统的各功能部件和软件构成本地资源孤岛，孤岛之间通过网络（总线）互联实现资源有限共享；数控系统与外部设备或软件的兼容性差，缺乏有效的反馈控制环节，无法在现场环境对动态变量做出实时调整；数控系统的本地软硬件升级模式也限制了智能化软件的研发。

云数控系统将传统的原来在本地数控系统内部实现的一些需要复杂计算的智能化功能和非实时性功能移入数控系统云端。本地系统负责机床操作、显示、插补、运动控制等人机交互和实时性任务。通过简化本地装置的软硬件结构，把数控系统对本地硬件和软件的需求转换成对云端服务的需求，构建全新的云数控软硬件体系，实现智能化数控系统技术的突破。传统数控和云数控的结构对比见图 4-12。基于云数控系统，云平台为数控设备厂商和最终用户提供服务，实现计算资源、存储器、服务器、应用软件等资源的统一管理和调度，建立各方参与的服务资源池，形成开放的生态环境。

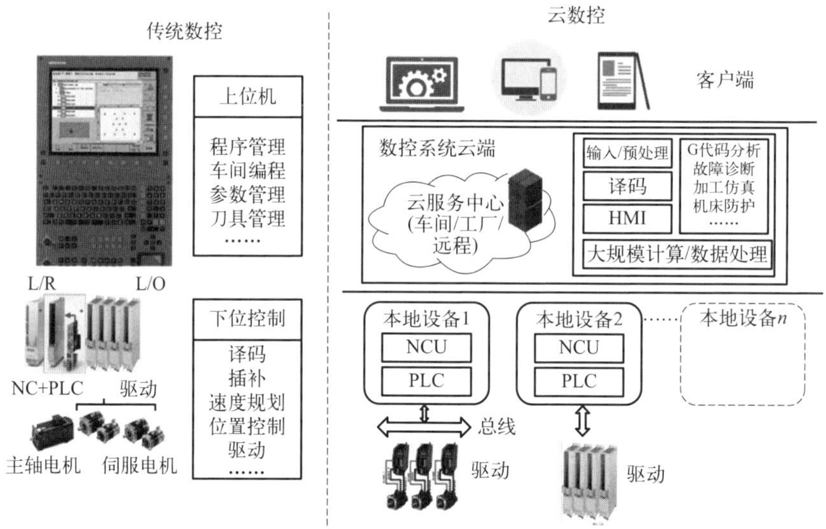

图 4-12　传统数控和云数控的结构对比

类似的还有云机器人，即在具有高速计算能力的云平台上实现机器人的控制算法，实现机器智能的云端化，而机器人本体更加具有通用性，不同机器人基于云端适配技术接入平台，可以从云端下载控制程序到本地，机器人的功能可以按需服务、按质计费。

这些云装备的特点就是基于CPS思想，把数字空间的控制部分交由云端完成，物理世界中的执行部分在本地完成。其基本特点有：

① 基于虚拟化和云端化接入技术的高度柔性：设备本体具有通用性，通过云端服务满足不同场景下的应用需求。

② 基于大数据、知识与工业模型应用的云智能：云端模型和数据为智能化提供有力支撑。

③ 基于云的协同应用：具有虚拟化、网络化能力，易于通过服务化来进行协同。

④ 全生命周期的服务管理：多领域协同，多主体协同，实现产品全生命周期的优化管理。

⑤ 边缘计算和云计算的高效融合：本地实时化处理，云端优化和指导。

4.2.5 云管理

1）云制造模式下带来企业管理的变革

管理涉及协调和监管他人的工作活动，从而使他们的工作可以有效率且有成效地完成。企业经营管理（Operation and Management of Business）是对企业整个生产经营活动进行决策、计划、组织、控制、协调，并对企业成员进行激励，以实现其任务和目标的一系列工作的总称，其管理内容包括计划管理、流程管理、组织管理、战略管理和文化管理等。经营管理职能包括五个方面的内容，即战略职能、决策职能、开发职能、财务职能和公共关系职能。

企业采用云制造模式，参与云平台提供的制造云服务相关活动后，其管理对象、管理范围和管理模式都发生了改变。具体来说：

① 决策模式分散化。传统的经营管理主体是单个企业，但是采用云制造模式后，在云平台上管理主体有服务提供者、服务需求者、云平台运营者，这些都是制造云服务活动的参与者，不同的主体后面是不同的企业，云平台上没有垄断的、权威的决策主体，各个参与者都是相对平等的、相互影响的决策者，因此，管理决策模式会发生变化。

② 管理边界模糊化。传统企业的管理边界就是企业自身所涉及的范围。企业参与制造云服务后，如果是服务提供者，其提供的云服务为服务需求者服务，需要把服务需求者的部分资源或活动纳入自己管理的范围；如果是服务需求者的话，需要把服务提供者的部分资源或活动纳入自己的管理范围。这些外部对象的管理粒度、管理深度随服务的不同而不同，管理边界模糊。云平台面向某一具体任务而构建的服务组合形成一个“虚拟组织”，随着服务执行和实施，这个虚拟组织也会不断发生变化。因此，云平台管理的边界动态变化，不如传统企业那样清晰。

③ 管理对象的变化。传统企业的管理对象就是自己企业的“人、机、料、法、环”，而云制造模式下的管理对象，除了传统的这些对象外，还有虚拟化、服务化后的制造资源和制造能力。这些在信息空间的“数字对象”带来了新的管理要求。

总而言之，云技术下企业管理的决策模式、管理对象、管理边界会发生新的变化，“虚实融合”给企业管理提出了新的课题。但是新的技术也带来了新的管理手段，云营销、云售后、云供应链、云企业管理、云质量管理、云运维保障等新的管理方法不断涌现，满足了云平台上供、需、管三方不同经营管理的要求。下面对基于云平台的供应链管理进行简单介绍。

2）云供应链管理

云制造下供应链的应用更加简便，市场中的各种需求以服务的形式由云平台进行集成处理，资源在集中调度下完成不同的生产任务，物流、资金流和信息流的路径更加简洁。

云制造供应链中，需求方不需要了解具体的制造和转换过程，只需要将各种市场需求提交给云平台，再由云平台根据相应的知识模型完成对需求的分析和分解，然后运用各种云服务调用不同的虚拟资源，最后将任务交给相应的供应链成员，实现产品的物理制造和运输。供应链成员将产品生产的各种相关信息反馈给云平台，由云平台生成相关的产品形式、成交价格、交付时间、产品的数量和质量等信息并输出给需求方，与需求方达成最终交易。

生产服务通过服务需求方以虚拟信息的形式到达云平台后，云平台根据服务需求对任务进行预处理。首先，将总任务按照一定的原则分解成多个子任务，如果条件允许，单个子任务可继续分解成粒度更小的多个任务，但这通常是在可更高效率地执行生产任务的原则下进行。云制造平台通过快速调度云服务池中的各种资源，将任务与服务进行合理的映射匹配，找到相对应的加工企业完成云平台服务需求者的任务。

在云制造服务的任务执行过程中，任务调度是最为关键的环节，是云制造需要研究的关键技术之一。云制造环境下，面向过程的生产调度主要分为制造任务的分解与处理、任务与服务的映射匹配、企业间的协同调度和车间的调度四个方面。

① 制造任务的分解与处理。云平台服务需求端将任务提交到云平台后，云平台根据任务的类型，判定任务是否需要拆分。如果任务不需要拆分，则可直接匹配生产资源进入下一步的调度环节；如果任务比较复杂，需要拆分成多个子任务，则需要按照一定的原则将每个制造任务进一步拆分为多个子任务，然后对不同的子任务进行分类，匹配相应的加工企业，进行多维管理，从而实现生产的高效快速进行。

② 任务与服务的映射匹配。云平台中的任务仅仅是对生产任务的数据化描述，云平台中的服务是对能完成生产任务服务的数据化描述，为高效地完成生产任务，需要将能完成任务的服务与任务进行合理匹配。由于候选服务资源与待生产任务信息可能存在多对多的情况，因此需通过合理的算法对任务和服务进行处理，找到最佳匹配方案。云平台中的资源包含多种类型，如计算资源、网络资源、机器资源、数控资源、物流资源、人力资源等。将资源虚拟化后封装形成云服务并与云平台用户的任务需求相匹配，建立一定的映射关系。

③ 企业间的协同调度。当任务被分解成多个子任务并与服务匹配后，按照子任务的属性会与多个企业进行协同调度。不同的企业完成不同的生产任务时生产效率也不尽相同，需要多个企业协同调度才能高效率、低能耗地完成每个任务。不同企业间的调度又与企业的生产能力、资源利用率、服务质量等因素息息相关，因此在调度的过程中要综合考虑完成多个制造任务的满意度。同时，在多个任务协同调度的过程中，物流成本和时间成本是不可忽略的重要因素，需要在企业间的协调调度过程中着重考虑。

④ 车间的调度。企业内部的调度是将云制造任务落实到车间的重要环节，没有企业内部的车间调度将无法进行正常生产。车间层的生产结构、生产模式、生产流程多种多样，有普通流水线生产模式，也有混流车间生产模式，因此针对不同的车间生产模式需要有相应的调度方案。企业根据自身的任务以及云平台的任务综合生成车间层的调度方案，同时将车间层的突发因素实时反馈到云调度系统中，保证任务的顺利进行，便于高效完成自身任务和云制造任务。

需要注意的是，上述调度过程是针对传统企业基于云平台构建云供应链的情况。如果各个企业把自己的制造设备发布成设备加工服务，可能会根据服务需求形成一个虚拟车间来完成加工服务，这个时候的调度将比上述调度过程更加复杂。云平台的调度结果会发给各个设备加工服务供应商，企业间的协同就不是传统供应链意义上的工厂级或车间级的协同，而是设备级的协同。

4.3

基于云平台的制造生态

4.3.1 生态和制造生态

随着全球经济一体化、区域经济一体化的发展，单纯地用组织的视角来研究企业行为已经不能满足当前的发展形势，生态学理论能够从整体、系统的层面对区域的发展行为进行研究，从而能够帮助理解组织分布和丰富组织理论。

生态学理论最早是在 1866 年由德国生物学家海克尔（Haeckel）提出。而生态系统的概念是由坦斯利（Tansley）在 1935 年提出的。生态系统内的有机生物体之间存在交互，有机生物体与无机环境之间存在交互，进行着物质循环、能量流动和信息传递。而复杂的交互行为组织在一起作用于有机生物和无机环境，形成了具有自组织、自适应、自我调节特征的生态系统。生态系统中的生物种类繁多，并且在生态系统中分别扮演着不同的角色，可以归纳为生产者、消费者和分解者三类。生态学是一门研究生物体与其所处环境之间的相互作用关系的科学，经过数十年的发展，生态学已经成为一门交叉学科，与其他学科相互影响、相互渗透、相互促进，生态学的理论与方法得到了发展和完善。

生态学的研究通常是从个体、种群、种间、群落四个层面进行的。种群是指在一定时间内占据一定空间的同种生物的所有个体。群落是指一定范围内所生活的生物种群的有规律的组合，具有复杂的种间关系。美国生态学者奥德姆（Odum）认为，生态学理论的核心研究对象为种群，为了探索自然结构和功能，可以从多个层面进行研究。生态学领域具有很多常用的模型，如消费者 - 捕食者模型、密度依赖模型、Lotka-Volterra 模型等。消费者与捕食者间的交互是生态学领域的基础研究问题之一，消费者 - 捕食者的关系是建立在食物链的基础上，二者之间的交互能够产生强大的力量，对生态系统产生正面或者负面的影响，影响生态系统的发展过程。密度依赖模型从组织的合法性和竞争性分析了组织的动态演变。Lotka-Volterra 模型是经典的生态学种群生长模型，能够代表种群生长的过程。随着生态学理论的不断发展，与现实情境不断结合，在多领域不断渗透，逐渐形成了新的子理论，比如组织生态学理论、企业生态学理论等。

组织生态学是由汉南（Hannan）和弗里曼（Freeman）在 1977 年发表的《组织种群生态学》中提出的[4]。组织生态学来自社会学和生态学，将生态学的概念、模型、理论、方法用于组织的结构和环境的研究[5]。组织生态理论关注的是组织在一段比较长的时期内建立、成长、发展、衰退的生命周期过程。

企业生态学是类似于组织生态学的理论。企业生态学研究的是企业及其所处环境之间的相互作用关系的科学，以企业为核心研究对象。根据研究对象层次的不同，企业生态学逐渐发展出企业个体生态学、企业种群生态学、企业群落生态学、商业生态系统生态学。企业生态学的研究内容包括企业种群成长、企业种群共生模式、企业食物链网络、企业自适应性、企业自组织性、企业演化过程、企业生态位等研究[6]。

传统制造系统以层级链式模式为主，制造企业会因为各种要素关系而组成不同的“链”，如由经济组织关系组成的产业链，因制造加工活动而组成的供应链，因价值创造而形成的价值链，因产品创新活动而形成的创新链，等等。单一企业之间产品和技术的竞争已经逐渐演化为以产业链、创新链等链结构为单位的“链式”博弈[7]。通过不同链的交互，企业主体之间呈现出明显的网络化交互关系。将制造系统的链式模式与商业生态系统模式进行融合，可以实现较好的竞争优势。例如，小米手机早期竞争优势并不明显，因此从单纯发展规模经济而逐渐向范围经济转变，围绕手机周边，瞄准“小物件”之类的轻资产行业，大力支持众多初创公司开发长尾市场，构建了“小物件”的消费生态，进一步壮大了小米手机的消费者群体。

制造系统生态化是传统企业链式结合商业生态系统关系逐步发展起来的。一个商业生态系统包含了协调跨组织关系的治理机制，针对复杂和快速发展的动态业务环境，允许多个合作伙伴之间进行互动，共同创造价值。这种机制可以应对传统制造环境下复杂的、不稳定的、个性化、多样化的难预测市场变化等问题。在制造生态系统中有不同的利益相关者，如供应商、分销商、物流合作伙伴、技术供应商、政策制定者，甚至是竞争对手，他们在整个制造过程中扮演着重要的角色，从创新、设计、生产和分销，再到售后服务，所有这些利益相关者共同努力，以提高效率并优化产品和服务水平[8]。

制造系统生态化可以包括处于链式结构供应端的制造过程生态化、处于消费终端的消费场景生态化、衔接供应端与终端消费者的服务生态化，以及支撑全链条的创新生态化。数字平台对当前制造系统实施生态化起到了关键的支撑作用。

4.3.2 云制造生态系统

1）云制造生态系统的基本组成

工业互联网技术推动了以制造服务平台为核心的云制造、基于平台制造等概念的出现，使传统制造业的系统结构发生了巨大改变。伴随着平台的发展，“生态”一词也越来越多地被研究者提及。苏罗宁（Suuronen）等[9]指出，管理学家更多地用“生态系统”来表示信息系统学者所说的“数字平台”或经济学家讨论的“双边市场”。在生态系统的背景下，平台被证明是重要的颠覆性因素，制造服务平台越来越多地呈现出生态化的趋势[10]。

云制造系统不仅是制造业的服务平台，更是一个有“生命”的组织，参与到该组织中的个体通过彼此间的交互、影响、选择和适应，在系统中获得生存和发展。个体间的相互作用共同维护着系统的平衡与稳定，并使其持续演化。由以上特点分析可知，从生态学、系统论的观点研究云制造模式，将其视为一种生态系统是可行的。同时，通过借鉴生态学中的经典理论方法来分析云制造系统中个体之间的动态、复杂关系及系统发展的演化规律，能够为参与云制造模式的有序组织、运行提供指导和参考依据。

云制造系统是由多种主体、多种资源、多种机制共同构成的制造资源服务平台。云制造系统中包含三类主体角色：服务需求方（简称需求方）、服务提供方（简称服务方）和平台运营方（监管方）。各种角色都在云制造系统中发挥一定的作用，三种角色间相互影响，构成一个完整的系统，形成了一个“云制造生态系统”。和自然生态系统类比，云制造系统中也有类似的生产者、消费者、分解者、土壤、气候环境、养分和食物等成员及组成部分，其基本概念比较见表 4-2。

和自然生态系统相比，云制造生态系统有其新的特点。

① 生产者和消费者身份合一。云制造系统中，服务提供方和服务需求方的角色不是完全固定的，当某个服务提供方有制造需求时，会转换成服务需求方；而服务需求方有闲置能力时，也可能转变成服务提供方。这种动态性和个性化带来了云制造系统的复杂性。

②“双边市场”效应。云制造平台提供的供需对接市场，是一个典型的双边市场，也就是服务提供者（生产者）的数量会影响服务需求者（消费者）的数量，而服务需求者的数量也会影响服务提供者的数量。当有足够数量的服务需求者时，服务提供者才愿意加入平台进行服务发布。这是因为只有交易方数量越多，这个市场的价值越大，企业才愿意加入市场进行交易。这个和自然生态系统是不一样的。

③ 管理制度、市场机制可设计。类比传统的生态系统，云平台上的管理制度、服务市场交易机制是生态系统中的“气候环境”，但是和传统生态系统不同，这个“气候环境”是可以通过设计而人为控制的。通过管理制度、交易机制的不断完善和有效改进，可以规范云制造生态系统中各个企业和主体的行为，促进协同，提高各方收益，实现整个生态系统的健康发展和壮大。

2）云制造生态系统中的主体间关系

和自然生态系统类似，云制造生态系统中各主体间的相互关系，包括竞争、合作、共生等关系。

（1）竞争关系

竞争是普遍存在的一种关系。云制造系统中的竞争关系主要有两种：一种是需求方之间的竞争，另一种是服务方之间的竞争。

需求方之间的竞争表现不明显。对于需求方来说，获得优质的服务资源是最重要的。但是优质资源通常是有限的，不能满足所有需求方的需求。当服务方的服务数量低于需求量时，在需求方之间就会产生竞争。竞争的表现形式有多种，如通过出更高的价格来获得服务，或通过其他途径获得优先权等。

表 4-2　云制造生态系统和自然生态系统中的概念对比

生态要素	自然生态中的解释	云制造生态系统中的组成
土壤	土壤是陆地生态系统存在的基础，土地上生长的植物为低端食物链上的生物提供食物来源，而在土壤中生长的各种微生物又能将动植物的排泄物以及尸体分解成基本物质，为植物提供养分。土壤是此循环中物质交换的关键	云制造服务平台的作用与土壤类似，成为制造生态环境中信息、物质交流的介质。平台为服务需求方和服务提供方提供了生存、交互和发展的场所。一方面，平台将各种制造服务资源聚集起来，为需求方提供足够丰富的选择；另一方面，利用这些资源，平台也吸引大量的需求方到平台进行交易，满足服务提供方的需求，实现价值创造、共同发展
生产者	生产者是自然生态系统中数量最多、分布最广的生命体，它们是底层食物链上生物的食物来源。另外，生产者也是能量的转化器，将太阳能转化成能被动植物吸收的物质。所以，生产者是食物链和物质循环的最初环节，对生态系统的形成和发展具有决定性作用	服务提供方充当起了生产者的角色。接到订单后，服务提供方能将原材料转变成产品，或者将想法转化成实体。另外，服务提供方的主要作用是满足服务需求方的需求，相当于为另一类个体提供了“食物”。所以，服务方是名副其实的生产者，为系统中的个体提供资源
消费者	消费者是自然生态系统中的另一大角色。它们的数量不如生产者多，但同样分布广泛，基本上有生产者的地方就有消费者。消费者依靠生产者直接或间接提供的食物生存，也是能量循环中的重要一环	服务需求方可以看作是生态系统中的消费者。服务方将原材料合成产品后，要靠需求方购买才能产生价值。需求方获得服务满足制造需求就和生态系统中动物获得食物满足生理需求一样。而且需求方将产品或服务消费掉又能促使生产者制造新的产品
养分和食物	自然生态中的养分和食物是生物生长的基础。不同的种群，其生长所需要的养分和食物是不同的	云制造生态系统中的养分和食物可以是原材料、产品、知识、资金等要素，是生态系统中企业组织成长的基础
分解者	自然生态系统中大量的微生物扮演的分解者也是不可或缺的一部分。分解者将生态系统中的代谢产物、死尸等物质分解成生产者所需的养分，完成物质循环的最后环节	云制造生态系统中的分解者可以是产品的分解者、废品到原料再制造商、企业重组服务商等。他们可以把云制造生态系统中处于生命周期末端的对象分解，再投入到系统中利用
气候环境	气候环境决定了一个生态系统中种群的类型以及种群之间的关系，对个体的生存和发展有直接影响。在长期自然选择的作用下，种群都会选择适宜自身生存的气候环境。不同气候条件的区域，其物种及数量差别可能非常明显，而当气候突变时，可能造成物种迁移或死亡	云制造生态系统中的管理制度及交易机制发挥着类似气候环境的调节作用。通过平台设定的制度和机制，进行整个云制造生态系统的治理和调整。云制造系统中的许多结果或状况都能通过完善规则、健全监督机制来改善和调整

竞争就会产生淘汰，当个体不能获得所需的资源时，就有可能转移到其他平台。这也是导致云服务平台失去平衡性的原因之一。但是这种情况不常发生，因为云制造服务平台上的资源大多是过剩的，能够满足用户的需求，只在少数类别的服务中会出现该情况。

另外，适度的竞争也对系统的发展有一定的积极影响。在竞争环境下，需求方个体为了获得更好的服务资源，会不断巩固和现有交易对象之间的关系，随机选择的概率减小。长此以往，双方之间可以形成合作伙伴关系或者较为固定的交易关系，有利于信任的建立，对提升系统的信誉有积极作用。

服务方之间的竞争则要激烈得多。从某种意义上说，需求方也是服务方的资源，服务方之间也会为了资源发生竞争。云服务平台为了最大程度地满足需求方，以吸引更多用户，往往会聚集大量提供同类服务的服务方。在需求数量有限的情况下，服务方之间就不可避免地会出现竞争。竞争的激烈程度取决于资源数量，即需求量的大小。服务方之间竞争的表现之一是价格战，通过更低的价格吸引需求方。但是这种情况容易发展成恶性竞争，影响整个系统的健康发展。还有其他竞争手段，如推广、促销等，都能在一定程度上提高个体的竞争优势。

优胜劣汰在服务方群体中表现更为明显。互联网平台并不像自然生态系统中那样存在清晰的食物链和金字塔结构。网络环境中，常常出现少数几个服务方占据了大部分资源，即“赢者通吃”的现象。这种资源配置不均的状况加剧了服务方之间的竞争。处于劣势的服务方群体因不能获得足够的交易而无法在此系统中继续生存下去。

（2）合作关系

合作关系也常出现在生态系统中。合作关系可分为种群内的合作和种群间的合作。种群内的合作广泛存在，尤其是在靠捕食其他物种为生的食肉动物领域。以狼为典型代表，在其种群内，跟踪、诱敌、试探、围攻等工作的分配非常明确。通过合作，显著提高了种群的生存能力。种群间的合作则要少得多，而且动态性强。寄居蟹和海葵之间就属于合作关系，蟹为海葵提供栖息场所并帮其携带残余食物，同时蟹借助海葵这些肠腔动物获得庇护。双方属于合作关系，分开后也可以独立生存。

在云制造系统中，没有出现明显的群体组织，即类似于种群的结构，但是合作仍然存在。在激烈的竞争环境中，某些个体间出现结盟，共同提供一类或几类服务，以获得更高的收益，提升服务水平和竞争力。这种合作关系中彼此的连接强度一般，随时可以分开。

除了这种较为固定的合作关系，还存在临时的合作。云制造系统中有许多任务需要一条产业链上的多个企业共同完成。遇到这种需求后，云制造系统首先将任务按产品功能、结构等因素进行分解，然后结合个体服务能力、速度、信用等指标进行分配。分配到任务的几个服务方就组成了一个临时企业，确立了合作关系，相互之间必须对进度、配合等工作进行协调，以保证产品质量。一旦任务完成，合作关系随即解除。这种临时合作关系并非自发形成的，而是通过需求建立，但也不排除彼此间会逐步建立信任，发展至联盟。

同竞争一样，合作也是云制造系统中必不可少的一种关系。除了通过合作获得更大的竞争优势外，合作过程也是个体间加强情感连接的重要方式。国内外学者通过对网络社区的研究发现，用户之间的联系有助于提升用户的持续使用意愿。所以合作能够促进个体在云制造服务平台上的持续参与。

（3）共生关系

共生关系是种间关系的一种，是在长期的自然选择过程中形成的不同物种间的紧密的合作关系。共生关系是指两个物种生活在一起，形成对彼此有利的生存条件。不同于合作关系，共生的两个主体分开后不能够独立生存。

由于云制造系统中难以形成种群结构，大部分个体都以相对独立的状态存在，因此不能通过种间关系去判断个体间的联系。但是在云制造系统中，存在着供应链。处于供应链上下游的个体就可以视为共生关系，上游个体的产品需要下游个体去消费，而下游个体的服务也离不开上游个体的供应。供应链将这一部分个体紧密地联系起来。因为服务项没有重叠而是彼此依赖，所以共生的个体之间不会产生竞争，但是提供同类服务的个体之间还是存在竞争。

共生关系也是维系云制造系统健康发展的重要因素。在紧密联系的供应链中，每一环节都发挥着至关重要的作用，如果缺失一环，其他环节都难以维持。一旦供应链不存在，整个云制造系统也就失去了活力，想要重新发展起来具有较大的难度。所以，云制造系统的管理中应促进共生关系的形成，一方面可以保障平台的持续发展，另一方面增强了个体间的依赖性，同时也增强了个体在平台的持续参与意愿。

综上所述，在云制造生态系统中存在竞争、合作与共生的关系，三种关系缺一不可，都对个体发展及系统稳定有重要影响。

参考文献

[1] 张霖, 罗永亮, 陶飞, 等. 制造云构建关键技术研究 [J]. 计算机集成制造系统, 2010, 16 (11): 2510-2520.

[2] 李伯虎, 柴旭东, 张霖. 智慧制造云 [M]. 北京: 化学工业出版社, 2020.

[3] 陆剑峰, 张浩, 赵荣泳. 数字孪生技术与工程实践 [M]. 北京: 机械工业出版社, 2022.

[4] Hannan M T, Freeman J. The Population Ecology of Organizations[J]. American Journal of Sociology, 1977, 82 (5): 929-964.

[5] 林嵩. 创业生态系统：概念发展与运行机制 [J]. 中央财经大学学报, 2011 (4): 58-62.

[6] 杨忠直. 企业生态学引论 [M]. 北京: 科学出版社, 2003.
[7] 郭百涛, 何云梦, 汪亚楠. 高质量发展要求下的多链联动创新生态系统: 机制、框架与实践模式 [J]. 南京社会科学, 2023 (6): 40-51.
[8] Valilai O F, Houshmand M. A platform for optimisation in distributed manufacturing enterprises based on cloud manufacturing paradigm[J]. International Journal of Computer Integrated Manufacturing, 2014, 27 (11): 1031-1054.
[9] Suuronen S, Ukko J, Eskola R, et al. A systematic literature review for digital business ecosystems in the manufacturing industry: Prerequisites, challenges, and benefits[J]. CIRP Journal of Manufacturing Science and Technology, 2022, 37: 414-426.
[10] Kapoor K, Bigdeli A Z, Schroeder A, et al. A platform ecosystem view of servitization in manufacturing[J]. Technovation, 2022, 118: 102248.

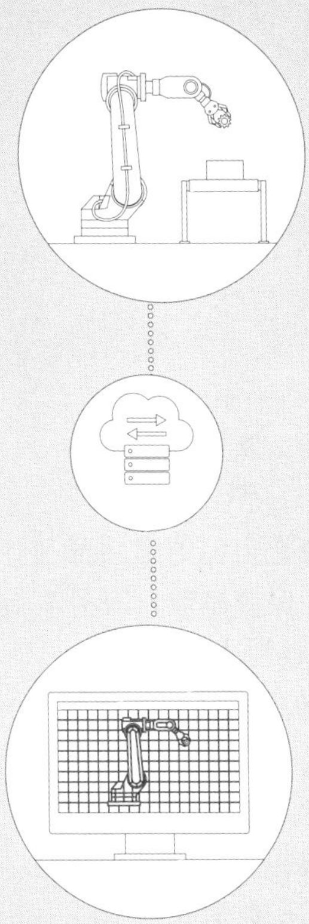

第5章

制造资源和制造能力的虚拟化与服务化

5.1

从物理世界到虚拟世界——感知和接入

5.1.1 概述

1）制造资源虚实融合的过程

制造过程是一个把原材料变成产品的过程，制造加工云服务的实施会涉及加工设备等硬制造资源，这是制造云服务和云计算服务不同的地方。和云计算服务所涉及的计算、网络、存储资源不同，制造资源各异，不同的资源之间的定义差别巨大，这些不同的资源都需要有效地映射到数字空间中，才能保证制造云服务的正常访问和执行。制造资源的感知与接入，是云制造系统获取制造资源信息，实现云制造资源管理和服务调用的基础，也是云制造活动中资源信息交互的前提。

云制造系统中制造资源应用的过程见图 5-1。各类制造资源首先经过感知和接入后，能被云平台所访问，然后经过虚拟化、服务化后形成制造云服务，根据服务供需情况，云平台进行统一的调度和运行管理，然后通过服务的执行来调用制造资源完成制造过程。在这个过程中，体现了 CPS“实时感知—数据分析—科学决策—精准执行”的闭环特征。

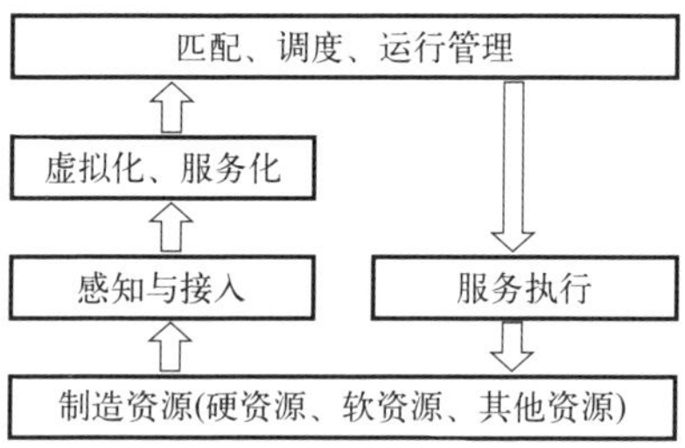

图 5-1　云制造系统中制造资源的应用过程

“感知—接入”之后，还有一个“适配”的环节，也就是需要消除数据采集过程中一些不一致的地方，例如，不同的资源可能存在“同名不同义”或者“同义不同名”的情况，通过云平台提供的统一语义定义来完成不同资源的适配。这对于制造资源来说是十分必要的，因为云平台上会有不同的企业入驻，不同企业对于同一类设备、同一种物料会有不同的名称和定义，如果不通过适配的方式消除这些差异，会导致云平台不同企业云服务之间的差别，影响制造云服务的匹配和执行。整个资源的“感知—接入—适配”过程见图 5-2。感知是从物理资源中获取资源的各种状态，是从物理空间到数字空间的过程；而接入和适配，是在数字空间中进入云制造系统的过程，或者说进入云平台的过程。对于软制造资源，没有“感知”这个环节，直接通过“接入—适配”环节进入云平台。

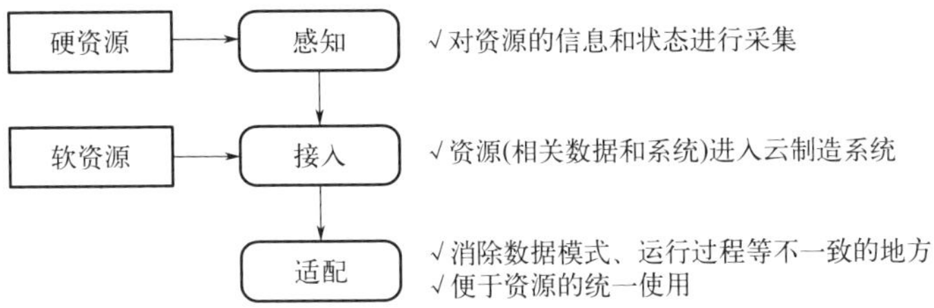

图 5-2　制造资源的“感知—接入—适配”

在制造过程中，除了加工设备、物流设备等会产生运行数据的“主动资源”需要被感知和接入外，还有一些如刀具、夹具、原材料、在制品等“被动对象”在制造过程中也需要被跟踪和关注。这些“被动对象”，有些属于制造资源，如刀具、夹具，有些属于制造对象，如原材料、在制品等。这些资源和对象也需要通过感知、接入和适配而进入云制造系统。

2）感知、接入和执行

（1）感知技术

制造资源和制造对象的感知，是一个数据采集的过程。数据采集，可以看作是一个从隐藏在物理对象中的隐性数据转换成能被读取的显性数据的过程。例如，车间温度，如果不进行数据采集，这个温度还是存在的，只是没有显性地表达出来，通过温度计，可以读取到温度，温度被“显性”地表达了出来，如果是模拟式的温度计，则只能人工读到温度，如果通过传感器采集到了温度数据并被转换成了数字量，则温度被“数字化”地测量到了。这个过程就是物理量→模拟量→数字量的转换过程。

传感器是一种检测装置，能感受到被测量的信息，并能将感受到的信息，按一定规律变换成为电信号或其他所需信息形式的输出，以满足信息的传输、处理、存储、显示、记录和控制等要求。传感器按工作原理分，有物理传感器、化学传感器、生物传感器等，分别测量物理量、化学量、生物含量等。根据云制造系统对制造资源和制造对象感知的需要，一般传感器所采集到的信号都变换成数字量，形成传感器数据，供后续处理使用。

云制造通过把制造资源和制造能力封装成制造云服务，实现制造服务的按需匹配和弹性供给，在这个过程中，需要对不同制造资源的状态进行感知和跟踪。云制造系统中需要采集的数据比传统制造系统的更多、更密，这对传感器的要求更高。随着传感器技术的不断发展，越来越多的制造过程数据被采集和传输，为制造云服务的实施提供了有力的保障。在云制造系统中应用到的新型传感器技术包括：

① 微型化传感技术。微型传感器是基于微电子系统和微型加工技术制造的一类数据采集设备，具有体积小、重量轻、能耗低等特点。例如，化学型的离子传感器，将溶液中的离子活度转化为电信号，利用固定在敏感膜上的离子识别材料有选择性地结合被传感的离子，从而发生膜电位或膜电压的改变，达到检测的目的；物理型的声表面波传感器，利用声表面波技术和微机电系统技术，将各种非电量信息，如压力、温度、流量、磁场强度、加速度和角速度等的变化转换为声表面波谐振器振荡频率的变化信号，实现有效的信号采集。

② 智能化传感技术。智能传感器是一种智能设备，它集成了传感器、变送器和电子电路，或者结合了传感元件和微处理器，具备数据采集、转换、分析乃至决策的功能。智能传感器的显著特点是输出数字信号，便于后续的计算处理。其功能包括信号感知、信号处理、数据验证和解释、信号传输和转换等，主要组成部分有 A/D 和 D/A 转换器、收发器、微控制器和放大器等。智能化的传感器能提高精度，减少功耗和体积，易组网，从而扩大传感器的应用范围，促进其快速高效发展。

③ 多功能化传感技术。多功能传感器是一类将具备多种物理量的数据感知采集装置与新型智能处理器或新型网络技术结合组成的，具有信息监测与处理功能的新型传感装置，具有多物理量采集、信息实时处理、数据分析与存储、数据高速传输等特点。可以由一个敏感元件的不同物理（或化学）效应及其不同的特性来实现，例如，采用特殊陶瓷材料，就能制出可以同时检测温度和湿度的多功能传感器。可以在同一材料或硅片上制作几种敏感元件，制成集成化多功能传感器，例如，一个硅膜片上，在预先设计的不同位置处扩散电阻图案，就可以同时测出差压、静压和温度。

（2）接入技术

如果说“感知”是把隐藏在物理对象中的数据显式地采集出来的话，“接入”就是利用网络技术把数据传输到云平台。接入所采用的技术是物联网技术和工业互联网技术。

虽然“云制造”这个词比美国通用电气公司提出的“工业互联网”这个词要早出现，但是云制造的出现和发展，和工业互联网技术（包括物联网技术）是密切相关的。工业互联网的内涵包括“网络是基础，数据是驱动，安全是保障”，后面也有新的提法——“网络是基础，平台是核心，安全是保障”，可以看到，工业互联网的四个要素是网络、数据、安全、平台，这四个要素对云制造系统的实现和运行都是非常重要的。

工业互联网的网络要素，包括网络互联体系、标识解析体系和工业应用（工业 APP）体系。网络互联和标识解析体系，就是制造资源接入所需要依托的技术，通过网络互联，实现数字化设备接入到云平台，通过标识解析，实现对资源的定位和辨识，这两个技术就解决了接入问题。而工业应用（工业 APP）技术则是解决了云制造应用开发与实现问题。工业云平台是工业互联网的核心，也是云制造系统的核心，是一个“工业元宇宙底座”。

物联网技术中的无线射频识别（RFID）技术可以对前面所述的“被动对象”进行感知和接入：通过在工具、夹具、物料上安装 RFID 标签，对这些对象进行识别和位置感知，就能把这些对象的状态和实时信息传输到云平台，实现感知和接入。

（3）基于智能机器人的执行技术

“感知—接入—虚拟化—服务化”的过程，是从物理世界的制造到数字世界的制造服务形成的过程，而制造服务的执行，需要一个能对数字世界的指令进行解析并能自动、完整、及时、准确地执行的装置。在制造车间内，除了数控机床、可编程控制器等数字化设备外，另外一个常用的执行装置是智能机器人。

智能机器人技术是融合了计算机、控制论、机构学、信息和传感技术、人工智能、仿生学等多学科而形成的高新技术。其集成了多学科的发展成果，代表技术的发展前沿，是当前科研领域的焦点。对不同任务和特殊环境的适应性，是智能机器人与一般自动化装备的重要区别。智能机器人从外观上已远远脱离了最初的工业机器人所具有的形状和局限，更加符合各种不同应用环境的特殊要求，其功能和智能程度大大增强，从而为机器人技术开辟出更加广阔的发展空间。智能机器人的应用场景如下。

① 人机协作。智能机器人技术与人工智能、机器视觉等技术紧密结合，实现高层次的人机协作。智能机器人不仅仅是简单的助手，更是能够与人类共同完成复杂任务的伙伴。它们将具备更强的感知和理解能力，通过语音、图像等多模态交互，实现与人类的自然沟通。此外，智能机器人还具备智能推理和决策能力，能够根据环境变化和任务需求快速、准确地做出判断和决策。这些能力使得智能机器人在日常生活、医疗护理和工业生产等领域中发挥重要作用，提高工作效率和生活质量。

② 柔性制造。智能机器人技术能够根据不同产品的要求快速切换和重新配置，实现柔性制造。智能机器人具备高度的自主学习和适应能力，能够根据环境和任务变化灵活调整。通过自主学习新技能和知识，智能机器人通过数据分析和模式识别不断提升工作效率和准确性。同时，智能机器人能够根据人类的意图和需求自主决策和行动，实现更加智能化的合作与共存。这将大大推动工业制造和服务行业的转型与创新。

③ 网络化接入和协同。利用数字化、网络化接口，智能机器人可以方便地接入网络平台，实现基于网络的协同工作。通过云平台，可对机器人远程定义工作循环、远程下达工作任务、远程采集工作状态，从而能实现大范围的机器人监控和调度优化。网络化接入也将改变传统机器人的控制模式，能实现在线升级和优化。

④ 个性化定制。智能机器人技术将促进个性化定制生产，提高产品的附加值和竞争力。智能机器人技术使制造业能够灵活调整，提供个性化定制的产品和服务，满足客户的多样化需求。智能机器人具备快速切换和重新配置的能力，能够根据不同客户的要求灵活调整和定制生产。这不仅大大提高了产品的附加值和市场竞争力，还减少了过剩生产和资源浪费。个性化定制能力将为企业带来更多商机，推动产业朝着更加灵活、智能和可持续的方向发展。

⑤ 数据驱动。智能机器人技术在智能制造中产生大量数据，数据驱动将成为智能制造的核心之一。通过对生成的大数据进行深入分析和挖掘，可以实现生产过程的优化和管理。数据分析能够发现生产过程中的瓶颈和问题，进行及时调整和优化。此外，大数据分析还可以为生产过程提供实时监控和预测，帮助企业做出更准确的决策，提高生产效率和质量。数据驱动的智能机器人管理和优化将为企业带来更高的生产效益和更大的竞争力，推动智能制造的发展进入更高层次。通过对大数据的分析和挖掘，实现智能机器人的智能化管理和优化。

5.1.2 制造资源的感知和接入

1）硬制造资源的感知和接入

制造系统是制造过程的信息流、物料流和能量流交互的地方。制造系统有大量的加工设备及其辅助装备，这些是实现制造加工过程必不可少的基础条件，如机床系统、工业机器人系统、智能检测与运维系统、仿真试验系统等，这些属于硬制造资源。硬制造资源的感知和接入，是实现云制造资源虚拟化的前提与基础，也是云制造服务区别于云计算服务的典型特征之一。感知和接入，是一个“数字化—网络化”的过程，制造设备的感知，可以认为是设备的数字化过程，而设备的接入，是设备的网络化过程。

硬制造资源感知的特点包括：

① 感知对象多样。由于制造场景各不相同，制造装备多种多样，因此，需要感知的对象是多样化的，既有能运行的设备，也有被动的工具、材料等对象。在设备中，还有很多是没有数字化接口的“哑设备”，如果这些设备要参与到制造云服务过程中，也必须被数字化。

② 感知环境复杂。制造环境工作条件各异，很多场景下有电磁干扰、高温、

油污等不利条件而不适合传感器等电子设备工作，因此，需要根据不同的场景采用不同的感知、接入技术。

③ 感知数据海量多样。不同的设备，所需要采集的数据是不同的，其数据采集频率也不同。有些不在一起的设备，由于其工作关联性，又需要同步采集数据；设备所需要采集的数据是多模态、多类型的，需要不同的采集、传输、处理方法。

④ 感知需求各异。不同的服务需求可能对服务提供方制造资源所要求的数据不同，因此，感知需求也不一样。需要能根据应用系统要求自适应地调整数据采集量和传输量，否则可能会带来数据处理和传输的瓶颈。

根据硬制造资源的不同，图 5-3 给出了一个感知和接入的一般架构。总体架构是“云 - 边 - 端”的结构，云是云平台，边是边缘设备及边缘服务器，端指设备。边缘设备和边缘服务器是指位于工业云“边缘”的设备，其包括范围比较大，在有些场景中，边缘设备可能是计算能力比较大的设备，如计算机、工作站，而另一些场景中，边缘设备可能是算力有限的嵌入式设备。本书为了叙述上的明确，将计算能力受限的、一般基于嵌入式平台开发的网关设备、计算设备称为边缘设备，而将计算能力比较强的、能实现多路数据处理的计算机或工作站、服务器称为边缘服务器。一般边缘设备部署在设备旁边，离设备最近，而边缘服务器可能在车间或某个机房，可以连接多个边缘设备并且实现数据的上云转发。在企业网络结构中，边缘服务器不是必需的，有些企业采用边缘设备直接上云的架构，实现数据的分散管理，而有些企业则通过边缘服务器实现数据的统一管理或数据上云前的中间处理功能。

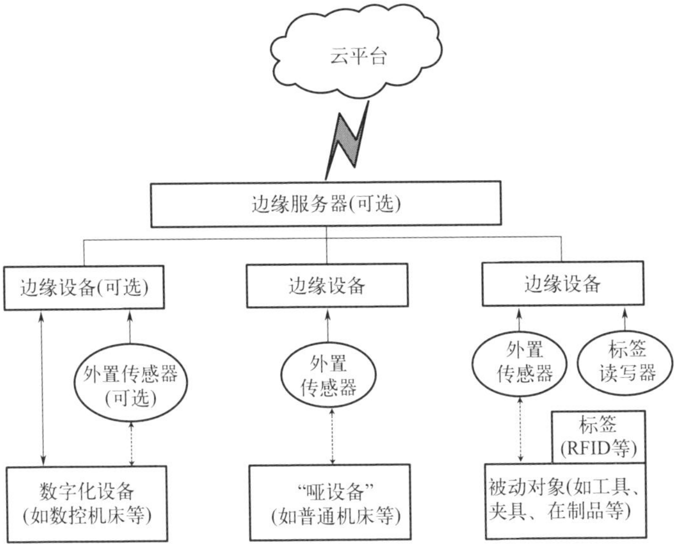

图 5-3　硬制造资源感知和接入的一般架构

如图 5-3 所示，根据所感知和接入的对象不同，感知和接入有不同的方法。

① 针对本身具备数字化接口的数字化设备，例如，数控机床、PLC 控制系统等，可以根据其控制系统是否能联网，采用直接联网或通过中间设备（边缘设备）来进行联网的方案。如果设备能直接联网，则通过网络配置，把设备的相关数据上传到云平台，实现设备的接入。如果设备的控制系统不能联网，则需要通过一个边缘设备来实现设备的联网。通过数字化装备的数据接口，边缘设备一方面通过和控制系统进行通信，来获取设备的运行参数；另一方面，实现数据的预处理，对数据进行必要的清洗、压缩等，减少数据上云的带宽开销。

边缘设备还能连接设备之外的多种外置传感器，实现对设备的全方位感知。即使是能联网的数字化设备，如高档的数控机床，其自身状态的感知也不是能完全满足制造云服务需求的。例如，对机床当前刀具工况的感知、对加工过程的状态感知、对加工对象的质量状况感知等，机床本身没有相应的传感器来实现这些数据的采集，这时候需要配置额外的传感装置，对机床进行更多状态（如振动、电流、电压、图像、视频数据等）的感知。另外，一些设备的环境数据也需要通过额外配置的传感器来进行采集。这种情况下，边缘设备是必需的。

② 没有数字化接口的“哑设备”。如果设备没有数字化接口，则只能通过外加传感器结合边缘设备来进行设备的状态感知和数据接入。可以结合智能化技术实现设备部分状态的感知，例如，对机床上零件可以采用图像识别技术来进行分类识别，从而采集到所加工零件的类别信息。“哑设备”的改造是车间实现数字化、网络化的一个复杂的、重要的工作，也是实现数字化车间和智能工厂的关键。

③ 针对一些“被动对象”，如工具、夹具、托盘、在制品、原材料等，通过传感器 + 身份识别标签的形式来进行状态识别。RFID 由于可以无线和隔空读取，因此被广泛用于物料身份识别上，除了 RFID，二维码、条码等也可以被用来对物品对象进行身份识别。结合相应的传感装置如位置传感器，可以对这些被动对象的状态进行感知。一般被动对象感知的信息包括种类、个体、位置、数量等，对于在制品和产品，有些场景下还需要进行质量判别，这个时候可以采用如视觉识别等智能化方法，采集质量信息，对加工质量进行分析。标签读取和传感器的数据汇聚到边缘设备，再统一上传到云平台。

边缘设备和边缘服务器，起到了数据采集、转换、上云的工作。通过不同的接口来读取设备的状态数据，并且利用传感器对设备环境或者更多设备工作状态进行采集，如果云平台下达操作指令，部分边缘设备还可以通过和设备的通信来控制设备完成相关动作。由于边缘设备位于设备旁边，因此，可以和设备构建快速、直接的连接关系。边缘设备可以通过有线或无线的方式直接上云，也可通过边缘服务器中转上云。边缘设备上可以构建本地缓存，以便在网络不通畅的时候进行数据的暂时存放。

从整个云制造系统来看，边缘设备和物理设备形成了一个 CPS 系统：通过边缘设备的软件实现数字空间的处理和控制工作，由物理设备实现状态反馈和执行功能。在制造云的边缘，部署了诸多以边缘设备、边缘服务器为控制单元的 CPS 系统，通过这些规模不一的系统，实现了硬制造资源的感知和接入。

2）软制造资源的接入

软制造资源是指制造过程中的各类数据、模型、软件和知识等已经用数字化形式表达的制造资源。软制造资源贯穿产品全生命周期，随着数字化和工业云平台技术的深入应用，大量蕴含在生产制造过程、经营管理、客户行为、全生命周期服务的数据被采集、汇聚、加工，形成各类软制造资源。软制造资源主要包括以下几类。

① 数据，如文档、图纸、各类结构化数据等；

② 模型，如产品几何模型、产品或制造过程的机理模型、AI 模型等；

③ 软件，如工业软件、控制软件、管理软件等；

④ 知识，包括隐性知识和显性知识。

和硬制造资源不同，软制造资源本身就是以数字化的形式表达的，因此，软制造资源进入到云制造系统就是一个“接入”过程。软制造资源的接入是指云制造系统的相关模型、应用能对这些资源进行访问和利用，并且能基于这些资源完成制造云服务的相应功能。软制造资源的类型不同，接入方法不同。

① 数据类、文件类资源，可以通过文件存储共享、数据库共享等形式来接入到云制造系统。文件共享和数据共享需要解决实时更新和同步问题，这样才能保障云制造系统所访问的资源是最新状态的。

② 模型类、软件类资源，可以被封装成服务组件，以计算服务的形式为云平台提供服务。例如，某个机理计算模型可以被开发成 Web 服务，这样便于云平台中的其他应用进行调用。

③ 某些基于 Web 的软件，如基于 B/S（Browser/Server，浏览器 / 服务器）模式的软件，可以采用基于门户的集成方式来接入到云平台。通过 Web 门户集成，实现云制造系统中的应用到被接入软件系统的跳转，实现应用上的接入。

④ 基于 C/S（Client/Server，客户端 / 服务器）模式的软件、单机运行的软件，可以采用基于虚拟机的形式接入到云平台。软件被部署到虚拟机，当制造云服务需要使用该类软制造资源的时候，通过虚拟机调用实现资源的使用。这样可以把云计算的相关技术用于云制造系统中。

除了前面所述的软制造资源，云制造系统需要接入的资源还包括人力资源、金融资源等其他资源，这些资源可以根据资源特点、接入需求，采用和硬制造资源、软制造资源类似的方法实现感知和接入。

3）资源的适配

硬制造资源通过感知技术实现数字化转换后，和软制造资源一起接入到云平台。接入的数据往往表现出多信息源、大信息量和实时动态的特征，需要智能分析与预处理，才能融入云服务系统。需要对制造资源的概念、对象、过程、规则、目标等进行公共的、统一的虚拟化数字描述，才能保证接入的数据被正确地理解和使用。

适配包括语义适配和行为适配两类。语义适配是指能在一个统一的本体定义环境下，对资源交互的信息进行定义，保证语义上的一致性，解决诸如“同样的事物不同名称，不同的事物相同名称”的问题；行为适配是对资源使用、功能的标准化定义，以实现来自不同企业的、针对不同制造阶段的资源协同应用。

适配工作是在资源统一的虚拟化规范指导下进行的，是制造资源虚拟化前的一项预处理工作。制造资源感知、接入、适配后，进入云制造平台，为后续应用提供了基础。

4）制造能力的感知和接入

前面介绍了制造资源的感知和接入技术，那么，制造能力是如何感知和接入的呢？

云制造的服务内容可以分为制造资源服务和制造能力服务两类。制造能力是指在某一具体活动过程中产生，对制造资源使用、配置和整合的能力，其反映了制造企业或制造实体完成某一任务及预期目标的水平。企业拥有制造资源，可以以制造资源的形式提供云服务，也可以以制造能力的形式提供云服务。例如，企业拥有一台数控加工中心，其可以提供“数控加工中心制造资源”云服务，也可以提供“数控加工制造能力”云服务。但是，如果需求方只购买了“数控加工中心制造资源”云服务，则要自己配置工人来操作数控加工中心，并且需要自己有能力来完成产品的加工。如果需求方购买了“数控加工制造能力”云服务，则服务提供方提供整个加工过程的能力服务，需求方只需要提供毛坯并接收成品即可。

制造能力是制造任务、制造资源、人、知识和流程等多个要素的体现，制造能力是通过制造资源的运行来实现的，因此，制造能力的感知和接入，可以参考制造资源的感知和接入方法来实现。其中涉及硬制造资源的，可以通过感知、接入技术接入云平台；知识、流程等涉及软制造资源的，可以参考软制造资源接入方法进行接入。因此，在讨论感知和接入问题时，只考虑制造资源的感知和接入，而不专门对制造能力的感知和接入作单独讨论。但是针对接入后的虚拟化过程，由于制造资源和制造能力的特点不同，两者虚拟化封装的模板会有所不同，后面会分别讨论。

5.2

制造资源和制造能力的虚拟化技术

5.2.1 物理世界到信息空间的映射

1）建模和抽象

云制造模式下，把物理世界中的制造资源、制造能力统一对应成云平台上的制造云服务，通过制造云服务的执行实现制造任务的完成。如果把云制造系统看作是一个工业元宇宙的话，则云制造平台是这个元宇宙的底座，而制造云服务就是各类制造资源和制造能力的数字替身，服务需求方通过寻找不同的数字替身，完成自己的制造任务。制造云服务就是制造资源和制造能力的一种抽象，也可以看作是在数字空间的一个对应模型。

模型是对现实系统有关结构信息和行为的某种形式的描述，是对系统的特征与变化规律的一种定量抽象，是人们认识事物的一种手段或工具。模型大致可以分为三类：

① 物理模型：模拟对象局部和全部功能的、不以人的意志为转移的客观存在的一个实体，通过对该实体在物理世界的活动进行分析，得到被模拟对象的相关参数和特性。如：飞行器研制中的飞机模型、船舶制造中的船舶模型等。

② 形式化模型：用某种规范表述方法构建的、对客观事物或过程的一种表述。形式化模型实现了一种对客观世界的抽象，便于分析和研究。例如，数学模型，是从一定的功能或结构上进行抽象，用数学的方法来再现原型的功能或结构特征。

③ 仿真模型：根据系统的形式化模型，用仿真语言转化为计算机可执行的模型。

对于制造云服务来说，其就是制造资源、制造能力在数字空间中的数字模型，可以归到“形式化模型”一类中。模型的构建，一般都会有一套规范的建模体系，包括模型描述语言、模型描述方法、模型构建方法等。数学就是一种表达客观世界最常用的建模体系。在软件工程里面常用的统一建模语言（UML）也是一种通用的建模体系，支持面向对象的建模方法。

从物理对象到数字空间的模型，需要经过多次抽象和处理，如图 5-4 所示。图中是一个一般的从现实对象到计算机模型的处理过程，包括三个步骤：首先，现实对象通过抽象化，抽象成想象模型，这个过程是通过对现实对象的观察，抽

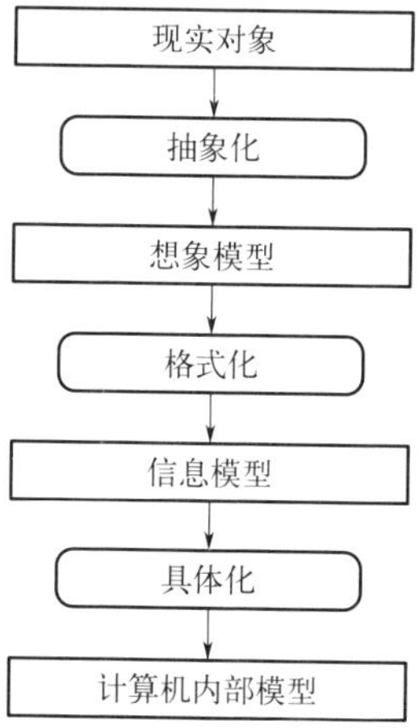

图 5-4　从物理对象到数字模型的过程

象出其主要元素，在建模人员的脑子里形成想象模型；然后，这个想象模型通过某种规范化的格式，形成信息模型，信息模型有一定的格式规范，不同的人根据同一规范所构建的信息模型可以相互交流，这样就能对现实对象进行讨论和综合；最后，信息模型根据所采用的计算机系统特点，按一定的数据结构进行具体化表示，形成计算机的内部模型，内部模型可以被计算机系统处理和存储。通过这三个步骤，可以用计算机所能处理的数据结构实现对现实世界的客观对象的表达和处理。

在这个过程中，通过一定的格式化形成的信息模型是一个关键。由于这个格式化的过程是按照一定的规范进行的，因此，不同的人所构建的模型能被其他人所读取和理解，这样便于在建模过程中进行交流和分工协作。规范化的模型表达，是实现信息交互的基础。

2）制造资源和制造能力的虚拟化

由于制造是一个大概念，其几乎覆盖整个第二产业的各个行业，制造资源、制造对象、制造流程都是各不相同的，这样导致在云制造系统中需要表达的制造云服务也是各不相同的。在云制造平台上，用户不能看见物理的制造资源，只能通过服务描述来寻找自己所需要的制造资源和制造能力，因此，制造云服务的表达方式需要适应各类不同的资源和能力，充分表达其特点。另外，从计算机表示的效率和准确性出发，云制造系统中的制造云服务又不能各不相同，它们需要满足一个基本的规范，这样才能降低服务检索和匹配的难度，扩大服务适应性范围。因此，需要对制造资源和制造能力进行一个规范化的表达。

制造资源 / 能力的虚拟化，是指解除物理制造资源 / 能力与云制造服务应用之间的紧耦合依赖关系，支持虚拟化云制造服务。制造资源 / 能力的服务化，是通过统一的、面向服务的表达方式，形成统一的接口和调用关系。

回顾一下制造资源和制造能力的定义与区别：制造资源是产品制造全生命周期中所需的各种物理要素的集合，是物理存在的、具有静态传输介质的一种资源形式。根据存在的具体形式不同，以及使用途径不同，制造资源可以分为硬制造资源、软制造资源以及其他制造资源。制造能力是在制造活动中产生的，对制造资源使用、配置和整合的能力，反映了制造企业或制造实体完成某一任务及预期目标的水平，如设计能力、仿真能力、生产加工能力、集成能力等。

制造资源和制造能力在虚拟化过程中是不一样的，制造资源和制造能力的要素不同，因此虚拟化过程中进行表达的信息模型规范不同；相对而言，制造资源是静态的，而制造能力包括了资源的使用过程，有流程要素，是动态的。制造资源是制造能力实施的基础，也会成为制造能力实施的一种约束。

5.2.2 制造资源的虚拟化

制造资源的虚拟化是通过 CPS、物联网、虚拟化等理念和技术，实现物理制造资源的全面互联、感知与反馈控制，并将物理制造资源转换为逻辑制造资源，解除物理制造资源与制造应用之间的紧耦合依赖关系，以支持资源的敏捷高效应用和统一管理，并且为资源的服务化封装提供基础。

制造资源虚拟化过程包括感知与抽象、虚实映射、实例化描述和编目管理几个主要步骤，如图 5-5 所示。图中根据云制造系统的概念架构所描述的层次进行绘制，因此，把物理层放在最底下，资源虚拟化的过程是从底向上的过程。

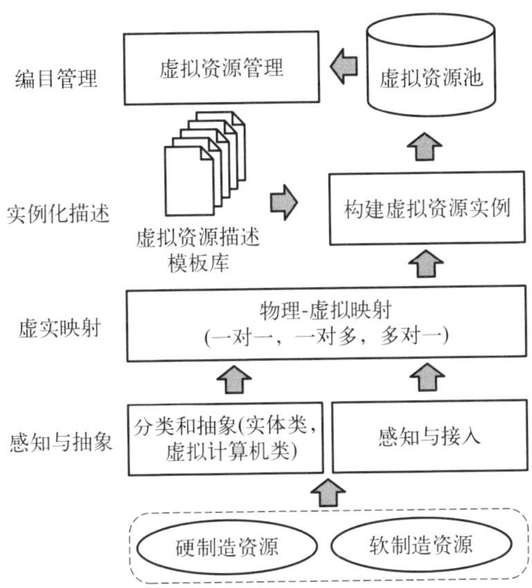

图 5-5　制造资源虚拟化过程

① 感知与抽象。感知是硬制造资源数字化的结果，能实时采集到资源的各种状态和参数；接入是各类资源进入制造云服务平台的过程，利用物联网、工业互联网相关技术，把采集到的数据根据资源对象归总，传递给云平台。

针对硬制造资源、软制造资源两大类型资源（其他制造资源可以参考硬资源或软资源进行实施），可以把资源大致分为实体类和虚拟计算机类。

实体类资源，本身是一个资源实体，具有一定的属性和功能，资源对象可能有一个控制系统。利用面向对象的方法，资源被建模为一个实体类，有属性和行为（动作），可以向其发指令让其执行相关动作，实现服务。如数控机床可以被建模为一个实体类资源。

虚拟计算机类资源，就是可以被封装成一个计算机平台上虚拟机的资源，比如，工作站资源、单机版软件资源等。这些资源被定义为一台具有一定计算功能和软件功能的虚拟计算机，通过虚拟计算机的运行实现服务。

在进入资源池时，这两类资源构建有不同的描述模板，有不同的表示方法。

② 虚实映射。虚实映射过程是对制造资源的一个抽象和划分的过程，也就是将来提供服务的时候，资源是如何组合并提供服务。一个简单的资源可能不能单独提供服务，例如，一个料箱资源，一般不会单独提供云服务（虽然理论上也有可能有人会租借一个料箱），把料箱资源和运输小车资源一起进行组合，就可以封装成一个物流配送的制造物流云服务。在这个过程中，需要把多个资源组合在一起，形成一个逻辑资源。也有把一个资源拆分成几个逻辑资源的，如一个产品设计套件，提供 CAD、CAE、CAM 等多种软件模块，可以把这些模块拆分后封装成 CAD 资源、CAE 资源、CAM 资源，这样就能实现按需提供服务。

虚实映射包括以下几种关系：

a）一对一：最基本的映射，如专业机床映射为一个虚拟加工设备；

b）一对多：具有多种功能的资源，单项功能可以独立为制造过程服务，如功能复杂的工业软件可以分别基于不同的模块提供不同的云服务；

c）多对一：多种物理制造资源组合与协同，将多个物理资源映射为逻辑上的一种制造资源，如多个设备映射为生产线、多个软件映射为数字样机仿真服务等。

虚实映射是制造云服务封装和发布过程中关键的一步，与企业想提供什么样的制造服务有关。有些企业可能只想提供粗粒度的服务，例如，以整个产线、整个车间提供服务，而不想把单独的设备作为一个服务发布出去，另外一些企业可能想更灵活地提供各种粒度的服务，因此，这些企业在制造资源虚拟化过程中，就会有不同的映射处理。虚实映射环节也体现了云制造服务的集中资源分散使用（一对多映射）和分散资源集中使用（多对一映射）的特点。

③ 实例化描述。在资源被合理划分后，需要进行规范的描述和表达，然后

进入云制造平台的资源池。不同的资源根据不同的虚拟资源描述模板，经过实例化后形成虚拟制造资源，进入资源池。这个过程被称为“实例化”过程。根据前面资源的划分，有实体类资源和虚拟计算类资源（虚拟机类），两类资源有不同的模板大类，根据每类资源的具体模板，完成资源的实例化描述，进入虚拟资源池。

资源模板可以类比为面向对象程序设计语言中的“类”定义，而实际的一个个资源，可以看作是用这些类定义声明后的实际对象。类确定了每个对象的属性、方法定义，而每个对象有具体的属性值和方法执行代码空间。虚拟资源池类比为存放了所有待使用的制造资源的对象库。这些对象库被服务化封装后，就可以被其他应用调用了。

④ 编目管理。编目管理是对虚拟资源进行索引、管理的过程，基本的功能就是“增加、删除、修改、查询”，也包括资源调度、资源组合等高级管理功能。虚拟资源的管理为后面资源的服务化封装提供了准备，实现资源及能力层和云制造服务平台层之间的衔接，完成两层之间数据融合的处理工作，为云制造平台的运行提供数据支持。

5.2.3 制造能力的虚拟化

制造能力体现了对资源的使用、配置和整合能力，是制造云服务的一个重要组成部分。制造能力体现了完成相应制造任务的水平。基于相同的制造资源，不同的人掌握了不同的知识和方法，其完成制造任务的时间、质量、费用等都会有所不同。相比于制造资源，制造能力有以下特性。

① 知识性。制造能力体现了对制造资源的使用，因此，是知识的一种体现。很多制造能力需要人来实现，例如，设计能力，需要设计人员利用设计软件实现；加工能力，需要机床操作人员利用机床来实现。制造能力的知识性有一部分是隐性知识，即隐藏在操作相关制造资源的人员中的知识。

② 相对性。制造能力反映了完成某项制造任务的水平，部分指标是相对的，不同的人会有不同的评价，这对制造能力的描述带来困难。缺乏统一的评价标准，会影响到制造能力的检索和匹配的准确性。

③ 系统性。制造能力是人、资源、知识的综合体现，这些因素会相互影响。而且这些影响也不局限于能力实现的系统本身，系统外在的环境也会影响制造能力的发挥。例如，一个由“人 + 加工设备”组成的制造单元，提供制造加工云服务，这个单元制造能力的发挥，除了这个单元内部的要素外，单元外部的加工保障能力，如物流、工装准备、质检等因素也会影响其加工能力的实现。因此，要保障一个制造能力正常发挥，需要能力单元内部和外部的诸多因素一起协同。

④ 复杂性。由于上述几个因素，制造能力的描述和运行有其复杂性一面。

这个复杂性除了上述的组成复杂、评价复杂外，还有动态性、演化性、可组合性等。影响制造能力的因素众多，因此制造能力有其动态变化的特性；如果某个制造任务是单一的，由于学习效应，制造能力会表现出不断优化的特性；制造能力的组合不是简单的“1+1”的关系，而是需要考虑不同系统组合的协同性、可叠加性等问题。

制造能力虚拟化的过程，类似制造资源的虚拟化过程，由于制造能力的复杂性，其描述更加复杂。制造能力的虚拟化概念模型，包括评估、构成和关联三部分，见图 5-6。

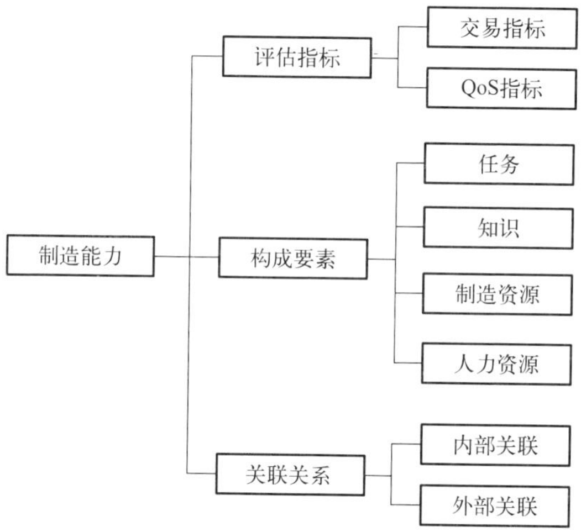

图 5-6　制造能力虚拟化概念模型

① 评估是指评估体系，即对制造能力的评估指标，可以从交易指标、QoS 指标两个方面来细化。对于一个制造能力的评估，从能力的供应方、能力的需求方和平台监管方三个方面来说，各自的关注点是不同的。从平台的监管方来说，可能更多地从交易指标角度来评判一个制造能力是否方便交易或交易监管。从能力需求方来说，可能会从 QoS 指标（时间、质量、成本等）的角度来评估一个制造能力。而从能力提供方来说，QoS 和交易指标方面会同时被考虑。这也是制造能力虚拟化复杂性的一个体现。

② 构成是指制造能力的组成要素，包括任务、知识、制造资源、人力资源四个部分。制造能力的实现过程，可以看作是为了完成某个任务（目标），利用所掌握的知识，选择合适的制造资源，通过人力资源投入完成的过程。因此，这四个部分是制造能力的构成要素。

③ 关联是指实现制造能力的系统内部诸要素之间以及与外部其余系统之间的关系。制造能力的实现需要各要素之间的协同，包括相应的过程，这些都可以

在关联要素中体现。

在制造能力进入虚拟制造能力池的时候，需要根据虚拟化描述模板进行能力的实例化。这个时候，需要根据制造能力的类别，在制造能力概念模型的基础上，对每个方面的要素进行具体扩展。每个云制造系统根据自己所属行业、能力的特点，来具体设定模板扩展的要素。以一个立式加工中心为例，其虚拟制造能力中关于“构成要素—制造资源”部分的描述模板，可以包括如图 5-7 所示的要素。

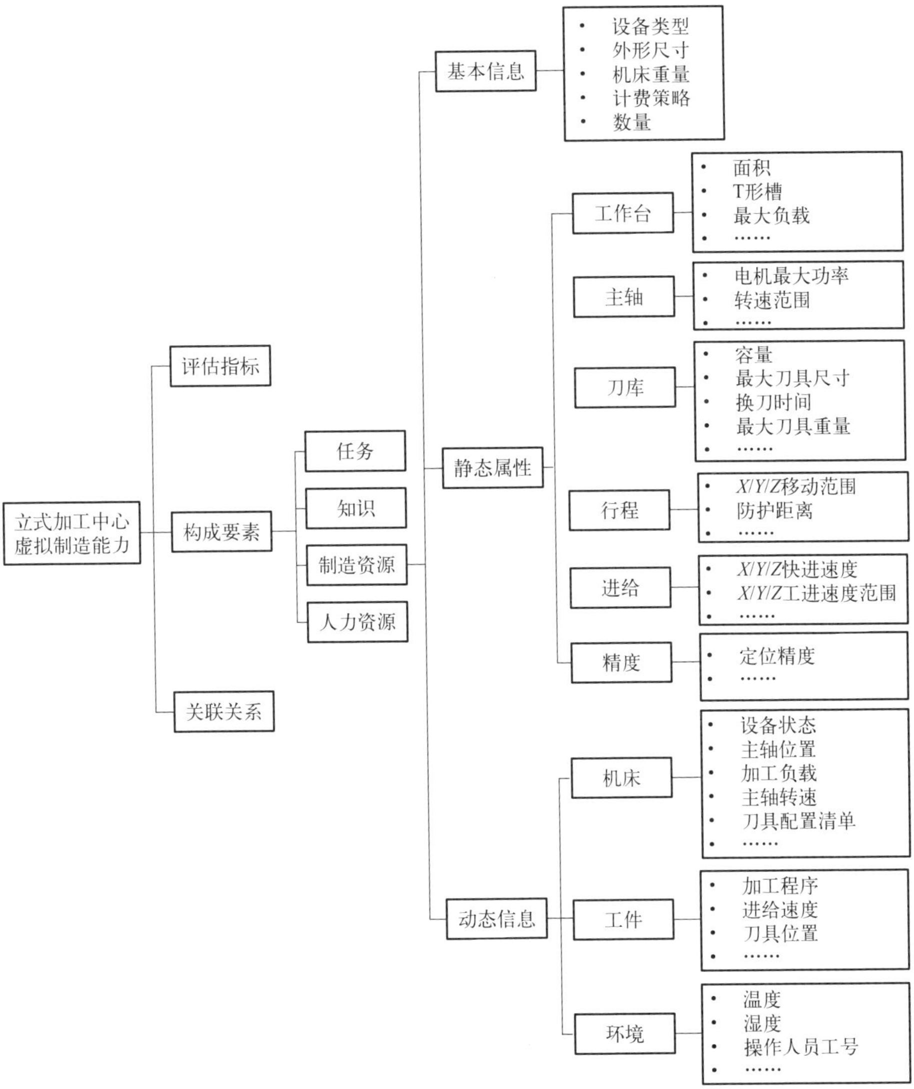

图 5-7　虚拟制造能力中一个立式加工中心的制造资源部分描述

5.3

制造资源和制造能力的服务化技术

5.3.1 基于 SOA 的服务化封装

1）制造服务封装的必要性

制造资源和制造能力进行虚拟化，形成虚拟化的制造资源和制造能力并进入虚拟资源池和虚拟能力池。在这个过程中，基于云制造平台设定的资源描述模板、能力描述模板对不同的制造资源和制造能力进行规范化描述，实现了物理制造资源和制造能力与虚拟资源和能力的解耦，便于在云平台实现统一的调度和使用。由于制造对象各不相同，制造相关的环节众多，制造周期长，因此在整个制造过程中涉及的制造资源、制造能力具有异构性、多样性、分布性、动态性等特点。制造过程又是一个多企业、多专业协同合作的过程，需要不同的资源和能力相互配合、协调，才能实现产品生产的高质量、低成本、高效率，这就需要不同的资源、能力能相互组合、方便调用。借鉴面向服务的架构（SOA）思想，利用服务来封装功能，降低模块间的耦合程度，同时，利用服务提供统一接口来方便调用。因此，需要对虚拟化后的资源和能力进行服务化封装，形成制造云服务，才能实现云平台服务的按需动态弹性供给。服务化封装需要满足以下要求：

① 统一开放的标准访问规范。制造云服务需要提供一个标准的接口规范，这样不同企业、不同用户、不同应用软件能便捷地基于这个规范对制造云服务所关联的虚拟资源、虚拟能力进行访问，并且能方便地实现不同服务的组合。

② 可以对外发布注册。制造云服务需要能在某个服务目录中进行注册，并且能提供统一的访问、查询接口，便于服务的查找。

③ 接口的有限开放。在云平台上，制造任务方查询服务资源时，需要了解制造资源、制造能力的各项特性，但是由于服务资源是由不同的企业提供的，因此，又需要隐藏内部的实现细节。这就需要服务既可耦合，又具有一定的独立性。

④ 部署简单。由于提供制造云服务的企业会动态地加入或退出云平台，因此，服务的封装过程要简单规范，支持热部署，这样方便云平台上服务池的运维。

目前，基于广泛应用的 Web 服务技术，云制造服务平台的服务化封装一般都基于 Web 服务规范实现。Web 服务是 Web 服务供应商通过 WSDL 语言描述的、基于 XML 或 JSON 格式封装数据的对外（服务注册中心）发布的 API（Application Programming Interface，应用程序接口 / 应用编程接口）；Web 服务系统实现是

Web 服务需求商基于简单对象访问协议（SOAP）技术或 RESTful 接口技术，通过网络发现并远程调用所需 Web 服务的过程。基于 Web 服务的制造云服务封装能满足上述要求，制造云服务是云制造服务供应商将自身的制造资源和制造能力通过虚拟化技术，以 Web 服务的形式发布到云制造服务平台上的虚拟资源或虚拟能力；云制造服务系统实现的是制造云服务需求商通过云制造服务平台检索、发现、组合相关云制造服务，与服务供应商确定服务交易并执行服务以满足自身制造服务需求的过程。虽然制造云服务在描述方法、通信方法、服务发布和发现等方面的具体实现技术上仍不比 Web 服务成熟，但是在体系架构上，Web 服务系统和云制造服务系统均是面向服务的架构（SOA），Web 服务和制造云服务从产生到应用的流程大致相同，主要包含服务发布、服务发现、服务调用三个阶段。基于 Web 服务技术，W3C 发布的诸多标准和规范能用于制造云服务的表示、注册、发布、协调等各个环节，减少了制造云服务标准规范匮乏带来的互联障碍。

制造资源和制造能力的服务化过程，就是将虚拟化后的制造资源、制造能力封装成 Web 服务，以屏蔽资源自身的异构性和复杂性，对外呈现统一的调用接口，便于分布、异构的制造资源和能力共享，提供协同的工作环境。

云制造服务在表现形式上虽然和 Web 服务相差无几，但是云制造服务最终的实现需要依赖现实环境的情况，如机床加工的云制造服务，其最终执行依赖处于某地的某台或某些机床及相关配套资源。“时空”（执行时间、资源分布）上的不同、环境的影响是无法忽略的。另外，最重要的一点是，云制造服务对应的现实执行对象生产组织或制造设备在生产能力上往往是有限的，云制造服务的执行在同时间内具有很大的“冲突”可能，而 Web 服务在一定的硬件服务器支撑下，是可以同时满足许多服务请求的。同时，制造云服务的多样化、动态化和不确定性特点，导致云服务执行过程也存在很大的动态变化。因此，在借助 Web 服务协同方法的同时，需要充分了解两者的不同之处，对 Web 服务协同方法做出适应性改进。

2）服务化封装的过程和内容

制造资源和制造能力虚拟化形成虚拟制造资源和虚拟制造能力后，分别进入虚拟资源池、虚拟能力池，然后根据使用和管理的需要，进行服务化封装。整个过程如图 5-8 所示，一般需要以下几个步骤。

① 功能和接口定义。根据资源和能力的特点，确定需要实现的功能以及对外提供的接口。针对虚拟制造资源和制造能力的功能包括对外的功能和内部的功能两部分。对外的功能包括所有资源和能力都需要的增加、查询、修改、删除等基本功能，另外再根据资源和能力的特点设计特殊操作，如机床资源的刀具准备和替换、工装准备、上下料需求等操作功能。内部的功能是指制造资源、制造能

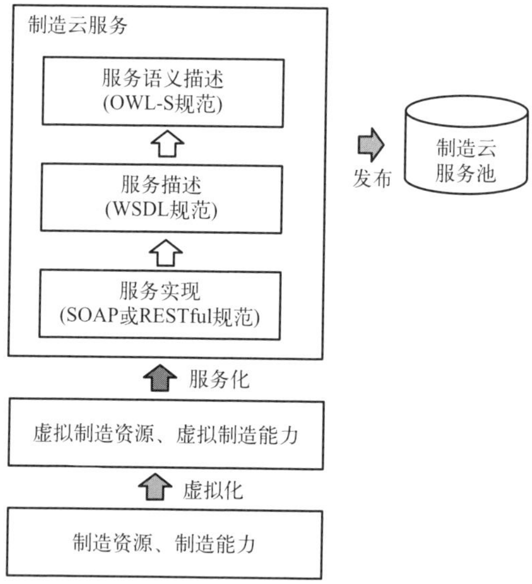

图 5-8　制造资源和能力服务化的一般过程

力服务执行过程中对相关资源的操作和流程的管理，如在提供设计能力服务的过程中，需要对设计软件资源、设计人员人力资源进行协调，并且按照一定的设计流程来完成整个设计工作，这时候需要开发相关的软件模块来实现对整个设计过程的协同。外部功能会提供相应的接口来为其他用户提供服务支持，而内部功能只会被内部调用，不需要对外提供服务接口。这也体现了服务设计中的低耦合度特性。

需要明确这些操作的角色，来决定服务调用接口。根据角色不同，操作所涉及的数据和具体动作也会不同。例如，资源的“修改”操作是一个基本操作，资源提供方和云平台都需要进行“修改”，但是修改的内容和范围是不同的，资源提供方会根据物理资源的实际情况，对资源的状态进行更新，可以对资源的所有属性进行修改；而平台方出于虚拟资源管理和交易管理的需要，对资源的部分属性（如交易状态、交易范围等）进行修改。这样，“修改”操作就需要根据操作角色的不同，定义不同的接口。

② 服务实现。根据 Web 服务规范，利用程序开发软件，构建 Web 服务，实现对虚拟制造资源和制造能力的访问与操作。应用比较多的规范是 SOAP 协议和 RESTful 规范。根据应用的场景不同，部分操作可能会同时构建两种协议的服务。

③ 服务描述。在 Web 服务构建的同时，需要形成服务描述文档，一般是基于 WSDL 格式的服务描述文档，为服务的访问提供接口说明。

④ 服务语义描述。一般来说，利用 WSDL 构建服务描述后，Web 服务就可以发布并使用了。但是云制造服务池中的服务众多，供需匹配过程不可能完全靠

人工来进行。为了提高服务自动化管理的程度以及检索和匹配的效率，根据云平台的统一规范，需要构建服务语义描述，利用语义网技术来提升服务自动化能力。常用的是基于OWL-S规范对Web服务进行语义化规范描述。通过这个步骤，形成计算机可以理解的Web服务定义，为后续的自动化服务检索、匹配、跟踪提供支持。

以制造服务为例，可以利用OWL-S规范中的ServiceProfile部分对服务能力进行描述，利用ServiceModel部分对能力实现过程进行描述，用ServiceGrounding部分对Web服务接口进行描述，见图5-9。

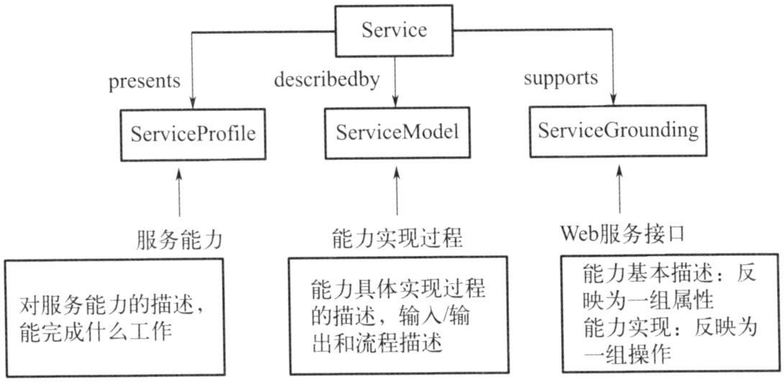

图5-9　制造能力的服务语义描述说明

⑤ 服务发布。形成的服务描述（WSDL文档）和服务语义描述（OWL-S文档）向云平台的制造云服务池进行注册和发布，这样服务需求方就能查询到相关服务，为后续的服务供需匹配和交易做好准备。

5.3.2　基于WS-CDL的服务流程管理

制造云服务的服务封装过程，参考了Web服务的相关规范进行，但是制造服务和原先针对计算服务的Web服务规范是不同的，因此，在制造服务封装过程中，需要根据制造服务的特点，在原有Web服务规范上进行必要的扩展，这样才能满足制造云服务的运行需求。本小节介绍利用Web服务编排描述语言（WS-CDL）的制造云服务编排方法。通过设计信息交互接口规范和扩展WS-CDL协议，实现制造云服务协同的标准化描述，促进跨组织服务之间的有效沟通。

由于产品的复杂性，一个制造服务需求往往会被分解成多个子服务需求，以寻求最佳供应商，这样一个制造服务需求会由多个服务供应商参与。各个供应商提供的制造服务形成一个服务组合来为客户提供个性化制造服务。服务组合形成一个服务流程，需要对这个服务流程进行有效管理，才能协同各服务方资源，保证服务按期完成。

客户制造服务需求趋于多样化、个性化、随机化，从而造成生产制造的复杂化、分散化、柔性化，制造云服务存在显著的异构性、动态性和多样性。传统的供应链制造协同模式侧重于制造企业之间针对特定产品或项目的业务协同，主要用于服务单一用户或订单任务，在满足用户个性化需求方面存在局限性。而云制造的服务流程管理有以下特点。

① 流程的多变。不同需求方的制造服务需求可能是不同的，针对该需求匹配得到的服务组合可能是具有差异性的，形成了多变的服务流程。参与到服务流程的服务主体只有在供需匹配完成后才明确，给流程管控带来了难度。

② 无法集中管控。云制造的服务流程涉及多个不同服务供应商，是跨组织的协同。云制造平台只提供服务匹配和交易平台服务，无法对各个制造服务供应商的行为集中管理。因此，基于服务编制思想、在企业内部实现的流程管理模式，如业务过程执行语言（Business Process Execution Language，BPEL）不适合制造云服务流程管理。

③ 制造服务流程管理的必要性。和普通的面向服务的架构（SOA）中的计算服务不同，制造服务往往依靠实体制造资源实现，每个制造资源（如机床）在某段时间内只能服务一个订单，而且由于制造的特点，切换不同的生产产品需要一定的加工制造准备时间。因此，制造服务供应商会预先对制造服务订单进行排程以实现其制造资源的高效利用。制造服务流程如果缺乏有效管理，前序的拖期会导致后序服务无法按时进行，造成后续制造服务商资源的空闲，降低服务执行的效率。如果能将前序延期信息及时告知相关服务商，则相关服务商可以通过重调度来安排完成其他服务订单，减少资源的不必要等待。

基于以上需求，制造云服务需要一个有效的协同管理方法，该方法能对服务流程预先定义，并且能有效跟踪服务订单执行过程。根据第3章的介绍，基于工作流程的服务组合协同方法可以大致分为两类：一类是基于服务编制（Orchestration）的协同，另一类是基于服务编排（Choreography）的协同。其中，服务编排的思想是从全局视角去协同服务各方之间的合作流程和交互，其通过定义各服务方之间的通信协议来实现多主体之间的服务协同，适合云制造系统中的制造云服务流程协同。其标准协议是由W3C制定的WS-CDL协议。

针对制造云服务流程协同管理的需求，设计整体框架如图5-10所示。首先，在服务发布时，设计服务协同所必要的服务接口规范，方便后续服务执行过程跟踪。该服务接口规范基于服务网络本体语言（OWL-S）建立，配合制造服务的WSDL描述规范实现。

其次，在服务交易关系构建完成时，根据服务组合定义，建立服务流程编排定义文档。该文档定义了服务执行过程的参与方（服务需求方、服务供应方、云制

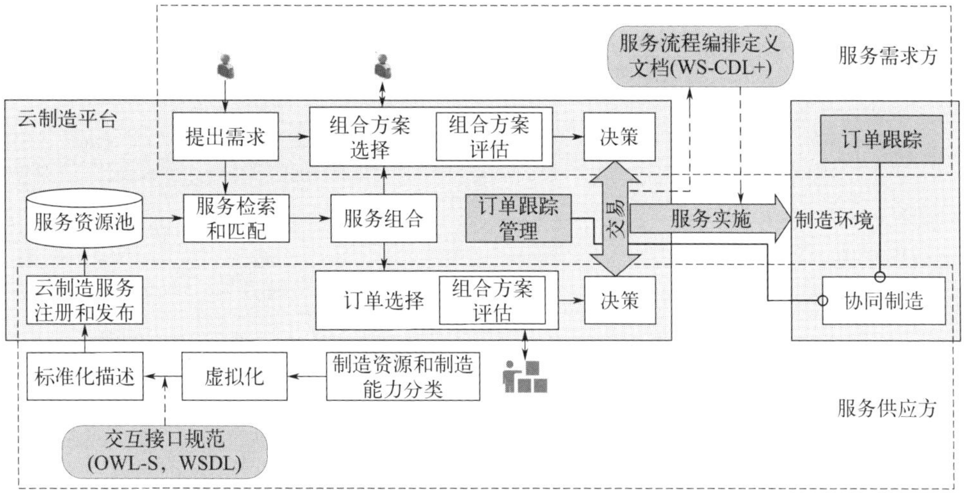

图 5-10　制造云服务编排方法

造平台）以及信息交互规范，基于扩展的 WS-CDL 规范（图中标记为 WS-CDL+）进行描述。该文档会发送给服务各参与方。

最后，在服务执行时，服务供应方根据服务流程编排定义形成自身任务执行的服务编排文档，实现任务执行的状态在供应商中共享。服务需求方和云制造平台也可以利用服务编排文档进行服务任务执行的追踪管理。

（1）制造云服务交互接口规范设计

在传统制造模式中，上下游制造服务之间的生产交互往往是同一层次的，如生产部门与设计部门之间的对接。而云制造模式下，制造云服务之间的交互存在跨粒度和跨层次服务之间的交互，如机床主轴生产中，毛坯生产服务完成后，既可以与同粒度 / 层次的粗加工生产服务衔接，也可以与细粒度 / 层次的铣加工服务等衔接。因此有必要设计交互接口规范。交互接口能够实现不同粒度 / 层次服务之间的输入输出衔接，以满足各类层次服务之间的顺利交互。

在制造云服务定义、发布的时候，需要实现并提供制造云服务接口规范，一般使用 OWL-S 语言结合 WSDL 语言来定义，从而实现各类服务交互逻辑编排中的交互接口描述。另外，需要根据不同服务之间的实际交互需求，设计不同的交互时序。

根据制造云服务的信息交互特点，采用了包含表征接口、查询接口、功能接口、技术接口四个接口类型的接口规范。表征接口针对服务 ID、服务名称等一系列基本服务信息的操作；查询接口针对服务状态、服务进度的信息查询操作；功能接口包含确定上游服务的服务输出、确定下游服务的服务输入等操作；技术接口包含针对服务时间、服务评价等参数的操作。对应的接口规范如表 5-1 所示，这些接口会在后续的服务编排文档中应用到。

表 5-1　服务接口规范

接口类型	接口	封装方法名	方法描述	返回参数及类型
表征接口	服务 ID	getServiceID	查询服务订单 ID	服务订单 UUID，字符串 string
	服务名称	getServiceName	查询服务订单名称	服务订单名称，字符串 string
	服务类型	getServiceType	查询服务订单类型	服务订单类型，字符串 string
	服务供应商	getServiceProvider	查询服务订单供应商	服务订单供应商名称，字符串 string
查询接口	服务状态	getServiceState	查询服务订单状态	服务订单状态，布尔型 boolean，true 正常，false 异常
	服务进度	getServiceProcess	查询服务订单进度	服务订单进度信息，小数 decimal
功能接口	服务输入	checkServiceIn	检查服务订单输入信息	服务订单输入信息，字符串数组 string[]
	服务输出	checkServiceOut	检查服务订单输出信息	服务订单输出信息，字符串数组 string[]
	服务结果	printServiceResult	输出服务结果信息	服务订单执行结果，布尔型boolean，true 完成，false 未完成
	服务异常	printServiceError	输出服务异常信息	服务订单异常信息，布尔型boolean，true 异常，false 正常
技术接口	服务时间	getServiceTime	获取服务时间	服务订单执行时间，时间 time
	服务评价	getServiceEvaluation	获取服务评价	服务评价信息，字符串 string
	服务价格	getServicePrice	获取服务价格	服务订单价格，整数 integer
	服务参数	getServiceParameter	获取服务参数	服务参数信息，字符串数组 string[]

为了解决不同粒度 / 层次服务之间的输入输出衔接问题，在接口规范中扩充定义了“服务输入”和“服务输出”接口。通过上游供应商的服务输出信息与下游供应商的服务输入信息的匹配，实现不同粒度 / 层次服务之间的衔接。其中，服务的输入输出信息可根据服务产品（族）/ 在制品在各生产流程阶段的标志进行定义，如零件生产过程“毛坯加工—粗加工—精加工”中，针对完成毛坯生产阶段的产品状态标志，定义毛坯生产服务的输出信息和粗加工生产服务的输入信息，这样保证一个服务结束后可以和下一个服务对接。

（2）基于 WS-CDL 协议的制造云服务流程描述

WS-CDL 是一种基于 XML 的文档规范，通过从服务交互的全局角度定义其共同和互补的行为约束来描述参与者的点对点协作，从而在没有集中控制引擎的前提下，保证各服务节点消息交互和协同工作的有序进行。但是，基础的 WS-CDL 标准不包括对制造云服务等特殊服务的描述，需要对基础的 WS-CDL 标准进行扩展。

WS-CDL 编排协议主要分为静态定义和动态编排两部分，如图 5-11 所示。静态定义对编排协议中出现的角色类型、关系类型、消息通道等做出定义；动态

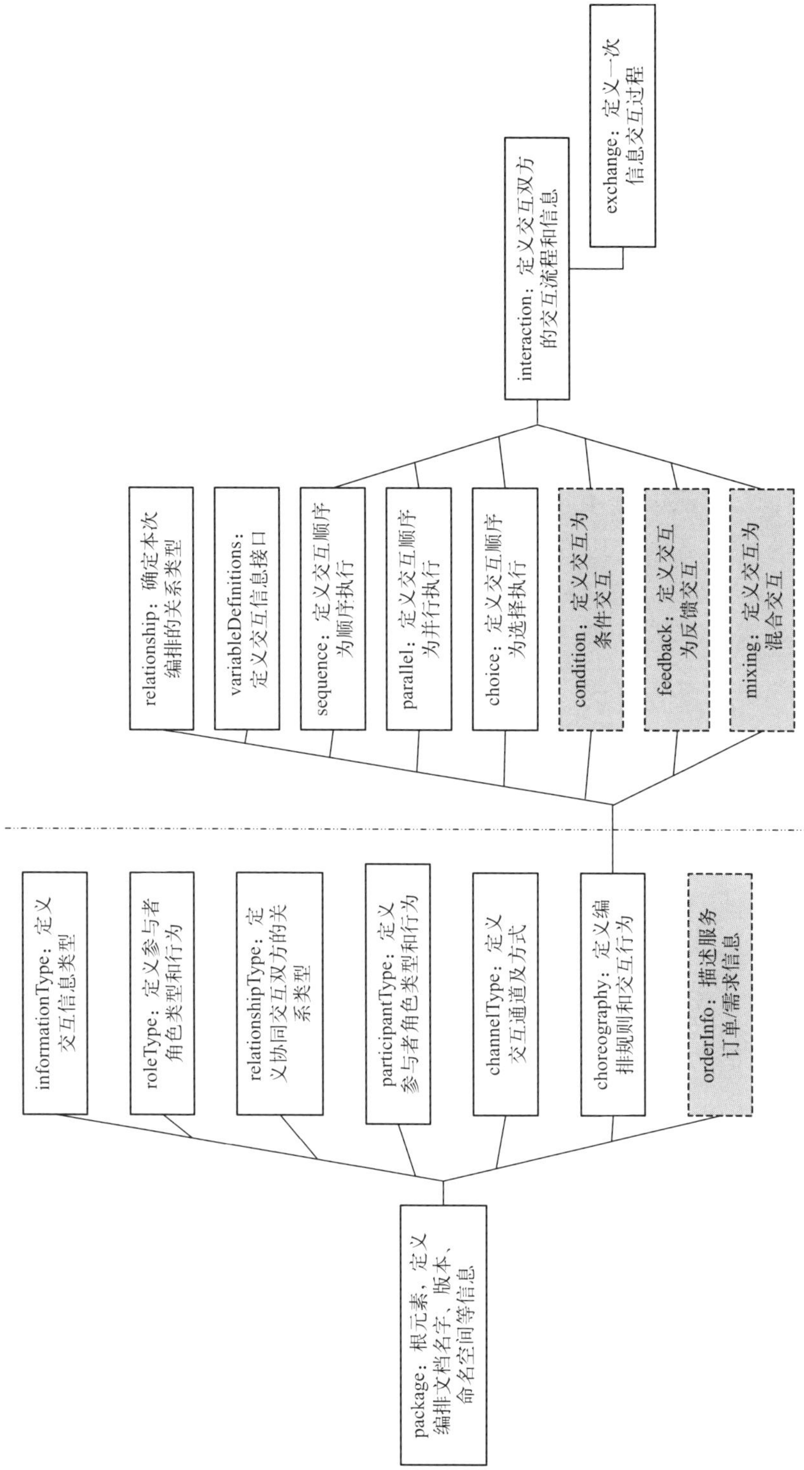

图 5-11　静态定义（左）和动态编排（右）

编排在标签 <Choreography> 中，描述各类服务交互过程中的消息动作和方法调用的执行顺序及流程控制。

制造云服务的执行流程往往是由需求方个性化的订单驱动的，不同订单的编排策略有所不同。

制造云服务存在于实际制造过程，该过程依赖于具有生产能力限制的生产组织或生产设备。该组织或设备无法同时响应两个或多个订单的请求，因此不同订单对应着不同编排文档。一个服务订单中，服务供应商的交互前提是分辨出对方与自身执行的订单是不是同一个订单对象。而基础的 WS-CDL 语言并不完全适应和支持对制造云服务的编排描述，因此，针对 WS-CDL 语言进行信息描述扩展，且这类信息描述与编排文档唯一对应，属于文档静态部分。通过在静态定义部分增加节点对 <OrderInfo></OrderInfo> 说明每个 WS-CDL 文档对应的具体订单，以实现服务供应商在不同订单中与其他服务供应商的不同编排交互。具体的描述代码如表 5-2 所示。

表 5-2　扩展的 WS-CDL 描述方法

元素类型	功能描述	描述代码
OrderInfo	定义对应订单信息	<orderInfo> <orderID uuid=UUID> <name>orderName</name> <techInfo> <precision>…</precision> + </techInfo> + </orderID> </orderInfo>

在制造云服务协同过程中，某些服务交互活动需要在一定的前提下进行，而某个服务编排活动的执行受后续交互活动的反馈的影响。通常情况下，一个复杂服务的完整执行需要多种交互方式。因此，基于 WS-CDL 协议中标准的三种编排规则（顺序交互、并行交互、选择交互），额外设计了条件交互、反馈交互和混合交互三种编排规则。混合交互是将顺序交互、并行交互、选择交互各类交互方式混合使用。图 5-11 中灰色框表示扩展的描述节点。

（3）服务供应商对服务订单的跟踪

制造云服务协同过程中的服务交互是通过交互接口实现的。服务供应商按照接口规范发布所提供云服务的接口，在被某服务组合匹配选中后，云平台需要对该服务组合中的各服务进行服务编排，其中包含了对各服务接口的描述。服务供应商 X 跟踪服务订单流程如图 5-12 所示，其中加粗实线为定义的交互过程。服

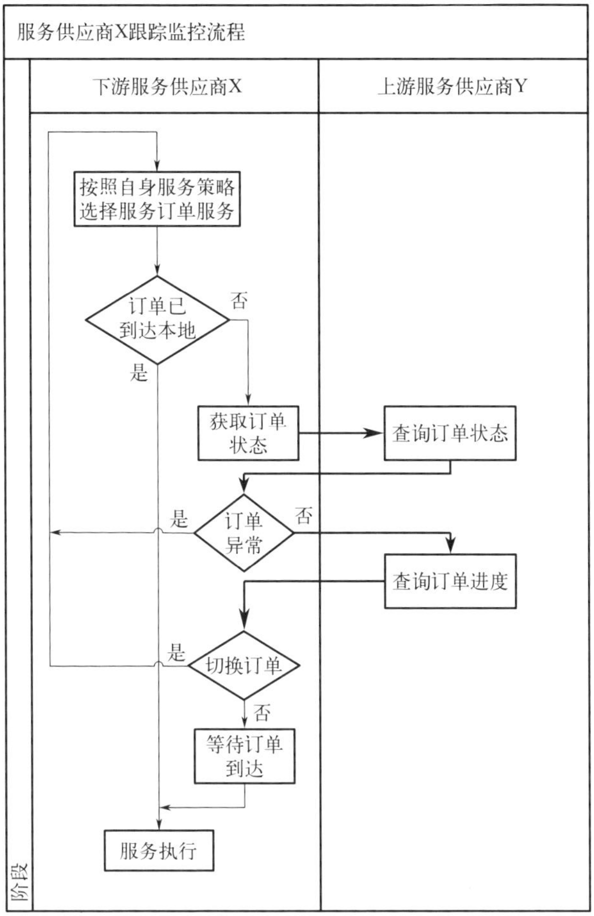

图 5-12　服务供应商订单跟踪流程

务供应商 X 在执行订单前会首先向上游服务供应商 Y 询问订单的状态，若出现异常则切换订单；否则继续询问订单进度信息，并判断是否等待当前订单到达。根据以上跟踪信息可以选择最符合自身服务策略的订单进行加工。

服务供应商 X 和 Y 的交互接口在基于 WS-CDL 协议的编排文档示例如表 5-3 所示。

表 5-3　服务供应商的 WS-CDL 文档示例

```
<exchange name="getServiceID"
            informationType="ths: string"
            action="request">
<send variable="cdl: getVariable（‘tns:serviceID’，‘’，‘’）" />
<receive variable="cdl:getVariable（‘tns:serviceID’，‘’，‘’）" />
</exchange>
```

```
<exchange state="getServiceState"
              informationType="ths:boolean"
              action="request">
<send variable="cdl:getVariable（‘tns:serviceState’，‘’，‘’）" />
<receive variable="cdl:getVariable（‘tns: serviceState’，‘’，‘’）" />
</exchange>
<exchange process="getServiceProcess"
              informationType="ths:decimal"
              action="request">
<send variable="cdl:getVariable（‘tns: serviceProcess’，‘’，‘’）" />
<receive variable="cdl:getVariable（‘tns: serviceProcess’，‘’，‘’）" />
</exchange>
```

说明：

① 参数 name 表示该接口方法名。

② 参数 informationType 表示该方法的返回值类型。

③ 参数 action 表示该接口的动作类型，request 表示询问，respond 表示回复，request-respond 表示复合接口。

④ <send>、<receive> 节点表示信息的传递过程及方向。信息的获取通过 WS-CDL 协议标准支持的 getVariable 方法实现，该方法可实现从全部的编排文档中获取相应对象的变量值。

服务供应商对服务订单的跟踪流程定义文档如表 5-4 所示。

表 5-4　跟踪流程定义文档

```
<!-- 服务供应商 X 与 Y 之间的跟踪交互，服务供应商 X 在服务开始时刻向服务供应商 Y 询问订单信息 -->
<infoTrack name="ServiceProviderTrack"
         point="0"
         unit="hour">
<interaction name="P-QuoteOrder"
    channelVariable="tns:ProviderX-YChannel"
              operation="getQuote">
       <!-- 定义此次跟踪是下游服务供应商 X 向上游服务供应商 Y 发起的 -->
       <participaterelationshipType="tns:ProviderX&YRelationship"
       fromRoleTypeRef="tns:ProviderX"
       toRoleTypeRef="tns:ProviderY" />
       <exchange>…</exchange>+     <!-- 交互信息 -->
</interaction>
</infoTrack>
```

<infoTrack> 节点有 name、point、unit 等属性，具体说明如下：

① 属性 name 表示该节点的名称。

② 属性 point 表示执行该 <infoTrack> 节点下交互（<interaction>）的时刻，以设定时间 pointTime 占执行总时间 T 的比值确定交互时刻。如设定时间 pointTime=4h，执行总时间 T=20h，则此次数据监控交互时刻为该订单已完成 20% 时刻。

③ 属性 unit 表示时间单位，天（day）或小时（hour）或分钟（minute）。

（4）服务需求商对服务的跟踪交互实现

服务需求商对服务的跟踪流程如图 5-13 所示，其中加粗实线为定义的交互过程。通过该服务跟踪流程，服务需求商可以首先向服务供应商获取订单状态，若服务供应商无此订单当前服务信息，则向云制造服务平台进行询问，若订单异常则进行处理；否则继续向服务供应商或云制造服务平台询问订单进度信息，并记录存储。

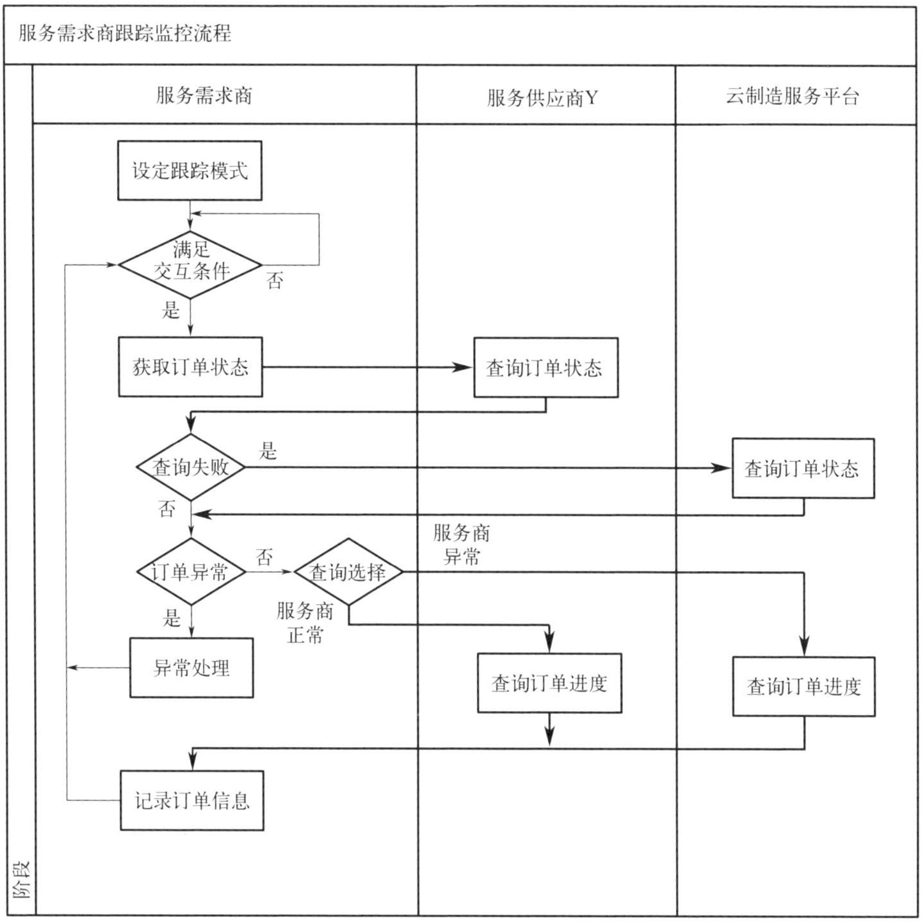

图 5-13　服务需求商服务跟踪流程

具体实现文档如表 5-5 所示。

表 5-5　服务需求商对服务的跟踪实现文档

```
<!-- 服务需求商与服务供应商之间的跟踪交互，服务需求商按照一定的频率向服务供应商 Y 询问订单信息，
若询问失败，则向云平台询问 -->
<infoTrack name="ServiceDemanderTrack"
         frequency="0.8"
         unit="hour">
<interaction name="D-QuoteOrder"
                     channelVariable="tns:Demander-ProviderYChannel"
                     operation="getQuote">
       <!-- 定义此次跟踪是服务需求商向服务供应商 Y 发起的 -->
       <participate relationshipType="tns:Demander&ProviderYRelationship"
                     fromRoleTypeRef="tns: Demander"
                     toRoleTypeRef="tns:ProviderY" />
       <exchange>…</exchange>+     <!-- 交互信息 -->
</interaction> +
<!-- 若向服务供应商询问失败，则向云平台询问订单信息 -->
<workunit name="D-QuoteCloudPlatform"
            Guard="cdl:getVariable（‘tns:isQuoteFail’，‘’，‘’）=true（）">
       <interaction>…</interaction>
</workunit>
</infoTrack>
```

（5）云制造服务平台对服务的跟踪交互实现

服务跟踪流程如图 5-14 所示，其中加粗实线为定义的交互过程。云平台在

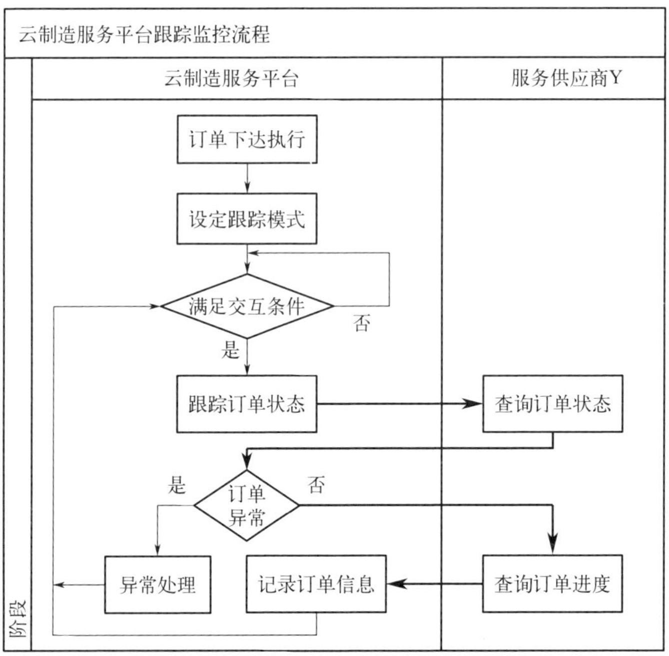

图 5-14　云制造服务平台服务跟踪流程

服务下达执行后，按照一定的跟踪模式向服务供应商 Y 获取订单状态，若异常则进行订单处理；否则继续查询订单进度信息并记录存储。

具体实现文档如表 5-6 所示。

表 5-6　云服务平台对服务的跟踪实现文档

```
<!-- 云服务平台与服务供应商之间的跟踪交互，云服务平台按照一定的时间间隔向服务供应商询问订单信息 -->
<infoTrack name="ServiceCloudPlatformTrack"
        frequency="0.8"
        unit="hour">
<interaction name="CP-QuoteOrder"
              channelVariable="tns: CloudPlatform-ProviderYChannel"
              operation="getQuote">
      <!-- 定义此次跟踪是云服务平台向服务供应商 Y 发起的 -->
      <participate relationshipType="tns: CloudPlatform&ProviderYRelationship"
              fromRoleTypeRef="tns: CloudPlatform"
              toRoleTypeRef="tns:ProviderY" />
      <exchange>…</exchange>+     <!-- 交互信息 -->
</interaction> +
</infoTrack>
```

在云服务编排文档中定义服务参与主体之间的跟踪交互规则和交互次序后，通过 WS-CDL 文档解析，将每个服务参与主体自身相关的交互映射到各自的内部业务流程引擎中，通过服务接口（WSDL 描述）的实际调用，如映射成 BPEL 业务流程中的 <invoke> 活动，实现交互服务的调用，以最终实现服务跟踪，提高不同组织业务流程的耦合程度。

基于服务编排思想，结合 WS-CDL 协议的扩展，实现了制造云服务的协同。通过设计制造云服务交互接口规范和基于 WS-CDL 协议的云服务编排规则，有效解决云制造环境下多层次、多粒度服务带来的复杂流程管理问题。通过进一步扩展 WS-CDL 协议，基于制造云服务编排文档实现对服务执行过程的跟踪。该方法能实现服务协同和服务跟踪过程的自动化，能保证每个服务供应商有效获取自身相关订单的信息，以便动态更新生产安排，提高了服务使用率。同时，所有服务订单的整体执行时间减少，提高了整体的服务执行效率。

第 6 章

制造云服务供需匹配与优化

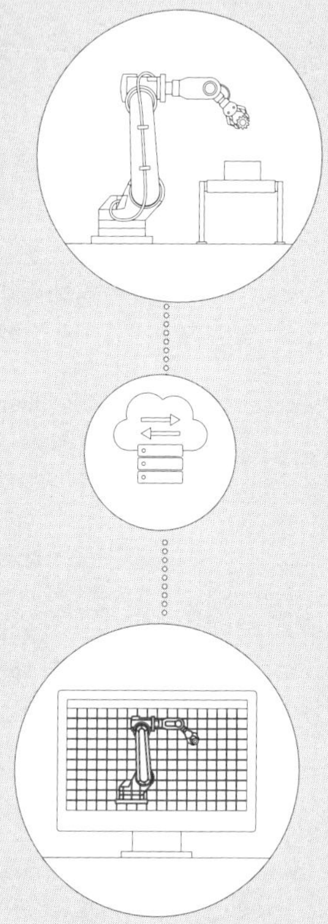

6.1

制造云服务的供需匹配

6.1.1 制造云服务的供需匹配一般过程

第 2 章介绍了制造云服务实施的一般过程，包括服务的接入、服务的接出和服务的执行三个主要阶段。在服务接入阶段，通过感知和接入、虚拟化、服务化过程，制造资源和制造能力形成制造云服务，发布在云制造服务平台的服务池中。服务的接出过程包括供需匹配、服务组合和服务实例化，即形成服务供需交易的过程。服务的执行即根据服务供需交易约定，服务具体实施和完成制造任务的过程。

在整个服务实施过程中，服务的接出过程是一个关键。因为服务提供方之所以要进行虚拟化、服务化，其目的就是要把自己的制造资源和制造能力作为服务销售出去，这样才能获取利润。如果不进行服务供需交易，则云制造服务平台会缺乏运行的目标和动力，最终也无法生存。只有服务需求方在平台上找到了满意的服务资源，需求方才愿意使用云制造服务平台，同时，只有更多的需求方在平台上购买服务，提供方才愿意在平台上发布其制造服务。这就是云制造平台典型的“双边市场”的特征：一边用户的数量会影响另外一边用户的数量，最终影响整个平台的发展。

在云制造服务平台上，供需匹配是一个关键且复杂的过程。由于制造过程的复杂性，制造资源和制造能力也有异构性、分布性、动态性、不确定性等特征。制造云服务的描述不像计算服务，如计算资源、存储资源等，有明确的评价指标和属性定义；也不像市场上商品交易那样，商品有明确的功能和质量、性能要求。不同的制造云服务有不同的属性定义和性能指标，制造任务对服务的需求定义有时候比较模糊，需要进一步地进行分解才能匹配到服务资源。因此，制造云服务的供需匹配比一般商品交易和云计算交易更加复杂。

云制造服务平台需要对制造云各参与方（供、需、管）的各类需求进行管理，为相关操作提供相应的功能支持，从而以服务的形式为制造企业全生命周期的各类制造活动提供相应的制造资源和能力。为服务需求者快速准确地搜索匹配到最合适的服务，是云制造服务平台的核心功能之一。根据第 2 章讨论的云制造服务流程分析，其制造服务供需匹配过程可以见图 6-1。服务提供方对制造资源和能力进行虚拟化、服务化之后，将其发布到服务池，服务需求方发布服务需求到云平台，之后进行供需匹配和供需双方互选，选择完成后，双方进行最终合作意向确认，确定后签订服务交易合同并进入服务执行环节。

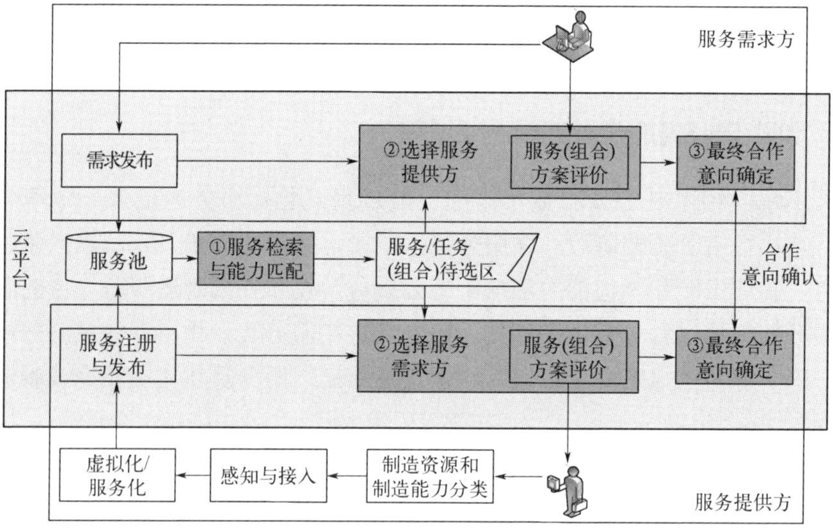

图 6-1　云制造服务供需匹配一般过程

总体来说，服务供需匹配包括两个阶段，第一个阶段是能力匹配阶段，图 6-1 中标记为“①服务检索与能力匹配”；第二个阶段是供需双方互选阶段，图中标记为“②选择服务提供方”或“②选择服务需求方”，以及服务供需双方的“③最终合作意向确定”。图中的②和③是供需双方同时、各自进行的过程。

在能力匹配阶段，根据制造任务需求，从服务池中选择能完成所需制造任务的制造云服务。由于制造任务需求定义可能比较模糊和宽泛，如果无法找到满足制造任务需求的云服务，则需要对需求进行分解，分解成子任务需求，然后再进行匹配，这样一个任务可能会由多个制造云服务进行组合后来完成。

如果能力匹配阶段能为服务需求匹配到制造云服务（或云服务组合），其结果有一对一、一对多、多对一、多对多几种情况。“一对一”是指一个服务需求和一个制造云服务（或者一个服务组合）进行匹配，这个时候，如果要实现交易，双方没有选择。“一对多”是指一个需求有多个提供方提供的云服务（或者云服务组合）可以满足，这个时候，服务需求方就需要在服务提供方里面选择一个其认为最佳的提供方来提供服务。与此类似，“多对一”是指一个服务提供方提供的制造云服务，多个需求方都需要，因为制造资源可能是“独占式”的，如果不能同时为多个需求方服务，则服务提供方需要在需求方里面选择一个进行服务。“多对多”是指需求方和提供方都有多个候选方可以选择。除了“一对一”的情况，供需双方都有可能需要在候选集中对交易对象进行选择，这个阶段就是供需互选阶段，也可以看作是一个服务优选的过程。

6.1.2 制造云服务的能力匹配

1）需求分解

制造云服务是服务提供方根据自己的资源和能力范围，面向制造全过程的各个环节提供的制造服务，根据服务内容，制造云服务是多层次、多粒度的。从制造过程来说，制造云服务可能包括了面向产品所有制造环节的产品全过程制造服务，也可能是面向某个制造环节的阶段性服务，如设计服务、工艺服务、生产加工服务；从制造对象来说，可能是整个产品的制造服务，也可能是某个部件或组件的制造服务，还可能是某个零件的制造服务。制造云服务的多粒度特点给制造云服务的供需匹配带来复杂性。

服务需求方根据自己的制造任务，提出制造云服务的需求，如果能从服务池中直接匹配到合适的制造云服务，则完成需求能力直接匹配；如果没有满足自己的制造任务需求的云服务，则需要对需求进行分解，形成子需求，然后进行子需求匹配；如果子需求还不能得到满足，则进一步分解，直到分解成原子需求，然后进行原子需求匹配。这个过程如图 6-2 所示。

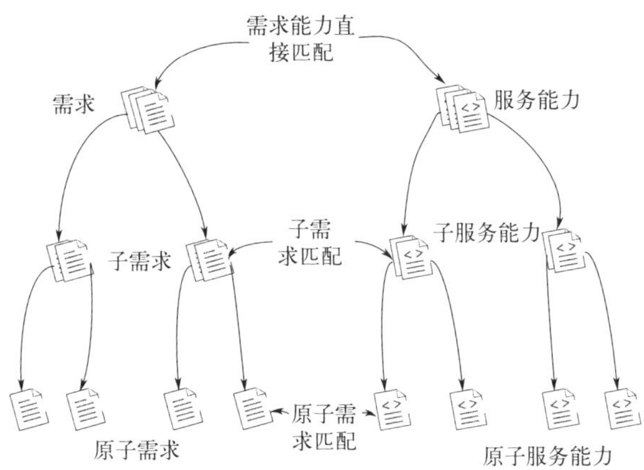

图 6-2　服务需求的分解过程

原子需求是针对原子粒度服务而言的，一般是制造服务过程中不可再分的最小单元。例如，某个零件的一道加工工序，可以作为一个原子需求。由于制造云服务是多粒度、跨层次的，有的服务是车间级的服务（如某零件产品级的服务），有的服务是设备级甚至工序级的，这就给服务的匹配带来了困难。总体而言，一般制造云服务的需求分解按从大到小的原则，如果大粒度的需求能够被匹配到，则一般可以不再分解，除非作为一种备选制造方案供对比讨论。这个过程见图 6-3。

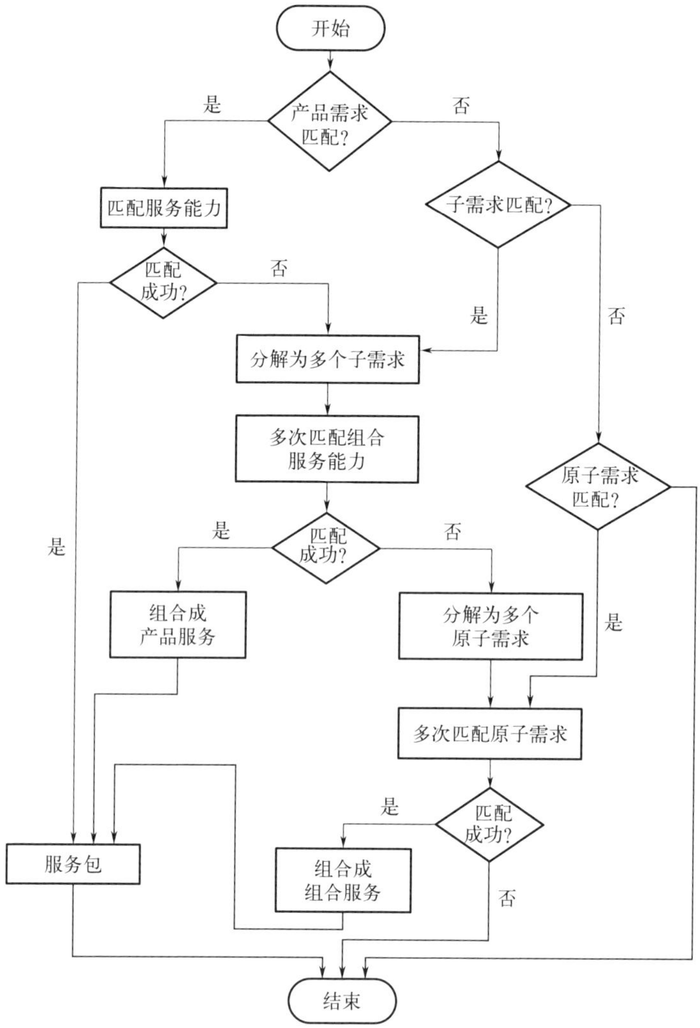

图 6-3　制造需求的分解和匹配流程

2）检索

如果说需求分解是供需匹配的前置条件，那么搜索是建立供需匹配的第一步，即根据任务需要在服务池中检索是否有相关的服务。传统的基于关键词搜索方法，如果没有建立基于本体的语义环境，会造成定义不明确、不全面、语义混乱等问题。因此，使用准确度高的搜索方法就显得尤为关键。

为实现制造云服务的智能供需匹配，支持在动态、异构的制造云服务之间进行共享与协作，必须对制造云服务进行准确而全面的描述。对于功能各异、种类繁多的制造云服务，需要一种统一、完整的定义和描述方法，OWL-S 因其丰富的语义描述功能可以胜任。OWL-S 可以描述服务的功能、输入、输出、前提条件和效果，使得软件代理能够自动发现、组合和执行网络服务。

在制造资源和制造能力服务化过程中，基于本体的 OWL-S 对服务进行语义描述，利用 OWL-S 的三个顶层本体类，即 ServiceProfile、ServiceModel 和 ServerGrounding 分别对云制造服务具有什么功能、如何执行以及怎样使用进行描述，其中 ServiceProfile 类描述了服务的基本信息（如服务提供方信息）、服务功能属性（如 IOPE 属性：输入 Input、输出 Output、前提 Precondition、结果 Effect）以及一些非功能属性（如服务质量、服务分类等），通过 ServiceProfile 类的描述，服务需求方和服务提供方能够以一种计算机程序可理解的方式进行服务能力匹配。

基于 OWL-S 描述语言的服务匹配方法本质上就是对需求和服务池中的已有服务的功能属性和非功能属性的匹配。如功能属性的 IPOE 匹配中，Input 可以对服务的输入参数个数和类型进行匹配，Output 对服务的输出类型进行匹配，Precondition 对服务执行的前提条件进行匹配，Effect 对服务执行后预期的结果进行匹配。

供需搜索匹配是指服务需求（制造任务）与服务池中服务的匹配过程，理想情况下，如果完全匹配，则输出的结果就是所需要的服务。但是实际情况下，由于匹配结果满足不了制造服务的多属性或需求的个性化等，服务不一定是完全吻合的。此时则需要扩大匹配范围，通常采用基于规则的和基于语义的两种匹配算法来对匹配结果进行计算，最终得到是否满足要求的匹配结果。

3）匹配计算

匹配计算是对匹配候选结果进行计算，用于评估检索到的候选服务是否满足制造任务需求。在云制造系统中，匹配计算包括基于规则推理的匹配算法和基于语义相似度的匹配算法两种计算方法。

① 基于规则推理的匹配算法，主要对制造服务和任务需求的服务类型进行匹配，服务类型和任务需求类型有如图 6-4 所示的五种关系。图中 Stype 和 Dtype 分别表示服务类型和需求类型。

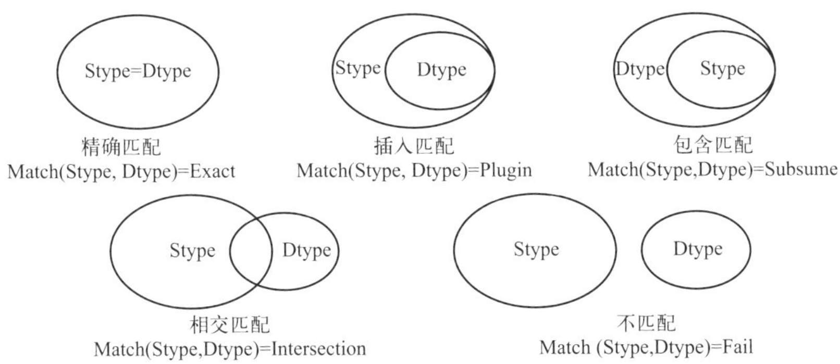

图 6-4　服务类型和需求类型的关系

② 基于语义相似度的匹配算法。基于相似度计算的服务匹配通过计算两个本体概念之间的相似度（一个介于 0 和 1 之间的数值）来得到更精确的匹配结果。目前在制造云供需匹配中使用较多的为基于属性的语义相似度匹配算法。基于属性的相似度算法是根据比较两个概念间相同的和不同的属性的多少来确定二者的相似度。两个概念间相同的属性越多，不同的属性越少，则它们越相似；反之，则越不相似。

定性属性的值通常是由概念组成，两个概念 C_i 和 C_j 之间的语义相似度小于等于 1，其语义相似度计算公式如式（6-1）所示。

$$S_c(C_i,C_j)=\begin{cases}1, & \text{Match}(C_i,C_j)=\text{Exact}\\ s_c(C_i,C_j) & ,\text{else}\\ 0, & \text{Match}(C_i,C_j)=\text{Fail}\end{cases} \tag{6-1}$$

目前，应用比较广泛的概念语义相似度计算模型是 Tversky 模型，其基本思想是：将计算两个概念相似性的属性分为共同属性和不同属性。共同属性能增强两个概念的相似性，不同属性则会减弱两个概念的相似性，但是共同属性的增强作用要大于不同属性的减弱作用。基于这种思想，定义概念相似度计算公式如式（6-2）所示。

$$s_c(C_i,C_j)=\sqrt{\frac{|P(C_i)\cap P(C_j)|}{|P(C_i)\cup P(C_j)|}\times\frac{|P(C_i)\cap P(C_j)|}{|P(C_j)|}} \tag{6-2}$$

式中，$P(x)$ 为与概念 x 相关的所有属性；$|x|$ 为返回 x 中元素的个数。

定量属性的值主要考虑加工任务的期望值或期望区间相对于能力区间的变动，可分为以下两种情况。

情况 1：加工任务期望值为一个值 e_j，制造服务能力区间为 $[a_i, b_i]$，则

$$S_v(V_i,V_j)=\begin{cases}\mathrm{e}^{-\left|e_j-\frac{a_i+b_i}{2}\right|}, & e_j\in[a_i,b_i]\\ 0, & \text{else}\end{cases} \tag{6-3}$$

情况 2：假设加工任务期望区间为 $[c_j, d_j]$，制造服务能力区间为 $[a_i,b_i]$，则

$$S_v(V_i,V_j)=\begin{cases}1, & \text{Match}(V_i,V_j)=\text{Exact}\\ \sqrt{\left|\dfrac{\min(b_i,d_j)-\max(a_i,c_j)}{\max(b_i,d_j)-\min(a_i,c_j)}\right|}, & \text{else}\\ 0, & \text{Match}(V_i,V_j)=\text{Fail}\end{cases} \tag{6-4}$$

这两种方法各有特点。在精度方面，基于规则推理的匹配算法可以分成多个等级（精确—包含—相交—不匹配），但是一个等级内部不能进一步区分匹配程度；

而基于语义相似度的匹配算法可以通过数值量化来清楚地区分匹配程度。在复杂度方面，基于规则推理的匹配算法的复杂度体现在针对“包含”“相交”关系的判断；基于语义相似度的方法在考虑多个属性对语义距离影响的时候需要为不同属性设置不同的权重，有大量手工维护的工作。在运行效率方面，基于规则推理的匹配算法可以通过预处理（对包含、相交等项进行预处理）减少匹配过程的工作；而基于语义相似度的匹配算法只能在匹配过程进行计算，从而增加匹配时的计算工作量。

在实际使用过程中，一般用基于规则推理的匹配算法进行初筛，然后用基于语义相似度的匹配算法进行进一步的精确计算，最终得到符合要求的匹配结果。整个过程如图 6-5 所示。

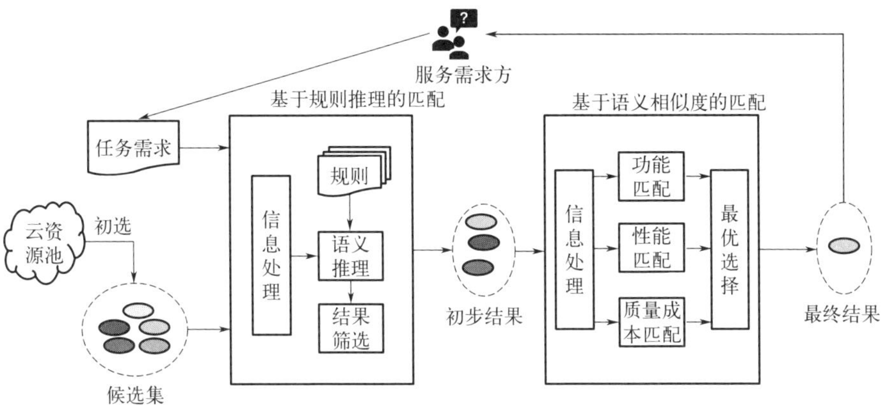

图 6-5　基于两种匹配计算方法的任务需求和服务匹配过程

6.1.3　制造云服务的服务评价及交易决策

1）服务评价

制造云服务的交易和执行，涉及云制造服务平台运营方（平台管理方）、服务需求方和服务提供方。各方在选择交易对象的时候，会根据自身的评价体系对服务以及交易过程进行评价，选择自身收益最大的方案进行交易。收益（Payoff）是博弈论中的一个基本概念，可以指参与方在一次博弈中的综合获益或成本。收益为正表示参与方获益，收益为负表示参与方付出成本。在云制造平台上的云服务交易过程中，各方都需要考虑自己的收益，而收益是一个多因素的综合，部分是可以量化的，部分只能定性评估。收益来源于对服务执行的评价，因此，可以从对服务的评价指标体系来得到交易方的综合收益。

在制造云服务的大环境下，服务需求方在云平台上面对的是海量的、种类繁多的制造服务资源。服务提供方发布制造服务资源，服务需求方发布任务需求，在完成服务检索与供需能力匹配，找出符合任务要求的制造服务资源候选服务集合后，还需要基于服务的相关评价信息，在候选服务集合中进一步选出优质的服务；而科学的、完整的评价方案的建立是进行有效评价的前提条件和基础，建立的评价方案应该能够综合而全面地体现出制造服务资源的服务水平，并且能够促进服务提供方不断地提高服务水平和质量。

服务的评价涉及三个角色：服务提供方、服务需求方、云平台运营方。评价又分为两种：服务使用前的评价和服务使用后的评价。服务使用前的评价是通过对服务预期过程的分析，得到备选服务或者其组合的一个评价结果，用于服务的选择；服务使用后的评价是对服务执行过程的一个评定，表明用户对服务执行过程的满意程度。服务使用前后的评价工作都在云平台上完成，使用前服务的评价可由云平台运营方来完成（如信用评估、服务推荐等）；服务使用后的评价工作主要由供需双方来完成。

一个综合评价问题由评价对象、评价指标和评价者等要素组成。在云制造服务评价应用场景下，评价对象显然为制造云服务。用户打分的评价方法虽然体现了平台尊重用户的思想，但同时也有一定的主观性和不确定性。

在云平台上，供需双方都需要一定的评价指标来完成服务的选择，双方的指标有共性，也会有差异性。表 6-1 展示了不同角色在服务执行前后起到的作用。

表 6-1 服务评价中不同角色的作用

角色	作用	
	服务执行前	服务执行后
云平台运营方	根据用户基本信息，对用户进行初始信用评估	督促供需双方对服务进行评价
服务需求方	得到对服务及其组合的预估评价	对服务执行过程进行评价，表明对服务过程的满意程度
服务提供方	得到对订单的预估评价	对订单进行评价，表明对服务过程的满意程度

在云制造系统中，云平台运营管理方有不同的角色。部分云平台作为中介平台，只是起到服务交易中介的作用，并不参与具体的制造云服务；有些云平台会提供一定的制造云服务。因此，云平台的收益需要根据其角色不同来确定。一般中介型平台的收益可以来源于平台用户注册收费（会员制收费）和平台交易的抽成收费（中介费），也有平台是向单侧用户收费而对另外一侧用户免费（如只向服务提供方收费或者只向服务需求方收费），也有平台是两种收费都考虑。会员制收费和中介费的收入，都和具体的服务无关。

服务需求方希望从众多的服务候选集中选择出最佳的服务，这就需要综合全面考虑服务的 QoS 性能指标。QoS 属性值可以通过实时用户反馈、历史数据分析来得到，一般为服务需求方关注的指标。可将 QoS 指标定义为时间、成本、质量、服务可靠性、服务可用性、服务诚信度，如表 6-2 所示。

表 6-2　服务需求方关注的指标

指标名称	描述
时间（Time，T）	从服务需求方发起调用，到最终得到服务执行结果的时间
成本（Cost，C）	服务需求方调用服务必须支付的费用
质量（Quality，Qua）	服务的功能性、安全性等
服务可靠性（Reliability，Rel）	服务能够正确响应的比率
服务可用性（Availability，Ava）	Web 服务在某段时间内可用的概率
服务诚信度（Reputation，Rep）	服务需求方使用服务后，对服务可信程度的反馈评价

服务提供方需要通过服务评价指标来优化生产线、提高产品质量，从而提高企业竞争力，所需指标如表 6-3 所示。

表 6-3　服务提供方关注的指标

一级指标	二级指标	描述
时间指标	初始加工时间（Initial Processing Time，IPT）	每个加工工位在稳定工作状态下完成一项加工任务的加工时间总和
	生产周期（Cycle Time，CT）	被加工物料作为在制品的时间
	完工时间（Total Completion Time，TCT）	在给定的完工数量 N 下，整条生产线完成加工的时间
	准备时间（Set-up Time，ST）	生产线开始运行之前，材料、人工、设备等需要的准备时间总和
	物流时间（Logistics Time，LT）	在制品以及成品从初始地点运输到目的地点的物流时间总和
能力指标	完工数量（Number，N）	在给定的生产周期 CT 下，整条生产线完成加工的产品数量
	生产线的瓶颈率（Bottleneck Rate，RB）	瓶颈工位在每单位时间内生产的零件数或完成的任务数
	单位时间生产量（Throughput，TH）	一个生产系统机器、站点、生产线等在一个单位时间的平均产出
	临界在制品库存（Work in Process，WIP）	生产过程中生产线的起点和终点之间的库存总和
	工位资源状态（Station Resource Status，SRS）	工作、等待、阻塞、失败等各种状态占整个工位工作时间的比例
	工件资源状态（Entity Resource Status，ERS）	生产、运输、存储等各种状态占整个工件生命周期的比例

续表

一级指标	二级指标	描述
能耗指标	能源消耗状态（Energy Consumption Status，ECS）	对制造系统消耗的能量种类、数量及层次结构状态进行分析
	能源效率（Energy Efficiency，EE）	考察制造系统的有效能量产出与总能量输入之间的比例关系
成本指标	加工成本（Processing Cost，PC）	产品从开始生产到完成加工的整个过程涉及的材料成本、机器成本等的总和
	运输成本（Logistics Cost，LC）	在制品以及完工之后的成品从初始地点运输到目的地点的物流成本
	管理成本（Administration Cost，AC）	从开始接单到产品完整运输到目的地点的整个过程涉及的人力成本等的总和
质量指标	产品质量（Product Quality，PQ）	产品的好坏
	管理质量（Administration Quality，AQ）	订单过程中管理人员管理质量的评定

服务平台运营方、服务需求方和服务提供方会从不同的角度对云制造服务候选集（任务候选集）进行评价，然后做出交易决策。

2）交易决策

云制造服务各方在经过能力匹配后，需要对交易对方进行评估，也就是服务需求方对服务候选集进行评估，服务提供方对匹配到的任务候选集进行评估。这个评估通过上述的评价体系完成，最终利用如层次分析法等方法形成综合评估数值，转换成收益，再进行决策。

在服务交易过程中，如果是提供服务的平台运营方（管理方），可以参考服务提供方的指标对服务进行评估。如果是中介型平台运营方，虽然其不参与到服务的具体执行中，但是也会对交易过程进行评估。平台运营方会从国家政策指引、平台的长期发展、自己的中介费收益等角度来对服务交易做出评价，并且从对自身有利或者对发展有利的角度来引导供需双方做出决策。因此，云平台上服务供需匹配和交易过程的决策是多方共同参与的一个综合结果。

6.1.4 云平台上多主体决策

1）集中决策与分散决策

在制造云服务供需匹配以及供需关系构建的过程中，包括能力匹配和供需双方互选两个阶段。在这个过程中，服务提供方、服务需求方、平台运营方各自做出决策，最终确定交易关系，签订服务合同。

图 6-1 所示的云制造服务供需匹配过程中，包括了“①服务检索与能力匹配”“②选择服务提供方 / 选择服务需求方”和“③最终合作意向确定”三个决策点，

这三个决策点的决策主体是不同的。

对于服务检索与能力匹配，这个过程可以是人工进行，也可以自动化进行。如果是人工进行，则服务需求方自己在平台的服务池中进行检索匹配，包括对自己需求的分解等工作都可以由自己完成。云平台在这个过程中可以提供一些辅助工具，如检索工具等。匹配的决策仍是由需求方来完成。如果能力匹配是自动化进行，则云平台通过自动化匹配工具对需求方的服务需求进行读取和分析，然后完成匹配，这个过程可能需要对需求进行分解并且进行匹配计算，整个过程是由云平台来完成，最终反馈给需求方一个服务候选集。同时，也会给服务提供方一个任务的候选集（如果任务 - 服务是多对多的话，双方都会有候选集；如果是多对一或者一对多，则一方有候选集；如果是一对一情况，则双方都没有候选集）。

本章后续内容，将着重讨论在供需能力匹配形成候选集后，供需双方以及平台方如何进行交易决策，即服务优选过程的决策。在这个过程中，从图6-1可见，“②”包括供需双方分别做出的决策内容：选择服务提供方是服务需求方需要做的一个决策，选择服务需求方是服务提供方需要做的一个决策。在这个过程之前或过程中，云平台可能也会在自己的服务推荐、交易收费等方面有自己的决策。这个过程是三方各自独立决策，而不是由一方来单独完成这个决策，具有分散决策的特点。

分散决策是指各个决策主体每次决策均从自身出发，寻求自身利益最大化。每个决策的主体来自不同的企业或组织，或者一个分布式组织的不同部门，相互之间交互的信息是有限的，这样就造成各方在决策过程中，信息是不对称的。有些决策主体拥有更多的信息，有些主体信息较少。例如，对于某设备资源的加工能力，虽然通过虚拟化标准描述和服务化封装，服务需求方可以知道该资源加工能力的表述，但是，实际设备是否能稳定达到这个加工能力，是否存在不确定因素会影响这个加工能力（如设备是否被超限使用过），服务提供方不会将这些信息告知服务需求方，所以服务需求方在服务选择中就会存在信息的不对称情况。关于信息不对称会在下一部分内容中详细介绍。

分散决策具有自主性、独立性、鲁棒性和可拓展性等优点，能够快速针对决策情景的动态变化产生自主决策并将决策利益与个体最大利益目标相挂钩。但决策总体效果受各主体决策能力限制，且决策时缺少整体视图，有时候会出现因为各方追求自己的个体利益从而导致整体利益下降的情况。这个时候平台运营方（管理方）出于政策合规和平台长期发展的需求，可以设计一些交易方式或者交易规则，引导供需双方在决策时能兼顾到整体利益。这就是平台的机制设计，在后面会详细介绍。

分散决策过程中，各主体在决策过程中除了要考虑自己的收益外，还需要考虑对手的收益和策略，这就构成了一个博弈关系。因此，用博弈理论和方法来求解云制造平台上的分散决策问题成为当前研究和应用的一个重点。本章的后续内容也是基于博弈方法来进行介绍。

2）供需匹配中的信息不对称

信息不对称（Asymmetric Information）指信息在相互对应的经济个体之间呈不均匀、不对称的分布状态，即有些人对关于某些事情的信息比另外一些人掌握得多一些。信息不对称的产生既有主观方面的原因，也有客观方面的原因。主观方面，由于不同的经济个体获得的信息不同，而不同信息的获取又与他们各自获取信息的能力有关，即信息不对称产生的主观原因是不同的经济个体获取信息能力的不对称性。客观方面，经济个体获取信息的多少与多种社会因素有关，其中社会劳动分工和专业化是最为重要的社会因素，随着社会分工的发展和专业化程度的提高，行业专业人员与非专业人员之间的信息差别越来越大，社会成员之间的信息分布将越来越不对称。因此，信息不对称是客观存在的。

信息不对称会带来市场的失灵。一个经典的例子是阿克尔罗夫提出的二手汽车“柠檬市场”现象，由于二手车的卖家比买家拥有对所交易汽车更多的信息，而买家总是习惯性低估二手车的价值，这样买家的出价就会比卖家的估价低，高质量车主因报价低于真实价值而退出交易，随着高质量车退出，最终导致二手车市场上都是低质量的低价车。这种现象称为“逆向选择”，即不同质量的产品以单一价格出售，因为商品的购买者或者出售者在交易商品时不能明确知道有关商品的全部信息，结果导致市场上有太多的低质量的产品而没有高质量的产品销售[1]。

逆向选择是发生在交易前的信息不对称情形，如果是在交易（签订交易合同）后的信息不对称，往往会造成“道德风险”。例如，车主在签订汽车保险合同后，由于投保人感觉自己已经有保险公司保护了，因此在开车过程中不再谨慎驾驶，导致汽车多次损坏，让保险公司赔偿。这就是由于车主投保后，其在开车过程中所掌握的信息比保险公司多，从而产生了信息不对称的情况。

市场供需匹配中的信息不对称是指在交易过程中，供给方和需求方对交易相关的信息掌握不对等的情况。具体表现如下[2]：

① 产品质量信息不对称：供给方通常比需求方更了解产品的质量和性能。例如，二手车市场，卖家清楚车辆的真实状况，买家只能通过有限的外观和测试了解车辆情况；产品需求方对产品的质量和性能缺乏足够的信息，只能依赖卖家的描述或有限的测试了解产品情况。这种信息差异使得买家难以做出最佳购买决策。

② 价格信息不对称：供给方通常更了解市场价格的波动和趋势。例如，房地产市场，卖家比买家更清楚房价的变动趋势和区域发展前景。需求方对市场价格和趋势了解不足，可能因信息不对称而支付过高或过低的价格，影响交易公平

性和市场效率。

③ 交易对手信息不对称：供给方不清楚需求方的支付能力和信誉情况。例如，在贷款市场，借贷机构不了解借款人的真实财务状况和信用风险，需求方不了解供给方的信用评估标准和利率政策，导致借贷双方信息不对称，引发信用风险和道德风险。

云制造服务具有生命周期长、多方协作、资源多样性、知识密集性、功能复杂性等鲜明特征。当前有关云制造平台运营的研究多沿袭了面向服务的架构下的集权化运作模式，服务平台方完全掌控供需渠道，供需双方则被动服从于调度分派，这种集中决策模式易于导致收益分配的极端化，不利于云制造平台整体生态的发展。制造云服务的供需匹配是需求方、提供方分散决策的结果。云制造中供需双方在服务交易过程中都有不公开的私有信息，形成匹配过程的双边信息不对称，无法直接建立完全信息博弈模型，影响了供需匹配效率及稳定性。依托云制造服务平台进行的制造云服务交易具有典型的双边市场特征，平台运营方起到云制造服务匹配和执行过程的管控作用，通过有效的机制设计和契约设计，能消除信息不对称带来的供需失配和服务失调的影响。

3）云平台上的市场机制设计

买方和卖方的互动形成市场，市场是买方和卖方的集合，通过双方实际或潜在的互动来决定一种或一系列商品的价格[1]。市场也包含了商品和服务交换或交易的制度[3]，这种制度可以称为市场机制。云平台上进行的供需匹配和服务交易，通过平台上交易规则的制定，形成自己的市场机制，这也是数字经济的特点。

一般认为，市场机制是自然演化的，例如，价格是由供给和需求两条曲线相交的点确定的，也是市场出清时形成的。但是，数字经济和传统经济的最大不同在于数字经济的市场机制依靠大量的人为设计而不是自然演化。这里的人为设计和计划经济也不同，需要考虑市场参与者的自发行为，设计各种机制来提高市场效率和社会效益，同时保障所有市场参与者的基本权益，因此，需要考虑所有利益关联者的行为和策略。

相对于传统经济，数字经济的最大特点就是基于博弈的各种机制设计。数字经济连接力强、穿透力大、交易速度快，这完全不同于传统经济中交易活动的慢决策，其中博弈问题更具有挑战性。数字经济的“经济基础”是信息技术，其“上层建筑”则是博弈论[4]。

根据云平台上的交易特点，可以应用的市场机制设计方法包括以下几种。

① 为了解决供需之间的信息不对称问题，可以基于契约理论（合同理论），构建委托 - 代理模型，通过各类契约来消除委托人和代理人之间的信息不对称；同时，也可以利用机制设计理论，构建平台机制，通过激励相容机制让参与者

"说真话"，消除信息不对称。

② 针对稀缺资源的分配，或者某个加工任务的招投标场景，可以采用拍卖机制。拍卖是机制设计理论的一个具体实施，即属于间接机制设计问题。通过有效的拍卖机制设计，可以实现激励相容和参与约束。

③ 针对序数效用场景，可以采用匹配博弈的方法。序数效用是指用户无法量化某个方案带来的效用，只能在不同方案间表达偏好倾向。比如，用户感觉方案 A 比方案 B 好，方案 C 又比方案 A 好，这样对该用户来说就是方案 C ⩾ 方案 A ⩾ 方案 B，其中 ⩾ 表示偏好，但是每个方案又没有一个具体的效用量化值。因此，可以说在这个场景下，方案给用户带来的效用是序数效用。

和序数效用对应的是基数效用，基数效用是可以量化的效用，比如，某个物品 A 给用户带来 100 元的效用，另外一个物品 B 给用户带来 50 元的效用，则用户会用 90 元去交换物品 A，但是用户不会拿 90 元去交换物品 B（因为在该用户看来物品 B 只值 50 元）。由于拍卖场景涉及出价，因此只有基数效用才有一定的价格数值，可以用于拍卖场景。

拍卖和匹配，属于市场机制设计的两种主要方法 [3]，后面第 6.3 节会对其进行详细介绍。在这之前，先介绍一下博弈论和机制设计的一些基本概念。

6.2 博弈论与机制设计的基本概念

6.2.1 经典博弈理论与演化博弈

1）博弈理论

博弈论（Game Theory），又称对策论，既是现代数学的一个新分支，也是运筹学的一个重要学科。其主要研究公式化了的激励结构间的相互作用，是研究具有斗争或竞争性质现象的数学理论和方法，目前也广泛用于军事、政治、经济、制造等领域。

博弈模型涉及如下一些基本的要素。

① 参与者（Player）：在一场竞赛或博弈中，每一个有决策权的主体为参与者，或者叫博弈者。参与者通过自己的选择（决策）来让自己获得最大的收益，同时也会考虑、影响其他参与者的选择（决策）。只有两个参与者的博弈称为"两人博弈"，而多于两个参与者的博弈称为"多人博弈"。

② 行动（Action）：行动是参与者在某个选择时刻（决策点）的选择（决策）结果。每个参与者在决策点上，从一个行动集（一般表示为 $A_i=\{a_{i1},a_{i2},\cdots,a_{in}\}$）中选择一个行动作为自己选择（决策）结果。不同参与者的行动顺序会影响到博弈的结果。

③ 信息（Information）：信息是参与者有关博弈的相关知识，包括参与者的类型（会影响到参与者的策略选择）、参与者的行动（例如，后决策的参与者观察到了前决策的参与者的行动）、“自然”的选择（某些客观的信息，例如，市场需求是旺盛还是萎缩）等。

在博弈论中，有完美信息（Perfect Information）和非完美信息（Imperfect Information）、完全信息（Complete Information）和不完全信息（Incomplete Information）的区别。两者是不同的：完美是指参与者对其他参与者的行动选择有充分的了解，例如，后决策的博弈者能知道前决策博弈者的行动；不完美是指不知道，例如，两个同时博弈的博弈者不知道对方的选择，就是不完美信息。完全信息是指“自然”的选择被所有参与者所知道，否则就是不完全信息。

博弈中的信息还有一个概念——共同知识（Common Knowledge），就是“所有人都知道、所有人都知道所有人都知道、所有人都知道所有人都知道所有人都知道……”的信息。在经典博弈中，共同知识是一个比较强的假定，在实际博弈中，参与者可能不知道一些信息，这个时候就需要通过演化博弈或博弈学习方法来得到这些信息。

④ 策略（Strategy）：策略是参与者在决策点时，根据所拥有的信息，选择某个行动的决策规则。策略和行动是不同的概念，行动是策略的结果，策略是选择行动的依据。例如，策略是“人不犯我，我不犯人；人若犯我，我必犯人”，而这个策略的行动是｛犯人，不犯人｝，该策略的行动选择取决于“人犯我”或“人不犯我”的信息输入，根据这个策略，得到行动结果。

如果在一局博弈中参与者都有有限个策略，则称为“有限博弈”，否则称为“无限博弈”。

⑤ 收益（Payoff）：在特定的策略或策略组合下，参与者得到的效用或者期望效用，称为收益，也称为支付。收益为正，则得到正效用（Utility）；收益为负，可以看作是支出。在两人零和博弈中，一个人的支出等于另外一个人的收入，两个人的收益相加为零。

每个参与者的收益，不仅与参与者自身所选择的策略有关，而且与其他参与者所选定的策略有关。所以，每个参与者的收益是所有参与者策略的一个函数，通常称为支付函数。

⑥ 均衡（Equilibrium）：多个参与者在经过多次博弈后，达到一种均衡状态，

通常称之为“纳什均衡”状态，表示各个参与者的最优策略组合。纳什均衡表示一种稳定的博弈结果，在所有的策略组合中，博弈的参与者会遇到一种情况——在其他参与者策略不变的情况下，此时自己的某个策略选择是最优的。也就是说，如果其改变策略，则其收益将会降低。在纳什均衡点上，任意一个理性的博弈方都不会选择独自改变自身的策略。

在博弈过程中假设：决策主体（即参与者）是理性的，会最大化自己的利益；完全理性是共同知识；每个参与者被假定为对所处环境及其他参与者的行为形成正确信念与预期。

博弈根据不同的基准有不同的分类。

① 按博弈后的总收益，可分为正和、零和、负和博弈。总收益为正即为正和博弈，博弈的参与方总体收益均为正，且长期而言各方的期望值为正；零和博弈总收益为零，好比两人赌博，胜方赢的数目即败方输的数目；负和博弈，也就是总收益为负，且每个参与方的长期期望为负。

② 按照博弈先后，可分为静态博弈和动态博弈。静态博弈指参与者同时开始和完成策略选择，或者虽然先后进行决策，但后参与者并不清楚前参与者采取的行动。静态博弈的参与者所获得的利润取决于其采取的策略。动态博弈指的是博弈方按先后顺序分别做出决策，后参与者可以知悉前参与者选择的策略并进行自身策略选择。

③ 按照参与人对其他参与人的了解程度，可分为完全信息博弈和不完全信息博弈。完全信息博弈是指，在博弈过程中，每一位参与人对其他参与人的特征、策略空间及收益函数有准确的信息。不完全信息博弈是指，在参与人对其他参与人的特征、策略空间及收益函数信息了解得不够准确，或者不是对所有参与人的特征、策略空间及收益函数都有准确的信息的情况下进行的博弈。

④ 按照是否存在约束性协议，可分为合作博弈和非合作博弈。合作博弈和非合作博弈的区别在于相互发生作用的当事人之间有没有一个具有约束力的协议，如果有，就是合作博弈；如果没有，就是非合作博弈。

非合作博弈又分为：完全信息静态博弈、完全信息动态博弈、不完全信息静态博弈、不完全信息动态博弈。与上述四种博弈相对应的均衡概念为：纳什均衡（Nash Equilibrium）、子博弈精炼纳什均衡（Subgame Perfect Nash Equilibrium）、贝叶斯纳什均衡（Bayesian Nash Equilibrium）、精炼贝叶斯均衡（Perfect Bayesian Equilibrium）。非合作博弈分类和均衡关系见表 6-4。

完全信息静态博弈是指所有博弈方对各方的收益都了解，并且各博弈方同时做决策。典型的完全信息静态博弈模型有囚徒困境、田忌赛马、古诺产量模型等。完全信息静态博弈是非合作博弈最基本的类型。

表 6-4　非合作博弈的分类及对应的均衡概念

信息	行动顺序	
	静态	动态
完全信息	完全信息静态博弈 纳什均衡	完全信息动态博弈 子博弈精炼纳什均衡
不完全信息	不完全信息静态博弈 贝叶斯纳什均衡	不完全信息动态博弈 精炼贝叶斯均衡

不完全信息静态博弈是指至少有一个博弈方不完全清楚其他某些博弈方的收益，也叫静态贝叶斯博弈，如密封拍卖、不完全信息的古诺模型等。收益信息不充分和博弈进程信息不充分是不同的，因此不完全信息博弈与不完美信息博弈的表示和分析方法是不同的。但不完全信息与不完美信息也有很强的内在联系，可通过一定的方式统一起来。

完全信息动态博弈是指博弈中信息是充分的，即博弈方都对其他参与人的策略空间和收益有完全的了解，但行动是有先后顺序的，后行动者可以观察到前者的行动，了解前者行动的所有信息，而且一般都会持续一个较长时期。与完全信息静态博弈中博弈者同时采取行动不同，在完全信息动态博弈中，博弈参与者的行动存在先后顺序。但从信息角度上，完全信息动态博弈与完全信息静态博弈类似，博弈者对博弈结构、博弈顺序、双方收益等信息完全了解。完全信息动态博弈可以用博弈树形象表示。

不完全信息动态博弈，也叫动态贝叶斯博弈。博弈者的行动有先后顺序，且后行动者能够观察到先行动者所选择的行动；但每个博弈者对其他所有参与人的特征、策略空间及支付函数并没有确定的认识，只能在一个概率空间内进行估计。而博弈过程中对手的行动或者发出的信号，会改变博弈者的这个估计，从而会改变策略选择。

同非合作博弈相比，合作博弈是一种参与者能够联合达成一个具有约束力且可强制执行的协议的博弈类型。合作博弈强调的是集体理性。联盟和分配是合作博弈中最重要的概念。合作博弈形成条件：联盟的整体收益大于每个个体单独经营收益之和；每个参与者都能获得比不加入联盟更高的收益。合作博弈的核心问题是参与人如何组建联盟以及如何重新分配联盟的支付。美国运筹学家夏普利（Shapley）提出了夏普利值（Shapley Value），用于解决合作博弈中的公平分配问题。在一个合作博弈中，满足帕累托标准的联盟结构称为博弈的一个有效解，所有有效解的集合称为该博弈的解集。但是解集并不都是稳定的，如果一个联盟结构能使所有参与者都不能从联盟重组中获益，那么这个联盟结构就是这个合作博弈的核。

2）演化博弈

尽管博弈论在过去几十年取得了较大的发展，但其在发展过程中逐渐暴露出一些问题。传统的经典博弈论假设个体具有完全理性，这一假设无论是在实践上，还是在理论分析上，都存在很大的局限性，具体表现如下：

① 完全理性不仅要求博弈者准确地了解自身的偏好，以追求自身的利益最大化为目标，具备在博弈环境中做出最大化自身利益的决策的能力，还要求博弈者在博弈环境中对博弈过程具有完美的判断和预测能力。此外，该假设不仅要求博弈者具有完全的理性，还要求他们在博弈环境中做出决策时信任对方的理性。这种对理性的要求程度远远高于实际的博弈环境假设，在现实中往往是不存在的。

② 传统博弈论虽然给出博弈者完全理性严格的假设条件，但是并没有明确地告诉博弈者如何在其他博弈者策略不明的情况下去选择策略。很多文献中都未从正面界定这一概念，比如：完全理性的博弈人不会选择被严格占优策略。这种处理方法使得在稍微复杂的博弈模型结构中，纳什均衡的分析和求解都比较困难。

③ 在完全理性的假设下，纳什均衡描述的是博弈者在博弈环境中经过理性预测判断后最终形成的结果，对纳什均衡的形成过程缺乏动态的描述。在现实博弈过程中，一般博弈者在博弈开始时并不处于均衡状态，也不是一步就直接得到了纳什均衡的结果，这时博弈过程的纳什均衡描述的是博弈者根据其他博弈者的策略不断调整自身的策略并最终达到平衡的一个动态过程。传统的博弈理论无法描述纳什均衡动态调整的实现过程，也无法给出博弈过程是如何趋向纳什均衡的解释。

④ 在完全理性的假设下，由于缺乏对纳什均衡形成的动态过程的描述，因此对于具有多个纳什均衡的博弈，博弈者在一次博弈中无法预测对手的策略。

而演化博弈论方法的提出为研究有限理性状态下的博弈互动过程提供了有效工具。其基本思想是：如果一个群体选择的策略能够抵抗任意小的突变群体的侵入，那么该选择策略必然具备比突变群体更高的适应度。随着时间的推移，突变群体将逐渐会从原群体中消失，此时原群体所选择的策略就是演化稳定策略（Evolutionary Stable Strategy, ESS）。当系统选择演化稳定策略时，其所处的状态即演化稳定状态，此时形成的均衡就是演化稳定均衡。

演化稳定策略的数学定义如下。

定义 1：如果 $\forall\mu \in S$，$\mu \neq v$，存在一个 $\varepsilon_\mu \in (0,1)$，使得不等式

$$U[v,\varepsilon\mu+(1-\varepsilon)v] > U[\mu,\varepsilon\mu+(1-\varepsilon)v] \tag{6-5}$$

对任意 $\varepsilon\in(0,\varepsilon_\mu)$ 都成立。其中，S 为策略集；μ 为突变策略；v 为稳定策略；ε_μ 表示与突变策略 μ 相关的常数，称为侵入界限；$\varepsilon\mu+(1-\varepsilon)v$ 表示演化稳定策略与

突变策略按比例组合而成的混合策略；$U(v,\mu)$ 为策略 v 和策略 μ 相遇时策略 v 的适应度函数。

演化稳定策略的等价表示形式如下。

定义 2：设 $\mathfrak{R}^m$ 为 m 维的混合策略集合，$s^* \in \mathfrak{R}^m$ 为某个策略，如果对于任意的 $s \in \mathfrak{R}^m$，$s \neq s^*$，有

$$U(s^*, s^*) \geqslant U(s, s^*) \tag{6-6}$$

并且，当上式等号成立时，有

$$U(s^*, s) \geqslant U(s, s) \tag{6-7}$$

那么，称 s^* 为演化稳定策略。

基于微分方程的演化动态中最著名的是复制动态模型，此模型用微分方程（或方程组）来描述群体策略的演化，在数学上具有很好的解析性质。设群体采用 A 策略的个体所占比例为 x，则采用非 A 策略的个体的占比为 $1-x$。可得 A 策略比例 x 的复制动态方程为

$$\frac{\mathrm{d}x}{\mathrm{d}t} = x(U_{\mathrm{A}} - \bar{U}) = x(1-x)(U_{\mathrm{A}} - U_{\bar{\mathrm{A}}}) \tag{6-8}$$

式中，U_{A} 为采用 A 策略的收益；$U_{\bar{\mathrm{A}}}$ 为采用非 A 策略的收益，$\bar{U}$ 为 A 策略和非 A 策略的期望收益。

在传统博弈论框架下所进行的博弈分析，其关键就是求解所构造博弈的纳什均衡。类似的，在演化博弈的框架下，分析各参与方的互动过程，关键就是求解构造多方博弈策略的演化稳定策略，它是进行预测的依据。在实际分析时，主要用于基于微分方程的学习模型均衡的稳定性分析。

6.2.2 机制设计与合同理论

1）机制设计

博弈是博弈参与者在一定的博弈交互规则下进行各自策略选择的过程，而机制设计可以视为博弈的逆向工程 [5]。在博弈论中，“机制设计”是一个专业术语，指对博弈规则的设计，目的是实现博弈某一方或者整体的特定且合意的结果。机制设计理论是研究在自由选择、自愿交换、信息不完全及决策分散化的条件下，能否设计一套机制来达到既定目标的理论。其核心在于创造满足一定合意目标的制度或规则，以引导在制度中互动的智能体实施策略性行动，并能保留与决策相关的私人信息，从而实现设计者想要的均衡行为。

机制设计理论的核心概念在 20 世纪 60 年代由赫维奇（Hurwicz）首次提出，他将机制定义为一种通信系统，在这个系统中，参与人互相发信息而且很有可能采

取发给信息中心的形式，然后，按照事先制定好的规则对每一轮（接收到的）信息分配一个结果（如商品的分配或者支付的金额等）[5]。1961 年，维克瑞（Vickrey）写了一篇关于第二价格密封拍卖问题的论文，这成为机制设计的一个早期的里程碑。1972 年，赫维奇引入激励相容这个重要概念，让设计者将理性参与人的激励纳入机制设计中，开启了机制设计的新时代。

对博弈规则的选择所产生的激励是机制设计理论的关键所在[6]。对于云制造平台来说，激励可以有两个方面的含义：一是可以让云平台上的所有参与方（提供方、需求方）能按平台所设想的方向来进行决策（比如，“双碳”目标下，让各方都倾向于选择低碳制造策略），这样可以让平台的发展符合其治理目标；二是可以让参与方如实报告其私有信息，以减轻或消除信息不对称。激励的第二个方面的研究工作和合同理论（或者说契约理论）有所关联，但是和合同理论不同，合同理论更多地研究博弈双方的契约签订，而机制设计会面向多个博弈者制定规则。

在博弈过程中，博弈者会有自己的私有信息，这个私有信息可能是自己的决策偏好，或者是自己的类型（比如，积极采取低碳制造方式，或者消极应对低碳制造）。这个偏好或者类型，其他博弈者不会知道，因此，可以看作是博弈者的私有信息或者说类型。在博弈过程中，这个私有信息的存在，会导致博弈结果的无效率，或者会对信息少的一方造成收益损失。在机制设计理论中，直接机制是指让博弈者直接说出自己的私有信息或类型的机制；而间接机制是为每个博弈者提供行动的选择，每个行动对应一个结果，在博弈均衡的时候，每个博弈者选择的行动的结果间接反映了其私有信息或者类型。在机制设计中，有一个重要的理论是显示原理（Revelation Principle），即直接机制在本质上与间接机制是相同的。这样，机制理论学家只需要研究直接机制，而间接机制可以留给现实世界中的机制设计者和参与者来完成。

这里以古董拍卖为例进行说明，古董商（卖家）自己对被拍卖的古董（商品）有一个估值，而每个买家对这个古董也有估值。如果这个商品被估价最高的人拍得，则卖家收益最高，而商品也到了对其估价最大的买家手中，这个分配被认为是最有效率的。但是卖家不会公开其估值，买家也不会告诉别人其对商品的估价，所以，价格信息就是所有参与者的一个私有信息。通过有效的拍卖机制设计，可以通过不断的叫价（就是参与者的一个行动）来揭示不同买家的私有信息（估价），最后，通过某种规则，商品被某个买家拍得（一般是叫价最高的），并且买家支付给卖家一定的费用。这个拍卖规则的设计，就是一个间接机制设计的例子。因为其不会直接让参与者说出自己对商品的估价（私有信息），而是通过其行动来间接反映其私有信息，并且最终分配结果和支付结果能激励参与者如实报告其私有信息。

机制设计有一些基本概念，本书对这些概念给出一些解释性说明。具体的形式化表述可以参考相关书籍，例如参考文献 [4] 和 [5]。

① 激励相容。激励相容（Incentive Compatibility）也称可如实实施的（Truthfully Implementable），是指使参与者在机制下的最优策略为报告自己的真实私有信息。激励相容性分为两种主要类型：占优策略激励相容（Dominant Strategy Incentive Compatibility，DSIC）和贝叶斯激励相容（Bayesian Incentive Compatibility，BIC）。在占优策略激励相容的机制中，无论其他参与者是否披露真实信息，参与者都可以通过报告其真实信息来最大化自己的效用。而在贝叶斯激励相容的机制中，只有当其他参与者都披露真实信息时，报告真实信息才成为参与者的占优策略。如果一个机制是 DSIC 的，那么它也是 BIC 的。

② 事后效率。如果给定机制对每个参与者来说，其结果都是帕累托最优的，那么，这个机制是有事后效率的。

③ 独裁性。如果一个机制对某个类型的参与者来说，其所有结果都是这个类型参与者最欢迎的结果，那么，这个机制对这个类型的参与者来说是独裁的（Dictatorial）。

④ 拟线性环境。很多机制设计研究是在拟线性环境（Quasilinear Environment）下展开的。拟线性环境包括的假设有：效用函数的可加可分和风险中性（效用和货币成线性关系）。拟线性环境下，机制被分成两个部分，一个是配置规则 $\boldsymbol{x}$，另一个是支付规则 $\boldsymbol{p}$。参与者的收益函数可以表示为式（6-9）[7]。

$$u_i(\boldsymbol{b}) = v_i x_i(\boldsymbol{b}) - p_i(\boldsymbol{b}) \tag{6-9}$$

式中，$\boldsymbol{b}$ 表示参与者的出价向量（所有出价者的出价组合）；x 表示配置规则，即确定了商品配置给谁；p 表示支付规则，表示其支付多少；v_i 表示参与者 i 的估值（例如，针对拍卖场景，就是其对竞拍品的私人估值）。$u_i(\boldsymbol{b})$ 表示参与者 i 的收益；$x_i(\boldsymbol{b})$ 表示在出价向量 $\boldsymbol{b}$ 下的分配结果，如果分配给 i，则 $x_i(\boldsymbol{b})=1$，否则为 0；$p_i(\boldsymbol{b})$ 表示在出价向量 $\boldsymbol{b}$ 下的参与者 i 的支付（例如，针对拍卖场景，就是拍下物品后需要支付的费用），$p_i(\boldsymbol{b}) \in [0, b_i x_i(\boldsymbol{b})]$。

⑤ 配置效率。在拟线性环境下，如果某机制的分配结果是使商品配置给对其估价最高的参与者，这样整体配置结果使得有限商品在所有智能体中的价值之和最大，则称这个机制是有配置效率的（Allocative Efficiency）。

⑥ 预算平衡。在拟线性环境下，如果式（6-9）中支付函数 p 满足式（6-10），则称其是预算平衡的（Budget Balanced）。

$$\sum_{i \in N} p_i(b) = 0 \tag{6-10}$$

上述公式中的定义是严格预算平衡，在这种情况下，机制所制定的支付规则中所有货币转移之和等于 0，各个参与者支出的等于其他参与者得到的。这样的机制是可以独立运行的（自负盈亏）。

如果 $\sum_{i \in N} p_i(b) \leqslant 0$，则是弱预算平衡。这种情况下会有盈余，而这个盈余可以由运营该机制的市场主体（如云平台）来获取。这种机制也是可以运行的。

如果预算不平衡，参与者的付出小于其他参与者的收入，系统出现亏损，则此时这个机制在没有外来的额外支付输入的情况下，是不能运行的。这是在机制设计的时候需要避免的。但是在某些情况，例如，政府为了鼓励某项工作（如绿色制造），额外提供补贴来弥补这个亏损，则云平台还是可以运行该机制。

在机制设计相关理论近几十年的发展中，出现了很多有效的激励机制，如格罗夫斯机制（Groves Mechanism，这是 VCG 机制类中最具一般性的机制）、克拉克机制（Clarke Mechanism，也称关键人机制）、维克瑞机制（Vickrey Mechanism，是克拉克机制的一种特殊形式）、VCG 机制（Vickrey-Clarke-Groves Mechanisms，是限制在拟线性环境下被广泛研究的伴随货币的机制）、dAGVA 机制（d'Aspremont, Gérard-Varet, and Arrow Mechanisms）。其中较为成熟的机制是 VCG 机制和 dAGVA 机制。

VCG 机制的全称是 Vickery-Clarke-Groves（维克瑞 - 克拉克 - 格罗夫斯）机制，在任何一个机制设计的环境里，都有一个优势策略激励相容的福利最大化机制。设计这样一个机制分为两步。第一步，假定机制是 DSIC 的，大家都如实报价，设计一个分配规则去使福利 $\sum_{i=1}^{n} x_i v_i$ 最大化。第二步，在得到分配规则之后，设计一个支付规则使机制是 DSIC 的。

VCG 机制为社会计划者在设计机制的过程中提供了直观的视角，有着合意的经济性质，受到了广泛的研究。VCG 机制满足激励相容和个体理性的条件，并且在所有满足激励相容且个体理性的机制中，VCG 机制使得每个参与者的期望效用最大化。VCG 机制在拟线性环境下，可以实现配置效率和优势策略激励相容，而它不能实现预算平衡。为同时满足配置效率和预算平衡，将优势策略激励相容放松为贝叶斯激励相容，就可以得到 dAGVA 机制。dAGVA 机制也叫 AGV 机制，由 d'Aspremont 和 Gérard-Varet 首先提出，可以解决多代理人信息不对称问题，实现预算平衡下的最优配置，它满足贝叶斯激励相容、预算平衡和配置效率。

2）合同理论

由于不同的决策主体对信息的掌握程度不同，在决策或博弈过程中就形成了信息不对称场景。信息不对称理论产生于 20 世纪 70 年代，主要研究信息不对称环境中双方因信息差异而达成的社会契约，即双方如何实现均衡的问题。较为理想的均衡契约必须同时满足参与约束条件和激励相容条件，因此均衡问题就转化为激励机制的设计问题。信息不对称理论的研究基础是信息不对称条件下市场参与者之间的经济关系，主要内容是探讨市场参与者之间由于信息不对称而采取的行动，即掌握信息较少的一方如何利用激励手段来缓解或消除由于另一方信息优势对自己造成的影响。

解决信息不对称的一个重要模型是委托 - 代理模型。其中，委托人（Principal）是指拥有信息少的一方，只具有粗糙信息分割的参与人；而代理人（Agent）是指拥有信息多的一方，具有更细信息分割的参与人。代理人拥有私有信息，或者说具有某种类型，而委托人不知道这个私有信息或者代理人的类型。为了保障自己的利益，委托人会建立一个（或多个）合同（契约），代理人可以选择接受或拒绝合同（契约）。通过合同，委托人可以了解到代理人的私有信息（或者类型），这样就可以解决信息不对称问题。

委托 - 代理模型的基本问题就是由不对称信息和不完全信息引起的激励约束问题。委托人面临着来自代理人的两个约束条件：第一个约束条件是代理人的激励相容约束，即任何委托人所期望的代理人行为只有通过代理人的行为效用最大化来实现；第二个约束条件是代理人从接受契约中得到的预期效用不能小于不接受契约时得到的预期效用。

在模型化表示中，用 A 表示代理人所有可选择的行动组合，$a \in A$ 表示代理人的一个特定行动（私有信息）。θ 是外生的连续随机变量，$\theta \in \Theta$，θ 的概率分布函数和概率密度函数分别为 $G(\theta)$ 和 $g(\theta)$。在代理人选择行动 a 后，外生变量 θ 实现，a 和 θ 共同决定一个可观测结果 $x(a, \theta)$ 和收入 $\pi(a, \theta)$。委托人的问题是设计一个激励合同 $s(x)$，根据观测结果 x 对代理人进行奖惩。委托人和代理人的期望效用函数分别为 $v(\pi-s(x))$ 和 $u(s(\pi)-c(a))$，其中 $c(a)$ 是代理人实施行动 a 的成本。假定分布函数 $G(\theta)$，可观测结果 $x(a, \theta)$ 和 $\pi(a, \theta)$ 以及效用函数为共同知识，a 和 θ 不可观测。于是委托人的期望效用函数为：

$$\text{(P)} \quad \int v(\pi(a,\theta)-s(x(a,\theta)))g(\theta)\mathrm{d}\theta \tag{6-11}$$

委托人的问题是选择 a 和 $s(x)$ 最大化期望效用函数。该优化目标受到代理人的两个约束：一方面代理人当接受该合同时获得的期望效用不能小于不接受合同时能得到的最大期望效用（$\bar{u}$），即参与约束，也叫个人理性约束（Individual Rationality Constraint, IR）：

$$\text{(IR)} \quad \int u\Big(s\big(x(a,\theta)\big)\Big)g(\theta)\mathrm{d}\theta - c(a) \geqslant \bar{u} \tag{6-12}$$

另一方面，委托人需要保证代理人按照自己的期望来行动，也就是说当代理人按照委托人的期望行动时获得更高的期望效用，即激励相容约束（Incentive

Compatibility Constraint, IC）：

$$(\text{IC})\quad \int u\Big(s\big(x(a,\theta)\big)\Big)g(\theta)\mathrm{d}\theta - c(a) \geqslant \int u\Big(s\big(x(a',\theta)\big)\Big)g(\theta)\mathrm{d}\theta - c(a'), \forall a' \in A \tag{6-13}$$

式（6-13）表示代理人说真话所得到的收益大于其说谎得到的收益，这样就能保证理性的代理人能真实表达出其私有信息。

所以，委托代理模型所解决的是一个以最大化委托人期望效用函数，同时满足个人理性约束和激励相容约束的非线性约束规划问题。

此外，在委托代理关系中，代理人由于占有更多的信息优势而可以从市场中额外获得收益。在委托代理关系中，代理人凭借其掌握的信息优势从委托人处获得的额外利益定义为信息租金。

合同理论（Contract Theory）也叫契约理论，是一门以合同（契约）为核心，以博弈论为方法，研究激励、信息和经济制度的理论[8]。合同理论包括激励理论、不完全合同理论和新制度交易成本理论，其中激励理论是在委托 - 代理理论（完全合同理论）基础上发展起来的。

合同是对缔约者预期行为的具体描述，是交易关系中不可或缺的一个组成部分。解决缔约过程中的信息不对称问题是合同理论的主要工作。按照分析方法，合同理论大致分为研究完全合同的合同理论和研究不完全合同的合同理论。完全合同以机制设计为特色，它不会在签订后进行修改，因为在合同的最初设计中已经将可能发生的修改考虑了进去。而不完全合同发生在责任、义务不完全，或者无法充分缔结状态依赖时，这是因为在合同签订时很难预测未来发生的各种情况，或是在达成协议与合同执行方面存在困难。

6.3

云平台上的供需交易设计

根据前面的讨论，云平台上制造云服务供需匹配的交易决策过程，其实是一个资源优化配置过程。如果交易过程中，供需双方是“一对多”“多对一”或者“多对多”的情形，就需要利用某种算法实现优化决策。这个决策是由服务提供方和服务需求方做出的，但是，云平台可以构建某种机制让供需双方更好地做出决策。一个例子就是云平台设计某种激励相容的机制，可以让供需双方在参与互动的时候“说真话”，减少信息不对称。

如果在决策过程中，各方对自己的收益可以形成明确的数值表达，也就是可以明确定义“基数效用”，在“一对多”或“多对多”的场合，拍卖是一个有效的机制。如果只是某种偏好，不能形成有效的收益表达式，则针对“序数效用”可以采用双边匹配的方法在“多对多”的情形下形成最终的供需匹配结果。下面简单介绍这两种方法。

6.3.1 双边匹配

1）双边匹配基本概念

匹配理论（也称为匹配博弈）从男女婚姻、雇员和雇主、实习生和医院等匹配现象出发，分析其内在运作机制。双边匹配理论是匹配理论的核心，也是博弈理论的一个重要分支。美国学者盖尔（Gale）和夏普利（Shapley）在 1962 年提出婚姻匹配和学生入学匹配的决策问题，这是双边匹配决策思想的萌芽。罗斯（Roth）在 1985 年首次提出了双边匹配的概念，“双边”强调市场中的参与者属于两个不相交的集合，“匹配”强调了市场交换的双边性质，双方都具有稳定性偏好。双边匹配理论就是研究不相交且具有稳定性偏好双方的匹配过程。在双边匹配中，供需双方有一个预定的偏好排序或满意度指标体系，通过最大化双方的满意度获取最优化的结果。

双边匹配过程如图 6-6 所示，双边匹配决策中参与双方可表示为 A 方和 B 方，A 方集合中有 n 个个体，可表示为 $A=\{A_1, A_2, A_3, \cdots, A_n\}$。$B$ 方集合中有 m 个个体，可表示为 $B=\{B_1, B_2, B_3, \cdots, B_m\}$。$A$ 中的个体 A_i 根据自己的偏好信息对 B 中的所有个体进行评价，B 中的个体 B_j 根据自己的偏好信息对 A 中的所有个体进行评价。然后通过双边匹配算法，以 A 方和 B 方满意度最大为目标，获得集合 A 和集合 B 的最优匹配方案。

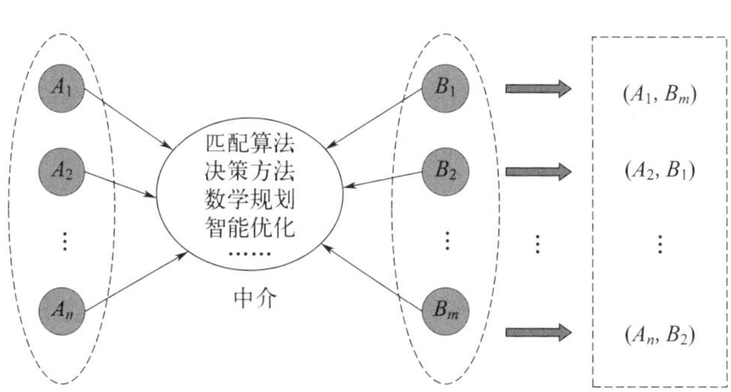

图 6-6　双边匹配过程

双边匹配决策常用的方法有：

① 双边匹配算法，如解决男女婚配问题的盖尔 - 夏普利（Gale-Shapley）匹配算法，解决医院和实习生问题的医院 - 实习生（Hospital-Resident）匹配算法，针对单向选择情境的首位交易循环（Top-Trading Cycles，TTC）算法、基数匹配算法和权匹配算法等。

② 数学规划法，如线性规划、非线性规划、多目标规划、随机规划、动态规划等。

③ 多指标决策方法，如层次分析法、熵权法、模糊层次分析法、决策树算法等。

④ 智能优化方法，如粒子群优化算法、蚁群算法。

双边匹配中的一些重要概念包括：

① 稳定匹配。匹配的稳定性，是指无法通过再分配或者继续交易来改进给定结果。

② 最优配置。如果某个稳定匹配结果，对匹配方来说，至少和其他任何稳定匹配结果一样好，则这个结果对其来说是最优的。

③ 激励相容配置。如果一个稳定匹配，每个匹配方如实报告其真实偏好是最优反应，那么这个匹配就是激励相容的，并且也是防策略的。

目前，部分学者在双边匹配模型中引入一些行为经济学理论刻画匹配主体的心理行为，如前景理论、失望理论、后悔理论。双边匹配理论应用到云制造资源供需博弈过程中，需构建供需双方的评价指标以计算供需双方的满意度。

2）基于双边匹配方法的供需匹配模型

在云制造服务的供需匹配中，如果采用双边匹配的方法，则基本步骤如下。

步骤 1：供需双方根据自己对潜在交易方的评估，构建一份偏好列表，提交给云平台；

步骤 2：云平台收到偏好列表，运行某种双边匹配机制，进行匹配；

步骤 3：给出匹配结果。

双边匹配有很多成熟的机制（算法）。下面介绍一个最早提出的用于婚姻匹配的“延迟接受算法”。该算法的基本步骤如下。

步骤 1：供需双方都构建一个偏好列表，表示和对方进行交易后的一个结果评价。将最满意的交易方列在最前面，后面依次排序。可以把自己也列入该列表中，和自己“匹配”意味着不进行交易，排在自己后面的交易对方是不会交易的（因为交易还不如不交易）。

步骤 2：需求方根据自己的偏好列表，向最偏好的供应方发出交易要约。供应方从所有向其发送要约的需求方中，选择在自己偏好列表中最靠前的（自己最偏好的），作为备选方；同时拒绝其他要约（如果有多个要约的话）。

步骤 3：如果需求方有被拒绝而没有匹配到供应方的，则从自己的偏好列表中选择下一个偏好供应方，再向其发送交易要约。供应方收到新的需求方要约后，如果新的要约需求方比自己原来的备选方更好（在偏好列表中更靠前），则拒绝原来的备选方，采纳新的需求方作为备选方，并拒绝其他要约；如果新要约需求方不比原来的备选方更好，则拒绝新要约。

步骤 4：重复步骤 3，直到所有需求方都没有收到拒绝要约。算法停止，需求方和供应方当前的要约备选列表就作为最终方案。

前面所述的算法，是需求方向供应方提出要约，所以是一个“需求主动”的延迟接受算法。如果是供应方向需求方提出要约，则是“供方主动”的延迟接受算法。延迟接受算法对于提出要约的一方来说是防策略的。

3）基于多目标优化的算法

设制造服务集为 $S=\{S_1, S_2, \cdots, S_j, \cdots, S_n\}$，$j=1,2,\cdots,n$，$S_j$ 表示第 j 个制造服务。服务提供方的描述包括静态信息和动态信息，静态信息不会随服务需求方和服务提供方交易的次数和时间而发生变化，而动态信息是随服务执行任务进行动态补充与更新，比如服务能力。

假设有 d 个服务需求方和 s 个服务提供方参与服务双边匹配，由于供需双方存在差异，服务需求方和服务提供方对需求和服务的指标有不同的偏好，因此构建供需双方的指标偏好矩阵。第 i 个服务需求方对所有 s 个服务提供方的服务指标偏好评价如式（6-14）所示：

$$\mathbf{Eva}_{service,i}=\begin{matrix}S_1\\S_2\\\vdots\\S_s\end{matrix}\begin{bmatrix}b_{11,i} & b_{12,i} & b_{13,i} & b_{14,i} & b_{15,i} & b_{16,i} & b_{17,i}\\ b_{21,i} & b_{22,i} & b_{23,i} & b_{24,i} & b_{25,i} & b_{26,i} & b_{27,i}\\ \vdots & \vdots & \vdots & \vdots & \vdots & \vdots & \vdots\\ b_{s1,i} & b_{s2,i} & b_{s3,i} & b_{s4,i} & b_{s5,i} & b_{s6,i} & b_{s7,i}\end{bmatrix} \tag{6-14}$$

式中，$b_{jk,i}$ 表示第 i 个服务需求方对第 j 个服务提供方的第 k 个指标的偏好。

第 j 个服务提供方对所有 d 个服务需求方的任务指标偏好评价如式（6-15）所示：

$$\mathbf{Eva}_{task,j}=\begin{matrix}D_1\\D_2\\\vdots\\D_d\end{matrix}\begin{bmatrix}a_{11,j} & a_{12,j} & a_{13,j} & a_{14,j}\\ a_{21,j} & a_{22,j} & a_{23,j} & a_{24,j}\\ \vdots & \vdots & \cdots & \vdots\\ a_{d1,j} & a_{d2,j} & a_{d3,j} & a_{d4,j}\end{bmatrix} \tag{6-15}$$

式中，$a_{ik,j}$ 表示第 j 个服务提供方对第 i 个需求方的第 k 个指标的偏好。

d 个服务需求方对 s 个服务提供方的满意度矩阵如式（6-16）所示：

$$\mathbf{DE}=\begin{matrix}S_1\\S_2\\\vdots\\S_s\end{matrix}\begin{bmatrix}\mathrm{se}_{11} & \mathrm{se}_{12} & \cdots & \mathrm{se}_{1d}\\ \mathrm{se}_{21} & \mathrm{se}_{22} & \cdots & \mathrm{se}_{2d}\\ \vdots & \vdots & \cdots & \vdots\\ \mathrm{se}_{s1} & \mathrm{se}_{s2} & \cdots & \mathrm{se}_{sd}\end{bmatrix}^{\mathrm{T}} \tag{6-16}$$

式中，se_{ji} 表示第 i 个服务需求方对第 j 个服务提供方的满意度。$\mathrm{se}_{ji}=b_{j1,i}w_{s1}+b_{j2,i}w_{s2}+b_{j3,i}w_{s3}+b_{j4,i}w_{s4}+b_{j5,i}w_{s5}+b_{j6,i}w_{s6}+b_{j7,i}w_{s7}$，$w_{s1},w_{s2},w_{s3},w_{s4},w_{s5},w_{s6},w_{s7}$ 表示提供方的各指标权重。

s 个服务提供方对 d 个服务需求方的满意度矩阵如式（6-17）所示：

$$\mathbf{SE}=\begin{matrix}D_1\\D_2\\\vdots\\D_d\end{matrix}\begin{bmatrix}\mathrm{de}_{11} & \mathrm{de}_{12} & \cdots & \mathrm{de}_{1s}\\ \mathrm{de}_{21} & \mathrm{de}_{22} & \cdots & \mathrm{de}_{2s}\\ \vdots & \vdots & \cdots & \vdots\\ \mathrm{de}_{d1} & \mathrm{de}_{d2} & \cdots & \mathrm{de}_{ds}\end{bmatrix} \tag{6-17}$$

式中，de_{ij} 表示第 j 个服务提供方对第 i 个服务需求方的满意度。$\mathrm{de}_{ij}=a_{i1,j}w_{d1}+a_{i2,j}w_{d2}+a_{i3,j}w_{d3}+a_{i4,j}w_{d4}$，$w_{d1}, w_{d2}, w_{d3}, w_{d4}$ 表示需求方的各指标权重。

根据服务供需双方的满意度矩阵，考虑服务需求方的同伴推荐满意度，并考虑服务间的协同度建立供需服务的双边匹配的多目标模型，如式（6-18）~ 式（6-21）所示。

$$\max Z_1=\sum_{j=1}^{s}\sum_{i=1}^{d}x_{ij}\mathrm{de}_{ij} \tag{6-18}$$

$$\max Z_2=\sum_{j=1}^{s}\sum_{i=1}^{d}x_{ij}\mathrm{se}_{ij} \tag{6-19}$$

$$\text{s.t.}\sum_{j=1}^{s}x_{ij}=1, i=1,2,\cdots,d \tag{6-20}$$

$$\sum_{i=1}^{d}x_{ij}\leqslant 1, j=1,2,\cdots,s \tag{6-21}$$

$$x_{ij}\in\{0,1\}$$

在模型中，式（6-18）最大化服务提供方对任务（服务需求方）的满意度，式（6-19）最大化服务需求方对服务提供方的满意度，式（6-20）表示每个服务需求方的任务分配给一个服务提供方，式（6-21）表示每个服务提供方的服务至多只能满足一项任务需求。$x_{ij}=1$ 表示服务需求方 i 匹配服务提供方 j，$x_{ij}=0$ 表示服务需求方 i 不匹配服务提供方 j。

式（6-18）和式（6-19）为双目标优化函数，可采用线性加权的方法将其转化为一个单目标的函数［式（6-22）］，通过 0-1 整数规划的方法进行求解。

$$\max Z = w_1 \sum_{j=1}^{s}\sum_{i=1}^{d} x_{ij}\mathrm{de}_{ij} + w_2 \sum_{j=1}^{s}\sum_{i=1}^{d} x_{ij}\mathrm{se}_{ij} \tag{6-22}$$

$$\text{s.t.} \sum_{j=1}^{s} x_{ij} = 1, i = 1,2,\cdots,d$$

$$\sum_{i=1}^{d} x_{ij} \leqslant 1, j = 1,2,\cdots,s \tag{6-23}$$

$$x_{ij} \in \{0,1\}$$

6.3.2 拍卖

1）基本概念

当云制造平台上服务供需是“一对多”或者“多对一”的时候，会出现多个供应方面对一个需求方，或者一个需求方面对多个供应方的情况。在这类竞争的情况下，一个比较规范的操作就是实行“招标”制，或者称“拍卖”机制。拍卖有时候和招标是一个含义，都是从多个候选人中选择一个或几个来完成交易，这两个词有时会混合使用，也会用“投标人”或者“拍卖者”来表示参与拍卖的人。拍卖模型适用于多个资源消费者获取资源的过程，而且过程中允许对价格进行调整，可以照顾到用户和资源提供者双方的权益，这样增强了资源市场交易的公平性，而且拍卖模型对全局信息要求较少并且适用于分布式的结构，因此拍卖模型非常适用于云服务的定价和分配。当然，拍卖机制也适用于“多对多”的市场交易场景。

不同种类的拍卖有很大的差别，下面简单介绍从不同方面考虑的几种拍卖分类。

① 拍卖物品价值。一般拍卖的交易对象是商品，对于制造云服务来说，拍卖的是云服务，而有时候是一项工程（招标）。无论交易对象是什么，其对卖方和买方来说都有其可以量化的价值，后面统一用“标的物”或者“商品”来表示这个交易对象。对于价值的评估，有私有价值和共同价值之分。私有价值（Private Value）是指每个投标人不能从其他人对商品的估价中得到价值的有效信息，商品的价值只对其个人有效。独立私有价值是指投标人只知道自己的估价；关联私有价值是指投标人知道自己的估价，同时也能利用估价知识推断出其他人的估价。共同价值（Common Value）是指商品对所有人的价值是相同的，但是每个人可以利用自己的信息来形成对商品的不同估价。私有价值商品的常见例子是古董，每个人对同一个古董的评价不一，所以对其估价也不一；共同价值的例子比如矿产资源，如果要拍卖一个矿山开发权，由于大家都知道矿山资源的价值，所以是共同知识，但是每个投标人的开发技术不同，所以对其估价也不一样。

云制造场景下，由于每个需求方对产品加工的要求不一，并且制造云服务在其整个制造活动中的作用也不一样，同时，每个服务提供方对类似的加工服务所采用的技术也不同，因此，可以把制造云服务看作是具有私有价值特点的商品。但是这个私有价值可能是关联私有价值，参与者可能会根据自己的制造经验来推断出其他人的估价。

② 商品种类。如果一次只拍卖一个商品（一个独立的服务），这属于单一物品拍卖，而且一般是指不可分的单一物品。如果一次拍卖多个物品，就需要进行组合拍卖。组合拍卖是一种非常通用的拍卖形式，它可以将不同种类的制造云服务打包同时进行交易。在这种拍卖模式下，用户可以对很多种类并且大数量的服务同时报价，减去了一个一个拍卖的麻烦，特别是用户所需制造云服务具有互补特性时，采用组合拍卖模式可以大幅提高交易效率，比如用户同时需要物流服务与加工服务时，就可以采用组合拍卖的模式来完成。

③ 市场结构。根据市场结构，可以将拍卖分成正向拍卖（Forward Auction）、反向拍卖（Reverse Auction）和双向拍卖。正向拍卖是指一个卖家把商品卖给多个买者；反向拍卖是指一个买家从多个卖家中采购一个商品；双向拍卖是指在拍卖过程中，可能在同一时间存在多个需求方和多个供应方。现在市场中主要分为连续双向拍卖和定期双向拍卖，在这种模式下资源在市场环境中会发生变化，需求方以及供应方会根据自己的情况提交相关云服务的价格，将需求方的出价从高到低进行排列，同时将供应方的要价从低到高排列，就可以很直观地进行查看，非常有利于促使交易达成，提高交易成功率。

④ 投标价格公开。按投标价格是否公开，可以将拍卖分成公开价格拍卖和密封价格拍卖。公开价格拍卖是所有人都可以看见其他人的出价，密封价格拍卖是每个投标人把自己的出价密封好后提交给拍卖组织方，由拍卖组织方收集后集中开标，展示价格并公布结果。

对于单一物品拍卖，常见的拍卖机制有英式拍卖（English Auction）、荷兰式拍卖（Dutch Auction）、第一价格密封拍卖（First-price Sealed-bid Auction）、第二价格密封拍卖（Second-price Sealed-bid Auction）。

① 英式拍卖。英式拍卖又叫升价拍卖，是最常见和广泛应用的拍卖方式，标的物以较低的价格开始竞拍，竞拍者公开加价，直到没有人再提高出价，然后最高报价者赢得拍卖并支付当前报价。

② 荷兰式拍卖。荷兰式拍卖又叫降价拍卖。与英式拍卖不同，荷兰式拍卖会首先报告标的物的最高价格，然后价格逐步下降，竞拍者可以选择在当前价格接受标的物。

③ 第一价格密封拍卖。竞拍者以密封方式提交对标的物的报价，最高报价

者赢得拍卖，支付的价格是其原先报价。

④ 第二价格密封拍卖。竞拍者以密封方式提交报价，最高报价者赢得拍卖，但支付价格是所有报价中的第二高价格。

上述四种拍卖方式对卖家来说，可能收益是等价的。拍卖的收益等价原理为在独立私有价值（Independent Private Value，IPV）模型中，英式拍卖与第二价格密封拍卖是战略等价的，荷兰式拍卖与第一价格密封拍卖是战略等价的。当投标人对拍卖物品的估值独立同分布时，英式拍卖与荷兰式拍卖将给拍卖者带来相同的期望收益，从而四种拍卖形式对拍卖者而言是收益等价的。

在云制造场景下，也存在许多拍卖。根据云制造服务提供方和服务需求方的数量不同，可以将市场分为单向拍卖场景和双向拍卖场景。在单向拍卖场景中，服务需求方或服务供应方明显多于另一方，此时某一方会形成对市场的主导，会形成一种“一对多”的拍卖形式。在双向拍卖场景中，供需双方数量相等，双方在市场中进行平等交流，此时会形成一种“多对多”的拍卖形式。在双向拍卖场景中，供需双方众多，需求各异，市场环境更加复杂，建模更加复杂，考虑的因素也更多。已有研究将拍卖机制应用在不同的云制造场景下并求解出了各种最优分配来提升双方效用，表明拍卖模型在云制造场景下能有效提升云制造分配的效率与收益。下面给出一个云制造环境下的在线拍卖方法。

2）云制造环境下的在线拍卖案例

（1）引言

云制造服务用户的高度动态变化使得云制造服务分配市场变得异常复杂，不同用户发布的不同制造服务使得服务资源种类增加。制造云服务供需双方会随着时间的变化动态进入和退出云制造服务平台交易市场。与此同时，由于云制造服务价值的易逝性，随着时间的推移，服务提供方未售出的服务，其价值会下降，而服务需求方由于需要完成制造任务，随着预期完成时间的临近，其对所需服务资源的估价会上升。因此，如何根据在线云制造服务分配市场的特点与用户需求为市场设计出匹配方案并保证双方的利益成为亟待解决的问题。

本部分内容将以在线双向组合拍卖机制对制造云服务供需匹配交易过程进行建模，考虑在线云制造服务交易中用户的动态性和资源的地理位置分布特性，在双方效用中考虑物流运输成本；该拍卖机制将拍卖时间进行离散化，实现当前时间段下市场效用最大的分配机制与临界用户支付规则；为了使拍卖过程自动化，使用买方代理模块与卖方代理模块进行制造服务的自动投标以及交易信息的自动更新。

（2）拍卖系统组成和基本流程

使用在线双向组合拍卖对云制造服务在线拍卖市场进行系统建模，云制造服务在线拍卖系统组成如图 6-7 所示。

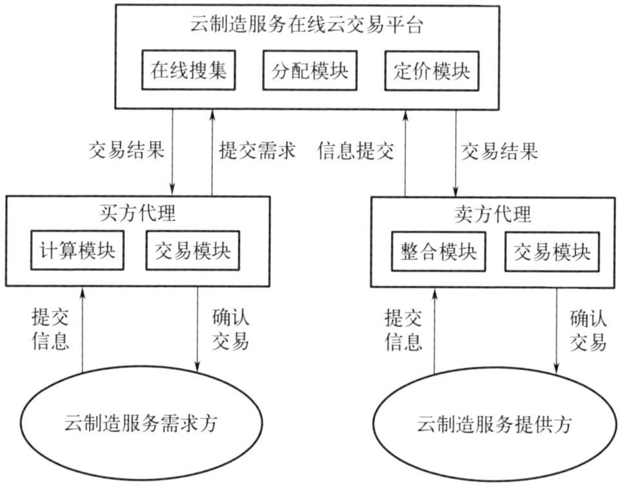

图 6-7　在线拍卖系统组成

云制造服务在线拍卖系统由三个部分组成，分别是代表云制造服务需求方的买方代理、在线云交易平台、代表云制造服务提供方的卖方代理。每个买卖双方都通过代理与平台进行交易，每个代理负责多个用户的交易。代理与平台的功能说明如下：

为了实现自动化交易，云制造服务提供方会把自己的交易需求提供给卖方代理，由卖方代理在云制造服务交易过程中进行定价和决策。卖方代理代表多个云制造服务提供方。类似的，买方代理代表云制造服务需求商，买方通过云制造服务平台购买制造服务，实现对所需制造资源或制造能力的租赁而完成加工任务。代理可以是一个具有一定计算和决策功能的软件模块。

云制造服务在线云交易平台是云制造服务供需对接的中间方，云制造服务交易平台在供需匹配时需要保证双方交易利益最大化。在服务分配和交易价格确定完成后，在线云交易平台将供需匹配结果告知买卖双方。

云制造服务在线云交易平台中的分配模块的功能是对买卖双方进行服务资源分配，分配模块将每天的时间划分为等值或不相等的时间段，开始时刻为每一天的 0 点，时间段中的分配间隔时间可以设定为 t=6，单位是小时，这样一天被划分为四个时间段 $\{T_1,T_2,T_3,T_4\}$，每天的 0 点、6 点、12 点、18 点进行系统拍卖。后续的时间段划分为 $\{T_1,T_2,T_3,T_4,\cdots,T_k\}$，$T_k$ 表示为第 k 个时间段。资源分配时考虑当前时间段的分配，分配完成后调用定价模块进行双方用户的定价。

在线拍卖机制的总体应用流程如图 6-8 所示。

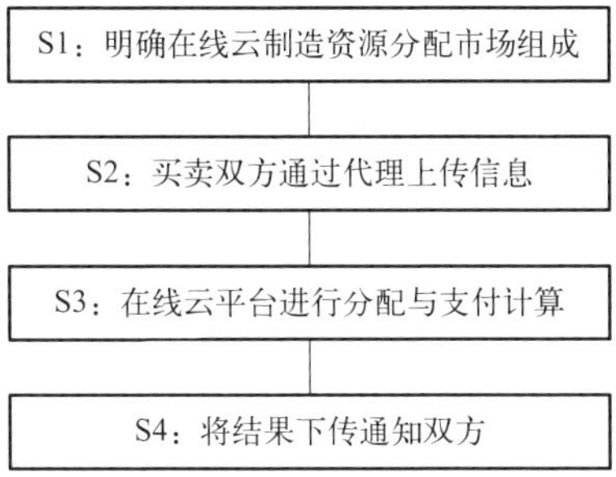

图 6-8　在线拍卖机制总体流程

在步骤 S2 中，买卖双方将自己的信息提交给代理。

卖方将自己的制造资源进行云化，将相关的信息提交到卖方代理模块。卖方代理模块收到的信息如下：

① 云制造服务在线云交易平台中卖方集合为 $\text{SP}=\{\text{SP}_1,\text{SP}_2,\cdots,\text{SP}_n,\cdots,\text{SP}_N\}$，$N$ 为卖方的最大数量。

② 第 n 个卖方提交的制造资源服务包 $\text{SP}_n=\{B_1^n, B_2^n,\cdots, B_J^n\}$，$B_j^n=1$ 代表该卖方提供第 j 种资源的服务，提供的第 j 种资源服务信息为 SPB_j^n，$B_j^n=0$ 代表该卖方不提供该资源服务，平台会给对每种资源服务使用资源 ID 号进行区分。平台的制造服务资源数量最大为 J。

③ 卖方 n 提交的第 j 种资源服务 SPB_j^n 内的信息为：$\text{SPB}_j^n=[\text{spc}_j^n,\text{spn}_j^n,\text{spq}_j^n,\text{sploc}_j^n,\text{spa}_j^n,\text{spd}_j^n]$。$\text{spc}_j^n$ 表示卖方 n 提供的第 j 种制造服务的要价，单位是元 /h，由于在线分配市场会持续一段时间，卖方的每个阶段的要价也会随着时间变化，卖方要价是一个与时间有关的单向递减函数，该价格函数会在市场中用户数量发生变化时或进入到下一时间段时更新卖方的要价。在云平台中第 k 个离散时间段，卖方 n 对资源 j 的要价为 $\text{spc}_{k\_j}^n$，其计算公式如式（6-24）所示：

$$\text{spc}_{k\_j}^n=\text{spc}_j^n-\left(\text{spc}_j^n-\text{spc}_{j1}^n\right)\left(\frac{tT_k-\left(\text{spd}_j^n-\text{spa}_j^n\right)}{t}\right) \tag{6-24}$$

T_k 表示当前市场的第 k 个时间段；t 表示分配间隔时间；spc_{j1}^n 为卖方 n 对第 j 种制造服务资源的最低要价；spn_j^n 表示卖方 n 提供的第 j 种云制造服务的数量，单位是个；spq_j^n 表示第 n 个卖方的第 j 种资源的加工质量，用等级 1 ～ 9 表示；sploc_j^n 表示卖方 n 的第 j 种资源的地理位置，用经纬度表示；spa_j^n 表示卖方提交服务资源的最早可用时刻，用日期时间字符串的形式表示，由于价格是根据小时进行定价，所以最小时间单位为小时，如 2022/05/18 09:00 表示为，2022 年 5 月 18 日 9 时这个时刻；spd_j^n 表示该资源离开云资源分配市场的最晚时刻，用日期时间字符串的形式表示。

买方上传到云制造服务平台的信息如下：

① 云制造服务在线云交易平台中买方集合为 $SR=\{SR_1,SR_2,\cdots,SR_m,\cdots,SR_M\}$，$M$ 为买方最大数量。

② 买方总预算集合为 $C_{tol}=(C_1,C_2,\cdots,C_m,\cdots,C_M)$，$C_m$ 是第 m 个买方的总预算，单位为元，买方 m 对第 j 种制造资源的出价为 src_j^m。

③ 第 m 个买方的制造服务资源需求集合包为 $SR_m=\{A_1^m, A_2^m,\cdots, A_j^m\}$，$A_j^m=1$ 表示买方需要该种制造服务资源，所需制造服务资源信息包为 SRA_j^m，$A_j^m=0$ 表示买方不需要该种制造服务资源。平台的制造服务资源数量最大为 J。

卖方 m 对第 j 个制造资源服务信息为 $SRA_j^m=[src_j^m,srn_j^m,srq_j^m,srloc_j^m,sra_j^m,srd_j^m]$。

srn_j^m 为一个范围内出价，单位是元 /h；$src_j^m \in U(\underline{src_j^m},\overline{src_j^m})$，$\underline{src_j^m}$ 为买方的最低出价，$\overline{src_j^m}$ 为买方的最高出价，随着交易时间的临近，买方出价会上升，买方出价是一个与时间有关的单调递增函数，该价格函数会在市场中用户数量发生变化时或进入到下一分配时间段时进行更新。在第 k 个离散时间段的买方出价为 $src_{k\_j}^m$，其计算公式如式（6-25）所示：

$$src_{k\_j}^m=\underline{src_j^m}+\left(\overline{src_j^m}-\underline{src_j^m}\right)\left(\frac{tT_k-\left(srd_j^m-sra_j^m\right)}{t}\right) \tag{6-25}$$

T_k 表示当前市场的第 k 个时间段；t 表示分配间隔时间；srn_j^m 表示第 m 个买方需要的加工资源数量，单位是件；srq_j^m 是买方对该步骤的质量要求，用等级 1 ～ 9 表示；$srloc_j^m$ 表示第 m 个买方的地理位置，用经纬度表示，如（31.37° N,121.26° E）；sra_j^m 表示买方的该种制造服务资源需求的最早开始时刻，用日期时间字符串的形式表示；srd_j^m 表示买方的该种制造服务资源需求的最晚结束时刻，用日期时间字符串的形式表示。

在步骤 S4 中，将结果通知双方。在每一个离散匹配时间段结束后将结果以如下形式向双方代理进行通知，卖方代理模块的最终分配和收入如式（6-26）所示：

$$(Q_j^k(m,n),P_j^k(m,n)),P_j^k(m,n)=spc_j^{n'} \tag{6-26}$$

买方代理模块信息的最终分配和支付如式（6-27）所示：

$$(Q_j^k(m,n),P_j^k(m,n)),P_j^k(m,n)=spc_j^{n'}+mapsc\left(sploc_{j-1}^n,sploc_j^n\right) \tag{6-27}$$

上述式（6-26）、式（6-27）表示在第 T 个离散时间段，第 j 种资源中第 m 个买方和第 n 个卖方成功匹配，双方的支付为 $P_j^k(m,n)$。

（3）分配与支付机制

在图 6-8 的步骤 S3 中，是拍卖的分配与支付机制，具体步骤如图 6-9 所示。

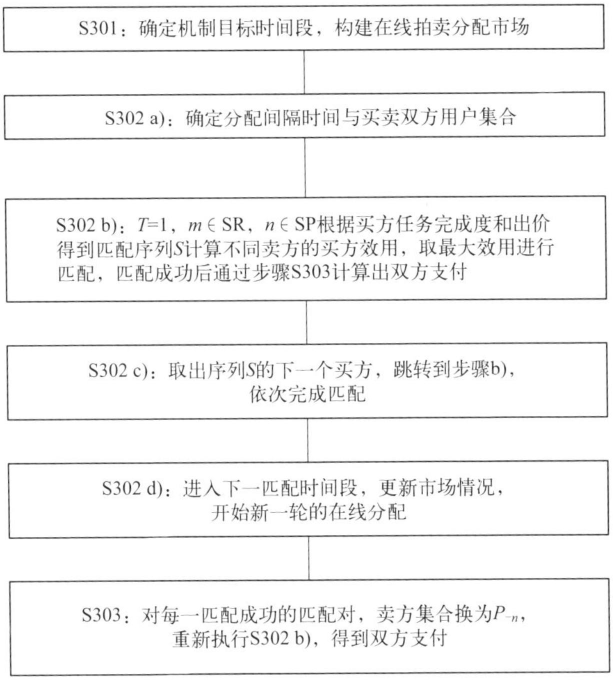

图 6-9　拍卖的分配与支付机制

其中，步骤 S301 的具体步骤如下：

将分配时间进行离散化，划分为若干个时间段 $\{T_1,T_2,\cdots,T_k\}$，每一个时间段都会进行拍卖。机制设计为 $M=\{Q,P\}$，Q 为分配机制，P 为每个分配方案下双方所需的支付（买方为支出，卖方为收入），具体表达式如下：$\{Q=Q_j^k(m,n), P=P_j^k\ (\mathrm{m,n})\}$，$Q_j^k(m,n)$ 表示为在第 k 个离散时间段，第 j 种资源的一个匹配对，将第 m 个买方和第 n 个卖方匹配，$P_j^k(m,n)$ 表示该匹配对中双方的支付，买方为支出，卖方为收入。卖方效用为卖方所卖出的全部资源价格之和，卖方 n 的效用表示为 $\mathrm{SPU}_J^n=\sum\limits_{j=1}^{J}Q_j^k(m,n)$，买方效用为买方的预计收入减去支付价格和物流成本，mapsc 为物流成本计算函数，能计算两地之间的物流成本，由于无法知道买方的预计收入，我们用每个买方的总预算表示每个买方的总收入，买方 m 的总效用表示为式（6-28）：

$$\mathrm{SRU}_J^m=C_m-\sum_{j=1}^{J}P_j^k\left(m,n\right)\times\left(\mathrm{srd}_j^m-\mathrm{sra}_j^m\right)-\sum_{j=2}^{J}\mathrm{mapsc}\left(\mathrm{sploc}_{j-1}^n,\mathrm{sploc}_j^n\right)\quad(6\text{-}28)$$

在每一离散时间段都会产生交易匹配，卖方提交的服务资源被购买时，系统视为卖方该种服务资源成功交易，卖方的成功交易服务资源会在下一离散时间段离开市场。买方提交的所有服务需求被满足时，买方才是成功交易。在线云交易平台会对给每个买方给定一个交易完成度 η，η 为买方已经购买的资源与所有需求资源的比值。当 $\eta=0$ 时，买方刚进入分配市场；当 $0<\eta<1$ 时，买方已经进入分配市场且部分服务需求被满足；当 $\eta=1$ 时，买方已经离开了分配市场，此时买方被视为成功交易。买方未成功交易时，市场从买方处取得的效用为 0。市场机制的设计目标是社会福利最大化，社会福利的定义如式（6-29）所示，该式子表示社会福利是所有成功交易的资源的最终价格之和。社会福利最大时要使成功交易的买方尽可能多。

$$\mathrm{SW}=\sum_{n=1}^{N}\sum_{m=1}^{M}\sum_{j=1}^{J}P_j^k(m,n)\times\left(\mathrm{srd}_j^m-\mathrm{sra}_j^m\right) \tag{6-29}$$

步骤 S302 的具体步骤如下：

a）对买方 $m\in\mathrm{SR}$，卖方 $n\in\mathrm{SP}$ 进行服务资源分配，将分配时间按照离散时间段 $T=\{T_1,T_2,\cdots,T_k\}$ 进行划分，在每一离散时间段中有用户进入在线分配市场，也有用户退出在线分配市场。

b）开始第一个离散时间段的分配，进入市场中的买卖双方 $m\in\mathrm{SR}$，$n\in\mathrm{SP}$，对 ID 相同的云资源，将未成功交易的买方（$0<\eta<1$）按照任务完成度 η 进行降序排列（如果任务完成度相同则按出价进行降序排列）得到序列 S_1。将其他的买方（$\eta=0$）按照出价进行降序排列得到序列 S_2。将 S_1 和 S_2 两个序列合并为序列 S，S 为云制造服务在线云交易平台中买方集合的匹配优先序列。

取出序列 S 的第一个买方，选择出当前时间段下加工质量达标、时间符合、加工数量符合的卖方服务资源，将其记为集合 SP1。如果 SP1 为空，转到步骤 S302 c），如果不为空，使用递推表达式［式（6-31）］计算集合 SP1 中不同卖方服务资源下买方的效用，式（6-31）中买方效用不仅与当前的服务资源选择有关，也与之前的服务资源选择有关，递推公式如式（6-30）、式（6-31）所示。式（6-30）为买方效用的第一个状态，式（6-31）为递推表达式。使用动态规划算法，在同一个时间段内进行求解得到买方的最优服务资源。

$$\mathrm{SRU}_1^m=C_m-\min\left(P_j^k(m,n)\times\left(\mathrm{srd}_1^m-\mathrm{sra}_1^m\right)+\mathrm{mapsc}\left(\mathrm{sploc}_1^n,\mathrm{srloc}_1^m\right)\right) \tag{6-30}$$

$$\mathrm{SRU}_j^m=\mathrm{SRU}_{j-1}^m-\min\left(P_j^k(m,n)\times\left(\mathrm{srd}_j^m-\mathrm{sra}_j^m\right)+\mathrm{mapsc}\left(\mathrm{sploc}_j^n,\mathrm{sploc}_{j-1}^n\right)\right) \tag{6-31}$$

将序列 S 的第一个买方与具有最大效用的卖方进行匹配。匹配完成后将双方

进行记录为 $Q_j^k(m,n)$，使用步骤 S303 计算双方的支付。这样可以保证最优，确定匹配和支付后，将匹配成功的买方从序列 S 中去除，将匹配成功的卖方从卖方集合中去除。

c）将序列 S 中的下一个买方取出，跳转到步骤 S302 b），依次完成所有的匹配，得到所有的匹配对和支付。

d）进入 k+1 时刻，更新市场情况，匹配成功的买方与卖方退出在线匹配市场，新用户加入在线匹配市场。市场的用户根据时间等因素更新自己的价格，开始新一轮的在线分配市场匹配。

步骤 S303 包括以下步骤：

① 对于匹配成功的买方与卖方 $Q_j^k(m,n)$，卖方集合换为 P_{-n}，该集合表示排除成功匹配的卖方 n 后剩余的卖方集合，重新执行 S302 中的步骤 b)。完成匹配后得到的临界支付用户假设为 $n' \in P_{-n}$，若有多个则取一个。

② 计算双方支付。卖方收入为临界用户 n' 的要价 $\mathrm{spc}_j^{n'}$，买方支付为 $P_j^k(m,n)=\mathrm{spc}_j^{n'}+\mathrm{mapsc}(\mathrm{sploc}_{j-1}^n,\mathrm{sploc}_j^n)$。

6.4

供需匹配的韧性

当前，世界正经历百年未有之大变局，面临的不稳定、不确定因素增加，全球产业链供应链可能面临巨大调整，供应链呈现出不稳定性、不确定性、复杂性和模糊性等特征，这些特征使供应链中断的频率和严重程度越来越高。高质量发展是全面建设社会主义现代化国家的首要任务，着力提升产业链供应链韧性和安全水平是推动高质量发展的基本要求。

韧性（Resilience）一词主要在管理学文献中出现，特别是关于供应链韧性的研究已形成许多富有洞见的研究成果。部分研究者认为韧性是指供应链在中断后的反应能力，而另一些研究者认为韧性是指供应链在中断前积极主动地预先准备。目前在供应链韧性文献中被广泛认可且常用的一个定义为：供应链韧性是通过使供应链持续运作在对其结构和功能预期的连接和控制下，来应对突发事件和供应链中断，并从中恢复的适应能力[9]。

韧性和鲁棒性是两个经常被提及但具有不同含义的概念。Christopher 等[10]定义供应链韧性为“在受到干扰后返回其原始状态或转移到一个新的、更理想状态的能力”，强调了系统的灵活性和适应性，即在面对变化或干扰时能够恢复或转变的能力，而鲁棒性则强调了系统的稳定性和可靠性，鲁棒性高的供应链能够在常规操作中保持其功能，在面对一些预期内的错误或问题时也能继续运行。另外，韧性是一个动态的过程而非静止的状态[11]，McCarthy 等[12]聚焦于制造和运营管理的背景，从过程视角审视韧性概念，提出了将韧性视为一种进化过程的新方法。在这个过程中，组织根据外部条件的变化调整其结构，具有演化特征，因而称之为演化韧性或适应性韧性。

平台化、网络化、灵活高效的现代要素配置方式能促进供需高效匹配，是增强供需匹配韧性的重要资源保障。服务执行是指制造资源和服务提供者按照任务要求执行制造服务的过程。由于制造服务的执行涉及复杂的生产制造流程，执行周期比一般的商品交易服务更长，同时服务状态、服务需求和服务质量（QoS）时刻都在变化[13]；另外，由于平台供应链的高度开放性，任何个人、企业和组织都可以将空闲制造资源或能力数字化封装接入平台，这使得制造服务的动态性和不确定性更加显著[14]，无法避免扰动的发生。为此，亟须解决的问题是如何维持稳定的供需关系，即探讨如何提升供需匹配的韧性。

供需匹配韧性是指匹配后的供需双方在面对市场变化和资源短缺等不确定因素时，能够快速响应和适应，并保持供需平衡和制造服务稳定执行的能力。韧性的测度与评估多集中于定量研究，通过建立各类模型，展示韧性水平，具体包括核心指标法、多维指标体系法和投入产出法。

核心指标法是通过选择对冲击敏感且能够反映经济系统运行特征的变量，构造直接客观反映经济韧性的核心指标。Uddin 等[15]利用欧盟国家消费品行业经营数据，基于销量、库存、成本等指标的相对变动比率构建行业灵敏度指标，对脱欧背景下的英国及其他欧盟国家消费品行业的产业链韧性水平予以测度。核心指标法的突出优点在于计算相对便捷，但单一指标体系往往不能够全面反映韧性的动态特征。

多维指标体系法根据研究角度划分不同层级变量，并运用量化模型对指标体系综合测算，以得到最终的韧性数值。然而韧性指标体系中变量的选取目前并未形成统一的标准，大部分韧性研究主要根据 Martin 等[16]提出的“4R”思想构建指标体系，如图6-10[17]所示。“4R”是指抵抗力（Resistance）、恢复力（Recovery）、再组织力（Re-orientation）和更新力（Renewal）。

在上述四种能力的基础上，已有研究常用的供应链韧性二级指标如表 6-5 所示。

与供应链韧性不同，供需匹配韧性更强调单次匹配后服务的稳定执行，恢复力等时间维度的韧性因素无法在单次供需匹配中体现，因此需要增强供需匹配的抵抗力，即降低中断风险对供需关系产生的影响。

多维指标体系法按照权重确定方法的不同可以分成两类：一类是主观赋权法，

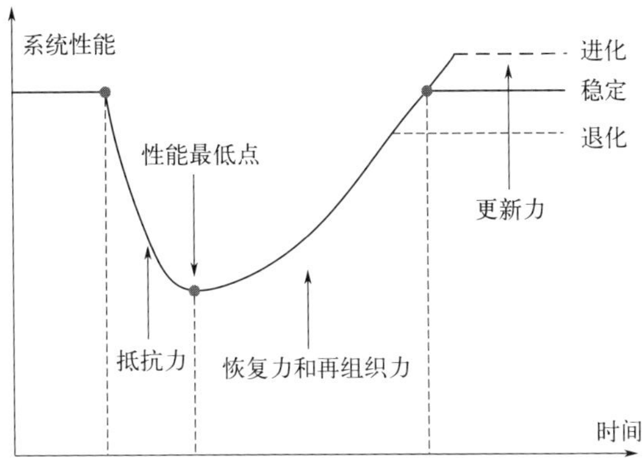

图 6-10　系统韧性过程模型[17]

表 6-5　韧性评价指标体系

一级指标	二级指标
抵抗力	经济水平
	政策环境
	供给能力
恢复力	产业基础
	产业配套
再组织力	产业合作
	市场环境
	循环持续
更新力	创新投入
	创新产品

多数采取综合咨询评分确定权重，如综合指数法、模糊综合评判法、层次分析法、功效系数法等；另一类是客观赋权法，根据各指标间相关关系或各指标值变异程度来确定权重，如主成分分析法、因子分析法、TOPSIS（Technique for Order Preference by Similarity to an Ideal Solution，逼近理想解排序法，或称优劣解距离法、双基点法）、页面排序法等。

投入产出法能够以“产业关联”视角分析不同产业之间的前向联系与后向联系，以此刻画经济增长与波动[18]，其特点在于研究者可通过数据跟踪经济流动，进而能够分析部门间、区域间的经济依赖关系，使其得到供应链、价值链以及生产网络研究学者的深入关注。Klimek 等[19]将线性响应理论运用于投入产出模型，利用投入产出模型中的非均衡属性来预测经济增长和恢复，以此表征韧性水平。

在供应链韧性的研究中，一般采取主动恢复策略以提升供应链的韧性[20]，即“快恢复”。而在云制造供需匹配韧性中，研究对象为单次供需关系，研究重点在于“防中断”，因此可以借鉴供应链中的契约协调理论。供应链契约协调理论的目标是建立一种协调机制，能够有效地约束系统内每个成员的决策行为，减少或消除供应链管理中的“牛鞭效应”等问题，其中，研究最为广泛的契约形式包括批发价格契约、收益共享契约和回购契约等，这些契约通过提供激励机制，鼓励零售商增加订购量或提高销售能力，从而提高整个供应链的效率和效益。在供需匹配韧性提升方面，可行的方法包括：

① 数量弹性契约（Quantity Flexibility Contract）。数量弹性契约允许服务需求方在销售季节前预订部分产品，服务提供方据此组织生产，待服务需求方获得确定的市场需求后，可向服务提供方补订部分产品数量。这种契约在电子和计算机产业中得到广泛应用，如 IBM、HP 等公司都采用了数量弹性契约来响应市场需求的不确定性，提高系统效率，增加利润。

② 基于合作博弈的成本分摊契约。由于扰动风险对合作联盟中各主体的影响程度不同，因此如何在供需双方中分摊扰动应对成本，是抵御供需关系中断的关键问题。目前多数学者采用合作博弈的方法研究合作联盟内企业协作的成本分摊策略，其中 Shapley 值是一种考虑博弈参与者的边际贡献的核心求解方法，也是目前国际公认的合作博弈有效求解方法之一。

③ 动态契约（Dynamic Contracts）。动态契约是指在时间跨度内考虑环境的不确定性，设计出能够在长期内激励各参与方实现最优行为的契约。它借鉴了最优控制和动态规划的方法，研究多期决策过程中的最优契约设计问题。传统的契约理论往往基于静态框架，而动态契约理论强调在不同时间点上参与者的信息状态和行为选择，通过引入时间和未来信息的变化来优化契约设计，使其更能适应实际情况中的不确定性和变化。

上述讨论侧重于单次供需匹配韧性，而现实世界中的供需匹配并不是独立的，可能存在上下游工序的关系，因此如何提升多次供需匹配形成的供应链网络的韧性也是一个亟待研究的问题。

随着供应链的扩散以及科学技术的发展，供应链管理将会越来越依赖于新技术，新技术的赋能将会使供应链韧性不断提升。传统的供应链管理模式强调的是成本控制，并通过协调合作以提升生产、服务质量。在未来的供应链发展管理中，需要更加注重敏捷制造和韧性之间的协同。借助数字化技术正确推动制造行业供应链协同智慧转型，增强供应链韧性已成为制造企业业务发展的重中之重。以“3·23 苏伊士运河货轮搁浅事故”为例介绍供应链数字化转型的价值：2021 年 3 月 23 日，远洋货轮“长赐号”在航运枢纽苏伊士运河意外搁浅，上演了“一船当关，万船莫开”的世纪大堵船，不到 72 小时就已经造成超过 200 艘的船只滞留。

供应链智能运营中心迅速识别出，有 28 艘装载着公司货物的船只（共 400 多个货柜）已经堵塞或即将驶向苏伊士运河，这会影响数十个国家、100 多个客户的项目交付。公司团队要在空 / 海 / 铁等数万条路径、百万级组合方案中选择最佳路径和解决方案，还要预判事件持续发酵可能带来的塞港、铁运挤兑等风险。通过实时监控船舶、航速、经纬度变化、运河通行能力影响等信息，应用大数据分析和预案模拟，决策启动中欧班列方案并锁定专列资源，将欧洲工厂的收货和产能提升 30% 以上。针对 4000 多个紧急补货订单，实施优先排产并与客户保持密切沟通，最终将 80% 的订单延误控制在两周内，基本未对客户体验产生影响。这一案例充分体现了供应链数字化转型的优势——实现需求实时感知、资源实时可视、过程实时可控，在“灰犀牛”和“黑天鹅”频发的复杂供应网络中，将一场场危机化于无形。

参考文献

[1] 平狄克, 鲁宾费尔德. 微观经济学 [M]. 李彬, 译. 9 版. 北京: 中国人民大学出版社, 2020.

[2] 陈姿睿. 用逆向选择理论和道德风险理论来分析经济社会中存在的现象 [J]. 营销界, 2020 (28): 85-86.

[3] 海宁格. 市场设计：拍卖与匹配 [M]. 陈岱孙, 熊金武, 译. 北京: 中国人民大学出版社, 2021.

[4] 余玉刚, 霍红, 李建平, 等. 管理科学与工程学科“十四五”发展战略与重点前沿领域研究报告 [M]. 北京: 科学出版社，2023.

[5] 内拉哈里. 博弈论与机制设计 [M]. 曹乾, 译. 北京: 中国人民大学出版社, 2017.

[6] 伯格斯. 机制设计理论 [M]. 李娜, 译. 上海: 格致出版社, 2018.

[7] 拉夫加登. 斯坦福算法博弈论二十讲 [M]. 郝东, 李斌, 刘凡, 译. 北京: 机械工业出版社, 2020.

[8] 博尔顿, 德瓦特里庞. 合同理论 [M]. 费方域, 蒋士成, 郑育家, 等译. 上海: 上海人民出版社, 2021.

[9] Ponomarov S Y, Holcomb M C. Understanding the concept of supply chain resilience[J]. The International Journal of Logistics Management, 2009, 20 (1): 124-143.

[10] Christopher M, Peck H. Building the resilient supply chain[J]. The International Journal of Logistics Management, 2004, 15 (2): 1-14.

[11] Rose A. Economic resilience to natural and man-made disasters: multidisciplinary origins and contextual dimensions[J]. Environmental Hazards, 2007, 7 (4): 383-398.

[12] McCarthy I P, Collard M, Johnson M. Adaptive organizational resilience : an evolutionary perspective[J]. Current Opinion in Environmental Sustainability, 2017, 28: 33-40.

[13] Tao F, Zhang L, Liu Y, et al. Manufacturing service management in cloud manufacturing: overview and future research directions[J]. Journal of Manufacturing Science and Engineering-Transactions of the Asme, 2015, 137 (4).

[14] 晏鹏宇, 杨柳, 车阿大. 共享制造平台供需匹配与调度研究综述 [J]. 系统工程理论与实践, 2022, 42 (3): 811-832.

[15] Uddin M, Chowdhury A, Wood G. The resilience of the british and european goods industry: challenge of brexit[J]. Industrial and Corporate Change, 2022, 31 (4): 934-954.

[16] Martin R. Regional economic resilience, hysteresis and recessionary shocks[J]. Journal of Economic Geography, 2012, 12 (1): 1-32.

[17] 林文广, 赖荣燊, 肖人彬. 面向大规模个性化生产的韧性制造系统 [J]. 科技导报, 2021, 39 (22): 75-84.

[18] Mcnerney J, Savoie C, Caravelli F, et al. How production networks amplify economic growth[J]. Proceedings of the National Academy of Sciences of the United States of America, 2022, 119 (1).

[19] Klimek P, Poledna S, Thurner S. Quantifying economic resilience from input-output susceptibility to improve predictions of economic growth and recovery[J]. Nature Communications, 2019, 10 (1): 1677.

[20] 戴培超, 张容嘉. 供应链韧性研究前沿、热点和演化分析 [J]. 商业经济研究, 2023 (17): 5-8.

第7章

制造云服务资源调度的智能化技术

近年来，全球化、个性化、数字化等趋势推动工业制造发展，在工业4.0理念指导下，云计算、物联网（IoT）、信息物理系统（CPS）、大数据分析和人工智能（AI）等新兴技术的应用，使得云制造作为一种新型制造模式应运而生[1-3]。云制造通过互联网为消费者提供按需制造服务，而调度技术是实现这一目标的核心。

调度问题的定义多种多样，其中Pinedo[4]提供了较为准确和全面的定义："调度是一种在许多制造业和服务业中广泛使用的决策过程，涉及在给定时间段内将资源分配到任务上，其目标是优化一个或多个指标。"在云制造背景下，调度可从狭义和广义两方面来理解：

① 狭义调度：指将资源或服务分配给任务，或将任务指派给资源，并在此过程中监控、控制、优化资源或服务状态及任务执行，以满足个性化需求。

② 广义调度：除狭义调度外，还包括任务处理、服务发现、匹配、选择和组合等活动，这些都直接或间接参与调度过程。

云制造作为新兴模式，其调度活动呈现出若干独特特征，可以归纳为如图7-1所示的三个类别[5]。

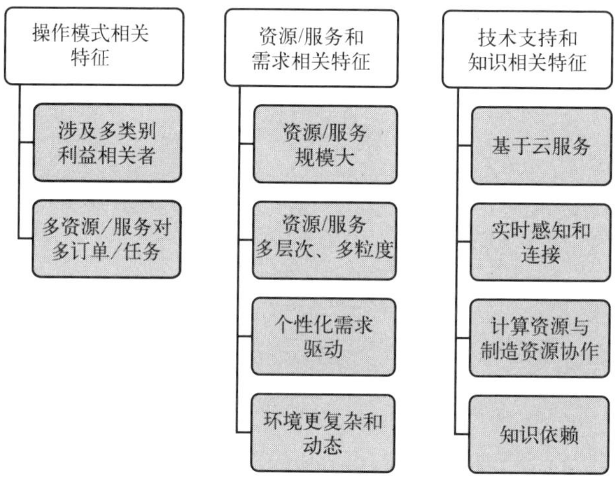

图7-1 云制造中的调度的若干典型特征

（1）操作模式相关特征

① 涉及多类别利益相关者：在云制造系统中，调度过程涉及多个类别的利益相关者，包括提供商（Provider）、云平台（Cloud Platform）及其运营者（Operator），以及消费者（Consumer）。每类利益相关者拥有不同的决策权和目标，导致调度目标更为多样化。云制造通过云平台统一管理，促进了多方合作和协调，这与传统制造模型显著不同。

② 多资源 / 服务对多订单 / 任务：云制造通过云平台实现分布式资源的整合，支持同时处理多个任务，而传统制造模型通常只处理单一任务的资源分配。云制造的资源调度能力更强，是其一大优势。

（2）资源 / 服务和需求相关特征

① 资源 / 服务规模大：云制造将来自不同供应商的大量资源集中管理，并封装为云服务（Cloud Service）。调度需采用高效算法，以处理大规模资源和服务，提升调度效率。

② 资源 / 服务多层次、多粒度：云制造的资源分布在不同层级（如企业、车间、机器等），并具有不同粒度（Granularity）的服务需求。任务可根据需求分解为不同粒度（如产品、零件、工艺等）。这种多层次、粒度化的调度方法提高了系统灵活性和调度效率。

③ 个性化需求驱动：云制造中的调度以消费者需求为驱动，目标是满足个性化需求，包括时间、成本、质量等方面的多样化标准。调度策略需具备灵活性，以应对不同的需求。

④ 环境更复杂和动态：云制造面临更复杂和动态的调度环境，主要源于资源和物流管理的广泛性。资源的动态变化（如故障、缺料）和任务的变化（如优先级、需求变化）增加了调度的复杂度。

（3）技术支持和知识相关特征

① 基于云服务：云制造通过虚拟化技术将资源封装为云服务，解决了资源异质性和地理分布问题，提高了系统的灵活性和互操作性。

② 实时感知和连接：云制造利用物联网技术实时感知和连接制造资源，确保资源状态及时传输至云平台，为调度提供准确数据，提高了调度效率。

③ 计算资源与制造资源协作：云计算是云制造的核心技术，平台内的计算资源（如 CPU、存储）与制造资源协同调度，确保系统优化，提升资源利用率。

④ 知识依赖：云制造在调度中高度依赖各种知识（如模型、算法、标准等），这些知识对于系统的优化和调度决策至关重要。

7.1 云制造资源调度模型

云制造环境中的资源调度面临多样性、分散性和协同性等挑战，其复杂性和动态性要求运用先进智能技术进行优化。这一过程需要整合多种资源、任务和服务，以实现高效的制造服务交付。本节将探讨云制造中的资源调度模型及其智能技术应用。

7.1.1 云制造中的资源调度框架

与传统制造车间主要调度机器不同，云制造中资源种类更加丰富，各种制造资源和能力被转化为服务形式，可以整合为更大粒度的服务，因此，资源调度采用资源包（Resource Package）的形式，而非单一资源。这使得云制造的资源调度在描述和建模上比传统车间调度更为复杂。

在云制造中，灵活的流程和机器组合成新的调度实体——服务资源（Service Resource）。这种灵活性允许资源在任务间动态分配，而不再固定分配给特定操作或机器。因此，调度不只是任务分配，而是流程和服务资源的组合，以向消费者提供高效的制造服务。如图 7-2 所示，调度通常在云平台（虚拟空间）和不同提供商（物理空间）之间同时进行，尤其是在机器和设备资源的调度中。这就要求云平台生成的调度计划不仅要在车间执行，还需要协调提供商之间的物流。物流成为云制造调度的重要组成部分。

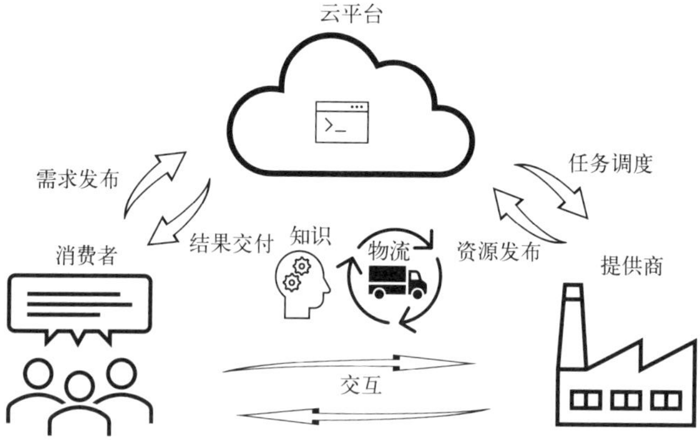

图 7-2 云制造系统的运作模型

如图 7-3 所示，云制造的调度过程可分为几个阶段：订单 / 任务提交（Order/Task Submission）、初步订单 / 任务处理（Preliminary Order/Task Processing）、资源调度（Resource Scheduling）和结果交付（Result Delivery）。每个阶段涉及不同的处理步骤和技术支持，确保最终提供高效、准确的制造服务。

1）订单 / 任务提交

调度过程始于消费者提交订单或任务，消费者将其制造需求（如设计或生产任务）提交至云平台，为后续调度过程提供依据。

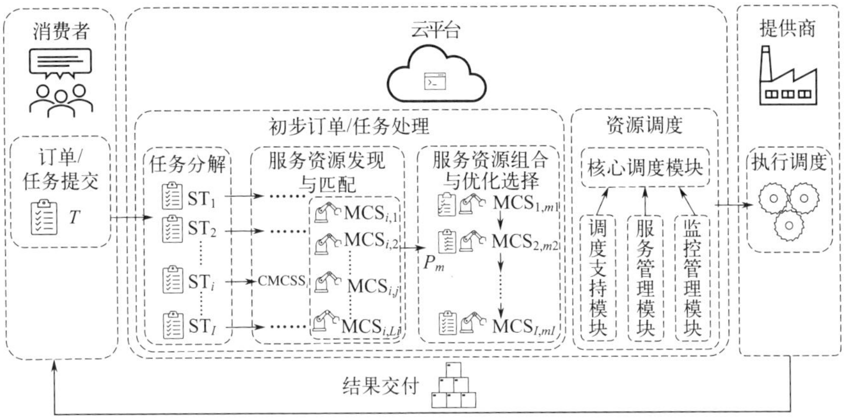

图 7-3　云制造中资源调度的流程

2）初步订单 / 任务处理

提交后的任务需进行初步处理，包括分类、描述、分析和分解等步骤，目的是明确任务的功能需求和非功能需求。功能需求指完成任务所需的具体功能（如特定产品的功能），通常需要特定服务支持；非功能需求则涵盖时间、成本、质量等标准和约束。

（1）任务分解（Task Decomposition）

“任务分解”是云制造调度的关键环节，也是必须考虑服务状态的复杂过程。当任务较为复杂时，需要将其拆解为多个子任务。例如，一个任务 T 可以被分解为多个子任务 $ST_i(i=1,2,\cdots,n)$，其中 n 是总子任务数。子任务的顺序也需要确定，以确保调度顺利进行。

（2）服务资源发现与匹配（Service Discovery and Matching）

“资源 / 服务发现”是查找与指定任务匹配的资源 / 服务的过程。匹配过程包括从功能需求和非功能需求角度判断资源是否适合任务，通常采用基于本体的语义相似度方法计算资源与消费者请求的匹配度。与任务相关的服务资源（如加工子任务的机器）会被匹配到对应的子任务，形成候选服务资源集合（$CMCSS_i$）。$CMCSS_i=\{MCS_{i,1},MCS_{i,2},\cdots,MCS_{i,j},\cdots,MCS_{i,L_i}\}$ 表示第 i 个子任务 ST_i 的候选服务资源集合，其中 $MCS_{i,j}$ 表示集合中的第 j 个服务资源，而 L_i 是第 i 个候选集合 $CMCSS_i$ 中服务资源的总数量。此步骤主要关注服务的功能属性，非功能属性（如时间和成本）以及消费者的需求和偏好会在后续步骤中考虑。

（3）服务资源组合与优化选择（Service Composition and Optimal Select）

“资源 / 服务选择”是根据功能需求和非功能需求为任务确定和选择合适的资源 / 服务的过程。候选服务集合形成后，需要通过服务组合选择一个最优服务路径。此过程确保最终服务的质量（QoS）最优。$R_m=\{MCS_{1,m1},MCS_{2,m2},\cdots,$

$MCS_{i,mi},\cdots,MCS_{n,mn}\}$ 表示一个可能的路径，其能够完成任务 T 的所有 n 个子任务，被视为服务组合的一个可能解决方案。

3）资源调度

“资源 / 服务调度”是将制造资源 / 服务分配给任务以优化系统性能的过程，涵盖服务分配、组合和调度。调度不仅是资源 / 服务的分配，还需要考虑其随时间的动态变化。

在初步处理完成后，调度管理模块通过调度支持模块、服务管理模块和监控管理模块进行任务调度。核心调度模块生成优化的调度计划并管理任务执行。调度支持模块负责管理调度指标、规则、方法和算法。服务管理模块处理服务分类、搜索与匹配、组合和评估等活动。监控管理模块实时监控资源和订单状态，如机器可用性，从而优化调度。调度过程基于现有资源和任务，主要涉及云消费者和云提供商。云消费者关注服务质量和低成本，而云提供商则致力于资源优化和盈利。由于任务多样且异质，调度过程复杂，需要综合考虑功能需求和非功能需求。调度执行流程包括：生成优化调度计划，分派任务给不同提供商执行，并实时监控资源和任务状态。在执行过程中，企业间互动与协调，确保任务顺利完成。

4）结果交付

任务完成后，资源将被释放，最终产品（如零件、组件或成品）通过物流或互联网交付给消费者。结果交付是调度过程的最后一步，确保最终产品满足消费者需求。

云制造的调度过程复杂且动态，需要综合运用多种技术来实现高效的资源调度和服务交付。智能调度技术不仅提高了效率，还优化了资源利用，确保制造服务的按需提供。

7.1.2 调度问题描述

一个云制造系统包含 K 个服务资源提供商 $P=\{P_1,P_2,\cdots,P_K\}$，这些提供商将提供不同的资源服务以完成任务，每个服务资源提供商 P_k 都有对应的工作能力 a_k 和单位时间使用成本 b_k，且所有服务资源提供商在最初时刻是可用的。在云环境中，云平台接收并汇总消费者所提交的任务需求，作为总任务 T，并根据任务分解的规则将 T 分解为 n 个子任务 ST_i，即 $T=\{ST_1,ST_2,\cdots,ST_i,\cdots,ST_n\}$，不同的子任务对应不同的功能需求。每个子任务 ST_i 都有对应的工作量 v_i，并都包含 m_i 个子制造 / 服务过程 TX_{ij}，即 $ST_i=\{TX_{i1},TX_{i2},\cdots,TX_{ij},\cdots,TX_{im_i}\}$，则总制造过程数为 $M=\sum_{i=1}^{n}m_i$。其中，每个子制造 / 服务过程 TX_{ij} 都可以由一个或者多个特定的提供商的资源服务支持，使用对应的服务资源提供商的代号集合 $EP_{ij}\subseteq\{1,2,\cdots,K\}$ 来表示，EP_{ij} 是预先已知的，但每个子制造 / 服务过程 TX_{ij} 都仅需要一个提供商的资源服务即可实现。每个子制造 / 服务过程 TX_{ij} 完成后，可能需要通过物流运转到另一个提供商来进行下一个子制造 / 服务 $TX_{i(j+1)}$。假设不同企业之间的运输时间是已知的，子任务在不同地理位置的提供商间转运的物流时间和成本，分别用一个 $K \times K$ 的矩阵 $\boldsymbol{t}_L$ 和 $\boldsymbol{c}_L$ 表示：

$$\boldsymbol{t}_L = \begin{bmatrix} 0 & \cdots & t_{L_{1K}} \\ \vdots & \ddots & \vdots \\ t_{L_{K1}} & \cdots & 0 \end{bmatrix} \quad \boldsymbol{c}_L = \begin{bmatrix} 0 & \cdots & c_{L_{1K}} \\ \vdots & \ddots & \vdots \\ c_{L_{K1}} & \cdots & 0 \end{bmatrix} \tag{7-1}$$

因此，云制造模式下服务资源调度应该进行以下关键决策：①每个子制造 / 服务过程 TX_{ij} 从对应的服务资源集合 EP_{ij} 中选择一个特定的服务资源；②每一个服务资源提供商制造 / 服务分派到的若干子制造 / 服务过程的执行顺序。

云制造模式下，资源调度的目标是为每个过程选择最合适的服务资源，优化相关指标。由于云制造平台复杂，模型通常需简化。构建云制造资源调度模型时，常做以下假设：

① 资源状态：制造 / 服务资源在未接收任务前不工作，接到任务后需在指定时间段内工作。

② 资源使用：每个资源可处理多种子任务，但同一时刻只能处理一项任务，且一旦被选择使用，其他任务无法调用该资源。

③ 子任务资源选择：每个子任务有多个可选资源，但每个子任务只能由一个资源完成。

④ 使用时间与成本：不同资源完成同一任务的时间和成本不同，且这些值是已知的。成本可能根据常规需求或高峰需求有所不同。

⑤ 资源质量：不同类型的子任务对资源质量的要求不同。

⑥ 物流成本与时间：不同提供商之间的物流成本和时间已知，通常与距离成正比，且忽略交通状况，使用欧几里得距离估算物流距离。

⑦ 资源设置时间：资源设置时间已包含在子过程的处理时间内。

7.1.3 调度优化目标

在传统车间环境中，调度主要围绕工厂内部的机器调度进行优化，其主要目标通常是最小化生产周期和流转时间，而对于成本和质量的关注相对较少。然而，随着制造业逐步向云制造模式转型，资源的所有权不再局限于单一企业，而是由多个企业共享。这一变化使得调度目标变得更加复杂和多样化，因为除了时间和成本之外，还需要考虑服务评价、资源质量、企业声誉等多个指标。

1）云制造中的调度优化目标特点

① 多维度优化目标：在云制造环境中，调度优化往往涉及多个目标，如时间、成本、能耗和资源利用率等，体现了资源共享的复杂性。总时间和成本是最常关注的目标，时间可包含过程时间和服务时间，成本可包含过程成本和服务成本等。

② 运输调度的影响：生产进度可能受到运输调度的显著影响，云制造平台通常采用中央调度方法来优化物流成本和时间。同时，优化目标还包括云制造企业的剩余能力利用率和处理系统的平均利用率，以确保资源的高效利用和系统平衡。

③ 资源质量的考量：由于制造资源（如机床、机器人等）存在异质性，资源质量成为调度中的关键标准。选择合适的资源不仅影响调度效果，还直接关系到生产效率和产品质量，尤其是在资源类型和性能差异较大的情况下。

④ 个性化需求的复杂性：消费者的个性化需求使调度目标更加复杂。在满足不同需求的情况下，资源容易出现负载不均衡，或高质量资源的利用率不足等问题。因此，在调度过程中，不仅要平衡资源负载，还要保证对高质量资源的合理利用，提高任务完成质量。

2）优化目标函数的分类

在云制造环境中，目标函数可以分为四个主要类别：基于成本的（c）、基于时间的（t）、基于质量的（Q）和基于利用率的（U）。在这四个指标中，时间 t 和成本 c 追求最小化，而质量 Q 和利用率 U 则越大越好。

（1）时间（t）

时间优化主要关注任务完成的总耗时。这个时间可以细分为两个子集，即加工时间和物流时间。时间目标函数的数学表达式可以用式（7-2）表示：

$$T=\sum_{i=1}^{n}\sum_{j=1}^{m_i}\sum_{k=1}^{K}x_{ijk}t_{P_{ijk}}+\sum_{i=1}^{n}\sum_{j=1}^{m_i}t_{L_{ij}} \tag{7-2}$$

其中，布尔变量 x_{ijk} 表示第 i 个子任务的第 j 个子制造 / 服务过程是否选择资源 P_k，$t_{P_{ijk}}$ 表示第 i 个子任务的第 j 个子制造 / 服务过程 TX_{ij} 在资源 P_k 上的加工时间，$t_{L_{ij}}$ 表示第 i 个子任务的第 j 个子制造 / 服务过程 TX_{ij} 的物流时间。

（2）成本（c）

云制造环境下的成本通常包括加工成本和物流成本。

$$c=\sum_{i=1}^{n}\sum_{j=1}^{m_i}\sum_{k=1}^{K}x_{ijk}c_{P_{ijk}}+\sum_{i=1}^{n}\sum_{j=1}^{m_i}c_{L_{ij}} \tag{7-3}$$

其中，$c_{P_{ijk}}$ 表示第 i 个子任务的第 j 个子制造 / 服务过程 TX_{ij} 在资源 P_k 上的

加工成本，$c_{L_{ij}}$ 表示第 i 个子任务的第 j 个子制造 / 服务过程 TX_{ij} 的物流成本。

（3）质量（Q）

质量指标通常比时间和成本更加复杂。在云制造环境中，服务质量的定义比传统企业中的资源质量更为多样。资源调度需要找到能够满足需求者要求的解决方案。质量目标函数 Q 通常包括不同子任务 ST_i 的满意度因子 μ_i，以及子任务 ST_i 的第 j 个子制造 / 服务过程 TX_{ij} 在服务资源提供商 P_k 上加工的用户满意度 q_{ijk}。

$$Q=\sum_{i=1}^{n}\mu_i\sum_{j=1}^{m_i}\sum_{k=1}^{K}x_{ijk}q_{ijk} \tag{7-4}$$

（4）利用率（U）

在云制造环境中，制造 / 服务资源利用率是关键的优化目标之一。制造 / 服务资源的平均利用率的数学表达式为：

$$U=\frac{\sum_{i=1}^{n}\sum_{j=1}^{m_i}\sum_{k=1}^{K}x_{ijk}u_{ijk}}{\sum_{i=1}^{n}m_i} \tag{7-5}$$

其中，u_{ijk} 表示第 i 个子任务的第 j 个子制造 / 服务过程 TX_{ij} 在服务资源提供商 P_k 上加工的制造 / 服务资源利用率，而 m_i 是第 i 个子任务中子制造 / 服务过程的总数。

7.1.4 数学规划建模

在云制造环境中，资源的多样性、复杂性和异质性导致资源服务的形式多样，增加了规划匹配和资源共享的难度。数学规划模型作为分析和优化复杂系统的工具，广泛应用于各领域，因此构建云制造环境下的资源调度数学模型尤为重要。

1）多目标优化

多目标调度问题的通用数学规划模型中的目标函数可分为两类：$f_1, f_2, \cdots, f_n$ 是需要最小化的目标函数，如时间 t 和成本 c ； 而 $g_1, g_2, \cdots, g_n$ 是需要最大化的目标函数，如质量 Q 和利用率 U。Θ 是满足所有约束条件的解的集合。约束条件可以具体化为 $y_i(x)\leqslant b_i$，其中 $y_i(x)$ 表示约束条件函数，b_i 是约束的上限值。

$$\begin{cases}\min f_1(x), f_2(x), \cdots, f_n(x)\\ \max g_1(x), g_2(x), \cdots, g_n(x)\\ \text{s.t. } x\in\Theta,\\ \Theta=\{x \mid y_i(x)\leqslant b_i, i=1,2,\cdots,m\}\end{cases} \tag{7-6}$$

2）参数声明

（1）服务资源提供商

K：服务资源提供商的总数量。

a_k：服务资源提供商 P_k 的工作能力（每单位时间能处理的工作量）。

b_k：服务资源提供商 P_k 的单位时间使用成本。

$t_{L_{kk'}}$：服务资源提供商 P_k 与 $P_{k'}$ 之间的物流时间。

$c_{L_{kk'}}$：服务资源提供商 P_k 与 $P_{k'}$ 之间的物流成本。

（2）任务和子任务

n：子任务的数量。

v_i：子任务 ST_i 的工作量。

m_i：子任务 ST_i 中的子制造 / 服务过程数量。

$t_{\max_i}$：子任务 ST_i 的最大完成时间。

$c_{\max}$：任务的总成本上限。

（3）决策变量

x_{ijk}：二进制决策变量，表示子制造 / 服务过程 TX_{ij} 是否分配给提供商 P_k。若分配，则提供商 P_k 在服务时间段内处于工作状态，$x_{ijk}=1$，否则 $x_{ijk}=0$。

（4）辅助变量

s_{ijk}：子制造 / 服务过程 TX_{ij} 在服务资源提供商 P_k 上的开始时间。

$t_{ijk}=v_i/a_k$：子制造 / 服务过程 TX_{ij} 在服务资源 P_k 上的用时。

e_{ijk}：子制造 / 服务过程 TX_{ij} 在服务资源提供商 P_k 上的结束时间。

$t_{L_{ij}}$：子制造 / 服务过程 TX_{ij} 在前一制造 / 服务完成后从前一提供商到这一提供商的物流用时。

$c_{L_{ij}}$：子制造 / 服务过程 TX_{ij} 在前一制造 / 服务完成后从前一提供商到这一提供商的物流成本。

$z_{(ij)(ij)',k}$：二进制辅助变量，表示在服务资源 k 上，子制造 / 服务过程 (ij) 是否在子制造 / 服务过程 $(ij)'$ 之后开始。$z_{(ij)(ij)',k}=1$，子制造 / 服务过程 (ij) 在子制造 / 服务过程 $(ij)'$ 之后开始；反之，$z_{(ij)(ij)',k}=0$。

$c_{ijk}=b_k t_{ijk}$：子制造 / 服务过程 TX_{ij} 在服务资源提供商 P_k 上的成本。

3）约束条件

云制造服务资源调度的数学模型包括以下约束条件。

（1）资源独占性约束

① 资源在同一时间段的独占性：

$$\sum_{i=1}^{n}\sum_{j=1}^{m_i} x_{ijk} \leqslant 1,\ \forall k=1,2,\cdots,K \tag{7-7}$$

其中，x_{ijk} 为决策变量，表示子制造 / 服务过程 TX_{ij} 是否在使用提供商 P_k。该约束保证每个资源在同一时间段内至多只可以被一个子制造 / 服务过程使用。

② 每个子制造 / 服务过程只能分配给一个服务资源：

$$\sum_{k=1}^{K} x_{ijk}=1,\ \forall i=1,2,\cdots,n;\forall j=1,2,\cdots,m_i \tag{7-8}$$

其中，x_{ijk} 为决策变量，表示子制造 / 服务过程 TX_{ij} 是否被分配给提供商 P_k。该约束保证即每个子制造 / 服务过程在一个时刻能且仅能被分配给一个资源。

（2）顺序约束

$$\begin{gathered} s_{(ij)k} \geqslant e_{(ij)'k} - M\left(1 - z_{(ij)(ij)',k}\right),\ \forall k=1,2,\cdots,K \\ \sum_{(ij)\neq(ij)'} z_{(ij)(ij)',k} = 1,\ \forall k=1,2,\cdots,K \end{gathered} \tag{7-9}$$

此约束保证：对于每个服务资源提供商 P_k，其上所有的子制造/服务过程对，即 $TX_{(ij)},TX_{(ij)'},(ij)\neq(ij)'$ 中，$TX_{(ij)}$ 只有一个前置过程 $TX_{(ij)'}$ 使得 $s_{(ij)k} \geqslant e_{(ij)'k}$。其中，$M$ 是一个足够大的常数，用来确保当 $z_{(ij)(ij)',k}=0$ 时，约束不会对 $s_{(ij)k}$ 施加额外限制。

（3）物流约束

$$\begin{gathered} t_{L_{ij}} = \sum_{k=1}^{K} x_{i(j-1)k} \sum_{k'=1}^{K} x_{ijk'} t_{L_{kk'}} \quad \forall i=1,2,\cdots,n;\ \forall j=2,\cdots,m_i \\ t_{L_{i1}} = 0,\ \forall i=1,2,\cdots,n \end{gathered} \tag{7-10}$$

$$\begin{gathered} c_{L_{ij}} = \sum_{k=1}^{K} x_{i(j-1)k} \sum_{k'-1}^{K} x_{ijk'} c_{L_{kk'}} \quad \forall i=1,2,\cdots,n;\forall j=2,\cdots,m_i \\ c_{L_{i1}} = 0,\ \forall i=1,2,\cdots,n \end{gathered} \tag{7-11}$$

此约束计算从子任务 i 的第 j–1 个子制造过程到第 j 个子制造过程的物流时间和成本。其中，$t_{L_{kk'}}$ 表示从提供商 k 到提供商 k' 的物流时间，$c_{L_{kk'}}$ 表示从提供商 k 到提供商 k' 的物流时间，$x_{i(j-1)k}$ 和 $x_{ijk'}$ 是决定物流过程的始末提供商的二进制变量。

（4）时间约束

$$\begin{gathered} \max_{j=1,2,\cdots,m_i} x_{ijk} e_{ijk} \leqslant t_{\max_i},\ \forall i=1,2,\cdots,n;k=1,2,\cdots,K \\ e_{ijk} = s_{ijk} + t_{ijk} + T_{L_{ij}},\ \forall i=1,2,\cdots,n;\ j=2,\cdots,m_i;k=1,2,\cdots,K \end{gathered} \tag{7-12}$$

其中，e_{ijk} 为子制造 / 服务过程 TX_{ij} 在资源 P_k 上的完成时间，$T_{\max_i}$ 为子任务 ST_i 的最晚完成时间。该约束保证每个子任务 ST_i 的实际完成用时不得超过最晚完成时间。

（5）成本约束

$$\sum_{i=1}^{n}\sum_{j=1}^{m_i}\sum_{k=1}^{K}x_{ijk}c_{ijk}+\sum_{i=1}^{n}\sum_{j=1}^{m_i}c_{L_{ij}}\leqslant C_{\max} \tag{7-13}$$

其中，c_{ijk} 为子制造 / 服务过程 TX_{ij} 在资源 P_k 上的制造 / 服务过程的成本，$C_{\max}$ 为总任务 T 可以支付的最高成本。成本约束即任务的总成本不得超过预设的最大成本。

（6）质量约束

$$\min_{j=1,2,\cdots,m_i} x_{ijk}q_{ijk}\geqslant Q_{\min_i},\ \forall i=1,2,\cdots,n;\forall k=1,2,\cdots,K \tag{7-14}$$

其中，q_{ijk} 为子制造 / 服务过程 TX_{ij} 在资源 P_k 上的制造 / 服务过程的质量评估，$Q_{\min_i}$ 为消费者设定的子任务 ST_i 的理想最低质量要求。该约束保证每个子任务 ST_i 的服务质量必须不低于最低质量要求。

（7）利用率约束

$$\sum_{j=1}^{m_i}\sum_{k=1}^{K}x_{ijk}u_{ijk}/m_i\geqslant U_{\min},\ \forall i=1,2,\cdots,I \tag{7-15}$$

其中，u_{ijk} 为子制造 / 服务过程 TX_{ij} 在资源 P_k 上的制造 / 服务过程的利用率，$U_{\min}$ 为执行每个子任务 ST_i 所需的最低平均利用率。该约束保证每个子任务的平均制造 / 服务资源利用率必须满足基本需求。

7.2

云制造资源的智能化调度算法

云制造通过整合多家企业的制造资源，实现资源共享与协同。由于不同企业之间的合作涉及复杂的运输成本与时间消耗，如何智能调度资源、优化任务分配，降低总成本并提高效率，成为关键问题。本节介绍云制造环境中常用的三种智能调度方法：局部搜索算法、进化算法和多目标方法。这些方法各有优劣，适用于不同的调度场景。

① 局部搜索算法：通过探索当前解的邻域进行迭代改进，适用于快速获得近似最优解的问题。

② 进化算法：模拟自然选择过程，适合在复杂搜索空间中寻找全局最优解。

③ 多目标方法：处理多个冲突目标的优化问题，寻找最优折中方案。

7.2.1 局部搜索算法

局部搜索算法通过逐步改进当前解，寻找局部最优解。在云制造环境中，客户的订单被分解为多个子任务，并细化为多个子过程，这些子过程需要合理分配到不同的服务资源。资源合作不仅涉及任务分配，还需考虑运输成本与时间消耗。因此，局部搜索算法在优化任务分配、减少总成本和时间上具有重要作用。在特定的情景中，假设有三个子任务 T_1、T_2 和 T_3，T_1 含有子过程 O_{11} 及 O_{12}，T_2 含有 O_{21} 及 O_{22}，T_3 含有 O_{31}、O_{32} 和 O_{33}。任务之间的优先关系和运输设置已知（由图 7-4 给出），需遵守任务顺序优先级约束。

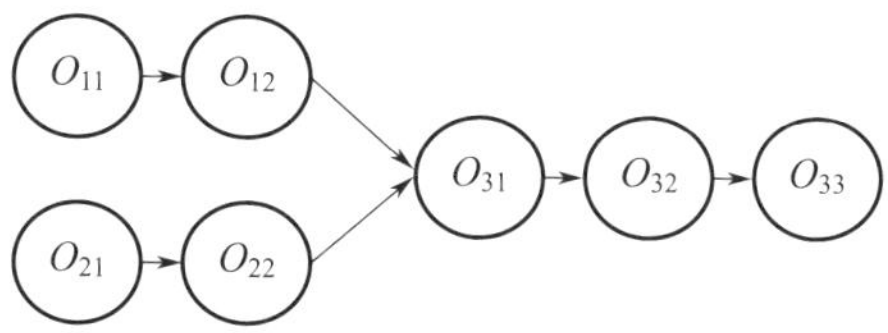

图 7-4　任务优先关系及运输设置

1）编码与解码

（1）基因编码

任务调度方案通过双链编码表示，分为资源分配链和任务顺序链。每条编码链代表一个可能的调度方案，具体编码过程如下。

① 资源分配链：每个编码位对应一个子过程，编码位的值表示任务分配的资源。给定三个资源 P_1、P_2、P_3 和三个任务 T_1、T_2、T_3，任务 T_1 包含子过程 O_{11} 和 O_{12}，任务 T_2 包含子过程 O_{21} 和 O_{22}，任务 T_3 包含子过程 O_{31}、O_{32} 和 O_{33}。基因编码为 $[P_1, P_2, P_2, P_1, P_3, P_1, P_2]$，表示 O_{11} 分配给 P_1，O_{12} 分配给 P_2，依次类推。

② 任务顺序链：首先根据任务的紧前任务集合 $\mathrm{PRED}(T_i)$ 计算任务的级别 $\mathrm{Rank}(T_i)$。任务级别的计算方式如下：

$$\mathrm{Rank}(T_i)=\begin{cases}1, \mathrm{PRED}\left(T_i\right)=\varnothing \\ 1+\max\left(\mathrm{rank}\left(\mathrm{PRED}\left(T_i\right)\right)\right), \text{else}\end{cases} \tag{7-16}$$

表 7-1 展示了任务顺序链的编码方式。对于没有紧前任务的任务，其任务级别设定为 1，分配到级别 1。若任务的紧前任务最大级别为 1，则该任务分配到级别 2。编码值对应任务编号，相同编码值表示同一任务的不同子过程。例如，位置 1 的“1”代表任务 T_1 的一个子过程 O_{11}，位置 4 的“1”则代表任务 T_1 的另一个子过程 O_{12}，从而确保任务顺序得到正确解读。

表 7-1 任务顺序链编码

级别 1				级别 2		
1	2	2	1	3	3	3

（2）基因解码

云制造环境中的总成本由加工成本和运输成本构成。加工成本 $c_p=\{c_{p_{ijk}}|i \in n, j\in m_i, k\in K\}$，其中 n 代表子任务的集合，m_i 代表子任务 i 的子过程集合，K 代表资源集合。运输成本由矩阵 $\boldsymbol{c}_L$ 表示，如式（7-1）。总成本等于各子过程在不同服务资源上的处理成本加上不同服务资源之间的运输成本。

下面通过一个案例来介绍基因的解码方式。企业及待加工的工序的加工成本信息如表 7-2 所示，该案例中包含三个资源 $[P_1, P_2, P_3]$，以及三个任务 T_1,T_2,T_3，其中任务 T_1 包含 2 个子任务，任务 T_2 包含 2 个子任务，任务 T_3 包含 3 个子任务。考虑编码 $[P_1, P_2, P_2, P_1, P_3, P_1, P_2, 1, 2, 2, 1, 3, 3, 3]$，前半部分表示 O_{11} 分配给 P_1，O_{12} 分配给 P_2，O_{21} 分配给 P_2，O_{22} 分配给 P_1，O_{31} 分配给 P_3，O_{32} 分配给 P_1，O_{33} 分配给 P_2；后半部分表示任务的处理顺序，首先处理任务 T_1 的子过程 O_{11}，随后处理任务 T_2 的子过程 O_{21}，接着处理任务 T_2 的子过程 O_{22}，依次类推。从表 7-2 可知，各子过程对应的加工成本为 O_{11}—10，O_{12}—13，O_{21}—14，O_{22}—10，O_{31}—15，O_{32}—20，O_{33}—15，则总处理成本为 $c_p=\sum_{i=1}^{n}\sum_{j=1}^{m_i}\sum_{k=1}^{K}x_{ijk}C_{p_{ijk}}$ = 10+13+14+10+15+20+15=97。

表 7-2 加工成本信息

企业	O_{11}	O_{12}	O_{21}	O_{22}	O_{31}	O_{32}	O_{33}
P_1	10	15	12	10	18	20	25
P_2	20	13	14	12	22	24	15
P_3	30	25	22	18	15	18	20

根据任务优先关系，计算一个任务所属服务资源到下一个任务所属服务资源的运输成本。由表 7-3 可知，$O_{11}(P_1)$ 到 $O_{12}(P_2)$ 的运输成本为 5；$O_{12}(P_2)$ 到 $O_{31}(P_3)$ 的运输成本为 8；$O_{21}(P_2)$ 到 $O_{22}(P_1)$ 的运输成本为 5；$O_{22}(P_1)$ 到 $O_{31}(P_3)$ 的运输成本

表 7-3 运输成本信息

企业	P_1	P_2	P_3
P_1	0	5	10
P_2	5	0	8
P_3	10	8	0

为 10；$O_{31}(P_3)$ 到 $O_{32}(P_1)$ 的运输成本为 10；$O_{32}(P_1)$ 到 $O_{33}(P_2)$ 的运输成本为 5，则总运输成本为 $c_L=\sum_{i=1}^{n}\sum_{j=1}^{m_i}\sum_{k=1}^{K}x_{ijk}C_{L_{ijk}}=5+8+5+10+10+5=43$，总成本为 $c=c_p+c_L=97+43=140$。

对于 Rank 值为 1 的任务，其开始时间为 0。其他任务的开始时间被初始化为无穷大。对于每个任务，其开始时间 $S_{o_{ij}}$ 为其所有前置任务的结束时间 $F_{o_{ij}}$ 中的最大值。

$$S_{o_{ij}}=\max_{o_{ij}'\in\text{前置任务}}F_{o_{ij}}+t_L \tag{7-17}$$

其中，t_L 是前置任务所在资源到当前任务所在资源的运输时间。

任务的结束时间 $F_{o_{ij}}$ 为其开始时间 $S_{o_{ij}}$ 加上该任务在分配资源上所需的处理时间：

$$F_{o_{ij}}=S_{o_{ij}}+t_{P_{ijk}} \tag{7-18}$$

其中，$t_{P_{ijk}}$ 代表 O_{ij} 在资源 P_k 的处理时间。若多个子任务被分配到同一资源，并且它们的时间安排有冲突，则后续子任务的开始时间必须推迟至前一个任务完成之后。

下面通过一个案例来介绍。该案例中，任务优先关系为：$O_{11}(P_1)>>O_{12}(P_2)$；$O_{12}(P_2)>>O_{31}(P_3)$；$O_{21}(P_2)>>O_{22}(P_1)$；$O_{31}(P_3)>>O_{32}(P_1)>>O_{33}(P_2)$。根据上述方法解码后各子任务的开始和结束时间如表 7-4 所示。多个子任务分配到同一资源（如 O_{11} 和 O_{22} 都在 P_1 上时），由于时间不重叠，因此不需要推迟处理，可知完工时间为 32。

表 7-4　各过程的开始和结束时间

子任务	O_{11}	O_{12}	O_{21}	O_{22}	O_{31}	O_{32}	O_{33}
开始时间	0	7	0	7	15	21	29
结束时间	5	11	5	12	18	27	32

2）算法框架与流程

基于上述编码与解码方式，可以采用不同的局部搜索算法优化，下面介绍各算法框架。

（1）模拟退火（Simulated Annealing，SA）算法

SA 由 Metropolis 等于 1953 年提出，1983 年 Kirkpatrick 等将其引入组合优化领域[6]。该算法从较高的初温开始，随着温度逐步降低，基于局部搜索框架，采用 Metropolis 准则跳出局部最优，随机寻找全局最优解。SA 算法的伪代码见算法 7-1。

算法 7-1　模拟退火算法

```
Input    初始解 x_0，初始温度 t_0，冷却方案 t_k， k=1,2,3,…，每个温度下的搜索迭代数 M_k
Output   当前解 x
Begin
k=0; x=x_0;                          // 初始化迭代数 k，以及当前解
m=0;                                  // 初始化同温度下的迭代计数 m
Repeat
    Repeat
        在当前解的邻域中采样   x′ ∈ N(x);
        Δ_{x,x′}=y(x′)-y(x);          // 评估 x′，并计算其与当前解的目标函数差
        If Δ_{x,x′}≤0, Then x←x′;     // 若提升，则移动至 x′
        If Δ_{x,x′}>0, Then x←x′   with probability exp(-Δ_{x,x′}/t_k);
                                // 否则以一定概率移动至 x′
        m=m+1                   // 更新同温度下的迭代计数
    Until m ≥ M_k
k=k+1;                    // 更新迭代数
Until  终止条件
End
```

冷却方案会影响模拟退火的搜索效果，有多种选择：

a）线性冷却方案（Linear Cooling Schedule）：$t_k=t_0-\eta k$。

b）指数冷却方案（Exponential Cooling Schedule）：$t_k=t_0\alpha^k$。其中，$\alpha \in (0,1)$。

c）对数冷却方案（Logarithmic Cooling Schedule）：$t_k=\dfrac{t_0}{1+\alpha\ln(1+k)}$。其中，$\alpha>1$。

SA 具有全局最优收敛性，简单、通用、易实现。然而，由于其要求较高的初始温度、较慢的降温速率，以及各温度下足够多次的抽样，因此其优化过程较长。

（2）禁忌搜索（Tabu Search，TS）算法

TS 是一种强大的局部搜索算法，它被成功地应用于生产、物流、医疗、能源等不同领域的组合优化问题中。其思想最早由 Glover 提出[7]，它是对简单局部搜索的一种扩展，通过引入以下两个机制来跳出局部最优：

a）移动规则：每一步都移动到邻域中最好的解（接受非提升解）。

b）禁忌列表：引入一个灵活的存储结构和相应的禁忌准则来避免循环，并通过藐视准则来赦免一些被禁忌的优良状态，进而保证多样化的有效探索。

禁忌列表中禁忌项的形式非常灵活：可以是完整的解，如 5 维决策变量 $\boldsymbol{x}$=[3,1,2,4,5]；可以是解的某些部分或特征，如 [*,*,2,4,5]，则以 2、4、5 为后三位的解被禁；也可以是移动方向，如当前解为 $\boldsymbol{x}$，邻域解为 $\boldsymbol{x}'$，则 $\boldsymbol{x}\to\boldsymbol{x}'$ 后，可以其逆移动方向 $\boldsymbol{x}'\to\boldsymbol{x}$ 为禁忌项；也可以是生成解的操作，如当前解为

$\boldsymbol{x}$=[1,2,3,4,5]，邻域解由“互换 $\boldsymbol{x}(1)$ 与 $\boldsymbol{x}(3)$”的操作 $\mathcal{O}$ 获得，即 $\boldsymbol{x}'$=[3,2,1,4,5]，可以其逆操作 $\mathcal{O}^{-1}$={ 互换 $\boldsymbol{x}(3)$ 与 $\boldsymbol{x}(1)$} 为禁忌项。为了避免具有潜力的解被禁忌项所禁止，禁忌搜索中引入了藐视规则（Aspiration Criterion）。最简单且常用的藐视规则为，若一个解被禁忌列表禁止，但它优于当前最优解，那么仍然应接受这个新的解。禁忌搜索算法的伪代码见算法 7-2。

算法 7-2　禁忌搜索算法

```
Input    初始解 x₀，禁忌列表长度 l
Output   当前最优解 x*
Begin
x=x₀;x*=x₀;                         // 初始化当前解及当前最优解
TL=∅;                               // 初始化禁忌列表
Repeat
    评估 N(x) 中的所有解;           // 评估邻域解，获得其目标函数
    Ñ =∅;                     // 初始化 Ñ，即未被禁忌的解与符合藐视准则的解的合集
    For x′ ∈ N(x) do
        If x′∉TL or y(x′)<y(x*), Then Ñ = Ñ∪ {x′};   // 构建 Ñ
    End
    x″=argmin_{x′∈Ñ} y(x′)                    // Ñ中的最优解
    x ← x″;                                   // 更新当前解
    TL=TL ∪ 禁忌项                             // 更新禁忌列表
    If |TL|>l, Then 移除 TL 中第一项 ;          // 更新禁忌列表
    If y(x)<y(x*), Then x*=x;                 // 更新当前最优解
Until  终止条件
End
```

7.2.2 进化算法

进化算法是一类基于自然选择和遗传机制的优化算法，常用于解决复杂的优化问题。通过模拟生物进化过程，逐步改进解的质量，最终寻找全局最优解。本节将介绍遗传算法（Genetic Algorithm，GA）和粒子群优化（Particle Swarm Optimization，PSO）算法。

1）遗传算法

GA 基于达尔文进化论，通过适者生存等自然进化规则进行搜索和问题求解。与局部搜索算法不同，GA 通过群体个体间的信息交换对解空间进行采样。近年来，遗传算法因其在复杂优化问题中的巨大潜力而受到广泛关注 [8-10]。

GA 通过种群（Population）来模拟生物系统的进化。一个种群由 n 个个体（或染色体，Chromosome）构成，每个染色体由一串数字构成，代表组合优化问

题的一个解 $\mathcal{P}=\{\boldsymbol{x}_1, \boldsymbol{x}_2, \cdots, \boldsymbol{x}_n\}$，其中向量 $\boldsymbol{x}_i$ 代表第 i 个染色体。如，某任务被分解为 3 个子任务，由云服务平台的 3 个资源进行加工和操作，以下为该问题的一个大小为 5 的种群例子：$\mathcal{P}=\{[1,2,1],[2,2,3],[1,3,1],[1,2,3],[3,3,2]\}$。

在 GA 中，选择机制被用来决定进入交配池的个体，参与子代的生产。选择机制一般遵循两个原则，一是个体越强，被选择的概率越高，二是个体可被重复选择。常用的选择方法有适应性比率选择法以及联赛选择法。在适应性比率法中，每个个体被选择的概率与其环境适应性成正比，即 $p_i=\dfrac{f_i}{\sum_{j=1}^{N} f_j}$，其中 f_i 为个体 i 的适应性。对于最大化问题，一般可令 $f_i=y(\boldsymbol{x}_i)$；而对于最小化问题 $f_i=1/y(\boldsymbol{x}_i)$ 或 $f_i=\max\limits_{j=1,\cdots,N}\{y(\boldsymbol{x}_j)\}-y(\boldsymbol{x}_i)$。个体被选择的概率与种群中个体目标函数值的分布有关，有时难以控制。因此，有时也可将 f_i 转化为个体在群体中的排序。联赛选择法则相对简单，它从种群中随机挑选 k 个竞争者，适应性最好的进入交配池。相比于适应性比率选择法，联赛选择法不需要考虑适应性函数对个体概率的影响，更易使用。

交叉是产生子代的主要操作，根据染色体编码方式可分为两类：①组合类：表示决策组合（如生产计划中各物料的数量），可采用单切点交叉、双切点交叉或均匀交叉。②排序类：表示排序（如工件加工顺序），通常采用顺序交叉。

变异是引入多样性的操作，依据染色体编码方式分为两类：①对于组合类染色体，采用点变异，即基因以一定概率重新采样。②对于排序类染色体，采用排序变异，通常包括：a. 交换：随机交换相邻基因位置；b. 插入：随机选择基因并插入另一个位置；c. 翻转：随机交换两个位置之间所有基因顺序。

代际策略决定下一代种群的构成。在 Holland 提出的算法中，下一代完全由选择、交叉、变异后的本代个体组成，但可能丢弃当前最优解。因此，提出以下策略：①精英策略：下一代由本代的 λ 个最优个体和 $|\mathcal{P}|-\lambda$ 个子代染色体构成；②竞争策略：将本代和子代合并，选出最优的 $|\mathcal{P}|$ 个染色体。GA 的伪代码见算法 7-3。

2）粒子群优化算法

PSO 由 Kennedy 和 Eberhart 于 1995 年提出[11]，模拟鸟群或鱼群觅食行为，借助群体协作逐步逼近最优解。因其简单、易实现、收敛快，PSO 被广泛应用于函数优化、神经网络训练、数据挖掘及工程优化等领域。在 PSO 中，解空间中的解称为“粒子”。每个粒子代表一个候选解，依据速度和位置在解空间中移动。粒子通过跟踪自身的最优位置（局部最优解）及全体粒子的最优位置（全局最优解）来调整方向和速度，最终趋向全局最优解。PSO 的算法步骤如下：

算法 7-3 遗传算法

```
Input     种群大小 M，交叉概率 p_c，变异概率 p_m
Output    最终种群 𝒫
Begin
生成大小为 M 的初始种群 𝒫；
Repeat
    评估种群 𝒫 中所有个体，获得其目标函数；
    MP=Selection(𝒫);                    // 在 𝒫 中选择 M 个个体进入交配池
    𝒞=∅;                                // 初始化子代
    While MP ≠ ∅ do
        从 MP 中随机取出个体 MP[i] 和 MP[j] ；
        If rand ≤ p_c, Then C_1,C_2=CrossOver(MP[i],MP[j]);   // 符合概率条件，交叉
        Else C_1,C_2=MP[i],MP[j];               // 不符合概率条件，复制
        If rand ≤ p_m, Then
           Mutate C_1,C_2;                      // 符合概率条件，变异
           𝒞=𝒞 ∪ {C_1,C_2};
    End
    𝒫 ← GenerationalStrategy(𝒫,𝒞);     // 应用代际策略构建下一代种群
Until  终止条件
End
```

① 初始化：随机初始化粒子的位置和速度，并设置局部和全局最优解。

② 更新速度和位置：每个粒子的速度由以下公式更新：

$$\boldsymbol{v}_i^{t+1} = \omega \boldsymbol{v}_i^t + c_1 r_1 \left(\boldsymbol{p}_i^{\text{best}} - \boldsymbol{x}_i^t \right) + c_2 r_2 \left(\boldsymbol{g}^{\text{best}} - \boldsymbol{x}_i^t \right) \tag{7-19}$$

式中，$\boldsymbol{v}_i^t$ 是粒子 i 在 t 时刻的速度，$\boldsymbol{p}_i^{\text{best}}$ 是粒子 i 的历史最佳位置，$\boldsymbol{g}^{\text{best}}$ 是全局最佳位置，ω 是惯性权重，c_1 和 c_2 是学习因子，r_1 和 r_2 是 [0,1] 之间的随机数。每个粒子的位置信息由以下公式更新：

$$\boldsymbol{x}_i^{t+1} = \boldsymbol{x}_i^t + \boldsymbol{v}_i^{t+1} \tag{7-20}$$

式中，$\boldsymbol{x}_i^t$ 是粒子 i 在 t 时刻的位置。

③ 更新最优解：评估粒子的新位置并更新局部最优解，若新解优于全局最优解，则更新全局最优解。

④ 迭代与终止：重复更新过程，直到满足终止条件（如达到最大迭代次数或解的改进小于预设阈值）。

PSO 的伪代码见算法 7-4。

算法 7-4　粒子群优化算法

Input　粒子群大小 M，惯性权重 ω，个体学习因子 c_1，群体学习因子 c_2，最大迭代次数 N
Output　全局最优解 $\boldsymbol{g}_{\text{best}}$
Begin
初始化粒子群 $\mathcal{P}$，粒子位置 $\boldsymbol{x}_i^t$ 及速度及 $\boldsymbol{v}_i^t$；
计算每个粒子的适应度值 $f(\boldsymbol{x}_i^t)$，初始化个体最优位置 $\boldsymbol{p}_{\text{best}}$ 和全局最优位置 $\boldsymbol{g}_{\text{best}}$；
Repeat
　　For i **in** $\mathcal{P}$
　　　　$\boldsymbol{v}_i^t=\omega\boldsymbol{v}_i^t+c_1r_1(\boldsymbol{p}_i^{\text{best}}-\boldsymbol{x}_i^t)+c_2r_2(\boldsymbol{g}^{\text{best}}-\boldsymbol{x}_i^t)$;　// 更新粒子速度
　　　　$\boldsymbol{x}'^t_i=\boldsymbol{x}_i^t+\boldsymbol{v}_i^t$;　// 更新粒子位置
　　　　$f(\boldsymbol{x}_i^t)=f(\boldsymbol{x}'^t_i)$　// 更新粒子适应度值
　　　　Update $\boldsymbol{p}_{\text{best}},\boldsymbol{g}_{\text{best}}$　// 更新个体最优位置和全局最优位置
　　End For
Until　最大迭代次数
End

7.2.3 多目标方法

在云制造环境中，调度问题通常涉及多个优化目标，如最小化总生产成本、生产时间、最大化产品质量和资源利用率等。这些目标往往相互冲突，单目标优化算法难以提供理想解。多目标调度算法旨在同时优化多个目标，寻找一组可行解，使得这些解在各个目标上都能达到满意的性能。多目标优化问题的解集通常通过帕累托前沿展示。在帕累托前沿上，每个解都无法通过改进某一目标而不牺牲其他目标。决策者可以根据不同目标之间的权衡，选择最适合的解决方案。本小节将介绍三种多目标调度方法：权重法、ε- 约束法（epsilon-constraint method）和 NSGA-Ⅱ（Non-dominated Sorting Genetic Algorithm Ⅱ，二代非支配排序遗传算法）。

1）权重法

权重法通过将多个目标函数按权重线性组合成一个综合目标函数，从而将多目标优化问题转化为单目标优化问题。该方法简单易行，适用于目标重要性能够量化且稳定的情况。在云制造环境中，由于时间、成本、质量等指标存在冲突，需要通过标准化处理将这些指标转化为无量纲的可比参数，以便更好地进行优化 [12]。应用权重法存在两个挑战：a. 权向量的选择可能无法找到一致的帕累托最优解集。b. 该方法无法有效寻找位于帕累托前沿非凸部分的最优解。

2）ε– 约束法

ε- 约束法是一种经典的多目标优化算法，由 Haimes 等于 1971 年提出 [13]。该方法通过将多目标优化中的其他目标转化为约束，保留一个目标进行优化，逐步逼近帕累托最优解。由于其简单且灵活，ε- 约束法广泛应用于调度优化、供应链管理等领域。

该方法的流程图如图 7-5 所示。以云制造中的成本与时间优化为例，首先对成本和时间分别进行优化，确定帕累托前沿的上下界。然后在时间约束下优化成本，调整时间限制生成不同的成本解，从而得到多个帕累托解。然而，ε- 约束法也有局限性。首先，ε 值的设定很关键，过小可能找不到可行解，过大则会失去优化意义。其次，当优化目标超过两个时，每增加一个目标需增加约束条件，导致解空间呈指数增长，增加计算复杂度。因此，该方法适用于两个目标的优化，如完工时间与成本的平衡。

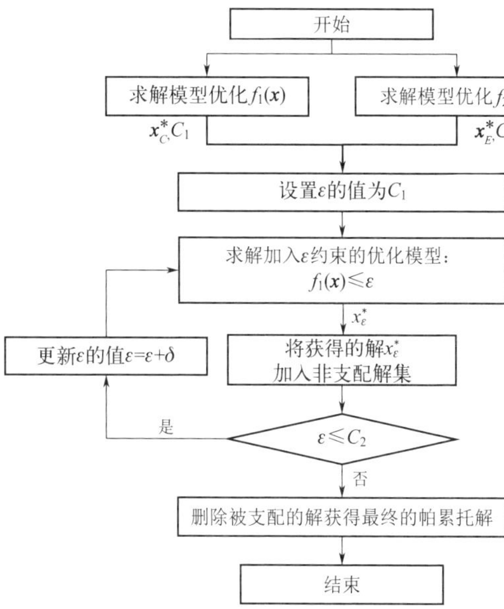

图 7-5　ε- 约束法流程图

3）二代非支配排序遗传算法

NSGA-Ⅱ 是一种多目标优化进化算法，由 Deb 等于 2002 年提出[14]。NSGA-Ⅱ 通过非支配排序和拥挤距离概念，能有效处理多目标优化中的帕累托解集。其核心思想是利用非支配排序对种群分层，优先选择位于帕累托前沿的解，同时通过拥挤距离保持解的多样性，避免种群过早收敛。与早期算法相比，NSGA-Ⅱ具有计算复杂度低、无须共享参数、能有效保留解的多样性等优点，广泛应用于工程优化、调度问题和资源分配等领域。

在 NSGA-Ⅱ 中，拥挤距离是衡量解在非支配前沿中“拥挤程度”的指标。它是保持种群多样性的关键因素，能避免解过于集中在某一部分目标空间，确保算法充分探索整个解空间。图 7-6 展示了不同支配等级的帕累托前沿，假设最小化目标 f_1，f_2。图中，黑色点代表支配等级 1 的前沿，白色点代表等级 2 的前沿，等级越低，优先级越高。前沿上的边界解拥挤度为无穷大，前沿中间解的拥挤度为相邻解在每个目标函数上的差值之和：

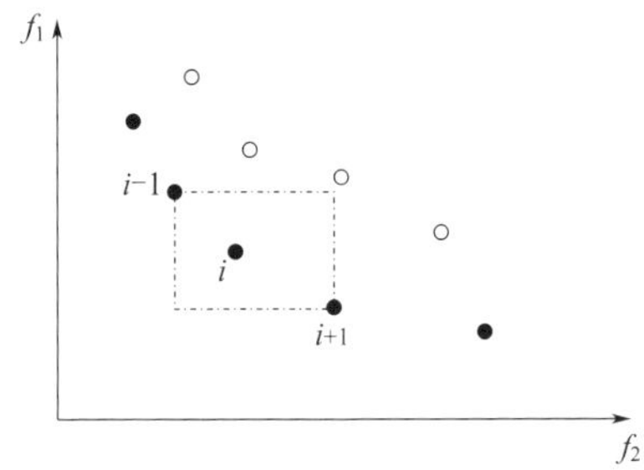

图 7-6　拥挤度与支配等级

$$d_i = \sum_{j=1}^{m} \frac{f_j\left(i+1\right) - f_j\left(i-1\right)}{f_j^{\max} - f_j^{\min}} \tag{7-21}$$

其中，d_i 是解 i 的拥挤度，$f_j(i+1)$ 和 $f_j(i-1)$ 分别是目标 j 上相邻解 i+1 和 i−1 的目标函数值，$f_j^{\max}$ 和 $f_j^{\min}$ 分别是目标 j 上最大值和最小值。

快速非支配排序是 NSGA-Ⅱ中将多目标优化解按非支配等级分类的高效方法。通过这一方法，算法能够快速识别出更优的解并优先保留，确保种群逐步进化到更优的帕累托前沿。快速非支配排序计算包含以下步骤：

① 初始设置：计算每个解 p 的支配解集合 $S(p)$ 和支配数 $n(p)$，识别支配数为 0 的解，确定第一前沿 $F1$。

② 第一前沿识别：对于每个解 p，遍历种群中其他解 q，若 p 支配 q，则将 q 加入 $S(p)$；若 q 支配 p，增加 p 的支配数 $n(p)$。当 $n(p)$=0 时，p 属于第一前沿。

③ 递归计算后续前沿：从第二层前沿开始，更新第一前沿中解 q 的支配集合，减少 $n(q)$ 值，若 $n(q)$=0，则 q 加入下一层前沿。

④ 重复步骤③，直到所有解被分配到对应的前沿。

在 NSGA-Ⅱ初始化时，将任务与资源匹配及子任务顺序编码为染色体，每条染色体代表一个个体，多个个体构成种群。通过染色体的交叉和变异操作，重新组合和替换基因信息，生成下一代个体。通过计算拥挤度和支配关系对个体排序，保留优良基因，最终逐步生成优化解。NSGA-Ⅱ程序的基本流程框架如图 7-7 所示。

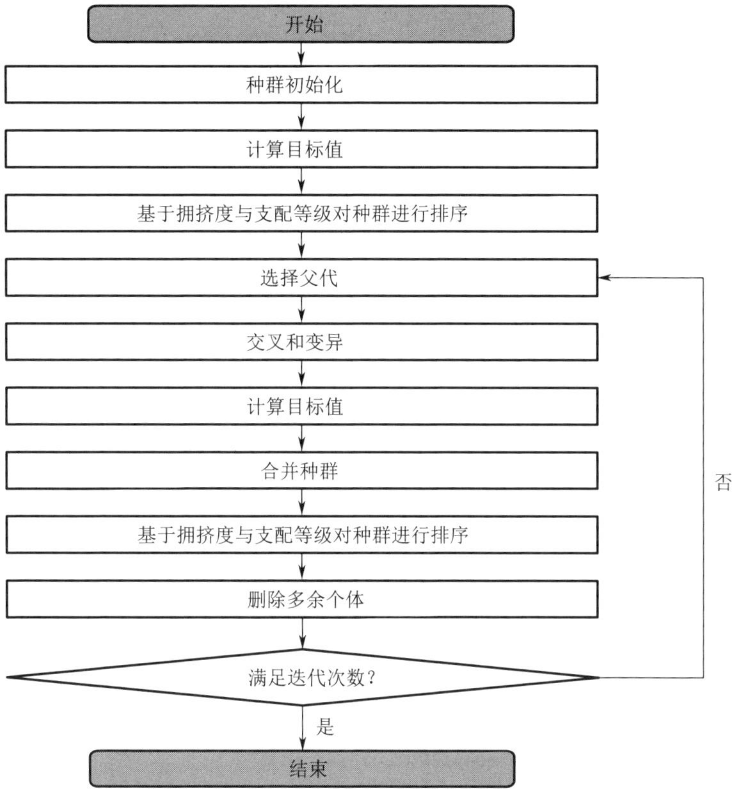

图 7-7 NSGA-Ⅱ算法框架图

7.3

云制造资源的动态调度技术

与传统制造模式相比，云制造环境中的调度过程更加复杂且动态。云端实时反映资源与任务的变化，涉及机器故障、原材料短缺、人员缺勤等因素。企业还可能随时发布或撤回制造资源，导致资源动态变化。与此同时，订单插入、取消、交付日期变更等问题，也使得原有调度方案可能失效。因此，动态调度策略成为必要，以应对这些变化并重新规划调度方案。

7.3.1 资源动态调度策略

自 20 世纪 50 年代起，动态调度策略便成为研究热点，相关技术如启发式算法、元启发式算法、强化学习等，已在复杂环境变化中展现出较强的适应性，提供了有效的优化方案[15]。

云制造系统生成的排程需要在不同地理位置的车间执行加工，因此传统车间调度策略对云制造具有参考价值。然而，云制造调度与传统车间调度存在显著差异。例如，云平台上的设备资源通常来自不同企业，若任务涉及跨企业加工，可能会产生大量物流运输成本，并需考虑各企业对任务的偏好和处理方式。这些差异使得云制造的调度更加复杂和具有挑战性。

云制造调度不同于传统车间调度，因其资源来自不同企业，跨企业加工可能带来物流成本和各企业对任务的偏好差异，增加了调度的复杂性。实际应用中，常用的调度规则依据任务和资源的属性，如加工时间等，帮助快速响应订单需求。云制造调度可分为任务排序和资源分配，常见规则包括：优先级调度规则（Priority Dispatching Rule，PDR）和机器资源指派策略（Machine Resource Assignment Policy，MRAP）[16]。优先级调度规则决定任务执行顺序，机器资源指派策略决定任务由哪个资源处理，通常依据资源负载和匹配程度分配。

常见的优先级调度规则包括：①先进先出（First In First Out，FIFO）：按任务到达顺序处理，适用于优先级无差异的任务。②最短加工时间优先（Shortest Processing Time，SPT）：优先处理耗时最短的任务，适用于短小任务。③最早交付日期优先（Earliest Due Date，EDD）：优先处理紧迫任务，减少延迟。④剩余最多操作数优先（Most Operations Remaining，MOR）：优先处理剩余操作数最多的任务。⑤剩余工作量最多优先（Most Work Remaining，MWKR）：优先处理剩余加工时间最长的任务。⑥最小临界值优先（Smallest Critical Ratio，SCR）：优先处理临界值最小的任务，减少拖期。单一调度规则可能无法适应动态变化的环境，结合其他方法（如强化学习）可在决策点选择最合适的规则，动态分配任务和资源，生成优化方案。

常见的机器资源指派策略包括：①最早可用时间优先（Earliest End Time，EET）：为任务分配最早可用资源，减少等待时间。②最短加工时间优先：根据资源处理时间分配任务，优化工作流程。③负载均衡（Load Balancing，LB）：平衡资源负载，避免过载。④最短排队时间优先（Shortest Queue Time，SQT）：优先分配任务到等待队列最短的资源，提升响应速度。

7.3.2 动态调度的马尔可夫决策建模

在云制造平台中，调度方案生成后，云端会选择合适的子任务分配给可用资源，并同步工厂设备数据，更新资源和任务状态，进入新的环境状态。假设该过程具备马尔可夫性质，即状态转移的未来概率仅与当前状态相关。传统调度规则在静态环境下表现较好，但在动态和复杂的调度问题中难以提供最优解。马尔可夫决策过程（Markov Decision Process，MDP）通过动态调整、全局优化及任务特性管理，能更灵活高效地解决复杂调度问题。因此，云制造资源调度过程可建模为 MDP，包括状态空间、动作空间、奖励函数和状态转移方法。

1）状态空间

状态空间是智能体在决策时感知的环境，定义时需抽象云资源的任务工作量。由于在决策点才确定环境状态，因此只需关注当前决策的状态集合。每个子任务至少包含一个子制造 / 服务过程，且子过程之间有顺序约束：前一个完成后才能开始下一个。假设每个云制造资源在调度过程中只能同时处理一个子过程，调度任务就是为每个子过程分配资源并确保按规定顺序完成。如图 7-8，在状态 $\boldsymbol{s}_t$ 时，执行动作 $\boldsymbol{a}$，即选择一个子过程并将其分配给可用资源，决策后，环境转移到下一个状态 $\boldsymbol{s}_{t+1}$。对于制造资源调度，常见的状态空间表示方法如下。

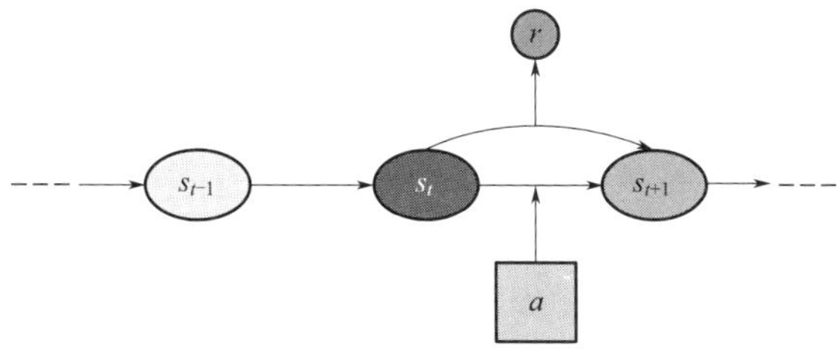

图 7-8　状态转移

① 特征向量表示。通过综合任务、机器和资源等信息，形成一个特征向量来描述系统的整体状态。可以直接将各部分信息融合为一个长向量，或对信息进行预处理，抽象出系统相关的特征值，如当前时间步下子任务的平均完成率、资源负载率、估计延期率等。

② 图结构表示。使用图结构，如析取图 $G=(V, A, E)$，表示子制造 / 服务过程、资源和调度关系。节点集 V 代表子任务或资源，边集 A 表示任务在资源上的处理路径，弧集 E 表示资源上各子过程的先后顺序。图节点可存储子任务 ID、到达时间、处理时间等信息，边和弧可用邻接矩阵表示，揭示任务之间的复杂关系。

③ 状态 - 动作对表示。使用二维矩阵表示状态 - 动作对关系，行表示状态，列表示动作，矩阵中的每个元素表示该状态 - 动作对的值或奖励。这种方法在状态空间较小时效果较好。

以特征向量表示方法为例来建立状态空间，内容与系统每个部分的原始信息有关，对于单个子制造 / 服务过程 TX_{ij} 而言，可认为其在某一时刻仅有两种可能的状态 $\text{ssi}_{jt}=\{0,1\}$，$\{1\}$ 表示该子制造 / 服务过程已经完成调度，$\{0\}$ 表示还没有完成调度。对于某个云制造资源 P_k 而言，其状态可以是该资源上已有子任务的剩余处理时间 $\text{sk}_{kt}=t_r$，当资源空闲时可以用 $\text{sk}_{kt}=0$ 表示。每个决策时刻的状态 $\boldsymbol{s}_t$

由已分配以及等待队列中各个子制造 / 服务过程的状态 ss_{i1t}, ss_{i2t}, …, ss_{ijt}, …以及所有工厂中云制造资源的状态 sk_{1t}, sk_{2t}, …, sk_{kt}, …共同构成。对于有 n 个子制造 / 服务过程的环境而言，在一次完整的调度过程中总共会经历 n+1 个状态，即 $\{\boldsymbol{s}_0, \boldsymbol{s}_1, \boldsymbol{s}_2, \cdots, \boldsymbol{s}_{t-1}, \boldsymbol{s}_t, \boldsymbol{s}_{t+1}, \cdots, \boldsymbol{s}_n\}$。智能体在一个决策时间点中只能观察到当前时刻的状态。

2）动作空间

理论上，动作空间的大小应等于未分配的子制造 / 服务过程与可用资源的匹配数量，然而该空间可能过大且变化多端。为解决这一问题，可以通过复合调度规则集合表示智能体的决策空间，如 {FIFO+EET, SPT+SPT, MOR+SPT, EDD+EET, MWKR+SPT, SCR…}。每次选择动作时，智能体根据当前状态从规则集合中选出最合适的一条规则，并为某个子制造 / 服务过程分配资源。

3）状态转移

每个子制造 / 服务过程在资源上处理一段时间。采取某个动作后，所有相关子任务和资源的生产状态 $\boldsymbol{s}_t$ 会发生变化，得到新的状态 $\boldsymbol{s}_{t+1}$。

4）奖励函数

在基于强化学习的 MDP 模型中，奖励函数用于引导智能体选择合适的行动。假设优化目标是最小化最大完工时间 $C_{\max}$，奖励 r_t 的设计可引导智能体选择有助于缩短所有子任务工期的动作。由于云制造过程中物流不可忽视，奖励计算时需考虑物流带来的时间成本，并简化为将每个子任务前的物流过程计入其处理时间 p_{ij}，那么奖励与资源的分配方案密切相关。对于每个时间步 t，可估算已调度子任务的完成时间，未调度任务的完成时间可通过下式来计算近似值：

$$C(O_{ij}, \boldsymbol{s}_t)=C(O_{i(j-1)}, \boldsymbol{s}_t) + p_{ij} \tag{7-22}$$

假设 $C(O_{i0})=0$，在时间步 t 时所有子任务的估计最大完工时间 $C_{\max}(\boldsymbol{s}_t)$ 可以作为此时刻完工时间的有效度量，奖励 r_t 可被定义为时间步 t 和时间步 t+1 的估计最大完工时间之差：

$$r_t=C_{\max}(\boldsymbol{s}_t)-C_{\max}(\boldsymbol{s}_{t+1}) \tag{7-23}$$

那么当调度到达终点时，求解过程中的累积奖励为：

$$G=\sum_{t=0}^{|O|} r_t = C_{\max}(\boldsymbol{s}_0) - C_{\max} \tag{7-24}$$

其中，$C_{\max}(\boldsymbol{s}_0)$ 是一个常数，代表调度没有开始时的近似最大完工时间，这样累积奖励 G 最大化可以认为等同于 $C_{\max}$ 最小化，符合最小化最大完工时间的优化目标。

7.3.3 基于深度强化学习的资源动态调度技术

针对 MDP 问题，可以通过强化学习算法，如 Q-Learning 进行求解。然而，当状态空间过大时，Q 表会出现维度爆炸。为解决这一问题，Mnih 等[16]将深度神经网络与 Q-Learning 结合，提出了深度 Q 网络（Deep Q-network，DQN），将 Q-Learning 中的 Q 表更新转化为函数拟合，利用深度神经网络拟合动作价值函数。DQN 采用经验回放机制，将智能体与环境交互产生的训练样本存储在经验池中，并通过批量样本更新模型参数。DQN 中包含两个神经网络：估计值网络（EvalNet）用于逼近当前 Q 值函数，目标值网络（TargetNet）用于生成目标函数。

DQN 整体网络结构如图 7-9，其中 $Q(\boldsymbol{s},\boldsymbol{a};\theta)$ 表示当前估计值网络的输出函数，$\max_{\boldsymbol{a}'}Q(\boldsymbol{s}_{j+1},\boldsymbol{a}';\theta')$ 表示目标值网络的输出函数，作为目标的近似值函数，即目标 Q 值：

$$Y_j = r_{t+1} + \gamma \max_{\boldsymbol{a}'} Q\left(\boldsymbol{s}_{j+1},\boldsymbol{a}';\theta'\right) \tag{7-25}$$

估计值网络的参数会实时更新，但目标值网络的参数要相对滞后若干个时间步，估计值网络每 C 个时间步将自身参数复制给目标值网络，在这 C 个时间步内，目标值网络参数不会发生变化，从而减少经验样本的相关性，提高算法的稳定性。采用均方误差计算损失函数：

$$L(\theta) = \left(r_{t+1} + \gamma \max_{\boldsymbol{a}'} Q\left(\boldsymbol{s}_{j+1},\boldsymbol{a}';\theta'\right) - Q\left(\boldsymbol{s},\boldsymbol{a};\theta\right)\right)^2 \tag{7-26}$$

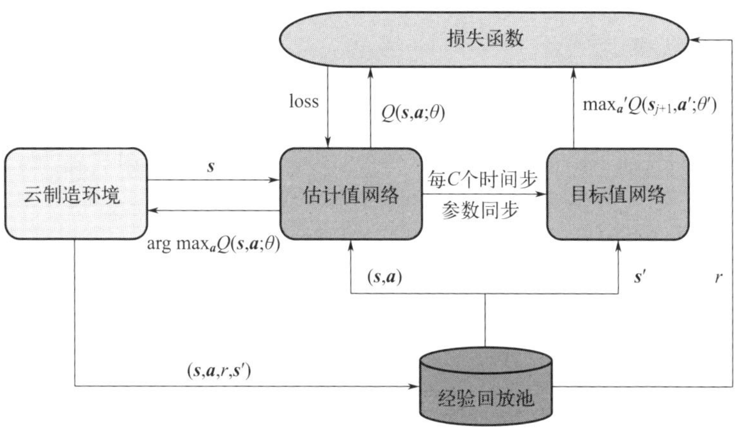

图 7-9 DQN 网络结构

带有经验回放机制的 DQN 算法流程如算法 7-5 所示[17]。

算法 7-5　带有经验回放机制的 DQN 算法

初始化最大容量为 D 的经验池；
通过随机权重 θ 初始化估计值网络，即动作值函数 Q；
初始化目标值网络的动作值函数，$\theta'=\theta$；
For episode=1 to M do
    初始化子制造 / 服务过程和服务序列；
    For $s_k(k=1,\cdots,\cdots n)$ do
        按照概率 p 选择一个动作 $\boldsymbol{a}_k$；
        否则选择 $\boldsymbol{a}_k=\mathrm{argmax}_{a_k}Q(\boldsymbol{s}_k,\boldsymbol{a}_k;\theta)$；
        系统转移到下个决策时间步 $k+1$ 并观测奖励 r_k；
        将状态转移过程 $(\boldsymbol{s}_k,\boldsymbol{a}_k,r_k,\boldsymbol{s}_{k+1})$ 存入经验池 D；
        从经验池 D 中随机采样一定量的数据 $(\boldsymbol{s}_j,\boldsymbol{a}_j,r_j,\boldsymbol{s}_{j+1})$；
        计算当前状态下的动作值函数 $r_{k+1}+\gamma\max_{a'}Q(\boldsymbol{s}_{j+1},\boldsymbol{a}';\theta')$；
        计算神经网络的损失函数并通过反向传播更新参数：
$$L(\theta)=(r_{t+1}+\gamma\max_{a'}Q(\boldsymbol{s}_{j+1},\boldsymbol{a}';\theta')-Q(\boldsymbol{s},\boldsymbol{a};\theta))^2;$$
        每经过 C 个时间步都会根据估计值网络 θ 更新目标值网络 θ'；
    End for
End for

训练过程包含 M 个回合，每个回合从第一个子制造 / 服务过程的资源分配开始，依次进行直到最后一个子过程完成。DQN 智能体根据当前状态 $\boldsymbol{s}_k$ 和所选动作 $\boldsymbol{a}_k$，通过深度神经网络估算 Q 值。采用贪婪算法选择动作，以概率 p 随机选择动作，并以概率 $1-p$ 选择 Q 值最高的动作。训练初期，智能体会随机选择动作，无论 Q 值如何。随着经验池中状态转移数据的积累，智能体开始按照贪婪算法选择动作，且贪婪概率 $p_{i+1}=\sigma p_i$ 逐渐减小。这种方式通过反复训练帮助智能体找到近似最优调度方案。在训练过程中，每完成一次资源分配，云制造环境就发生一次状态转移。

参考文献

[1] 李伯虎, 张霖, 王时龙, 等. 云制造——面向服务的网络化制造新模式 [J]. 计算机集成制造系统, 2010, 16 (1): 1-7, 16. DOI: 10.13196/j.cims.2010.01.3.libh.004.

[2] 张曙. 工业4.0 和智能制造 [J]. 机械设计与制造工程, 2014, 43 (8): 1-5.

[3] 钟润阳, 徐旬, 克洛茨, 等. 对工业 4.0 背景下的智能制造的回顾 [J]. Engineering, 2017, 3 (5): 96-127.

[4] Pinedo. Scheduling[M]. New York: Springer, 2012.

[5] Liu Y, Wang L, Wang X V, et al. Scheduling in cloud manufacturing: State-of-the-art and research challenges[J]. International Journal of Production Research, 2019, 57 (15/16): 4854-4879.

[6] Kirkpatrick S, Gelatt Jr C D, Vecchi M P. Optimization by simulated annealing[J]. Science, 1983, 220 (4598): 671-680.

[7]Glover F, Laguna M. Tabu search[M]. New York: Springer, 1998.

[8] 赵诗奎. 基于遗传算法的柔性资源调度优化方法研究 [D]. 杭州: 浙江大学, 2014.

[9] 王凌. 车间调度及其遗传算法 [M]. 北京: 清华大学出版社, 2003.

[10] 张超勇, 饶运清, 刘向军, 等. 基于 POX 交叉的遗传算法求解 Job-Shop 调度问题 [J]. 中国机械工程, 2004, 15 (23): 2149-2153.

[11] Kennedy J, Eberhart R. Particle swarm optimization[C]//Proceedings of ICNN'95-international conference on neural networks. IEEE, 1995, 4: 1942-1948.

[12] Marler R T, Arora J S. The weighted sum method for multi-objective optimization: New insights[J]. Structural and Multidisciplinary Optimization, 2010, 41: 853-862.

[13] Haimes Y. On a bicriterion formulation of the problems of integrated system identification and system optimization[J]. IEEE Transactions on Systems, Man, and Cybernetics, 1971 (3): 296-297.

[14] Deb K, Pratap A, Agarwal S, et al. A fast and elitist multiobjective genetic algorithm: NSGA-II[J]. IEEE Transactions on Evolutionary Computation, 2002, 6 (2): 182-197.

[15] Bengio Y, Lodi A, Prouvost A. Machine learning for combinatorial optimization: a methodological tour d'horizon[J]. European Journal of Operational Research, 2021, 290 (2): 405-421.

[16] Mnih V, Kavukcuoglu K, Silver D, et al. Human-level control through deep reinforcement learning[J]. nature, 2015, 518 (7540): 529-533.

[17] Zhu H, Li M, Tang Y, et al. A deep-reinforcement-learning-based optimization approach for real-time scheduling in cloud manufacturing[J]. IEEE Access, 2020, 8: 9987-9997.

第 8 章

基于制造云平台的低碳制造——博弈与机制设计

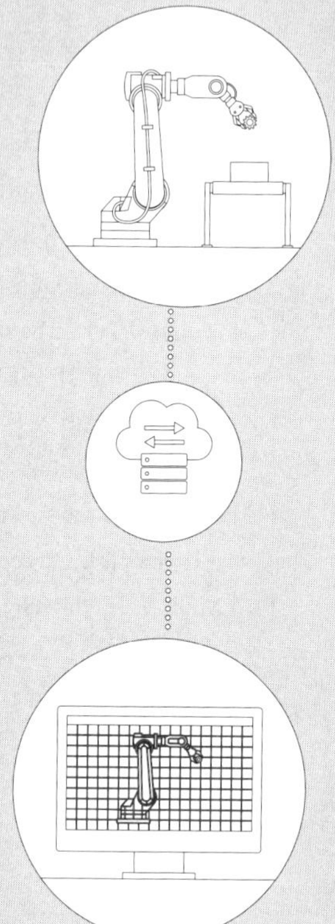

8.1

低碳制造和基于云平台的低碳激励

8.1.1 背景

碳排放的持续增加将造成全球变暖、海平面上升、土地沙漠化等问题。所以，减少碳排放，保护生态环境是全世界的共识。各个国家与地区积极制定低碳政策。欧盟提出《气候和能源一揽子计划》《2050 年长期战略》《净零工业法案》等，以实现碳中和、提高清洁技术竞争力等目标；美国发布《工业脱碳路线图》；日本发布《气候变暖对策基本法案》《2010 新成长战略》《战略能源计划》和《2050 年碳中和绿色成长战略》等，提出利用技术开发、发展绿色产业等推进碳减排；印度发布《气候变化国家行动计划》等，强调通过开发新能源等实现碳减排；我国近年来先后出台了一系列重要的碳减排政策，如《节能减排综合性工作方案》《大气污染防治行动计划》等，2020 年提出了“双碳”目标，即中国力争 2030 年前实现碳达峰，2060 年前实现碳中和，以实现生态环境的良性循环。

2015 年，国家提出“中国制造 2025”战略，强调大力发展低碳产业，实现绿色发展。企业作为节能减排的主体，也积极采取低碳减排的发展措施。2021 年，国务院发布的《2030 年前碳达峰行动方案》指出“工业是产生碳排放的主要领域之一”，我国有 70% 的碳排放源于工业，而制造业是工业中的“碳排放大户”，因此制造业成为我国减少碳排放的主战场。实现企业的低碳制造是实现“双碳”目标的必经之路。绿色制造、低碳制造是目前制造业发展的趋势，其目标是使产品在整个设计、制造、使用、运维、回收等全生命周期中，对环境的影响最小。低碳制造的发展可以减缓全球变暖的形势，为环境保护事业赋能。

为了鼓励企业实施低碳制造转型，各个国家都出台了不同的低碳激励政策，这些政策可以分为正向激励政策、反向激励政策，以及碳汇交易政策。正向的激励政策主要体现在低碳补贴政策，例如，中国政府对绿色氢能产业给出了补贴政策，旨在减少其工业废气排放，充分发挥氢能清洁、低碳的特点，推动高排放行业绿色低碳转型 [1]；爱尔兰给予农民或其他土地所有者植树造林补贴以提高森林的固碳能力，实现气候目标 [2]。反向的激励政策主要体现在碳税政策，碳税是指针对二氧化碳排放所征收的税，是对碳排放交易体系的补充 [3]。丹麦、芬兰等北欧国家和南非均已实施碳税。第三类激励政策主要为碳排放权交易，简称碳交易，是针对二氧化碳排放权的交易。在欧盟制定碳排放权交易体系后，德国、澳大利亚、英国相继实施。2021 年 7 月，我国碳排放权交易正式启动，以发电行业为突破口，开始逐步扩大市场覆盖范围[3]。碳汇交易是碳交易的一部分，碳汇交易是基于《联合国气候变化框架公约》及《京都议定书》对各国分配二氧化碳排放指标的规定，创设出来的一种虚拟交易。发达国家由于发展工业而产生了大量的温室气体，当无法通过技术革新降低排放量以达到规定标准时，可以选择在发展中国家投资造林，以增加碳汇，从而抵消其碳排放，达到降低本国总碳排放量的目标。这些低碳政策能够鼓励企业进行绿色化、低碳化改造，为社会的健康绿色发展赋能。

企业在实施低碳制造转型过程中，需要与上下游企业合作，形成低碳供应链。低碳供应链是指在整个供应链管理过程中，以减少温室气体排放和降低对环境的不良影响为目标的一种管理方式。它强调通过采取环保和节能减排措施，降低供应链各个环节的碳排放和资源消耗，从而实现可持续发展的目标。低碳供应链在采购、生产、仓储、包装、消费等各个环节通过减排技术和节能减排管理方式，如绿色采购、节能生产、低碳物流、绿色包装，以减少二氧化碳等温室气体的排放，从而实现供应链环保和可持续的发展目标。如：在 2017 年，沃尔玛提出“10 亿吨项目”的可持续发展计划，该计划旨在到 2030 年帮助其全球供应链减少或避免 10 亿吨温室气体排放。比亚迪公司在 2008 年就开始建立新能源生态闭环，在 2021 年提出构建“绿色供应商、绿色原材料”的绿色采购体系，在 2022 年成功打造中国汽车品牌首个零碳园区总部，为制造业低碳转型提供示范。

低碳供应链的形成需要供应链上下游各环节企业的紧密合作，如：共享减排技术、制定碳减排标准、共享碳排放数据、共同采购低碳材料等。低碳合作是推动低碳供应链发展的基础。供应链成员的低碳合作根据企业间的关系可分为以下两类。

① 纵向的低碳合作：制造商和零售商进行碳减排投入和定价决策等；制造商、物流企业和零售商通过定价和减排决策实现协调减排。

② 横向的低碳合作：制造商之间共享碳减排技术，或零售商之间通过协商订货周期和减排技术选择，实现横向订货减排合作。

企业碳减排工作不同于自身运营，会涉及众多的利益主体，这使得企业碳减排在实践中难以实现。合作减排效果差的主要原因有以下几点。

① 企业碳减排需要进行技术、设备等方面的投资，将面临高昂的成本。不少中小型企业由于缺乏低碳转型资金，技术创新能力不足，应对市场不确定风险的能力差，在低碳转型时方向不明确，进行碳减排具有较大的难度。此外，“绿色”和“金色”在跷跷板的两端，具有对立关系。环保投入意味着供应链成员利润空间的压缩。企业碳减排是一种超前的环境投资，尽管能带来长期的环境效益，但

短期效益并不明显。

② 供应链成员对低碳的重视程度存在差异，碳排放信息和碳减排技术等不透明，难以建立有效的碳减排协同机制来实现碳减排目标。

③ 政府对供应链上下游企业进行外部政策规制和监督，由于很多中小型企业所处地区分散，政府难以集中进行监管，无法得到企业具体的碳减排信息，不能及时且有效地促进企业进行碳减排。

8.1.2 基于云平台的低碳合作激励

随着工业互联网技术的发展，大型工业云平台正在成为引领整个产业革命潮流的风向标。基于大数据分析，云平台帮助供需双方做出更有利于环境管理的决策，积极促进制造企业低碳转型。借助互联网技术，云平台链接各类制造企业，使制造企业不受时间和空间的约束，能够进行碳减排信息、知识、技术等互动。

相比于传统供应链，基于制造云平台的供应链融合了产品供应链和服务供应链，是由供应商、需求商和云平台运营商组成的供应链，即云制造供应链。服务供需双方进行低碳合作决策时，存在利益冲突、市场需求信息不透明和不确定等问题，其决策受到政府低碳政策、市场需求、经济效益、低碳成本等的影响，更多地呈现出信息不对称和有限理性的特征，无法知道对方的决策和收益，其低碳决策会随外界环境以及内在认知的改变而变化，整个决策过程在进行不断的演化。服务供需双方加入低碳合作时具有一定的成本和风险，其低碳合作的积极性有待提高，为鼓励供需双方积极加入低碳合作，云平台需要制定合理的低碳合作激励策略。

云平台在低碳合作方面的作用体现在以下几个方面。

① 网络效应。通过强大的数字平台化等技术，进行信息的快速传播，提升平台参与者的低碳意识，促进生产和消费的低碳意识。利用平台的网络效应提升供应链下游对低碳产品的需求，来鼓励上游企业向低碳制造转化。

② 通过信息服务加强低碳合作信息共享。云平台在企业的供需匹配中起到了纽带的作用，云制造服务平台作为第三方平台可以收集和分析供应链中的部分数据，提供实时的库存、生产、物流等信息，从而提高供应链的透明度。通过提供额外的信息服务，云平台可以降低低碳供应链合作中的信息不对称程度，提高供需双方的合作意愿。

③ 平台的低碳激励。云平台作为供需双方的中介方，以及双方交易的市场机制设计方，可以通过交易契约设计、机制设计等方法来对低碳行为进行激励，一方面可以配合政府低碳补贴等手段，实现低碳制造的引导；另一方面，利用机制的激励相容性，让交易方“说实话”，从而降低信息不对称程度，提升整个供

应链的收益。

下面通过基于云平台的“供 - 需 - 管”低碳合作关系演化、针对信息不对称的委托 - 代理模型和契约设计、平台激励机制设计三个研究案例来介绍云平台在企业低碳合作中的作用。

8.2

“供应方 – 需求方 – 云平台”低碳演化分析

本节考虑一个在政府的低碳补贴政策下，云平台通过奖惩激励以促进供需双方低碳合作的问题，通过建立供应方、需求方和云平台低碳合作的三方演化博弈模型，分析供需双方低碳投入成本、云平台监管成本及云平台的奖惩激励对供应方和需求方低碳合作率的影响。

考虑到制造云服务平台上供需企业低碳合作带来的成本问题，服务供需双方为使自己的经济利益最大化，进行低碳合作的意愿不强。供应方引入低碳制造技术和设备的成本高，也会面临市场的不确定性。不具有强烈环保意识的需求方难以支付更多的成本来进行低碳合作。面对日益复杂和不确定的环境，供需双方的理性和决策水平都是有限的，因此，供需双方的低碳合作是一个长期动态博弈过程，供需双方不可能一开始就选择最优策略，而是通过不断学习，最终选择最优策略，实现利益最大化。为了促进服务供应方和需求方的低碳合作，云平台必须通过监管提供奖惩。考虑供需双方的低碳策略和云平台的监管，构建低碳合作演化博弈模型分析演化稳定策略（ESS），可以分析在不同的云平台奖惩力度下供需双方低碳策略演化的过程。

假设云平台、服务供需双方具有有限理性的特点，无法准确估计低碳合作的成本和收益。最初，他们的策略不是最优的，在多次博弈中通过尝试不同的策略，最终实现最佳的策略。云平台通过激励方法引导和鼓励供需双方参与低碳合作。“供 - 需 - 管”三方博弈框架如图 8-1 所示。

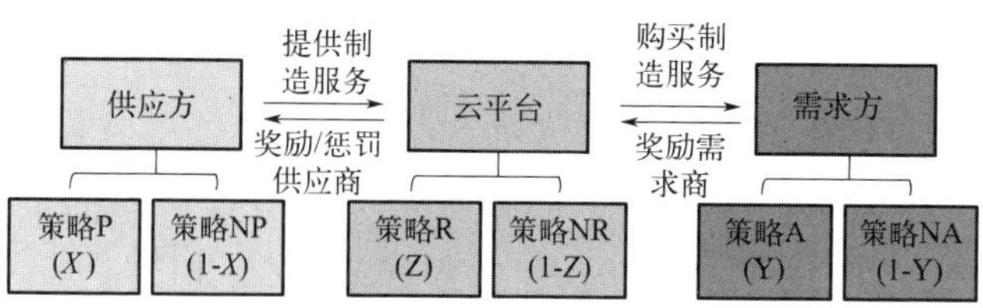

图 8-1 “供 – 需 – 管”三方博弈框架

为确定不同策略下的三方的收益，做出了如下的假设。

① 服务供应方有两种策略：{ 提供低碳制造服务 (P)，提供传统制造服务 (NP)}。服务需求方也有两种策略：{ 采用低碳制造服务（A），采用传统制造服务 (NA)}。云平台的策略是：{ 监管供需双方 (R)，不监管供需双方 (NR)}。当云平台监管服务供需双方时，若服务供需双方加入低碳合作，云平台会给予奖励，反之，云平台将给予惩罚，以引导服务供需双方加入低碳合作。

② 供应方选择策略 P 的比例为 X（$0 \leqslant X \leqslant 1$），则选择策略 NP 的比例为 $1-X$。需求方选择策略 A 的比例是 Y（$0 \leqslant Y \leqslant 1$），则选择策略 NA 的比例是 $1-Y$。云平台选择策略 R 和策略 NR 的比例分别为 Z 和 $1-Z$（$0 \leqslant Z \leqslant 1$）。

③ 服务供应方选择策略 NP（提供传统制造服务）的基本收益是 G_1。服务供应方选择策略 P（提供低碳制造服务），其基本收益增长 β，需付出额外成本 C_1，但可获取云平台的低碳奖励 S_1。服务需求方选择策略 NA（采用传统制造服务）的基本收益是 G_2。服务需求方选择策略 A（采用低碳制造服务），其收益增长 ρ，需支付额外价格 C_2，但会获取云平台的奖励 S_2。

④ 云平台选择策略 NR（不监管供需双方）的收益是 G_3。云平台选择策略 R（监管供需双方）时，需要付出监管成本 C_r，同时，也需分别支付服务供需双方的低碳奖励 S_1 和 S_2，通过对服务供应方选择策略 NP 进行惩罚而获取收益 P_1。

⑤ 云平台在环境监管中需投入监管成本，在短期内无经济利益，若无资金支持，持续监管是困难的。所以政府对采取监管策略的云平台提供补贴，有以下四种情况：当供应方选择策略 P、需求方选择策略 A 时，补贴为 T_1；当供应方选择策略 P、需求方选择策略 NA 时，补贴为 T_2；当供应方选择策略 NP、需求方选择策略 A 时，补贴为 T_3；当供应方选择策略 NP、需求方选择策略 NA 时，补贴为 T_4。其中，$T_1 > T_2$，$T_3 > T_4$。

三方演化博弈的主要参数及含义见表 8-1。

表 8-1　三方演化博弈的主要参数及含义

博弈者	符号	含义
服务供应方	G_1	供应方选择策略 NP 的收益
	C_1	低碳制造服务的投入成本
	β	供应方选择策略 P 的收益增长率
服务需求方	G_2	需求方选择策略 NA 的收益
	C_2	需求方选择策略 A 的额外成本
	ρ	需求方选择策略 A 的收益增长率

续表

博弈者	符号	含义
云平台	G_3	云平台选择策略 NR 的收益
	C_r	云平台的监管成本
	S_1	云平台对供应方选择策略 P 的奖励
	S_2	云平台对需求方选择策略 A 的奖励
	P_1	云平台对供应方选择策略 NP 的惩罚
	T_i，i=1,2,3,4	政府对云平台的补贴

演化博弈中关于策略比例的解释是将博弈者看作是一个群体，其中选择某策略的个体所占的比例。例如，服务供应方选择策略 P 的比例为 X，当 X=1 时，表示所有服务供应方都选择策略 P，即提供低碳制造服务；当 X=0 时，表示所有服务供应方都不提供低碳制造服务；如果 0<X<1，则部分供应方（比例为 X）选择 P，另外一部分供应方（比例 1−X）选择 NP。

另外一种解释是将 X 看作是混合策略中选择 P 的概率，X=1 表示服务供应方以 1 的概率选择 P，X=0 表示服务供应方以 1 的概率选择 NP。

类似地，可以解释服务需求方选择策略 A 的比例 Y、云平台选择策略 R（监管供需双方）的比例 Z 的含义。该博弈具有八种策略组合，如图 8-2 所示。

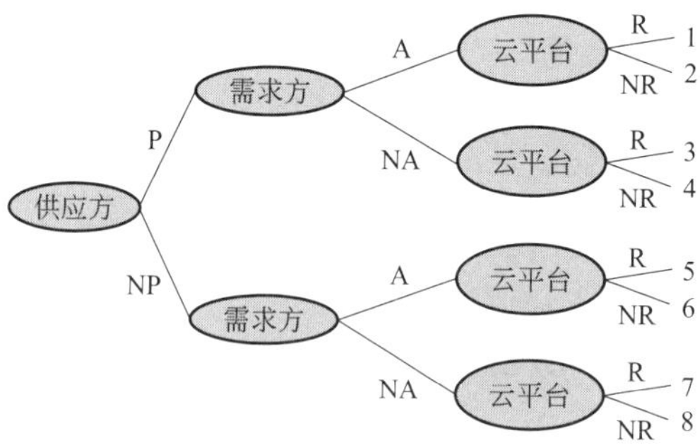

图 8-2　三方演化博弈的策略组合

服务供需双方、云平台的博弈支付矩阵如表 8-2 所示。

（1）服务供应方的期望收益

服务供应方提供低碳制造服务的期望收益如式（8-1）所示。

$$
\begin{aligned}
U_X &= YZ\left[(1+\beta)G_1 - C_1 + S_1\right] + Y(1-Z)\left[(1+\beta)G_1 - C_1\right] \\
&\quad + (1-Y)Z\left[(1+\beta)G_1 - C_1 + S_1\right] + (1-Y)(1-Z)\left[(1+\beta)G_1 - C_1\right] \\
&= ZS_1 + \left[(1+\beta)G_1 - C_1\right]
\end{aligned} \tag{8-1}
$$

表 8-2　三方演化博弈模型的支付矩阵

供需双方		云平台	
		监管（Z）	不监管（1−Z）
供应方选择策略 P（X）	需求方选择策略 A（Y）	$\{(1+\beta)G_1-C_1+S_1,$ $(1+\rho)G_2-C_2+S_2,$ $G_3-C_r-S_1-S_2+T_1\}$	$\{(1+\beta)G_1-C_1,$ $(1+\rho)G_2-C_2,$ $G_3\}$
	需求方选择策略 NA（1−Y）	$\{(1+\beta)\ G_1-C_1+S_1,$ $G_2,$ $G_3-C_r-S_1+T_2\}$	$\{(1+\beta)G_1-C_1,$ $G_2,$ $G_3\}$
供应方选择策略 NP（1−X）	需求方选择策略 A（Y）	$\{G_1-P_1,$ $(1+\rho)G_2-C_2+S_2,$ $G_3-C_r+P_1-S_2+T_3\}$	$\{G_1,$ $(1+\rho)G_2-C_2,$ $G_3\}$
	需求方选择策略 NA（1−Y）	$\{G_1\text{-}P_1,$ $G_2,$ $G_3-C_r+P_1+T_4\}$	$\{G_1,$ $G_2,$ $G_3\}$

服务供应方不提供低碳制造服务的期望收益如式（8-2）所示。

$$
\begin{aligned}
U_{1-X} &= YZ\left(G_1-P_1\right)+Y\left(1-Z\right)G_1+\left(1-Y\right)Z\left(G_1-P_1\right)+\left(1-Y\right)\left(1-Z\right)G_1 \\
&= G_1-ZP_1
\end{aligned}
\tag{8-2}
$$

服务供应方的平均期望收益如式（8-3）所示。

$$
\begin{aligned}
U_{X,1-X} &= XU_X+\left(1-X\right)U_{1-X} \\
&= X\left[ZS_1+\left(1+\beta\right)G_1-C_1\right]+\left(1-X\right)\left(G_1-ZP_1\right) \\
&= G_1-ZP_1+XZ\left(S_1+P_1\right)-XC_1+X\beta G_1
\end{aligned}
\tag{8-3}
$$

因此，服务供应方的复制动态方程如式（8-4）所示。

$$
\begin{aligned}
F\left(X\right) &= \frac{\mathrm{d}X}{\mathrm{d}t}=X\left(U_X-U_{X,1-X}\right)=X\left(1-X\right)\left(U_X-U_{1-X}\right) \\
&= X\left(1-X\right)\left[Z\left(S_1+P_1\right)+\beta G_1-C_1\right]
\end{aligned}
\tag{8-4}
$$

式中，$F(X)$ 表示服务供应方选择策略 P 的变化率。当供应方选择策略 P 的期望收益超过群体的平均期望收益时，策略 P 在群体中会进行演化，即在群体中选择该策略个体的比例会增加。当 $F(X)>0$ 时，服务供应方倾向于提供低碳制造服务；当 $F(X)<0$，服务供应方倾向于不提供低碳服务。

（2）服务需求方的期望收益

服务需求方采取低碳制造服务的期望收益如式（8-5）所示。

$$
\begin{aligned}
U_Y &= XZ\left[\left(1+\rho\right)G_2-C_2+S_2\right]+X\left(1-Z\right)\left[\left(1+\rho\right)G_2-C_2\right] \\
&\quad +\left(1-X\right)Z\left[\left(1+\rho\right)G_2-C_2+S_2\right]+\left(1-X\right)\left(1-Z\right)\left[\left(1+\rho\right)G_2-C_2\right] \\
&= \left(1+\rho\right)G_2-C_2+ZS_2
\end{aligned}
\tag{8-5}
$$

服务需求方不采取低碳制造服务的期望收益如式（8-6）所示。

$$\begin{aligned} U_{1-Y} &= XZG_2 + X(1-Z)G_2 + (1-X)ZG_2 + (1-X)(1-Z)G_2 \\ &= G_2 \end{aligned} \tag{8-6}$$

服务需求方的平均期望收益如式（8-7）所示。

$$\begin{aligned} U_{Y,1-Y} &= YU_Y + (1-Y)U_{1-Y} = Y\left[(1+\rho)G_2 - C_2 + ZS_2\right] + (1-Y)G_2 \\ &= G_2 + Y(\rho G_2 + ZS_2 - C_2) \end{aligned} \tag{8-7}$$

服务需求方的复制动态方程如式（8-8）所示。

$$\begin{aligned} H(Y) &= \frac{\mathrm{d}Y}{\mathrm{d}t} = Y(U_Y - U_{Y,1-Y}) = Y(1-Y)(U_Y - U_{1-Y}) \\ &= Y(1-Y)(\rho G_2 + ZS_2 - C_2) \end{aligned} \tag{8-8}$$

式中，$H(Y)$ 表示服务需求方采取低碳制造服务的变化率。$H(Y)>0$ 时，服务需求方倾向于采取低碳制造服务；$H(Y)<0$ 时，服务需求方倾向于不采取低碳制造服务。

（3）云平台的期望收益

云平台监管供需双方的期望收益如式（8-9）所示。

$$\begin{aligned} U_Z &= XY(G_3 - C_r - S_1 - S_2 + T_1) + X(1-Y)(G_3 - C_r - S_1 + T_2) \\ &\quad + (1-X)Y(G_3 - C_r + P_1 - S_2 + T_3) + (1-X)(1-Y)(G_3 - C_r + P_1 + T_4) \\ &= G_3 - C_r + P_1 + T_4 + X(T_2 - T_4 - P_1 - S_1) + Y(T_3 - T_4 - S_2) \\ &\quad + XY(T_1 - T_2 - T_3 + T_4) \end{aligned} \tag{8-9}$$

云平台不监管供需双方的期望收益如式（8-10）所示

$$U_{1-Z} = XYG_3 + X(1-Y)G_3 + (1-X)YG_3 + (1-X)(1-Y)G_3 = G_3 \tag{8-10}$$

云平台的平均期望收益如式（8-11）所示。

$$\begin{aligned} U_{Z,1-Z} &= ZU_Z + (1-Z)U_{1-Z} \\ &= G_3 + Z(P_1 + T_4 - C_r) + ZX(T_2 - T_4 - P_1 - S_1) \\ &\quad + ZY(T_3 - T_4 - S_2) + ZXY(T_1 - T_2 - T_3 + T_4) \end{aligned} \tag{8-11}$$

云平台的复制动态方程如式（8-12）所示。

$$\begin{aligned} W(Z) &= \frac{\mathrm{d}Z}{\mathrm{d}t} = Z(U_Z - U_{Z,1-Z}) = Z(1-Z)(U_Z - U_{1-Z}) \\ &= Z(1-Z)\left[-C_r + P_1 + T_4 + X(T_2 - T_4 - P_1 - S_1)\right. \\ &\quad \left. + Y(T_3 - T_4 - S_2) + XY(T_1 - T_2 - T_3 + T_4)\right] \end{aligned} \tag{8-12}$$

式中，$W(Z)$ 表示云平台监管服务供需双方的变化率。$W(Z)>0$ 时，云平台倾向于监管服务供需双方；$W(Z)<0$ 时，云平台倾向于不监管服务供需双方。

由服务供应方、服务需求方和云平台构成的三方复制动态方程如式（8-13）。复制动态方程是一个动态的微分方程，刻画了服务供需双方和云平台通过不断学习和试错调整他们的策略的动态过程，本质上决定了一个种群内采取特定策略的概率。

$$
\begin{cases}
F(X)=\dfrac{\mathrm{d}X}{\mathrm{d}t}=X(1-X)\left[Z(S_1+P_1)+\beta G_1-C_1\right] \\
H(Y)=\dfrac{\mathrm{d}Y}{\mathrm{d}t}=Y(1-Y)(\rho G_2+ZS_2-C_2) \\
W(Z)=\dfrac{\mathrm{d}Z}{\mathrm{d}t}=Z(1-Z)\left[-C_{\mathrm{r}}+P_1+T_4+X(T_2-T_4-P_1-S_1)\right. \\
\qquad\qquad \left.+Y(T_3-T_4-S_2)+XY(T_1-T_2-T_3+T_4)\right]
\end{cases}
\tag{8-13}
$$

根据复制动态方程的稳定性定理，可以求解供应方、需求方和云平台三方演化稳定策略。服务供应方、需求方、云平台在博弈中存在以下均衡点：E_1（0,0,0），E_2（0,1,0），E_3（0,0,1），E_4（0,1,1），E_5（1,0,0），E_6（1,1,0），E_7（1,0,1），E_8（1,1,1）。非对称博弈中只需讨论纯策略均衡的渐近稳定性 [4]。当各均衡点的雅可比矩阵的所有特征值小于 0 时，该均衡点是稳定的。当各均衡点的雅可比矩阵的所有特征值大于 0 时，该均衡点是不稳定的。当各均衡点的雅可比矩阵的特征值有正有负时，该均衡点是鞍点。该博弈系统的雅可比矩阵如式（8-14）所示。

$$
\begin{aligned}
\boldsymbol{J}&=\begin{bmatrix}
\dfrac{\partial F(X)}{\partial X} & \dfrac{\partial F(X)}{\partial Y} & \dfrac{\partial F(X)}{\partial Z} \\
\dfrac{\partial H(Y)}{\partial X} & \dfrac{\partial H(Y)}{\partial Y} & \dfrac{\partial H(Y)}{\partial Z} \\
\dfrac{\partial W(Z)}{\partial X} & \dfrac{\partial W(Z)}{\partial Y} & \dfrac{\partial W(Z)}{\partial Z}
\end{bmatrix} \\
&=\begin{bmatrix}
(1-2X)\left[Z(S_1+P_1)+\beta G_1-C_1\right] & 0 & X(1-X)(S_1+P_1) \\
0 & (1-2Y)Z_1 & Y(1-Y)S_2 \\
Z_2 & Z_3 & Z_4
\end{bmatrix}
\end{aligned}
\tag{8-14}
$$

式中，$Z_1=ZS_2+\rho G_2-C_2$，$Z_2=Z(Z-1)[T_2-T_4-P_1-S_1+Y(T_1-T_2-T_3+T_4)]$，$Z_3=Z(Z-1)[T_3-T_4-S_2+X(T_1-T_2-T_3+T_4)]$，$Z_4=(1-2Z)[-C_{\mathrm{r}}+P_1+T_4+X(T_2-T_4-P_1-S_1)+Y(T_3-T_4-S_2)+XY(T_1-T_2-T_3+T_4)]$。

均衡点 $E_1(0,0,0)$ 的雅可比矩阵如式（8-15），该矩阵的特征值分别为 βG_1-C_1，

ρG_2-C_2，$-C_r+P_1+T_4$。同理，可得其他均衡点的特征值，如表 8-3 所示，E_1~E_8 的相位图见图 8-3。

$$J=\begin{bmatrix} \beta G_1-C_1 & 0 & 0 \\ 0 & \rho G_2-C_2 & 0 \\ 0 & 0 & -C_r+P_1+T_4 \end{bmatrix} \tag{8-15}$$

表 8-3　各均衡点稳定性分析

均衡点	特征值 $\lambda_1, \lambda_2, \lambda_3$	稳定性
$E_1(0,0,0)$	$\lambda_1=\beta G_1-C_1$ $\lambda_2=\rho G_2-C_2$ $\lambda_3=-C_r+P_1+T_4$	当 $\lambda_1<0$，$\lambda_2<0$，$\lambda_3<0$ 时，为稳定点； 当 $\lambda_1>0$，$\lambda_2>0$，$\lambda_3>0$ 时，为不稳定点； 其他情况，为鞍点
$E_2(0,1,0)$	$\lambda_1=\beta G_1-C_1$ $\lambda_2=C_2-\rho G_2$ $\lambda_3=P_1+T_3-C_r-S_2$	当 $\lambda_1<0$，$\lambda_2<0$，$\lambda_3<0$ 时，为稳定点； 当 $\lambda_1>0$，$\lambda_2>0$，$\lambda_3>0$ 时，为不稳定点； 其他情况，为鞍点
$E_3(0,0,1)$	$\lambda_1=S_1+P_1+\beta G_1-C_1$ $\lambda_2=\rho G_2+S_2-C_2$ $\lambda_3=C_r-P_1-T_4$	当 $\lambda_1<0$，$\lambda_2<0$，$\lambda_3<0$ 时，为稳定点； 当 $\lambda_1>0$，$\lambda_2>0$，$\lambda_3>0$ 时，为不稳定点； 其他情况，为鞍点
$E_4(0,1,1)$	$\lambda_1=P_1+\beta G_1-C_1+S_1$ $\lambda_2=C_2-\rho G_2-S_2$ $\lambda_3=C_r+S_2-P_1-T_3$	当 $\lambda_1<0$，$\lambda_2<0$，$\lambda_3<0$ 时，为稳定点； 当 $\lambda_1>0$，$\lambda_2>0$，$\lambda_3>0$ 时，为不稳定点； 其他情况，为鞍点
$E_5(1,0,0)$	$\lambda_1=C_1-\beta G_1$ $\lambda_2=\rho G_2-C_2$ $\lambda_3=-C_r-S_1+T_2$	当 $\lambda_1<0$，$\lambda_2<0$，$\lambda_3<0$ 时，为稳定点； 当 $\lambda_1>0$，$\lambda_2>0$，$\lambda_3>0$ 时，为不稳定点； 其他情况，为鞍点
$E_6(1,1,0)$	$\lambda_1=C_1-\beta G_1$ $\lambda_2=C_2-\rho G_2$ $\lambda_3=T_1-C_r-S_2-S_1$	当 $\lambda_1<0$，$\lambda_2<0$，$\lambda_3<0$ 时，为稳定点； 当 $\lambda_1>0$，$\lambda_2>0$，$\lambda_3>0$ 时，为不稳定点； 其他情况，为鞍点
$E_7(1,0,1)$	$\lambda_1=C_1-\beta G_1-S_1-P_1$ $\lambda_2=S_2-C_2+\rho G_2$ $\lambda_3=C_r+S_1-T_2$	当 $\lambda_1<0$，$\lambda_2<0$，$\lambda_3<0$ 时，为稳定点； 当 $\lambda_1>0$，$\lambda_2>0$，$\lambda_3>0$ 时，为不稳定点； 其他情况，为鞍点
$E_8(1,1,1)$	$\lambda_1=C_1-\beta G_1-S_1-P_1$ $\lambda_2=C_2-S_2-\rho G_2$ $\lambda_3=S_2+S_1+C_r-T_1$	当 $\lambda_1<0$，$\lambda_2<0$，$\lambda_3<0$ 时，为稳定点； 当 $\lambda_1>0$，$\lambda_2>0$，$\lambda_3>0$ 时，为不稳定点； 其他情况，为鞍点

① $E_1(0,0,0)$：在 $\beta G_1-C_1<0$，$\rho G_2-C_2<0$，$C_r>P_1+T_4$ 时，$E_1(0,0,0)$ 是 ESS，即策略是{供应方选择策略 NP，需求方选择策略 NA，云平台选择策略 NR}。供应方选择策略 P 增长的收益低于供应方的低碳投入成本（$\beta G_1-C_1<0$），所以供应方选择策略 NP。需求方选择策略 A 的增长收益低于选择策略 A 的额外成本（$\rho G_2-C_2<0$），所以需求方选择策略 NA。云平台的监管成本高于对服务供应方的

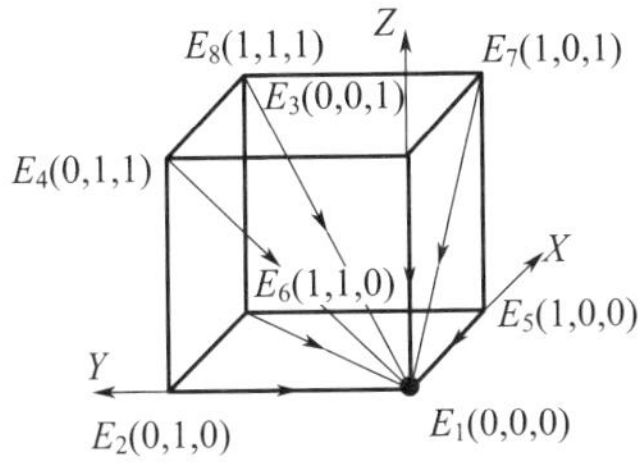

(a) $\beta G_1-C_1<0,\rho G_2-C_2<0,C_r>P_1+T_4$

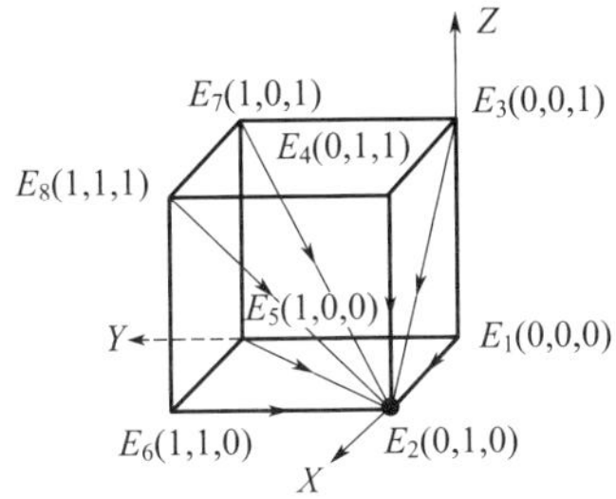

(b) $\beta G_1-C_1<0,\rho G_2-C_2>0,C_r>P_1-S_2+T_3$

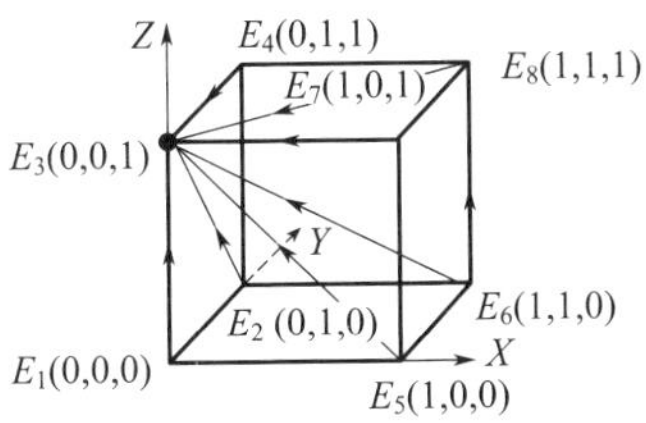

(c) $S_1+\beta G_1<C_1-P_1,S_2+\rho G_2<C_2,P_1+T_4>C_r$

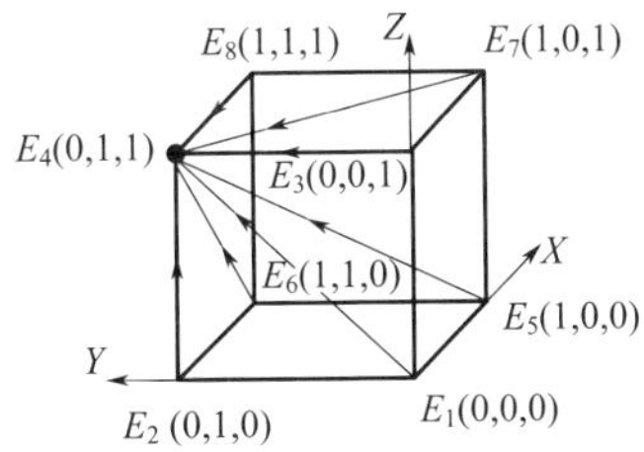

(d) $S_1+\beta G_1<C_1-P_1,C_2<S_2+\rho G_2,C_r<P_1+T_3-S_2$

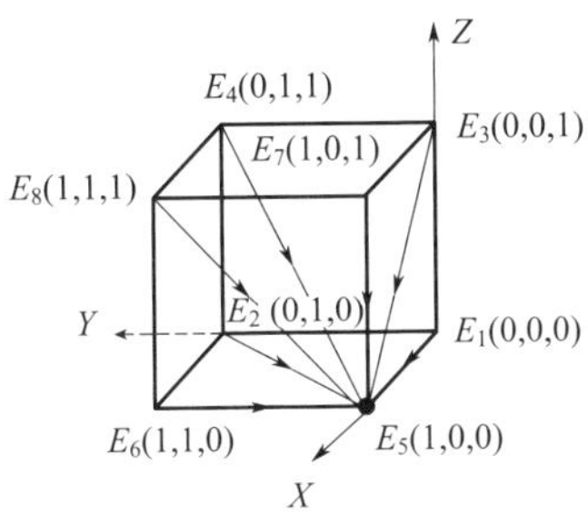

(e) $\beta G_1-C_1>0,\rho G_2-C_2<0,C_r>T_2-S_1$

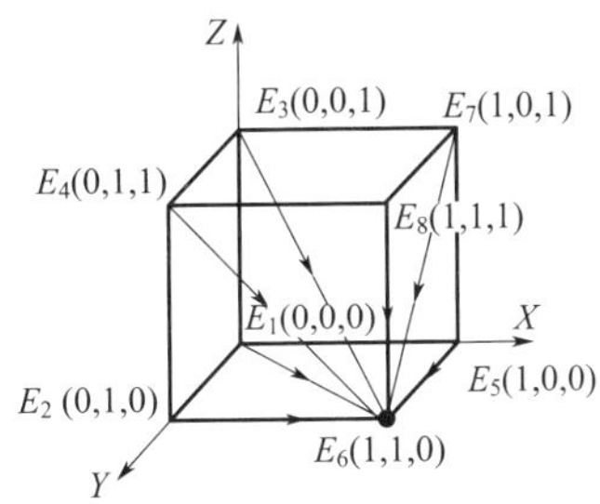

(f) $\beta G_1-C_1>0,\ \rho G_2-C_2<0,C_r>T_1-S_2\text{-}S_1$

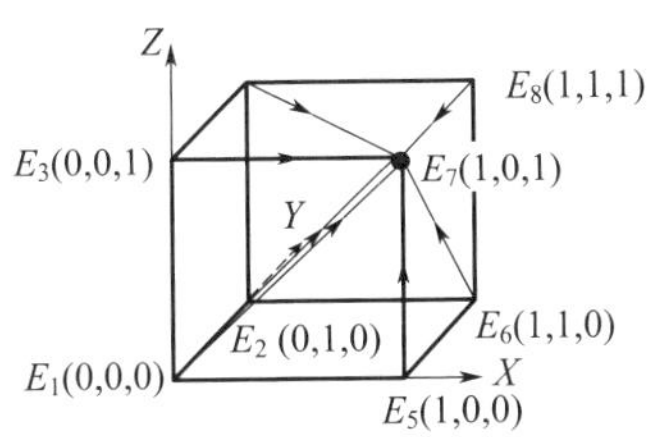

(g) $S_1+\beta G_1>C_1-P_1,C_2>S_2+\rho G_2,C_r<T_2-S_1$

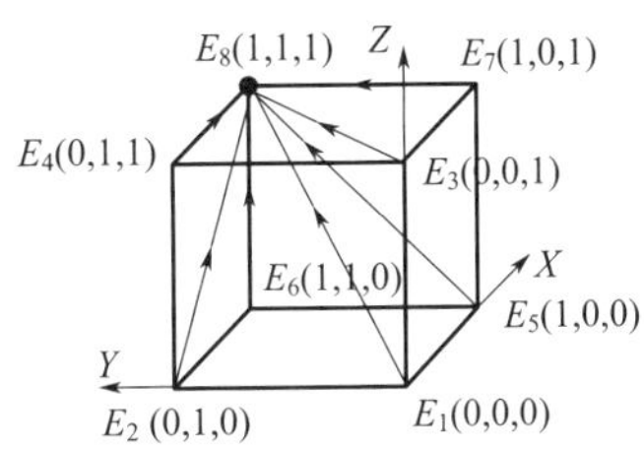

(h) $C_1-P_1<\beta G_1+S_1,C_2<S_2+\rho G_2,C_r<T_1-S_2-S_1$

图 8-3　不同情况下的 ESS 相位图

惩罚以及政府对云平台的补贴（$C_r>P_1+T_4$），即云平台选择策略 NR 的收益高于云平台选择策略 R 的收益，所以云平台采取不监管策略。

② $E_2(0,1,0)$：在 $\beta G_1-C_1<0$，$\rho G_2-C_2>0$，$C_r>P_1-S_2+T_3$ 时，$E_2(0,1,0)$ 是 ESS，即策略是 { 供应方选择策略 NP，需求方选择策略 A，云平台选择策略 NR}。供应方选择策略 P 的增长收益低于供应方的低碳投入成本时（$\beta G_1-C_1<0$），供应方选择策略 NP。需求方选择策略 A 的增长收益高于选择策略 A 的额外成本（$\rho G_2-C_2>0$），所以需求方倾向于选择策略 A。云平台的监管成本高于选择策略 R 的额外收益（$C_r>P_1-S_2+\mathrm{T}_3$），所以云平台会选择不监管服务供需双方。

③ $E_3(0,0,1)$：当 $P_1<C_1-S_1-\beta G_1$，$C_2>S_2+\rho G_2$，$C_r<P_1+T_4$ 时，$E_3(0,0,1)$ 是 ESS，即策略是 { 供应方选择策略 NP，需求方选择策略 NA，云平台选择策略 R}。供应方选择策略 NP 的损失小于选择策略 P 的损失（$P_1<C_1-S_1-\beta G_1$），供应方选择不提供低碳制造服务。需求方选择策略 A 的额外成本高于云平台的奖励和增长的收益之和（$C_2>S_2+\rho G_2$），所以需求方倾向于选择策略 NA。云平台的监管成本低于选择策略 R 时的额外收益（$C_r<P_1+T_4$），所以云平台会选择监管服务供需双方。

④ $E_4(0,1,1)$：当 $P_1<C_1-S_1-\beta G_1$，$C_2<S_2+\rho G_2$，$C_r<P_1+T_3-S_2$ 时，$E_4(0,1,1)$ 是 ESS，策略组合是 { 供应方选择策略 NP，需求方选择策略 A，云平台选择策略 R}。供应方选择策略 NP 的损失小于选择策略 P 的损失（$P_1<C_1-S_1-\beta G_1$），所以供应方选择策略 NP。云平台对需求方的奖励和需求方增长的收益高于选择策略 A 的额外成本（$C_2<S_2+\rho G_2$）时，服务需求方会选择策略 A。云平台通过监管获取的额外收益高于监管成本（$C_r<P_1+T_3-S_2$），所以云平台倾向于选择策略 R。

⑤ $E_5(1,0,0)$：当 $\beta G_1-C_1>0$，$\rho G_2-C_2<0$，$C_r>T_2-S_1$ 时，$E_5(1,0,0)$ 是 ESS，即策略是 { 供应方选择策略 P，需求方选择策略 NA，云平台选择策略 NR}。供应方的低碳投入成本低于其增长收益时（$\beta G_1-C_1>0$），供应方选择提供低碳制造服务。需求方选择策略 A 的额外成本高于其增长收益（$\rho G_2-C_2<0$）时，需求方倾向于选择策略 NA。云平台的监管成本高于选择策略 R 时的额外收益（$C_r>T_2-S_1$），所以云平台会选择不监管服务供需双方。

⑥ $E_6(1,1,0)$：当 βG_1-$C_1>0$，$\rho G_2-C_2>0$，$C_r>T_1-S_2-S_1$ 时，$E_6(1,1,0)$ 是 ESS，即策略是 { 供应方选择策略 P，需求方选择策略 A，云平台选择策略 NR}。供应方选择策略 P 的额外收益为正（$\beta G_1-C_1>0$）时，供应方选择提供低碳制造服务。需求方选择策略 A 的额外收益为正（$\rho G_2-C_2>0$）时，需求方倾向于选择策略 A。云平台选择策略 R 的额外收益为负（$C_r>T_1-S_2-S_1$）时，云平台选择不监管服务供需双方。

⑦ $E_7(1,0,1)$：当 $P_1>C_1-S_1-\beta G_1$，$C_2>S_2+\rho G_2$，$C_r<T_2-S_1$ 时，$E_7(1,0,1)$ 是 ESS，策略是 { 供应方选择策略 P，需求方选择策略 NA，云平台选择策略 R}。供应方选

择策略 NP 的损失高于选择策略 P 的损失（$P_1>C_1-S_1-\beta G_1$），所以供应方会选择提供低碳制造服务。需求方选择策略 A 的额外成本高于云平台对需求方的奖励和增长收益之和（$C_2>S_2+\rho G_2$），所以需求方选择不采取低碳制造服务。云平台通过监管获取的额外收益高于监管成本（$C_r<T_2-S_1$），所以云平台会选择监管供需双方。

⑧ $E_8(1,1,1)$：当 $P_1>C_1$-S_1-βG_1，$C_2<S_2+\rho G_2$，$C_r<T_1$-S_2-S_1 时，$E_8(1,1,1)$ 是 ESS，即策略是｛供应方选择策略 P，需求方选择策略 A，云平台选择策略 R｝。服务供应方选择策略 NP 的损失高于选择策略 P 的损失（$P_1>C_1-S_1-\beta G_1$），供应方选择提供低碳制造服务。需求方选择策略 A 的额外成本低于云平台对需求方的奖励和增长收益之和（$C_2<S_2+\rho G_2$），所以需求方选择接受低碳制造服务。云平台通过监管获取的额外收益高于监管成本（$C_r<T_1-S_2-S_1$），所以云平台倾向选择监管供需双方。

基于该模型可以进行仿真分析，通过分析可以得到如下主要结论：

① 随着云平台加大对服务供应方不低碳合作的惩罚，服务供应方从均衡状态“0”转变为均衡状态“1”，供应方倾向于提供低碳制造服务。

② 云平台加大对服务供应方或需求方低碳合作的奖励，供应方或需求方低碳合作演化的速度加快。

③ 随着低碳投入成本和额外成本降低，供应方和需求方倾向于选择低碳合作。此外，低的监管成本促进了云平台对供需双方监管的积极性。

可见，云平台在供需双方的低碳合作中发挥着重要作用。云平台通过适当的奖惩能够鼓励供需双方参与低碳合作，但惩罚不宜过高，避免供需双方退出云平台；奖励也不能过高，以保证云平台的收益。云平台可以根据供应方和需求方的低碳成本设置对供需双方的奖惩力度。此外，供应方低碳投入成本和需求方低碳额外成本对服务供需双方的低碳合作有消极影响，应通过创新低碳技术等方法降低供应方和需求方的低碳成本。供需双方愿意支付的低碳成本受到云平台奖惩力度的影响。高昂的监管成本抑制了云平台的监管行为，因此云平台应控制监管成本，如在线监管。

8.3

低碳激励下的契约设计

在低碳产品的生产过程中，供应商和制造商的减排成本系数和减排努力水平均为私有信息，一方无法得知另一方的真实减排信息，只知道市场中高减排能力企业的占比。为解决该问题，可以通过设计低碳补贴契约，实现企业低碳信息甄别。因此，本节将建立信息不对称下的委托代理模型，研究政府与企业间的低碳补贴契约设计，探索云平台的加入对政府补贴契约参数和企业信息租金的影响。

8.3.1 逆向选择与道德风险问题

在低碳供应链中，政府为了激励企业低碳转型，会与企业签订低碳补贴契约。这里政府与企业间的信息不对称可以分为两类：契约签订前的信息不对称，契约签订后的信息不对称。在低碳补贴契约签订前，企业作为代理人清楚自己的低碳类型，而政府作为委托人，其掌握的信息不完全，并不了解企业的真实低碳情况，因而会发生信息不对称，这会形成“逆向选择”问题。在低碳补贴契约签订后，代理人观测到契约并选择行动，即努力减排或者不努力减排，委托人只能观测到结果，但不能观测到代理人的行动，会形成“道德风险”问题。表 8-4 对此进行了整理。

表 8-4　政府与企业间的信息不对称表现

时间	模型	委托人	代理人	私有信息类型
签约前	逆向选择	政府	低碳制造企业	减排成本系数
签约后	道德风险	政府	低碳制造企业	减排努力水平

根据表 8-4 中政企间的信息不对称表现，需要解决的问题包括：

① 针对企业低碳减排信息不对称现象，政府低碳补贴契约设计问题。为了避免企业谎报低碳信息，政府需要设计一个契约菜单，让不同减排能力的企业选择不同的补贴契约。

② 云平台的外部作用对政府低碳补贴契约设计的影响。当企业选择接入云平台运营时，政府的低碳补贴契约需要做出变化。

③ 政府为了实现信息甄别而付出的信息租金问题。低减排能力的企业往往更倾向于谎报自己是高减排能力的企业，政府需要为此付出信息租金，以激励企业真实汇报减排信息。根据企业是否接入云平台，政府支付的信息租金也会有所变化。

8.3.2 委托代理模型

在委托代理模型中，减排能力不同的企业为代理人，高减排能力企业的减排成本系数为 k_H，低减排能力企业的减排成本系数为 $k_L(k_L<k_H)$，β 为高减排能力企业所占比例。政府给予企业低碳补贴后，政府无法获得企业的减排努力程度，即

存在道德风险。高产能企业的减排努力水平为 e_H，低产能企业的减排努力水平为 $e_L(e_L<e_H)$。低碳补贴契约博弈时序如图 8-4 所示。

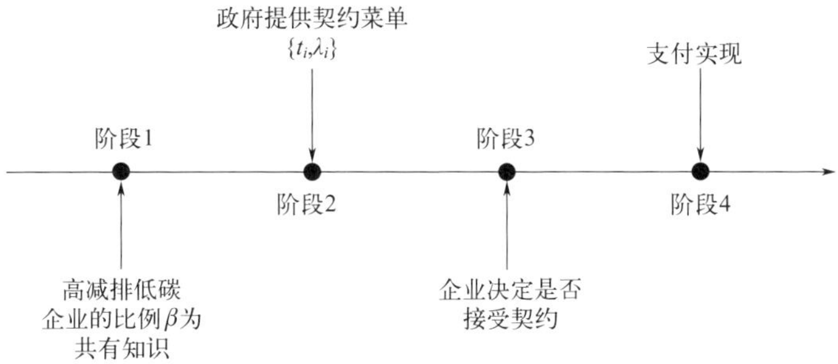

图 8-4　低碳补贴契约博弈时序

消费者对产品具有低碳偏好，这将导致产品在低碳供应链中的销量增加。假设消费者对产品的需求函数为 $Q=a-bp+\delta e$。其中，a 为初始市场需求，b 为产品价格的敏感系数，p 为产品价格，e 为企业减排的努力程度，δ 为减排努力程度的敏感系数。企业减排成本函数为 $C=\frac{1}{2}ke^2$。针对政府给予企业的低碳补贴，结合实际政策，令补贴函数形式为两部制契约，则线性低碳补贴函数如式（8-16）所示：

$$G=t+\lambda Q \tag{8-16}$$

该补贴由两部分组成，一部分是固定补贴，另一部分是与产品销售相关的补贴。$\lambda(0<\lambda<1)$ 为单位产品补贴系数。此外，在该委托代理模型中，政府通过倡导低碳制造获得利益。作为委托人的政府具有风险中性的特点，政府的收益函数为式（8-17）：

$$\pi_G=\eta Qe \tag{8-17}$$

式（8-17）中，η 为企业低碳行为带来的边际效益。于是，得到政府的效用函数：

$$U_G=\eta Qe-t-\lambda Q \tag{8-18}$$

作为代理人的企业更加关注市场需求的稳定性，因此，他们具有规避风险的特点。c 表示产品的成本，则企业的预期效益为：

$$\pi_E=(p-c)(a-bp+\delta e)+\lambda(a-bp+\delta e)+t-\frac{1}{2}ke^2 \tag{8-19}$$

企业的效用函数为 $U=-e^{-\rho\pi}$，借鉴 Arrow-Pratt 绝对风险规避度量 $\rho(\pi)$ 来定义企业的风险规避程度，其绝对风险规避度为 ρ，$\rho>0$，表示企业主观上对风险的规避程度，带来的风险成本为 $\rho\lambda^2\sigma^2/2$，σ 为外部因素对产品销量影响的方差。

因此，企业的确定性等效效益定义为式（8-20）：

$$U_{\mathrm{E}}=\pi_{\mathrm{E}}-\frac{1}{2}\rho\lambda^{2}\sigma^{2}=\left(p-c\right)\left(a-bp+\delta e\right)+\lambda\left(a-bp+\delta e\right)+t-\frac{1}{2}ke^{2}-\frac{1}{2}\rho\lambda^{2}\sigma^{2} \tag{8-20}$$

由于政府无法得知企业的真实减排能力类型，只知道高减排能力企业在市场中的比例为 β，这会使 L 类型企业具有动机去伪装成 H 类型企业，从而获得更高的低碳补贴等额外利益。同时，在政府给予企业低碳补贴后，企业的减排努力程度政府也无法得知。因此，政府在进行契约设计时，不仅面临逆向选择问题，还面临道德风险问题。

在没有云平台介入的情况下，根据显示原理，政府可以考虑设计一份契约菜单供企业选择，使具有不同减排技术的企业按照自身利益最大化原则所选择的契约就是政府为其所准备的契约，从而诱导企业“说真话”，实现对企业减排技术的甄别。政府提供的契约菜单由（t_{H}，λ_{H}）和（t_{L}，λ_{L}）两部分组成。政府更希望减排能力高的企业选择契约（t_{H}，λ_{H}），减排能力低的企业选择契约（t_{L}，λ_{L}）。同时，考虑企业的个体理性约束和激励相容约束，政府面临以下非线性最优约束问题：

$$\max_{\{(t_{\mathrm{H}},\lambda_{\mathrm{H}}),(t_{\mathrm{L}},\lambda_{\mathrm{L}})\}} U_{\mathrm{G}}=\beta(\eta Q_{\mathrm{H}}e_{\mathrm{H}}-t_{\mathrm{H}}-\lambda_{\mathrm{H}}Q_{\mathrm{H}})+(1-\beta)(\eta Q_{\mathrm{L}}e_{\mathrm{L}}-t_{\mathrm{L}}-\lambda_{\mathrm{L}}Q_{\mathrm{L}}) \tag{8-21}$$

企业的个人理性约束 IR 为：

$$\pi_{\mathrm{E}}^{\mathrm{H}}\geqslant\pi^{nl} \tag{8-22}$$

$$\pi_{\mathrm{E}}^{\mathrm{L}}\geqslant\pi^{nl} \tag{8-23}$$

其中，$\pi_{\mathrm{E}}^{\mathrm{H}}$ 表示高减排类型企业的期望收益；$\pi_{\mathrm{E}}^{\mathrm{L}}$ 为低减排类型企业的期望收益；π^{nl} 为企业不进行低碳生产时的收益，称为保留收益。展开可得式（8-24）和式（8-25）：

$$(p-c+\lambda_{\mathrm{H}})(a-bp+\delta e_{\mathrm{H}}^{*})+t_{H}-\frac{1}{2}k_{\mathrm{H}}e_{\mathrm{H}}^{*2}-\frac{1}{2}\rho\lambda_{\mathrm{H}}^{2}\sigma^{2}\geqslant(p-c)(a-bp) \tag{8-24}$$

$$(p-c+\lambda_{\mathrm{L}})(a-bp+\delta e_{\mathrm{L}}^{*})+t_{\mathrm{L}}-\frac{1}{2}k_{\mathrm{L}}e_{\mathrm{L}}^{*2}-\frac{1}{2}\rho\lambda_{\mathrm{L}}^{2}\sigma^{2}\geqslant(p-c)(a-bp) \tag{8-25}$$

企业的激励相容约束 IC 为：

$$\pi_{\mathrm{E}}^{\mathrm{H}}(k_{\mathrm{H}}\mid k_{\mathrm{H}})\geqslant\pi_{\mathrm{E}}^{\mathrm{H}}(\bar{k}_{\mathrm{L}}\mid k_{\mathrm{H}}) \tag{8-26}$$

$$\pi_{\mathrm{E}}^{\mathrm{L}}(k_{\mathrm{L}}\mid k_{\mathrm{L}})\geqslant\pi_{\mathrm{E}}^{\mathrm{L}}(\bar{k}_{\mathrm{H}}\mid k_{\mathrm{L}}) \tag{8-27}$$

其中，$\pi_{\mathrm{E}}^{\mathrm{H}}(k_{\mathrm{H}}\mid k_{\mathrm{H}})$ 表示高减排类型企业真实汇报减排成本系数时的收益，

$\pi_{E}^{H}(\bar{k}_{L} \mid k_{H})$ 为高减排类型企业谎报自身减排成本系数并选择 L 型契约时的收益。对低减排类型企业，亦然。展开可得式（8-28）和式（8-29）：

$$\begin{aligned}&\left(p-c+\lambda_{H}\right)\left(a-bp+\delta e_{H}^{*}\right)+t_{H}-\frac{1}{2}k_{H}e_{H}^{*2}-\frac{1}{2}\rho\lambda_{H}^{2}\sigma^{2} \geqslant \\ &\left(p-c+\lambda_{L}\right)\left(a-bp+\delta \bar{e}_{H}^{*}\right)+t_{L}-\frac{1}{2}k_{H}\bar{e}_{H}^{*2}-\frac{1}{2}\rho\lambda_{L}^{2}\sigma^{2}\end{aligned} \tag{8-28}$$

$$\begin{aligned}&\left(p-c+\lambda_{L}\right)\left(a-bp+\delta e_{L}^{*}\right)+t_{L}-\frac{1}{2}k_{L}e_{L}^{*2}-\frac{1}{2}\rho\lambda_{L}^{2}\sigma^{2} \geqslant \\ &\left(p-c+\lambda_{H}\right)\left(a-bp+\delta \bar{e}_{L}^{*}\right)+t_{H}-\frac{1}{2}k_{L}\bar{e}_{L}^{*2}-\frac{1}{2}\rho\lambda_{H}^{2}\sigma^{2}\end{aligned} \tag{8-29}$$

式（8-22）和式（8-23）使得企业有动机和政府签订契约，式（8-26）和式（8-27）使得企业没有动机去伪装自己的真实减排能力。政府设计该契约能够实现对企业减排能力的甄别。e_{H}^{*} 表示高减排能力企业选择 H 型契约时的最优减排努力水平，e_{L}^{*} 表示低减排能力企业选择 L 型契约时的最优减排努力水平，$\bar{e}_{H}^{*}$ 表示高减排能力企业选择 L 型契约时的最优减排努力水平，$\bar{e}_{L}^{*}$ 表示低减排能力企业选择 H 型契约时的最优减排努力水平。

对企业在该契约下的最优减排能力进行求解

$$e_{H}^{*}=\frac{\delta\left(p-c+\lambda_{H}\right)}{k_{H}} \tag{8-30}$$

$$e_{L}^{*}=\frac{\delta\left(p-c+\lambda_{L}\right)}{k_{L}} \tag{8-31}$$

$$\bar{e}_{H}^{*}=\frac{\delta\left(p-c+\lambda_{L}\right)}{k_{H}} \tag{8-32}$$

$$\bar{e}_{L}^{*}=\frac{\delta\left(p-c+\lambda_{H}\right)}{k_{L}} \tag{8-33}$$

回代至 IR、IC 约束，并化简，可得

$$\left(\mathrm{IR}_{1}\right)\quad \lambda_{H}\left(a-bp\right)+\frac{\delta^{2}(p-c+\lambda_{H})^{2}}{2k_{H}}+t_{H}-\frac{1}{2}\rho\lambda_{H}^{2}\sigma^{2} \geqslant 0 \tag{8-34}$$

$$\left(\mathrm{IR}_{2}\right)\quad \lambda_{L}\left(a-bp\right)+\frac{\delta^{2}(p-c+\lambda_{L})^{2}}{2k_{L}}+t_{L}-\frac{1}{2}\rho\lambda_{L}^{2}\sigma^{2} \geqslant 0 \tag{8-35}$$

$$\begin{aligned}&\left(\mathrm{IC}_{1}\right)\quad \lambda_{H}\left(a-bp\right)+\frac{\delta^{2}(p-c+\lambda_{H})^{2}}{2k_{H}}+t_{H}-\frac{1}{2}\rho\lambda_{H}^{2}\sigma^{2} \geqslant \\ &\lambda_{L}\left(a-bp\right)+\frac{\delta^{2}(p-c+\lambda_{L})^{2}}{2k_{H}}+t_{L}-\frac{1}{2}\rho\lambda_{L}^{2}\sigma^{2}\end{aligned} \tag{8-36}$$

$$(\mathrm{IC}_2)\quad \lambda_{\mathrm{L}}(a-bp)+\frac{\delta^2(p-c+\lambda_{\mathrm{L}})^2}{2k_{\mathrm{L}}}+t_{\mathrm{L}}-\frac{1}{2}\rho\lambda_{\mathrm{L}}^2\sigma^2 \geqslant \lambda_{\mathrm{H}}(a-bp)+\frac{\delta^2(p-c+\lambda_{\mathrm{H}})^2}{2k_{\mathrm{L}}}+t_{\mathrm{H}}-\frac{1}{2}\rho\lambda_{\mathrm{H}}^2\sigma^2 \tag{8-37}$$

因为 $k_{\mathrm{H}}>k_{\mathrm{L}}$，如果式（8-34）、式（8-36）和式（8-37）满足，则式（8-35）必定满足，即 L 型企业的参与约束在最优点处不是紧约束。根据 KKT 定理，构造拉格朗日函数：

$$\begin{aligned}
&L(t_{\mathrm{H}},\lambda_{\mathrm{H}},t_{\mathrm{L}},\lambda_{\mathrm{L}},\alpha_1,\alpha_2)\\
&=\beta\left[\frac{\eta\delta(p-c+\lambda_{\mathrm{H}})-k_{\mathrm{H}}\lambda_{\mathrm{H}}}{k_{\mathrm{H}}}\left(a-bp+\delta\frac{p-c+\lambda_{\mathrm{H}}}{k_{\mathrm{H}}}\right)-t_{\mathrm{H}}\right]\\
&\quad+(1-\beta)\left(\frac{\eta\delta(p-c+\lambda_{\mathrm{L}})-k_{\mathrm{L}}\lambda_{\mathrm{L}}}{k_{\mathrm{L}}}\left(a-bp+\delta\frac{p-c+\lambda_{\mathrm{L}}}{k_{\mathrm{L}}}\right)-t_{\mathrm{L}}\right)\\
&\quad+\alpha_1\left[\lambda_{\mathrm{H}}(a-bp)+\frac{\delta^2(p-c+\lambda_{\mathrm{H}})^2}{2k_{\mathrm{H}}}+t_{\mathrm{H}}-\frac{1}{2}\rho\lambda_{\mathrm{H}}^2\sigma^2\right]\\
&\quad+\alpha_2\left[\lambda_{\mathrm{L}}(a-bp)+\frac{\delta^2(p-c+\lambda_{\mathrm{L}})^2}{2k_{\mathrm{L}}}+t_{\mathrm{L}}-\frac{1}{2}\rho\lambda_{\mathrm{L}}^2\sigma^2\right.\\
&\quad\left.-\lambda_{\mathrm{H}}(a-bp)-\frac{\delta^2(p-c+\lambda_{\mathrm{H}})^2}{2k_{\mathrm{L}}}-t_{\mathrm{H}}+\frac{1}{2}\rho\lambda_{\mathrm{H}}^2\sigma^2\right]\\
&\quad+\alpha_3\left[\lambda_{\mathrm{H}}(a-bp)+\frac{\delta^2(p-c+\lambda_{\mathrm{H}})^2}{2k_{\mathrm{H}}}+t_{\mathrm{H}}-\frac{1}{2}\rho\lambda_{\mathrm{H}}^2\sigma^2\right.\\
&\quad\left.-\lambda_{\mathrm{L}}(a-bp)-\frac{\delta^2(p-c+\lambda_{\mathrm{L}})^2}{2k_{\mathrm{H}}}-t_{\mathrm{L}}+\frac{1}{2}\rho\lambda_{\mathrm{L}}^2\sigma^2\right]
\end{aligned} \tag{8-38}$$

可以得到以下 KKT 条件：

$$\begin{cases}
\dfrac{\partial L}{\partial t_{\mathrm{H}}}=0,\dfrac{\partial L}{\partial t_{\mathrm{L}}}=0,\dfrac{\partial L}{\partial \lambda_{\mathrm{H}}}=0,\dfrac{\partial L}{\partial \lambda_{\mathrm{L}}}=0\\
\alpha_i f_i(t_{\mathrm{H}},t_{\mathrm{L}},\lambda_{\mathrm{H}},\lambda_{\mathrm{L}})=0,\quad i=1,2,3\\
\alpha_i\geqslant 0,\quad i=1,2,3\\
f_i(t_{\mathrm{H}},t_{\mathrm{L}},\lambda_{\mathrm{H}},\lambda_{\mathrm{L}})\leqslant 0,\quad i=1,2,3
\end{cases} \tag{8-39}$$

根据互补松弛条件，约束式（8-34）、式（8-36）取等号。然后，可以求解契约参数：

$$\lambda_{\mathrm{H}}^*=\frac{\eta\beta\delta k_{\mathrm{H}}k_L(a-bp)+\left[2k_{\mathrm{L}}\eta\beta\delta^2-k_{\mathrm{H}}k_{\mathrm{L}}\beta\delta+k_{\mathrm{H}}k_{\mathrm{L}}\delta^2-k_{\mathrm{H}}^2(1-\beta)\delta^2\right](p-c)}{2k_{\mathrm{H}}k_{\mathrm{L}}\beta\delta+k_{\mathrm{H}}^2(1-\beta)\delta^2-2k_{\mathrm{L}}\beta\eta\delta^2-k_{\mathrm{H}}k_{\mathrm{L}}\delta^2-k_{\mathrm{H}}^2k_{\mathrm{L}}\beta\rho\sigma^2} \tag{8-40}$$

$$\lambda_{\mathrm{L}}^{*}=\frac{\eta\delta k_{\mathrm{L}}\left(a-bp\right)+\left(2\eta\delta^{2}+k_{\mathrm{L}}\delta^{2}-k_{\mathrm{L}}\delta\right)\left(p-c\right)}{k_{\mathrm{L}}^{2}\rho\sigma^{2}-2\eta\delta^{2}-k_{\mathrm{L}}\delta^{2}+2k_{\mathrm{L}}\delta} \tag{8-41}$$

$$t_{\mathrm{H}}^{*}=\frac{1}{2}\rho\lambda_{\mathrm{H}}^{*2}\sigma^{2}-\lambda_{\mathrm{H}}^{*}\left(a-bp\right)-\frac{\delta^{2}(p-c+\lambda_{\mathrm{H}})^{2}}{2k_{\mathrm{H}}} \tag{8-42}$$

$$t_{\mathrm{L}}^{*}=\frac{1}{2}\rho\lambda_{\mathrm{L}}^{*2}\sigma^{2}-\lambda_{\mathrm{L}}^{*}\left(a-bp\right)-\frac{\delta^{2}}{2}\left[\frac{\left(k_{\mathrm{L}}+k_{\mathrm{H}}\right)(p-c+\lambda_{\mathrm{H}})^{2}}{k_{\mathrm{H}}k_{\mathrm{L}}}-\frac{(p-c+\lambda_{\mathrm{L}})^{2}}{k_{\mathrm{L}}}\right] \tag{8-43}$$

根据信息经济学理论，信息租金是代理人由于占有更多的信息优势而可以从市场中额外获得的收益，即高效率类型模仿低效率类型获得的额外效用水平，如式（8-44）：

$$R=\pi_{\mathrm{E}}^{\mathrm{H}}(\bar{k}_{\mathrm{L}}\mid k_{\mathrm{H}})-\pi_{\mathrm{E}}^{\mathrm{H}}(k_{\mathrm{H}}\mid k_{\mathrm{H}}) \tag{8-44}$$

为防止低减排能力企业模仿高减排能力企业，政府需要支付的信息租金为式（8-45）：

$$R=\frac{\left(k_{\mathrm{H}}-k_{\mathrm{L}}\right)\delta^{2}(p-c+\lambda_{\mathrm{H}})^{2}}{2k_{\mathrm{L}}k_{\mathrm{H}}} \tag{8-45}$$

由契约参数可以发现，政府对市场上具有高减排能力的企业的先验概率β越大，λ_{H}越大，事前支付的t_{L}也就越多。

8.3.3 云平台加入后的模型

基于云制造服务平台的企业协同可以促进企业绿色制造资源的共享，提高企业效率。政府可以引入云平台来监管企业。当企业通过云平台进行供需匹配时，会提高产品销量，同时因接入云平台需要付出一定的上云成本，因此，考虑在云平台交易环境下，云平台的网络效应将为企业带来额外的销售额$\Delta\mu$。$\Delta\mu$在区间（0,1）上均匀分布，令$\mu=1+\Delta\mu$。同时，企业需要投入固定的成本q来接入云平台，则在云平台的外部作用下，企业的期望收益为：

$$\pi_{\mathrm{E}}^{c}=\mu(p-c)(a-bp+\delta e)+\lambda(a-bp+\delta e)+t-\frac{1}{2}ke^{2}-q \tag{8-46}$$

政府的目标函数保持不变：

$$\max_{\{(t_{\mathrm{H}},\lambda_{\mathrm{H}}),(t_{\mathrm{L}},\lambda_{\mathrm{L}})\}}U_{\mathrm{G}}=\beta(\eta Q_{\mathrm{H}}e_{\mathrm{H}}-t_{\mathrm{H}}-\lambda_{\mathrm{H}}Q_{\mathrm{H}})+(1-\beta)(\eta Q_{\mathrm{L}}e_{\mathrm{L}}-t_{\mathrm{L}}-\lambda_{\mathrm{L}}Q_{\mathrm{L}}) \tag{8-47}$$

则云平台环境下企业的个体理性约束如下：

$$\left(\mu p-\mu c+\lambda_{\mathrm{H}}\right)\left(a-bp+\delta e_{\mathrm{H}}^{c*}\right)+t_{\mathrm{H}}-q-\frac{1}{2}k_{\mathrm{H}}e_{\mathrm{H}}^{c*2}-\frac{1}{2}\rho\lambda_{\mathrm{H}}^{2}\sigma^{2}\geqslant\left(p-c\right)\left(a-bp\right) \tag{8-48}$$

$$\left(\mu p-\mu c+\lambda_{\mathrm{L}}\right)\left(a-bp+\delta e_{\mathrm{L}}^{c*}\right)+t_{\mathrm{L}}-q-\frac{1}{2}k_{\mathrm{L}}e_{\mathrm{L}}^{c*2}-\frac{1}{2}\rho\lambda_{\mathrm{L}}^{2}\sigma^{2}\geqslant\left(p-c\right)\left(a-bp\right) \tag{8-49}$$

云平台环境下企业的激励相容约束如下：

$$\begin{aligned}&\left(\mu p-\mu c+\lambda_{\mathrm{H}}\right)\left(a-bp+\delta e_{\mathrm{H}}^{c*}\right)+t_{\mathrm{H}}-q-\frac{1}{2}k_{\mathrm{H}}e_{\mathrm{H}}^{c*2}-\frac{1}{2}\rho\lambda_{\mathrm{H}}^{2}\sigma^{2}\geqslant\\&\left(p-c+\lambda_{\mathrm{L}}\right)\left(a-bp+\delta\overline{e}_{\mathrm{H}}^{c*}\right)+t_{\mathrm{L}}-\frac{1}{2}k_{\mathrm{H}}\overline{e}_{\mathrm{H}}^{c*2}-\frac{1}{2}\rho\lambda_{\mathrm{L}}^{2}\sigma^{2}\end{aligned} \tag{8-50}$$

$$\begin{aligned}&\left(\mu p-\mu c+\lambda_{\mathrm{L}}\right)\left(a-bp+\delta e_{\mathrm{L}}^{c*}\right)+t_{\mathrm{L}}-q-\frac{1}{2}k_{\mathrm{L}}e_{\mathrm{L}}^{c*2}-\frac{1}{2}\rho\lambda_{\mathrm{L}}^{2}\sigma^{2}\geqslant\\&\left(p-c+\lambda_{\mathrm{H}}\right)\left(a-bp+\delta\overline{e}_{\mathrm{L}}^{c*}\right)+t_{\mathrm{H}}-\frac{1}{2}k_{\mathrm{L}}\overline{e}_{\mathrm{L}}^{c*2}-\frac{1}{2}\rho\lambda_{\mathrm{H}}^{2}\sigma^{2}\end{aligned} \tag{8-51}$$

e_{H}^{c*}、e_{L}^{c*}表示云平台下高减排能力企业和低减排能力企业在选择 H 型契约或 L 型契约时的最优减排努力水平。在云平台环境下，求解低碳补贴契约下企业的最优减排努力水平，可以得到：

$$e_{\mathrm{H}}^{c*}=\frac{\delta\left(\mu p-\mu c+\lambda_{\mathrm{H}}\right)}{k_{\mathrm{H}}} \tag{8-52}$$

$$e_{\mathrm{L}}^{c*}=\frac{\delta\left(\mu p-\mu c+\lambda_{\mathrm{L}}\right)}{k_{\mathrm{L}}} \tag{8-53}$$

$$\overline{e}_{\mathrm{H}}^{c*}=\frac{\delta\left(p-c+\lambda_{\mathrm{L}}\right)}{k_{\mathrm{H}}} \tag{8-54}$$

$$\overline{e}_{\mathrm{L}}^{c*}=\frac{\delta\left(p-c+\lambda_{\mathrm{H}}\right)}{k_{\mathrm{L}}} \tag{8-55}$$

回代至 IR、IC 约束，并化简拉格朗日函数可以得到：

$$\begin{aligned}&L^{c}\left(t_{\mathrm{H}},\lambda_{\mathrm{H}},t_{\mathrm{L}},\lambda_{\mathrm{L}},\alpha_{1},\alpha_{2}\right)\\&=\beta\left[\frac{\eta\delta\left(\mu p-\mu c+\lambda_{\mathrm{H}}\right)-k_{\mathrm{H}}\lambda_{\mathrm{H}}}{k_{\mathrm{H}}}\left(a-bp+\delta\frac{\mu p-\mu c+\lambda_{\mathrm{H}}}{k_{\mathrm{H}}}\right)-t_{\mathrm{H}}\right]\\&\quad+(1-\beta)\left(\frac{\eta\delta\left(\mu p-\mu c+\lambda_{\mathrm{L}}\right)-k_{\mathrm{L}}\lambda_{\mathrm{L}}}{k_{\mathrm{L}}}\left(a-bp+\delta\frac{\mu p-\mu c+\lambda_{\mathrm{L}}}{k_{\mathrm{L}}}\right)-t_{\mathrm{L}}\right)\\&\quad+\beta_{1}\left[\left(\mu p-\mu c+\lambda_{\mathrm{H}}\right)\left(a-bp\right)+\frac{\delta^{2}(\mu p-\mu c+\lambda_{\mathrm{H}})^{2}}{2k_{\mathrm{H}}}+t_{\mathrm{H}}-\frac{1}{2}\rho\lambda_{\mathrm{H}}^{2}\sigma^{2}\right]\\&\quad+\beta_{2}\left[\left(\mu p-\mu c+\lambda_{\mathrm{L}}\right)\left(a-bp\right)+\frac{\delta^{2}(\mu p-\mu c+\lambda_{\mathrm{L}})^{2}}{2k_{\mathrm{L}}}+t_{\mathrm{L}}-\frac{1}{2}\rho\lambda_{\mathrm{L}}^{2}\sigma^{2}\right.\\&\quad\left.-\left(p-c+\lambda_{\mathrm{H}}\right)\left(a-bp\right)-\frac{\delta^{2}(p-c+\lambda_{\mathrm{H}})^{2}}{2k_{\mathrm{L}}}-t_{\mathrm{H}}+\frac{1}{2}\rho\lambda_{\mathrm{H}}^{2}\sigma^{2}\right]\end{aligned} \tag{8-56}$$

$$+\beta_3\left[(\mu p-\mu c+\lambda_{\mathrm{H}})(a-bp)+\frac{\delta^2(\mu p-\mu c+\lambda_{\mathrm{H}})^2}{2k_{\mathrm{H}}}+t_{\mathrm{H}}-\frac{1}{2}\rho\lambda_{\mathrm{H}}^2\sigma^2\right.$$

$$\left.-(p-c+\lambda_{\mathrm{L}})(a-bp)-\frac{\delta^2(p-c+\lambda_{\mathrm{L}})^2}{2k_{\mathrm{H}}}-t_{\mathrm{L}}+\frac{1}{2}\rho\lambda_{\mathrm{L}}^2\sigma^2\right]$$

分别求解出契约参数。那么，在政府采用云平台对企业进行监管后，为了防止减排能力低的企业模仿减排能力高的企业，政府需要支付的信息租金如下：

$$R^c=(1-\mu)(p-c)(a-bp)+q+\frac{\delta^2}{2}\left[\frac{(p-c+\lambda_{\mathrm{H}})^2}{k_{\mathrm{L}}}-\frac{(\mu p-\mu c+\lambda_{\mathrm{H}})^2}{k_{\mathrm{H}}}\right] \quad (8\text{-}57)$$

结合实际情况，对比式（8-45）和式（8-57），可以得出 $R>R^c$，即在引入云平台后，政府支付更少的信息租金。

以上内容根据已有对供应链中各主体最优决策的研究，针对政府无法观察到契约签订前的企业减排能力信息和契约签订后的企业减排努力程度这两方面的信息不对称问题，设计了政府与企业间的低碳补贴契约，探索云平台在引导企业进行低碳生产和消弭信息不对称上所起到的作用。研究表明，在该委托代理模型中的契约中，高减排能力企业在市场中的占比影响着契约参数和信息租金。云平台可以帮助政府降低信息租金的支付，同时有利于企业做出更多的减排努力。

8.4

双向信息不对称下的云平台激励机制设计

在“政府 - 企业”的委托代理模型中，云平台只是作为外部变量对政府与企业间的契约设计施加影响。本节将介绍机制设计方法，即云平台通过构建平台交易机制（设计转移支付），解决云平台上制造商和供应商的信息不对称问题。

8.4.1 双向信息不对称

双向信息不对称指的是在一个交易或互动过程中，涉及的双方都掌握着对方不具备的重要信息，这些信息可能影响交易或决策的结果。与单向信息不对称不同，双向信息不对称意味着双方都有可能利用信息优势来影响交易或决策，从而导致潜在的市场失灵或效率低下。在低碳供应链中，供应商会为了满足政府低碳需求或攫取更高利润而谎称自己的减排成本系数，从而产生信息不对称问题。同样，制造商可能也会谎称自己的低碳减排情况，所以该信息不对称是双向的。在基于云平台的服务供需交易场景下，供需双方的决策需要考虑云平台上的交易规则，这会给供应链协调的研究带来变化。本节假设在云制造供应链的生产过程中，供需双方的信息不对称主要体现在相互谎报减排成本系数，如图 8-5 所示。其中，e_s 和 e_m 分别表示供应商和制造商的减排努力水平，$\hat{k}_s$ 和 $\hat{k}_m$ 分别表示供应商和制造商谎报的减排成本系数，w 为批发价格。

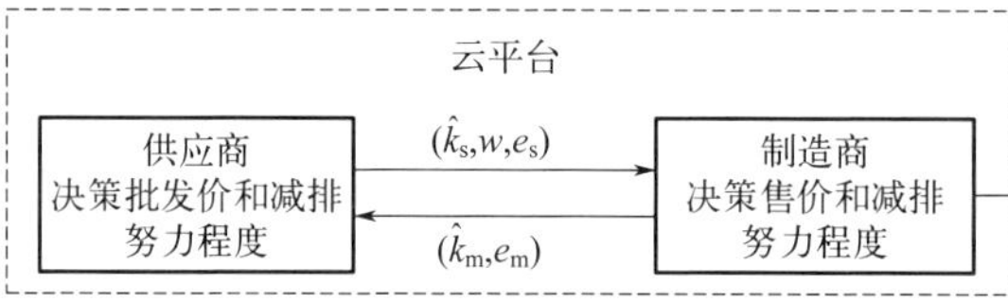

图 8-5　云制造供应链生产过程中的信息不对称

本节研究的问题包括：

① 信息不对称给云制造供应链带来的危害。信息不对称可能会是双向的，供应商和制造商均谎报自身的减排成本系数，这会影响供应链的收益。

② 信息不对称下云制造供应链的协调问题。需要考虑在云平台交易环境下设计合适的机制以降低供应链中的信息不对称，提高供应链绩效。本节设计了一种“保证金”制度，当制造商和供应商加入云平台进行供需匹配时，双方需要根据上报的成本和减排信息向云平台交纳一定金额的保证金。这笔款项将在交易完成后以收益共享的形式返还给制造商和供应商。这样，通过基于所设计的 dAGVA-P（d’Aspremont, Gérard-Varet, and Arrow-Platform）机制求解出合理的保证金金额和收益共享分配比例，来激励制造商和供应商（供应链的上下游企业）如实报告减排信息，从而减轻或消除信息不对称。

8.4.2　信息不对称下的低碳供应链收益分析

考虑一个生产低碳原材料的供应商和一个使用低碳技术将原材料加工制造后销售给消费者的制造商，他们协同减排生产某一低碳产品，过程如图 8-6 所示。

图 8-6　低碳供应链

当供应商和制造商进行采用低碳方式进行生产时，会产生减排成本。设 e_s 和 e_m 分别表示供应商和制造商的减排努力水平，k_s 和 k_m 分别表示供应商和制造商的减排成本系数。则企业的减排成本函数为 $C=\dfrac{1}{2}ke^2$ 。产品的需求函数为式（8-58）：

$$Q = a - bp + \delta(e_s + e_m) \tag{8-58}$$

式中，a 为初始市场潜力，b 为消费者对价格的敏感性，p 为产品销售价格，δ 为消费者对低碳产品的偏好程度。

当供应商和制造商在云平台下进行交易时，云平台由于其网络效应，增加了产品在供应链中的销售。云制造服务平台对平台建设的投入越多（越努力），其带来的网络效应就越高。设平台的努力水平为 s，平台努力的成本系数为 h，则平台的成本函数为 $C=hs^2/2$[5]。设 μ 表示平台的网络效应，则平台给供应链带来的销售增量为 μs，此时的需求函数变为 $a-bp+\delta(e_s+e_m)+\mu s$。此外，该平台的收入来自产品销售的佣金，设佣金率为 ϕ，可得云平台交易环境下的博弈时序如图 8-7 所示。

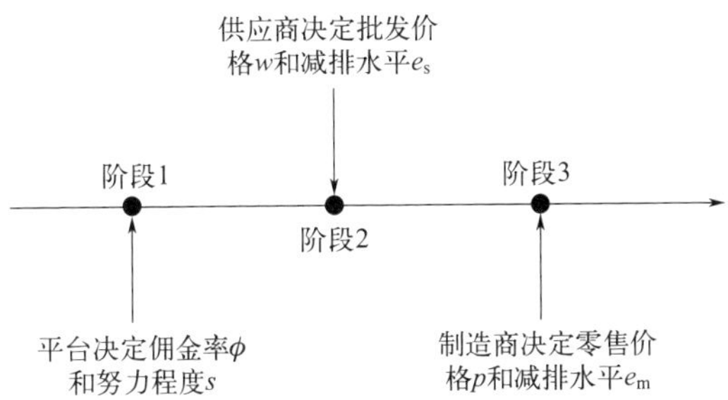

图 8-7　云平台交易环境下的博弈时序

在该模型中，供应商、制造商与云平台的利润函数为：

$$\pi_{sp} = (w-c)\left[a - bp + \delta(e_s + e_m) + \mu s\right] - \frac{1}{2}k_s e_s^2 \tag{8-59}$$

$$\pi_{mp} = \left[(1-\phi)p - w\right]\left[a - bp + \delta(e_s + e_m) + \mu s\right] - \frac{1}{2}k_m e_m^2 \tag{8-60}$$

$$\pi_p = \phi p\left[a - bp + \delta(e_m + e_s) + \mu s\right] - \frac{1}{2}hs^2 \tag{8-61}$$

在上述低碳供应链中，供应商或制造商可能会隐瞒其减排成本系数。一般来说，出于满足低碳减排标准或是消费者青睐的目的，供应商和制造商倾向于夸大自身在生产过程中的绿色努力。假设供应链中的信息不对称主要发生在减排成本系数上，即供应商可能谎报减排成本为 $\hat{k}_s$，$\hat{k}_s \in (k_s, \bar{k}_s)$，制造商可能谎报减排成本为 $\hat{k}_m$，$\hat{k}_m \in \left(k_m, \bar{k}_m\right)$，供应商和制造商均会在自身真实减排成本基础上向上谎报。

当发生双向信息不对称时，它会影响双方关于减排努力和定价的决策。此外，当供应商公布其减排成本系数为 $\hat{k}_s$ 时，实际付出的减排成本会比外界认为的减排成本要少。这也适用于制造商。则在信息不对称下，采用逆向归纳法求解该博弈模型，可以得到供应商的批发价格 $\hat{w}$，减排努力程度 $\hat{e}_s$，制造商的售价 $\hat{p}$ 和减

排努力程度 $\hat{e}_{\mathrm{m}}$ 如式（8-62）～式（8-65）所示：

$$\hat{w}^*(s)=\frac{-(1-\phi)^2\delta^2 k_{\mathrm{s}}(a+\mu s)+bc\delta^2\left(\hat{k}_{\mathrm{m}}+\hat{k}_{\mathrm{s}}\right)(\phi-1)+2b\hat{k}_{\mathrm{m}}\hat{k}_{\mathrm{s}}\left[(1-\phi)(\mu s+a)+bc\right]}{4b^2\hat{k}_{\mathrm{m}}\hat{k}_{\mathrm{s}}-b\delta^2(1-\phi)\left(\hat{k}_{\mathrm{m}}+2\hat{k}_{\mathrm{s}}\right)} \tag{8-62}$$

$$\hat{e}_{\mathrm{s}}^*(s)=\frac{\delta\hat{k}_{\mathrm{m}}\left[-bc+(1-\phi)(a+\mu s)\right]}{4b\hat{k}_{\mathrm{m}}\hat{k}_{\mathrm{s}}-\delta^2(1-\phi)\left(\hat{k}_{\mathrm{m}}+2\hat{k}_{\mathrm{s}}\right)} \tag{8-63}$$

$$\hat{p}^*(s)=\frac{(1-\phi)\delta^2\hat{k}_{\mathrm{s}}(a+\mu s)+bc\delta^2\left(\hat{k}_{\mathrm{m}}+\hat{k}_{\mathrm{s}}\right)-bk_{\mathrm{m}}\hat{k}_{\mathrm{s}}\left[3(a+\mu s)+bc\right]}{b\delta^2(1-\phi)\left(\hat{k}_{\mathrm{m}}+2\hat{k}_{\mathrm{s}}\right)-4b^2\hat{k}_{\mathrm{m}}\hat{k}_{\mathrm{s}}} \tag{8-64}$$

$$\hat{e}_{\mathrm{m}}^*(s)=\frac{\delta\hat{k}_{\mathrm{s}}\left[-bc+(1-\phi)(a+\mu s)\right]}{4b\hat{k}_{\mathrm{m}}\hat{k}_{\mathrm{s}}-\delta^2(1-\phi)\left(\hat{k}_{\mathrm{m}}+2\hat{k}_{\mathrm{s}}\right)} \tag{8-65}$$

因此，在信息不对称的情况下，供应商、制造商的平台的利润可以表示为式（8-66）：

$$\begin{cases}\pi_{\mathrm{sp}}^*=\hat{\pi}_{\mathrm{sp}}^*+\dfrac{1}{2}\left(\hat{k}_{\mathrm{s}}-k_{\mathrm{s}}\right)\hat{e}_{\mathrm{s}}^2\\ \pi_{\mathrm{mp}}^*=\hat{\pi}_{\mathrm{mp}}^*+\dfrac{1}{2}\left(\hat{k}_{\mathrm{m}}-k_{\mathrm{m}}\right)\hat{e}_{\mathrm{m}}^2\\ \pi_{\mathrm{p}}^*=\hat{\pi}_{\mathrm{p}}^*\end{cases} \tag{8-66}$$

在信息不对称的情况下，这些决策变量会偏离式（8-66）所列的最优解。显然，双向信息不对称将对供应链的利润产生负面影响。

8.4.3 基于云平台的 dAGVA 机制设计

dAGVA 机制由 d'Aspremont、Gérard-Varet 和 Arrow 提出，可以解决多代理人信息不对称问题，实现预算平衡下的最优配置。dAGVA 机制中的转移支付形式为：

$$M_i^{\mathrm{A}}(x)=\frac{1}{n-1}\sum_{j\neq i}E_{x_j}\left[W_{-j}\left(x_j,X_{-j}\right)\right]-E_{x_{-i}}\left[W_{-i}\left(x_i,X_{-i}\right)\right] \tag{8-67}$$

本节只考虑两个代理人（即供应商和制造商）的情况。根据 dAGVA 机制形式，在该机制中，转移支付设计如式（8-68）和式（8-69）。

$$M_{\mathrm{s}}^{\mathrm{A}}=E\left[\pi_{\mathrm{s}}\left(\hat{k}_{\mathrm{s}},\hat{k}_{\mathrm{m}}\right)\right]-E\left[\pi_{\mathrm{m}}\left(\hat{k}_{\mathrm{s}},\hat{k}_{\mathrm{m}}\right)\right] \tag{8-68}$$

$$M_{\mathrm{m}}^{\mathrm{A}}=E\left[\pi_{\mathrm{m}}\left(\hat{k}_{\mathrm{s}},\hat{k}_{\mathrm{m}}\right)\right]-E\left[\pi_{\mathrm{s}}\left(\hat{k}_{\mathrm{s}},\hat{k}_{\mathrm{m}}\right)\right] \tag{8-69}$$

这种机制背后的思想是通过转移支付将对方的收益考虑到个人决策中，从而使决策内部化，确保双方都说实话。显然，转移支付满足平衡预算。因此，这个问题是一个规划问题，目标函数为供应链总体利润最大化，激励相容约束为供应商和制造商在参与该机制后的收益要大于不参与机制时的收益。

$$(\mathrm{P})\quad \max_{k_{\mathrm{s}},k_{\mathrm{m}}}\ (p-c)\left[a-bp+\delta\left(e_{\mathrm{s}}+e_{\mathrm{m}}\right)+\mu s\right]-\frac{1}{2}hs^{2}-\frac{1}{2}k_{\mathrm{s}}e_{\mathrm{s}}^{2}-\frac{1}{2}k_{\mathrm{m}}e_{\mathrm{m}}^{2} \tag{8-70}$$

$$(\mathrm{IC}_1)\quad E\left[\pi_{\mathrm{s}}\left(k_{\mathrm{s}},k_{\mathrm{m}}\right)+M_{\mathrm{m}}^{A}\left(k_{\mathrm{s}},k_{\mathrm{m}}\right)\right]\geqslant E\left[\pi_{\mathrm{s}}\left(\hat{k}_{\mathrm{s}},k_{\mathrm{m}}\right)+M_{\mathrm{m}}^{A}\left(\hat{k}_{\mathrm{s}},k_{\mathrm{m}}\right)\right] \tag{8-71}$$

$$(\mathrm{IC}_2)\quad E\left[\pi_{\mathrm{m}}\left(k_{\mathrm{s}},k_{\mathrm{m}}\right)+M_{\mathrm{m}}^{A}\left(k_{\mathrm{s}},k_{\mathrm{m}}\right)\right]\geqslant E\left[\pi_{\mathrm{m}}\left(k_{\mathrm{s}},\hat{k}_{\mathrm{m}}\right)+M_{\mathrm{m}}^{A}\left(k_{\mathrm{s}},\hat{k}_{\mathrm{m}}\right)\right] \tag{8-72}$$

在 dAGVA 机制中，满足贝叶斯激励相容，当供应商或制造商选择真实汇报自己的减排能力时，另一方的最佳策略是真实汇报。该机制是通过转移支付，使个体的最优减排成本系数汇报值配置在真实汇报点。将转移支付函数式（8-68）和式（8-69）代入供应商和制造商的期望收益函数中：

$$E\left(\pi_{\mathrm{s}}\right)=E\left[\pi_{\mathrm{s}}\left(\hat{k}_{\mathrm{s}},\hat{k}_{\mathrm{m}}\right)-\pi_{\mathrm{s}}\left(\hat{k}_{\mathrm{s}},\hat{k}_{\mathrm{m}}\right)+\pi_{\mathrm{m}}\left(\hat{k}_{\mathrm{s}},\hat{k}_{\mathrm{m}}\right)\right]=E\left[\pi_{\mathrm{m}}\left(\hat{k}_{\mathrm{s}},\hat{k}_{\mathrm{m}}\right)\right] \tag{8-73}$$

$$E\left(\pi_{\mathrm{m}}\right)=E\left[\pi_{\mathrm{m}}\left(\hat{k}_{\mathrm{s}},\hat{k}_{\mathrm{m}}\right)-\pi_{\mathrm{m}}\left(\hat{k}_{\mathrm{s}},\hat{k}_{\mathrm{m}}\right)+\pi_{\mathrm{s}}\left(\hat{k}_{\mathrm{s}},\hat{k}_{\mathrm{m}}\right)\right]=E\left[\pi_{\mathrm{s}}\left(\hat{k}_{\mathrm{s}},\hat{k}_{\mathrm{m}}\right)\right] \tag{8-74}$$

此时，会出现个人的决策完全转化为以对方收益最优为目标的决策。于是，适当调整该机制，考虑一个分配比例 λ，得到新的转移支付函数：

$$M_{\mathrm{s}}^{\mathrm{A}}=\lambda E\left[\pi_{\mathrm{s}}\left(\hat{k}_{\mathrm{s}},\hat{k}_{\mathrm{m}}\right)\right]-(1-\lambda)E\left[\pi_{\mathrm{m}}\left(\hat{k}_{\mathrm{s}},\hat{k}_{\mathrm{m}}\right)\right] \tag{8-75}$$

$$M_{\mathrm{m}}^{\mathrm{A}}=(1-\lambda)E\left[\pi_{\mathrm{m}}\left(\hat{k}_{\mathrm{s}},\hat{k}_{\mathrm{m}}\right)\right]-\lambda E\left[\pi_{\mathrm{s}}\left(\hat{k}_{\mathrm{s}},\hat{k}_{\mathrm{m}}\right)\right] \tag{8-76}$$

将该转移支付代入供应商和制造商的期望收益函数中：

$$\begin{aligned}E\left(\pi_{\mathrm{s}}\right)&=E\left[\pi_{\mathrm{s}}\left(\hat{k}_{\mathrm{s}},\hat{k}_{\mathrm{m}}\right)-\lambda\pi_{\mathrm{s}}\left(\hat{k}_{\mathrm{s}},\hat{k}_{\mathrm{m}}\right)+(1-\lambda)\pi_{\mathrm{m}}\left(\hat{k}_{\mathrm{s}},\hat{k}_{\mathrm{m}}\right)\right]\\&=(1-\lambda)E\left[\pi_{\mathrm{s}}\left(\hat{k}_{\mathrm{s}},\hat{k}_{\mathrm{m}}\right)+\pi_{\mathrm{m}}\left(\hat{k}_{\mathrm{s}},\hat{k}_{\mathrm{m}}\right)\right]\end{aligned} \tag{8-77}$$

$$\begin{aligned}E\left(\pi_{\mathrm{m}}\right)&=E\left[\pi_{\mathrm{m}}\left(\hat{k}_{\mathrm{s}},\hat{k}_{\mathrm{m}}\right)-(1-\lambda)\pi_{\mathrm{m}}\left(\hat{k}_{\mathrm{s}},\hat{k}_{\mathrm{m}}\right)+\lambda\pi_{\mathrm{s}}\left(\hat{k}_{\mathrm{s}},\hat{k}_{\mathrm{m}}\right)\right]\\&=\lambda E\left[\pi_{\mathrm{s}}\left(\hat{k}_{\mathrm{s}},\hat{k}_{\mathrm{m}}\right)+\pi_{\mathrm{m}}\left(\hat{k}_{\mathrm{s}},\hat{k}_{\mathrm{m}}\right)\right]\end{aligned} \tag{8-78}$$

显然，在该机制下，供应商与制造商的理性目标均是最大化集体利益 $E\left[\pi_{\mathrm{s}}\left(\hat{k}_{\mathrm{s}},\hat{k}_{\mathrm{m}}\right)+\pi_{\mathrm{m}}\left(\hat{k}_{\mathrm{s}},\hat{k}_{\mathrm{m}}\right)\right]$。因此，个体的最佳决策是真实报告自己的信息，从

而实现集体利益最大化。可以推断，该机制满足配置效率和贝叶斯激励相容。

而对于该机制的个人理性约束，需要满足 dAGVA 机制下的收益大于无云平台时分散决策的收益。

$$\left(\mathrm{IR}_1\right) \quad (1-\lambda)E\left[\pi_{\mathrm{s}}\left(\hat{k}_{\mathrm{s}},\hat{k}_{\mathrm{m}}\right)+\pi_{\mathrm{m}}\left(\hat{k}_{\mathrm{s}},\hat{k}_{\mathrm{m}}\right)\right]>\pi_{\mathrm{s}}^{\mathrm{D}} \tag{8-79}$$

$$\left(\mathrm{IR}_2\right) \quad \lambda E\left[\pi_{\mathrm{s}}\left(\hat{k}_{\mathrm{s}},\hat{k}_{\mathrm{m}}\right)+\pi_{\mathrm{m}}\left(\hat{k}_{\mathrm{s}},\hat{k}_{\mathrm{m}}\right)\right]>\pi_{\mathrm{m}}^{\mathrm{D}} \tag{8-80}$$

很显然，式（8-79）和式（8-80）的同时满足受到分配比例 λ 的影响。当 λ 无限接近于 0 时，制造商的个人理性无法满足，当 λ 无限接近于 1 时，供应商的个人理性无法满足。在该机制下，预算平衡约束和激励相容约束得以满足，但不一定满足供应商和制造商的个人理性，所以，供应商或制造商不一定会参与 dAGVA 机制，因此需要对经典的 dAGVA 机制进行改进。

本节设计一个 dAGVA-P 机制，并通过设计新的转移支付函数来实现个体理性。针对云平台运营模式，当制造商和供应商加入云平台进行供需匹配时，双方需要根据上报的成本和减排信息向云平台交纳一定金额的保证金（T_{s}，T_{m}）。这笔款项将在交易完成后以收益共享的形式返还给制造商（S_{m}）和供应商（S_{s}）。该供应链交互模型如图 8-8 所示。

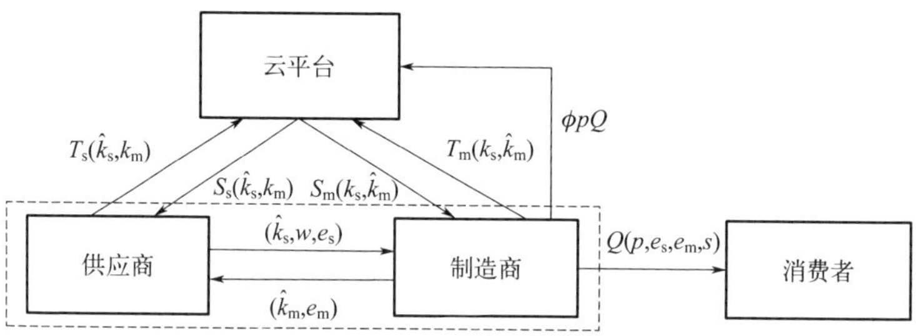

图 8-8　云平台下的供应链交互模型

针对 dAGVA 机制并不总是满足个体理性的问题，设计了一种考虑云平台特点的转移支付规则：

$$M_{\mathrm{s}}^{\mathrm{P}}\left(\hat{k}_{\mathrm{s}},k_{\mathrm{m}}\right)=-T_{\mathrm{s}}\left(\hat{k}_{\mathrm{s}},k_{\mathrm{m}}\right)+S_{\mathrm{s}}\left(\hat{k}_{\mathrm{s}},k_{\mathrm{m}}\right) \tag{8-81}$$

$$M_{\mathrm{m}}^{\mathrm{P}}\left(k_{\mathrm{s}},\hat{k}_{\mathrm{m}}\right)=-T_{\mathrm{m}}\left(k_{\mathrm{s}},\hat{k}_{\mathrm{m}}\right)+S_{\mathrm{m}}\left(k_{\mathrm{s}},\hat{k}_{\mathrm{m}}\right) \tag{8-82}$$

在基于云平台的供应链中，为解决信息不对称带来的收益降低问题，该机制设计可以看作是一个非线性约束下的优化问题，目标函数、个人理性约束和激励相容约束如式（8-83）～式（8-88）所示：

$$\text{(P)}\quad \max_{k_s,k_m}\ \pi_p(k_s,k_m)+\pi_s(k_s,k_m)+\pi_m(k_s,k_m) \tag{8-83}$$

$$(\text{IR}_1)\quad E\left[\pi_s(k_s,k_m)\right]-T_s+S_s\geqslant E\left[\hat{\pi}_s(k_s,k_m)\right] \tag{8-84}$$

$$(\text{IR}_2)\quad E\left(\pi_m(k_s,k_m)\right]-T_m+S_m\geqslant E\left(\hat{\pi}_m(k_s,k_m)\right] \tag{8-85}$$

$$(\text{IR}_3)\quad E\left[\pi_p\left(\hat{k}_s,\hat{k}_m\right)\right]+T_s+T_m-S_s-S_m\geqslant \pi_p^{*D} \tag{8-86}$$

$$(\text{IC}_1)\quad E\left[\pi_s(k_s,k_m)+M_m^P(k_s,k_m)\right]\geqslant E\left[\pi_s\left(\hat{k}_s,k_m\right)+M_m^P\left(\hat{k}_s,k_m\right)\right] \tag{8-87}$$

$$(\text{IC}_2)\quad E\left[\pi_m(k_s,k_m)+M_m^P(k_s,k_m)\right]\geqslant E\left[\pi_m\left(k_s,\hat{k}_m\right)+M_m^P\left(k_s,\hat{k}_m\right)\right] \tag{8-88}$$

VCG 机制能够满足个体理性约束[6]。为保证与 dAGVA-P 机制形式的一致性，引入分配比 λ。VCG 转移支付形式如下：

$$M_s^V\left(\hat{k}_s,\hat{k}_m\right)=(1-\lambda)E_{\min}\left[\pi_s\left(\hat{k}_s,\hat{k}_m\right)+\pi_m\left(\hat{k}_s,\hat{k}_m\right)\right]-(1-\lambda)E\left[\pi_m\left(\hat{k}_s,\hat{k}_m\right)\right] \tag{8-89}$$

$$M_m^V\left(\hat{k}_s,\hat{k}_m\right)=\lambda E_{\min}\left[\pi_s\left(\hat{k}_s,\hat{k}_m\right)+\pi_m\left(\hat{k}_s,\hat{k}_m\right)\right]-\lambda E\left[\pi_s\left(\hat{k}_s,\hat{k}_m\right)\right] \tag{8-90}$$

随着低碳供应链中企业误报减排努力程度的增加，供应链的利润减少。因此，可以得到$E_{\min}\left[\pi_s\left(\hat{k}_s,\hat{k}_m\right)\right]=E\left[\pi_s\left(\bar{k}_s,\bar{k}_m\right)\right]$，$E_{\min}\left[\pi_m\left(\hat{k}_s,\hat{k}_m\right)\right]=E\left[\pi_m\left(\bar{k}_s,\bar{k}_m\right)\right]$。然后，给出了改进后的转移支付形式：

$$M_s^P=\lambda E\left[\pi_s\left(\hat{k}_s,\hat{k}_m\right)\right]-(1-\lambda)E\left[\pi_m\left(\hat{k}_s,\hat{k}_m\right)\right]+d_s \tag{8-91}$$

$$M_m^P=(1-\lambda)E\left[\pi_m\left(\hat{k}_s,\hat{k}_m\right)\right]-\lambda E\left[\pi_s\left(\hat{k}_s,\hat{k}_m\right)\right]+d_m \tag{8-92}$$

在这些方程中，

$$\begin{aligned}d_s&=M_s^A-M_s^V\\&=\lambda E\left[\pi_s\left(\hat{k}_s,\hat{k}_m\right)\right]-(1-\lambda)E_{\min}\left[\pi_s\left(\hat{k}_s,\hat{k}_m\right)+\pi_m\left(\hat{k}_s,\hat{k}_m\right)\right]\\&=\lambda E\left[\pi_s\left(\hat{k}_s,\hat{k}_m\right)\right]-(1-\lambda)E\left[\pi_s\left(\bar{k}_s,\bar{k}_m\right)+\pi_m\left(\bar{k}_s,\bar{k}_m\right)\right]\end{aligned} \tag{8-93}$$

设 $d_s=-d_m$，可得 dAPVA-P 机制的转移支付：

$$M_s^P\left(\hat{k}_s,\hat{k}_m\right)=(1-\lambda)E\left(\hat{\pi}_{sc}\right)+\lambda E\left(\hat{\pi}_s\right)-(1-\lambda)E\left[\pi_{sc}\left(\bar{k}_s,\bar{k}_m\right)\right] \tag{8-94}$$

$$M_m^P\left(\hat{k}_s,\hat{k}_m\right)=\lambda E\left(\hat{\pi}_{sc}\right)-\lambda E\left(\hat{\pi}_s\right)+(1-\lambda)E\left[\pi_{sc}\left(\bar{k}_s,\bar{k}_m\right)\right] \tag{8-95}$$

因为 $M_{\mathrm{s}}^{\mathrm{A}}\left(\hat{k}_{\mathrm{s}},\hat{k}_{\mathrm{m}}\right)+M_{\mathrm{m}}^{\mathrm{A}}\left(\hat{k}_{\mathrm{s}},\hat{k}_{\mathrm{m}}\right)=0$，且 $d_{\mathrm{s}}+d_{\mathrm{m}}=0$，所以 dAGVA-P 机制满足预算平衡。

dAGVA-P 机制也是满足贝叶斯激励兼容的：

$$
\begin{aligned}
&E\left[\pi_{\mathrm{s}}\left(k_{\mathrm{s}},k_{\mathrm{m}}\right)-M_{\mathrm{s}}^{\mathrm{P}}\right]=E\left[\pi_{\mathrm{s}}\left(k_{\mathrm{s}},k_{\mathrm{m}}\right)-M_{\mathrm{s}}^{\mathrm{A}}+d_{\mathrm{s}}\right]\geqslant\\
&E\left[\pi_{\mathrm{s}}\left(\hat{k}_{\mathrm{s}},\hat{k}_{\mathrm{m}}\right)-M_{\mathrm{s}}^{\mathrm{A}}+d_{\mathrm{s}}\right]=E\left[\pi_{\mathrm{s}}\left(\hat{k}_{\mathrm{s}},\hat{k}_{\mathrm{m}}\right)-M_{\mathrm{s}}^{\mathrm{P}}\right]
\end{aligned}
\tag{8-96}
$$

同样，可以证明对于制造商来说，激励相容条件也是满足的。

dAGVA-P 机制具有配置效率，因此在满足预算平衡的条件下，平台的个体理性约束必然得到满足。对于制造商的个体合理性，需要满足：

$$
\begin{aligned}
&\lambda E\left(\hat{\pi}_{\mathrm{s}}+\hat{\pi}_{\mathrm{m}}\right)-\lambda E\left(\hat{\pi}_{\mathrm{s}}\right)+(1-\lambda)E\left(\bar{\pi}_{\mathrm{s}}\right)>E\left(\bar{\pi}_{\mathrm{m}}\right)\\
&\text{i.e.}\qquad \lambda E\left(\hat{\pi}_{\mathrm{m}}\right)+E\left(\bar{\pi}_{\mathrm{s}}\right)>\lambda E\left(\bar{\pi}_{\mathrm{s}}\right)+E\left(\bar{\pi}_{\mathrm{m}}\right)
\end{aligned}
\tag{8-97}
$$

该式是随 λ 单调变化的。因此，当 $\lambda=0$ 时，不等式可化简为 $E\left(\bar{\pi}_{\mathrm{s}}\right)>E\left(\bar{\pi}_{\mathrm{m}}\right)$，根据数值关系可知显然成立。当 $\lambda=1$ 时，不等式可以简化为 $E\left(\hat{\pi}_{m}\right)>E\left(\bar{\pi}_{m}\right)$，由于制造商利润函数的单调性，这一点也显然成立。由此可见，对于制造商而言，在 dAGVA-P 机制下，个体理性始终成立。

类似的，关于供应商的个人理性需要满足：

$$
\begin{aligned}
&\lambda E\left(\hat{\pi}_{\mathrm{s}}+\hat{\pi}_{\mathrm{m}}\right)+\lambda E\left(\hat{\pi}_{\mathrm{s}}\right)-(1-\lambda)E\left(\bar{\pi}_{\mathrm{s}}\right)>E\left(\bar{\pi}_{\mathrm{s}}\right)\\
&\text{i.e.}\qquad E\left(\hat{\pi}_{\mathrm{s}}\right)+(1-\lambda)E\left(\hat{\pi}_{\mathrm{m}}\right)>(2-\lambda)E\left(\bar{\pi}_{\mathrm{s}}\right)
\end{aligned}
\tag{8-98}
$$

式（8-98）也随 λ 单调变化。因此，当 $\lambda=0$ 时，不等式可简化为 $E\left(\hat{\pi}_{\mathrm{s}}\right)+E\left(\hat{\pi}_{\mathrm{m}}\right)>2E\left(\bar{\pi}_{\mathrm{s}}\right)$，根据数值关系可知显然成立。当 $\lambda=1$ 时，不等式可以简化为 $E\left(\hat{\pi}_{\mathrm{s}}\right)>E\left(\bar{\pi}_{\mathrm{s}}\right)$，由于供应商利润函数的单调性，不等式也明显成立。因此，dAGVA-P 机制满足个体理性约束。

故在该机制下，供应商和制造商分别提交到云平台的保证金为：

$$
T_{\mathrm{s}}\left(\hat{k}_{\mathrm{s}},k_{\mathrm{m}}\right)=(1-\lambda)E\left[\pi_{\mathrm{sc}}\left(\bar{k}_{\mathrm{s}},\bar{k}_{\mathrm{m}}\right)\right]\tag{8-99}
$$

$$
T_{\mathrm{m}}\left(k_{\mathrm{s}},\hat{k}_{\mathrm{m}}\right)=\lambda E\left(\hat{\pi}_{\mathrm{s}}\right)\tag{8-100}
$$

机制执行后，供应商和制造商分别所获得的共享收益为：

$$
S_{\mathrm{s}}\left(\hat{k}_{\mathrm{s}},k_{\mathrm{m}}\right)=(1-\lambda)E\left(\hat{\pi}_{\mathrm{sc}}\right)+\lambda E\left(\hat{\pi}_{\mathrm{s}}\right)\tag{8-101}
$$

$$
S_{\mathrm{m}}\left(k_{\mathrm{s}},\hat{k}_{\mathrm{m}}\right)=\lambda E\left(\hat{\pi}_{\mathrm{sc}}\right)+(1-\lambda)E\left[\pi_{\mathrm{sc}}\left(\bar{k}_{\mathrm{s}},\bar{k}_{\mathrm{m}}\right)\right]\tag{8-102}
$$

本节针对云平台低碳供应链双向信息不对称场景，建立了供应商、制造商和云平台之间的博弈模型，求解去中心化决策下的最优利润，并探讨信息不对称对各主体利润造成的危害。云平台作为机制设计者，提出了将个体决策内部化为集体决策的 dAGVA-P 机制。该机制激励各主体如实报告减排信息，满足供应商、制造商、云平台各自的理性约束，实现了供应链整体利润的最大化。

研究表明，当信息不对称发生时，就会对供应链带来危害，降低供应链内各成员的收益。这也带来了一些管理启示：政府在关注环保的同时，可以考虑鼓励云平台的发展。这在实现理想的环境效益的同时，还可以提升三方的经济效益。云平台作为机制设计者，应该关注如何消除供需之间的信息不对称，尤其是双向的信息不对称。在 dAGVA-P 机制下，供应商和制造商均如实报告各自的减排成本系数，使供应链整体利润与集中决策下达到的水平保持一致。同时，云平台作为第三方，不会产生额外费用。这一机制减轻了信息不对称造成的危害，对于提升个体企业乃至整个供应链的经济和环境效益具有重要意义。

参考文献

[1] Li C, Zhang L, Ou Z, et al. Using system dynamics to evaluate the impact of subsidy policies on green hydrogen industry in china[J]. Energy Policy, 2022, 165.

[2] Ramo J, Tupek B, Lehtonen H, et al. Towards climate targets with cropland afforestation -effect of subsidies on profitability[J]. Land Use Policy, 2023, 124: 106433.

[3] 叶甜甜. 中国碳交易与碳税协同的政策研究 [J]. 中国商论, 2023 (18): 126-131.

[4] 但斌, 李文博, 石雨婷. 匹配水平影响下第三方平台多价值链的协同运作模型及仿真分析 [J]. 计算机集成制造系统, 2022, 28 (3): 892-906

[5] Chen Q, Xu Q, Wu C. Dynamic matching in cloud manufacturing considering matching costs[J]. Complexity, 2019 (1): 8398356.

[6] Athey S, Segal I. An efficient dynamic mechanism[J]. Econometrica, 2013, 81 (6): 2463-2485.

第 9 章

工业元宇宙的实施及应用

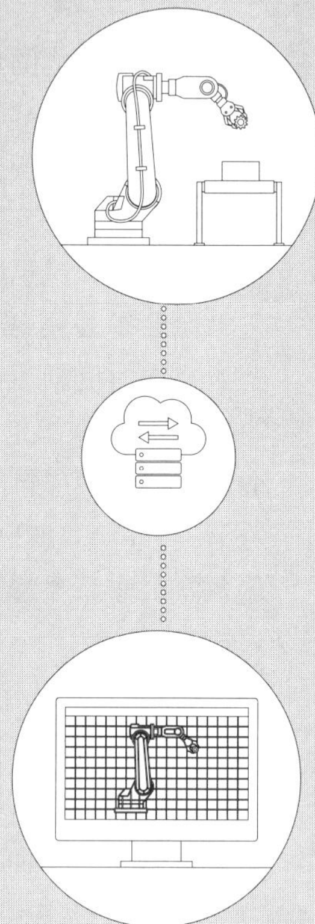

9.1

工业元宇宙的建设过程

根据第 1 章讨论的工业元宇宙参考架构和工业元宇宙的特征，完整实现工业元宇宙是一个复杂的、需要由多个主体参与的系统工程，目前尚没有一个工业元宇宙应用案例。但是很多企业或者行业所构建和运行的各类工业云平台和数字孪生应用系统，或多或少地具有工业元宇宙特点。这些系统的实施和应用取得了较好的经济和社会效益，为工业元宇宙的实施和建设提供了有益的借鉴。从元宇宙的组成来说，工业元宇宙包括底座、数字化身、与实际世界的交互、去中心化、虚拟资产、社交和交易以及文化和规则等多个特征，而工业云平台、数字孪生应用、工业机理模型开发和平台管理等现实应用案例，从各个局部体现了元宇宙特征，因此，从这几个方面入手，可以逐渐构建具有工业元宇宙特征的应用系统，从系统集成到“元域”，再集成到“超元域”，最终实现工业元宇宙。

（1）工业云平台

工业云平台是基于工业互联网技术构建的，面向制造业数字化、网络化、智能化需求，基于海量数据采集、汇聚、分析的服务体系，支撑制造资源泛在连接、弹性供给、高效配置的数字化平台。工业云平台是工业互联网技术应用的核心，利用工业云平台，可以实现多元素的汇聚，实现工业“人、机、料、法、环”的接入，并且能承载工业系统运行过程的数据、模型和服务。工业云平台发挥其汇聚和承载功能，进一步发展成为工业元宇宙的底座，在这个虚拟环境中，各要素实现互联互通。在工业云平台中，工业元素可以形成平台上交互的智能体或者服务，这样企业制造活动所涉及的多种要素就具有了元宇宙中的数字化身，可以在虚拟空间中进行交互。工业云服务的交互和供需交易，实现了元宇宙的社交和交易功能。利用工业云平台提供的工业机理模型和平台交易规则，体现了元宇宙中的文化与规则。

目前，已经发展出诸多不同行业、不同区域、不同企业的私有云和公有云平台，基于这些工业云平台可以实现局部的、专业化的工业元宇宙底座。通过这些不同公有云、私有云的互联，最终可以实现更大的、跨行业、跨领域的元宇宙底座。

同时，利用工业云平台提供的制造云服务，可以降低企业实施元宇宙技术的门槛，实现“按需服务、动态扩展、灵活实施”。不同企业、不同组织，其技术能力各异，在实现工业元宇宙应用的过程中，对技术的需求和实现方法也是不同的。利用工业云平台提供的制造云服务，可以为不同的企业与组织提供弹性的工业元宇宙服务。和云计算服务类似，工业云平台的服务包括 IaaS、PaaS 和 SaaS 等多个层次；和云计算服务不同的是，工业云平台提供的服务内容更多，虚实融合的特征更明显。制造资源、制造能力都能形成制造云服务，而多终端的工业应用（工业 APP）和基于 SaaS 的工业软件应用，能让更多的人和企业接入到云平台中，实现平台应用的普适化和泛在化。这样可以降低企业实施技术的门槛，同时也能提升元宇宙技术的扩展范围，提高接入率和覆盖面。

（2）数字孪生应用

随着数字孪生概念的不断推广，不同企业、不同行业中数字孪生应用越来越普及。从数字孪生应用的层次来说，有构建实际系统数字模型的模拟仿真应用，有映射实际系统运行的实时监测应用，也有根据系统实时数据和数字模型的模拟仿真预测应用。这些应用扩展了传统工业软件的呈现模式和人机交互模式，通过引入三维数字模型、三维场景展现、虚拟现实（VR）、增强现实（AR）等技术，将工业系统的运行状态更加立体地展现在决策者和执行者面前。

数字孪生应用提供的人机交互新模式，以及数字孪生的“以虚拟实、以虚映实、以虚控实”，体现了虚拟世界和实际世界之间的实时数据交互和拟实的模型刻画，为工业元宇宙的构建提供了技术基础和应用基础。可以把目前局部的、侧重某个具体业务的数字孪生应用看作是工业元宇宙的点状尝试和布局，如果把这些“点”连成“线”并进一步扩展成“面”，则会逐渐形成一个完整的工业元宇宙。

（3）工业机理模型

工业运行过程内含不同的物理世界原理，不同的过程有不同的运行机理，可以构建相应的机理模型。这也是工业元宇宙和消费元宇宙、游戏元宇宙不同的地方。游戏可以脱离物理规律运行，但是工业元宇宙的运行需要符合物理世界的规律。工业元宇宙的运行需要现实宇宙的支持，并且工业元宇宙的构建是为了能更好地进行现实宇宙中的工业活动，因此工业元宇宙的不同活动需要在机理模型的支持下运行，这是元宇宙需要遵循的“工业文化”。

工业机理模型以不同的形式在工业云平台上呈现，比如，产品数字样机，就体现了产品运行的物理原理（这里的物理不只是物理学科，而是包括物理、化学、生物等在内的物理世界的原理）；工业机理模型也可以以仿真云服务等制造云服务的形式呈现，并且最终为需要的工业应用提供支持。现实中，工业云平台的发展需要不断积累和丰富工业机理模型，而工业数字孪生应用也离不开机理模型的支持。

（4）平台管理规则

元宇宙的运行需要遵循交易规则以及社会治理规则。通过工业机理模型，构建了工业活动的客观运行规则，而涉及诸如数字化身运行、交易管理、社交等经济和社会运行规则，可以通过工业云平台设计各项管理规则来实现，这也是数字世界市场和传统市场的不同之处。

数字世界中可以利用经济学中的机制设计和合同理论来进行市场交易设计，这样可以解决信息不对称等因素造成的市场失灵、运行效率低下等问题。作为平台管理规则，还可以通过平台机制设计来引导平台中各参与主体的决策偏好，从而实现平台的治理目标。

本书的第 8 章对合同理论（契约理论）、机制设计理论在平台上的应用做了介绍，本章介绍 iSESOL 工业云平台和数字孪生应用案例。

9.2

iSESOL 工业云平台

9.2.1 平台总体介绍

秉承“让制造更简单”的理念，基于“智能终端 + 工业互联 + 云服务”创新模式，智能云科信息科技有限公司（以下简称“智能云科”）自主开发了 iSESOL 工业互联网平台——以制造装备互联为基础，充分挖掘生产制造过程数据，利用数据为制造企业提供智能化工业服务。

iSESOL 工业互联网平台基于“云 - 边 - 端”的工业互联网平台建设框架，构建面向用户的工业云服务平台，由应用层、平台服务层、边缘层及设备层组成（图 9-1）。应用层用于提供机床升级改造、机床维修保养、机床预防性维护等创新应用，具有刀具监控、防碰撞、温度补偿、智能增效、远程运维及预测性维护等功能。平台服务层用于提供基础服务、数据服务、边云协同服务、算法模型服务、微服务及设备接入服务。边缘层具有边缘智能应用、人机交互、边缘数据处理及异构协议解析等功能。设备层用于提供现场需要接入的物理设备及设备网络连接，包括数控机床、采集卡及传感器等。

云 - 边 - 端架构核心体现了云、边、端三位一体，互相配合输出边缘计算能力。“云”指的是工业互联网云平台，主要提供设备上云、数据存储与分析、模型库以及工业 APP 服务等能力；“边”指边缘设备端，提供机械加工设备运作数据的接入、存储、加工、计算等能力；“端”指各类需要接入云平台的终端设备（如数控机床等）。

云平台：iSESOL 工业互联网平台提供设备接入服务、基础服务、算法模型服务、数据服务、微服务以及边云协同服务等。平台算法模型库和工业 APP 应

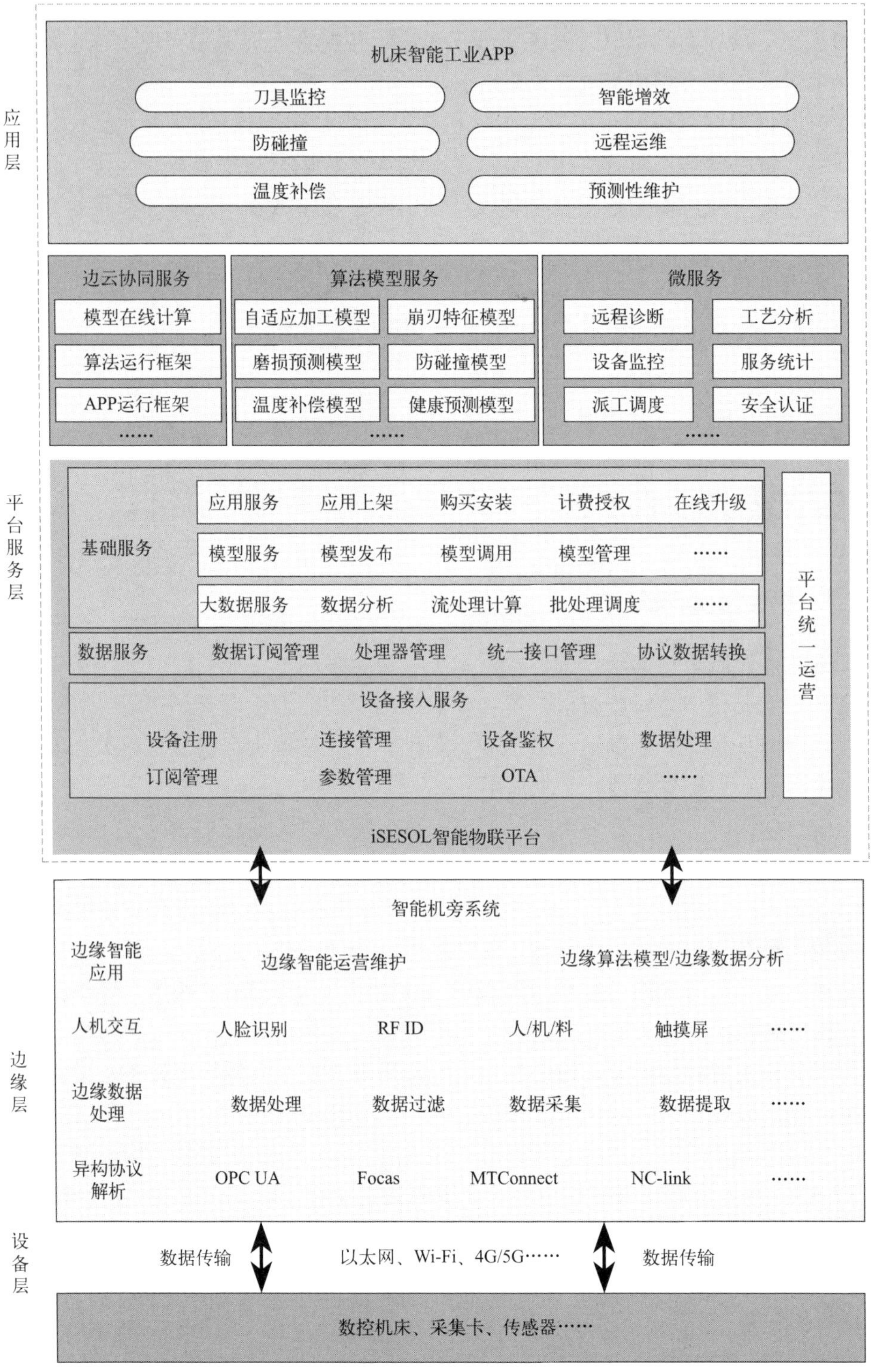

图 9-1 iSESOL 工业云服务平台的总体架构

用中心，提供工业场景中的边缘 APP 和算法模型的安装、升级、卸载等功能。

边缘网关设备：iSESOL BOX/MATE 可以适配多种设备接入协议，具备广泛且深入的设备数采能力。同时，结合硬件强大的边缘计算能力及云端大数据计算能力，可承载工业 APP。采用了多通道、集群化的软件架构设计，支持多源数据采集能力，支持振动、电流等传感器信号高频同步数据采集。通过交互式终端 MATE，提供面向产线的人机交互，实现“人、机、料”等生产制造数据的采集。基于采集的实时数据以及云端下发的算法模型，iSESOL BOX/ MATE 支持数据对齐、降噪、滤波及时频域等数据分析以及毫秒级算法模型的在线计算。

企业通过部署 iSESOL BOX / MATE，将车间内的工业设备接入云平台，作为工业设备与工业互联网平台数据传递的中间件网关，嵌入了标准的 MQTT（Message Queuing Telemetry Transport，消息队列遥测传输）协议、HTTP 协议以及 SSL（Secure Socket Layer，加密套接字层）协议，构建了安全、可靠性高的数据传输通道，实现工业设备与 iSESOL 平台的互联互通。

9.2.2 智能边缘网关设备

智能云科自主研发两大类边缘网关设备：iSESOL BOX（智能魔盒）和 iSESOL MATE（机旁系统）。智能边缘网关设备是边缘层的重要组成设备。凭借自主技术研发与各类合作，网关设备已具备较强的设备数据采集能力，可兼容数控机床的 CNC 系统（机床数控系统）、PLC、采集卡、各类传感器、智能电表及 I/O 模块，支持近 1000 种工业协议，且采集设备范围从机床、加工中心等机加工设备逐步延伸至工业机器人、注塑机、折弯机与化工设备等各种行业的工业设备。可以通过 3G/4G/5G、Wi-Fi 与低功耗蓝牙等多种网络组网方式快速与设备通信，支持毫秒级的实时数据采集频率，支持高频数据的实时传输与应用。

智能边缘网关的总体软件架构见图 9-2，主要实现对主流数控系统的机床及工控设备提供数据采集、可视化及相应的工控应用，为数据采集提供参数管理、数据处理、报文管理、认证管理、订阅管理、配置管理、安全网关和边缘计算等服务支持，并且提供 API 接口服务对企业实现数据开放，以支持企业本地应用的业务集成。智能边缘网关在边缘计算层整合设备认证接入、数据边缘处理、加工策略下发以及工业 APP 部署等服务，结合云端开放平台以及大数据平台，提供对第三方服务的支撑。

智能边缘网关采用多通道、集群化的软件架构设计（图 9-3），支持多源数据采集能力，支持振动、电流等传感器信号高频同步数据采集。高频信号为运用工业机理和相关算法进行高价值的工艺分析和改进提供了核心支持，并可运用到高端制造对于刀具及加工质量的分析。

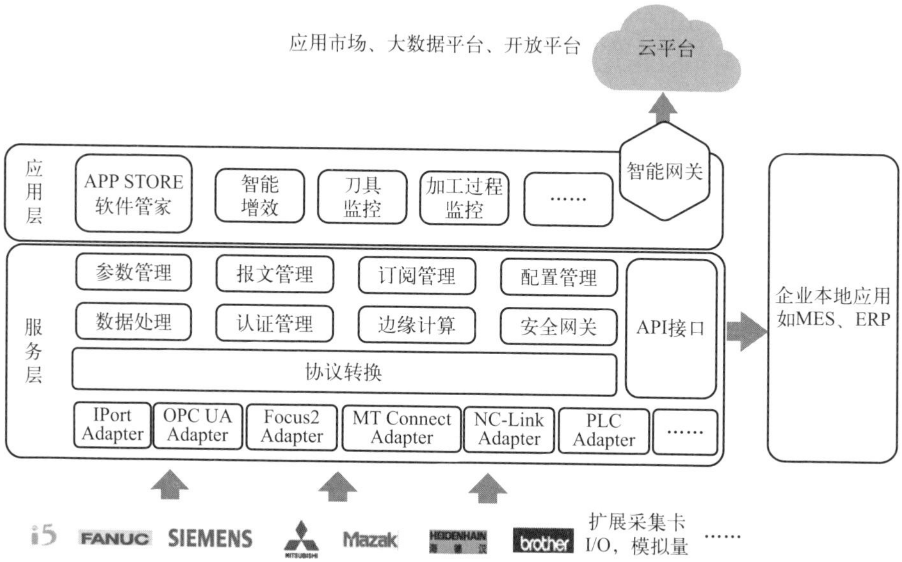

图 9-2　智能边缘网关总体软件架构

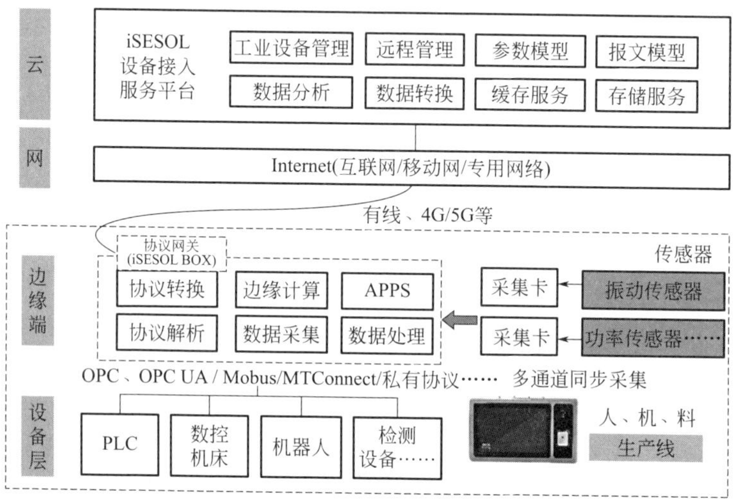

图 9-3　多通道 / 多数据源同步采集框架

iSESOL BOX 紧凑小巧，不带显示屏，可以作为边缘设备装在机柜中。iSESOL MATE 是智能云科自主研发设计的一款应用于生产车间现场的智能机旁系统硬件，集数采、安灯、人脸识别、扫码、读卡、车间信息系统、工业 APP、算法等功能于一体，将数据的采集、传输、处理与显示做了专业的一体化设计。通过 MATE 交互式终端，采集产线“人、机、料”数据，提供面向企业的生产过程数字化 APP 应用，实现制造企业在生产管理、质检追溯环节的共性和个性化需求。

9.2.3 平台层介绍

1）智能物联平台

智能物联平台提供统一的设备接入、数据采集、大数据计算以及承载智能APP应用等系列功能。物联平台的逻辑架构如图9-4所示。

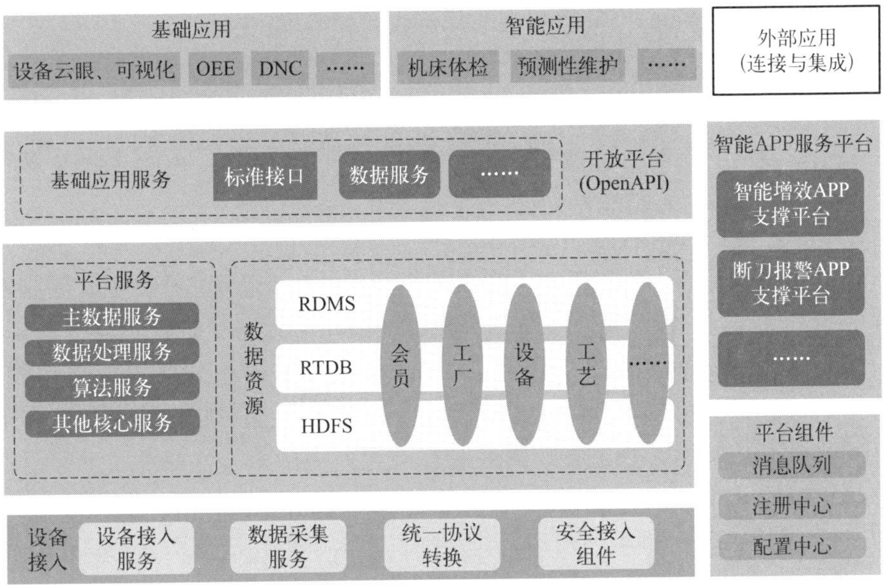

图9-4 物联平台逻辑架构

智能物联平台具备全面的数据采集能力，支持工业设备的安全可靠接入，提供灵活强大的支持多种设备数据处理的架构体系，按照不同的设备类型，形成不同的数据处理逻辑，并可通过标准接口提供上层应用所需的数据服务。平台具备工业APP架构体系，通过边云协同、边缘计算、云端算法服务，提供一系列支撑企业管理类应用（如机床运行状态安全可靠监控、设备云眼）、机床故障远程诊断与维护应用、机床运行加工过程管理与优化应用（如智能增效管理、刀具监控和加工过程监控），具备APP可拓展性。平台具备开放性，通过开放平台OpenAPI，与外部应用进行连接和集成，提供平台数据对外服务，与第三方应用融合对接。

平台提供的主要服务包含设备接入服务、协议转换服务、安全服务、边缘计算服务等内容，支撑平台设备接入以及基础服务运行。具体如下：

① 设备接入服务：通过设备管理模块可以实现设备接入、数据采集以及数据处理功能，提供设备注册、设备认证、设备参数管理、报文管理、参数订阅等功能。

② 协议转换服务：根据不同设备的协议特性，提供不同的规则分析和处理服务。对于不同的协议，根据实际业务定义，提供协议解析和转换服务，对上层提供标准服务接口。

③ 安全服务：提供数据加密服务，构建数据传输加密通道，保障边、云、端的数据通信安全。为保障用户身份的合法性和用户权限的准确性，本系统应用及服务提供支持 OAuth2.0 完整特性的身份认证服务和授权服务。

④ 边缘计算服务：基于工业应用框架设计，充分考虑应用场景需求，提供边缘设备端的工业应用框架服务下载、安装、使用功能；支持边缘数据缓存，提供核心流程的算法模型框架，实现边缘设备端的数据处理，并结合云端下发策略进行分析处理。

2）工业 APP 应用平台

工业 APP 应用平台提供工业 APP 和机理模型的统一管理。一方面，工业 APP 应用平台提供工业 APP 登记注册、审核、上架、搜索、支付购买、授权认证、分发运行等服务。通过 APP 应用商店，在边缘设备终端上部署 APP 应用管家，通过应用管家设备可以在 APP 平台里下载、安装以及更新特定的应用。由于边缘网关具备开放特性，通过接口封装和标准化，支持第三方开发者进行设备连接驱动类型的 APP 开发，快速集成，形成较强的设备采集拓展能力。另一方面，工业 APP 应用平台提供机理模型登记注册、上架、调用等服务。总体的功能框架图如图 9-5 所示。

① 应用层：提供工业 APP 登记注册、审核、上架、搜索、支付购买、授权认证、分发运行等功能。

② 业务服务层：支撑工业应用平台的系统服务，包括对应用层提供服务接口、权限访问控制等，对下连接支撑系统层，集成会员、设备、权限、工厂等数据，为应用层提供服务。

③ 支撑系统层：为业务服务层提供系统支撑，提供会员、设备管理、工厂管理、权限管理及其他业务支撑能力。

④ 基础设施层：为支撑系统层提供基础设施载体，包括应用的安装、授权文件以及联网等。

基于边云协同的工业 APP 的管理和分发框架如图 9-6 所示，结合边缘端多通道的信号采集能力，基于工业机理和算法模型，通过对设备运行实时数据的深度应用，以工业 APP 的部署方式实现特定场景下的智能化应用。基于边云计算，实现面向加工领域的共性需求，如自适应加工、刀具管理、表面质量检测等创新智能化应用，提升装备智能化及工艺能力。基于此产品技术体系，可以支持刀具、质量、数字化工厂，以及大量其他行业的应用。

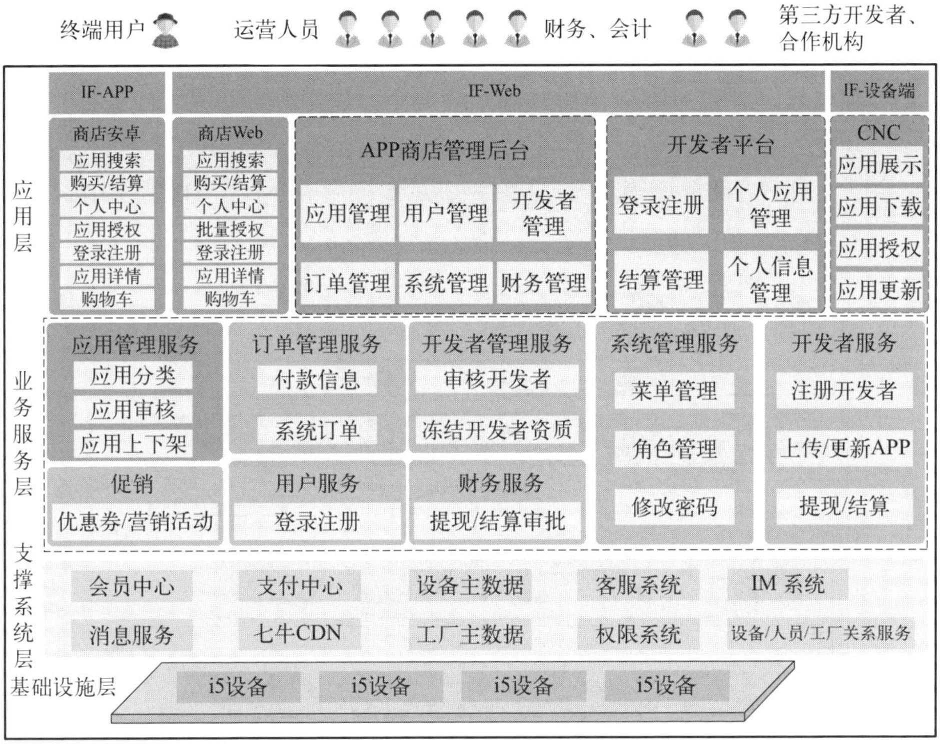

图 9-5　工业 APP 应用平台框图

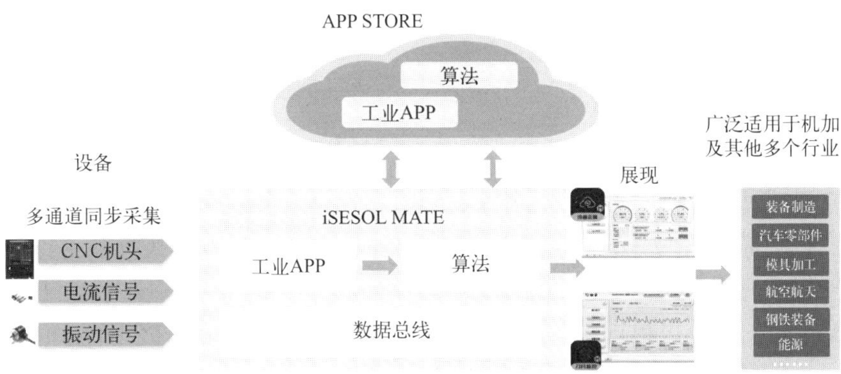

图 9-6　边云协同工业 APP 技术框架

3）数据开放平台

数据平台采用标准的 OpenAPI 设计理念，通过开放平台，实现外部系统接入以及对外数据支持服务，OpenAPI 开放接口采用 REST 技术架构来实现。平台提供多类型的数据对外服务，包括工业设备原始数据、设备运行数据、设备报警数据、设备监控类数据等，通过开放接口，为工业应用提供数据服务。

开放平台软件框架见图 9-7，主要功能包括控制后台、业务服务以及 API 网关，通过以上功能，可实现机床数字孪生以及制造模拟器所需要的设备数据采集。控制后台主要提供开放平台基础功能包，包括授权校验、权限管理、流量限制等功能。业务服务主要提供接口定义以及权限开通等服务，包括产品定义、API 定义、用户订阅管理等功能。API 网关主要提供对外接口的统一调用，以及访问控制。

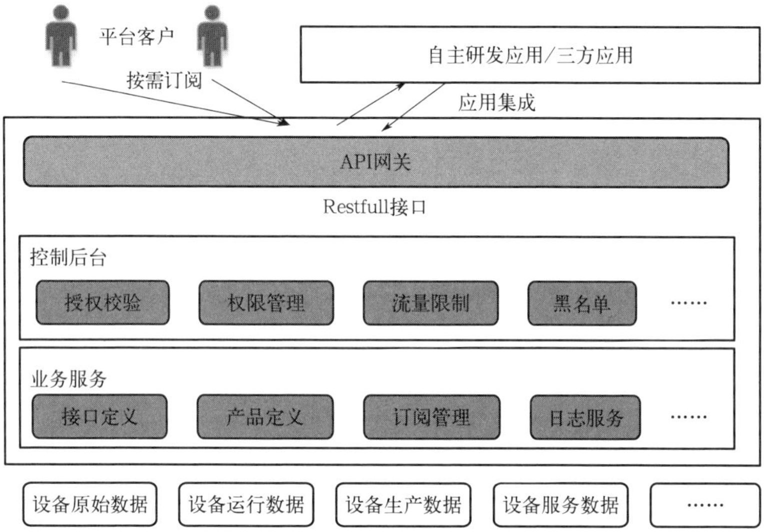

图 9-7　数据开放平台软件框架

9.2.4 工业 APP 介绍

1）概述

面向特定的工业应用场景，基于工业机理、算法模型及大数据开发工业 APP，让企业快速获得专业的应用，有针对性地解决生产现场的各类问题。通过工业 APP 的组合应用，可以为制造企业提供综合性的解决方案。同时，平台提供了各类数据接口，企业可自行开发第三方应用或工业 APP。平台 APP 主要分成三类。

（1）设备数据可视化类工业 APP

实时采集设备数据并通过可视化的方式，让设备信息、车间生产信息一目了然。此类 APP 可以对车间设备状态、设备绩效、设备能耗等进行监控和分析。管理者借助车间生产大屏、电脑及手机，可实时了解车间生产设备的运行效率、加工绩效、耗能数据等信息，实现高效率、高质量、低成本的生产过程。

（2）工业智能应用类工业 APP

基于数据采集和边缘计算，与设备实现双向交互，在生产的具体场景中，通过对采集数据的应用与分析，反向对加工设备发出控制指令，从而提升设备的加工效率或减少故障损失等。针对机床加工，此类 APP 中比较典型的有刀具监控 APP、自适应加工 APP 等。

（3）数字化工厂运营管理类工业 APP

该类工业 APP 可以帮助企业实现生产制造管理的信息化转型，打破企业生产过程中的信息孤岛。该类工业 APP 涵盖了生产计划、作业排程、工艺管理、质量管理、设备管理运维及库存管理等全流程环节，可以打破传统企业的信息壁垒，帮助企业实现降本增效。

2）典型工业 APP

（1）iSESOL DNC APP

iSESOL DNC（分布式数控系统）是一种用于数控机床的计算机网络系统，其主要作用是将数控机床和计算机网络连接起来，实现数控程序的传输和管理。DNC 主要应用于机床生产车间，多品种、小批量生产场景，多工作站生产场景和数控机床维护场景等（图 9-8），可以实现数控程序的传输、备份、管理和优化，从而提高生产效率、质量和可靠性。

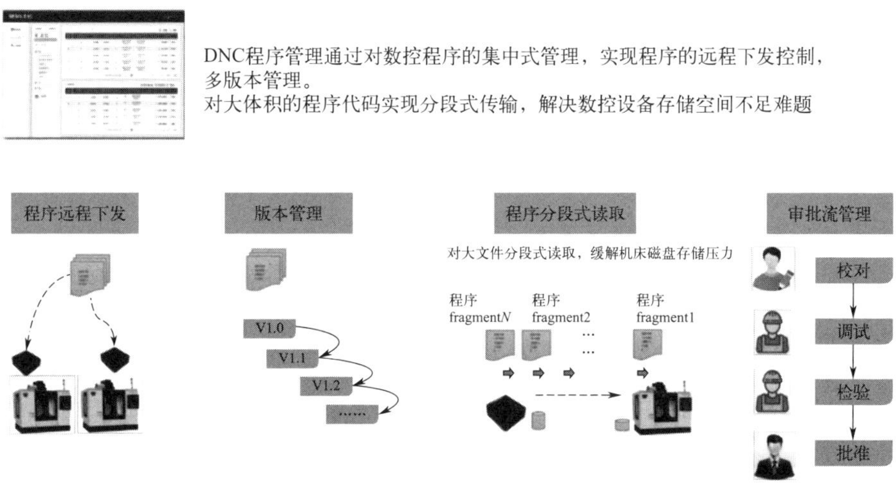

图 9-8　iSESOL DNC 应用场景

DNC 系统的主要工作步骤包括数控程序准备、DNC 系统连接、选择数控程序、操作权限验证、传输设置、传输数据、传输记录管理等。工艺人员根据工艺规程卡片将创建好的 NC 程序以及相关附件上传至 DNC 服务器目录，再通过“校对—调试—检验—批准”的审批流程；之后由调度人员将已批准的标准版本程序文件通过 DNC 系统下发至对应的加工设备中。DNC 系统通过这些步骤，实现数控机床生产管理信息化的目标。

（2）智能增效 APP

传统机加工过程中，机床读取 NC 程序中设定好的进给率进行加工，而实际的金属切削过程是一个复杂动态的过程，切削余量及刀具磨损程度都在不断变化，NC 程序中设定的进给率不一定是最优的数值。智能增效 APP 通过调整加工中的实时进给率，可以在不对产品质量产生影响的前提下，提高加工效率。

智能增效 APP 基于大数据及边缘计算实现加工工艺方案自主优化。通过智能边缘网关设备对设备加工过程进行监控，采集加工程序运行过程中机床相应状态数据，针对特定加工特征对其海量加工过程状态数据进行分析，开发基于加工效率、经济性、可靠性等多维度综合考量的加工方案评价体系与优化策略，实现对加工工艺方案的持续自主优化。通过对设备加工过程进行监控，采集加工程序运行过程中机床相应状态数据，并对该数据进行分析，通过云计算和边缘计算结合的方式生成优化加工策略，该策略可指导并影响设备同批次零件加工过程，产生优化效果，提升加工效率。智能边缘网关设备按策略动态优化工业设备运行状态，主要显示项为设备进给率发生改变，效率提升——能加速的进行加速，该减速的进行减速。通过边缘计算和云计算协同，赋能设备提升整体加工效率，实现增效降本，为用户带来即时直接的收益增长。

智能增效 APP 通过以太网接口直连的方式与设备进行连接，基于智能边缘网关设备进行部署安装，可以与数控系统进行毫秒级的数据传输和交互，实时监控设备运行状态并及时进行边缘计算，实时反馈设备优化策略，提升加工效率。智能增效 APP 支持快速现场部署，在完成基础硬件连接和简单配置后，即可进行对加工过程的学习和优化。用户可以通过小程序端的用户界面对加工现场的不同优化需求进行匹配设置，满足用户的个性化增效需求。

（3）刀具监控 APP

在机床加工切削过程中，工艺参数设置不当、毛坯硬度不均或刀具质量不佳等，常会导致刀具发生撞刀、崩刃、断刀及磨损等情况。这些情况可能导致机床主轴损伤、产品质量下降、刀具寿命过短等问题。

刀具监控 APP 功能原理见图 9-9。通过采集 NC 信号、电流及振动的高频数据，通过设定分段的上下限值方式，快速识别刀具断刀、撞刀，并根据设置的报警条件快速响应，从而避免更大的事故发生。通过收集刀具在不同磨损及崩刃状态的数据后，离线建立刀具 AI 磨损及崩刃模型，将磨损模型安装到边缘设备后，刀具监控 APP 会选择并调用，其中磨损模型会在每一次加工后输出磨损特征指标，崩刃模型会根据实时数据实时计算磨损及崩刃特征值，当其超出限值后，会提醒客户需要进行刀具更换，从而减少刀具异常对产品的影响，并有效地提高了刀具寿命。发生报警后，边缘设备可以与机床进行交互，通过向机床发出三色灯

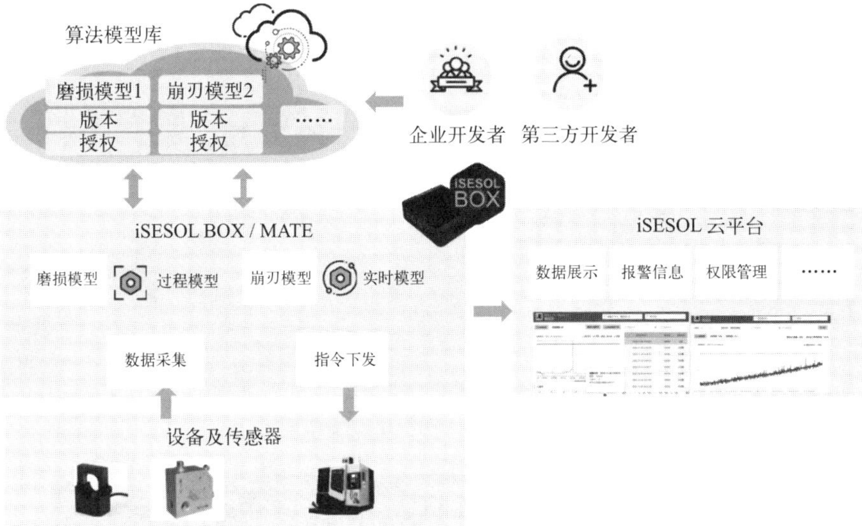

图 9-9　刀具监控 APP 功能原理

闪烁、停机、调用异常处理程序等方式提示现场操作人员或中止异常情况。

（4）设备云眼 APP

设备云眼 APP 通过生产设备的接入上云，实时采集、实时穿透和实时展现设备运行数据；自动采集设备数据和生产数据，实时展现设备的运行状态和绩效，并为用户提供日常查询统计和数据报表功能。企业管理者可轻松掌握设备状况，进而把握企业生产过程。

设备云眼 APP 通过协议网关实现设备登云入网，云端设备智能监测可远程监控设备运行状况。设备运行监控通过对生产设备的联网与监控，可以实现对设备状态和加工情况的实时监控，及时了解现场的加工进度和设备运行情况，随时掌握生产绩效情况。生产设备运行监控系统是以机床数控系统为核心并深入车间管理，设备上兼顾 FANUC、SIEMENS 等主流数控系统及自动化设备的接入，实时采集设备数据，并将采集到的数据传送至服务器。生产设备运行监控系统作为生产企业提升设备运行和生产绩效、提高车间数字化水平、提高车间生产管理、改善产品质量最直接和最有效的方法，以基础资源数据为依据，遵循生产过程管理及控制的思想和要求，结合生产企业信息化发展规划，以先进的信息集成及过程集成软件技术为支撑，实现设备数据采集，并通过设备看板对设备的综合运行情况进行展示与监控，实现工厂透明化管理和数字化工厂。设备云眼的主要功能见图 9-10。

通过现场看板，可以及时了解工厂内设备的运行情况、生产进度情况，以及生产绩效等信息；通过查询统计和报表功能，可以有效统计生产完成情况。设备看板的界面见图 9-11。

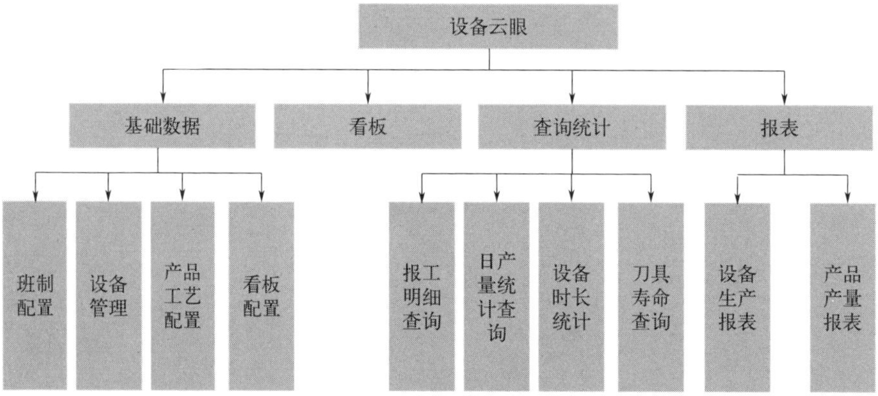

图 9-10　设备云眼功能架构图

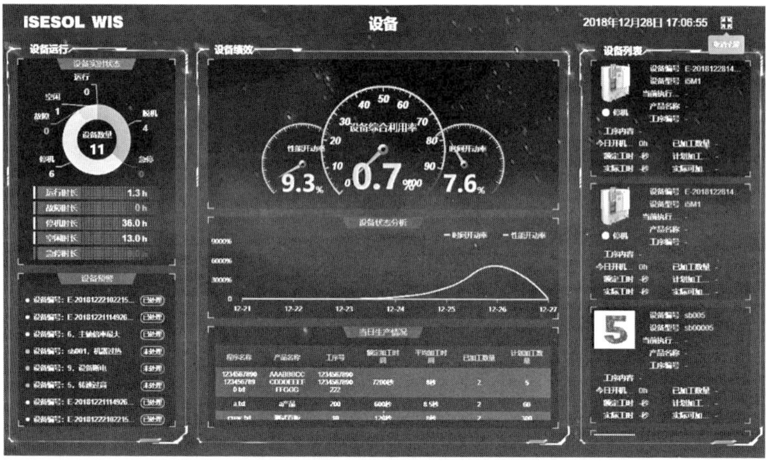

图 9-11　设备看板界面

设备云眼 APP 提供了针对设备加工情况的多种查询统计工具，包括报工明细查询、日产量统计查询、设备时长统计、刀具寿命查询。通过这些查询统计工具，帮助用户快速了解工厂的设备运行情况和生产情况，并可以导出成 Excel 文件，进行统计分析。

另外，APP 还提供了移动端的功能。通过微信小程序，用户可以方便快速地查询工厂的设备加工情况和运行情况，为工厂管理人员提供了快速查询通道，实现了随时随地的生产监控。微信小程序界面见图 9-12。

3）应用案例

（1）设备数据可视化类工业 APP 的应用

浙江某精密机械公司专注于汽车零部件行业细长轴类零件的加工，车间在实施设备数采可视化项目之前，存在如下问题：

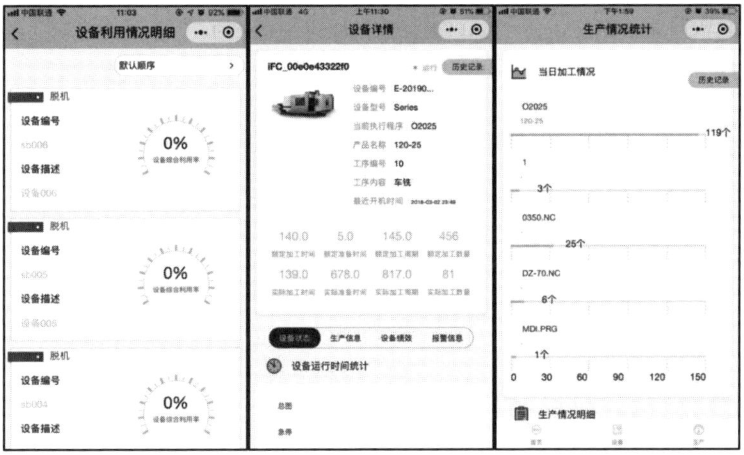

图 9-12　微信小程序界面

① 各单元岛之间独立生成生产数据，设备状态需要通过现场人员确认；

② 所有独立单元加工岛的数据需要系统采集后汇总，形成整体报告，时间与人力成本较大；

③ 工厂所有设备状况无法实时了解，无法远程监控设备与生产信息；

④ 生产现场绩效与整体 OEE（Overall Equipment Effectiveness，综合设备效率）指标需要经过人工计算进行转换，拖延了信息决策的时间。

针对以上问题，智能云科提供了设备云眼 APP 解决方案，成功将客户车间的 36 台设备联网，实现了生产现场设备的数据实时采集、交换、存储与集成。

利用 iSESOL 设备云眼的看板功能，实时了解当前车间所有设备的不同状态类别，综合了设备综合利用率 / 时间利用率 / 性能开动率数据等 OEE 数据，所有设备列表、告警信息与工单生产进度全部一目了然，成功地将原本分散、凌乱的各加工岛数据进行了汇总，实现了统一的信息化管控，极大地提高了生产管理的便捷性和效率，大大减少了车间管理者的工作量。

（2）工业智能应用类工业 APP 的应用

山东某车轮制造企业，主要从事铝合金车轮、汽车配件的研发、制造和销售，生产高端铝合金车轮超过 500 万只，目前已成为奔驰、本田、丰田、通用、一汽等国内外整车厂商的优质配套商。其加工车间有 32 个汽车铝轮毂自动化制造单元，单个制造单元由 3 台机床设备与 1 台机器人共同组成，其中存在瓶颈工位，制约着自动化单元的整体产能。

针对以上问题，智能云科提供了智能增效 APP 解决方案，在每个自动化单元的瓶颈工位上安装智能增效 APP，在不改变数控程序、刀具和加工工艺的情况下，提升瓶颈工位的加工效率约 8%（图 9-13），有效提升了整体制造单元的产出能力。

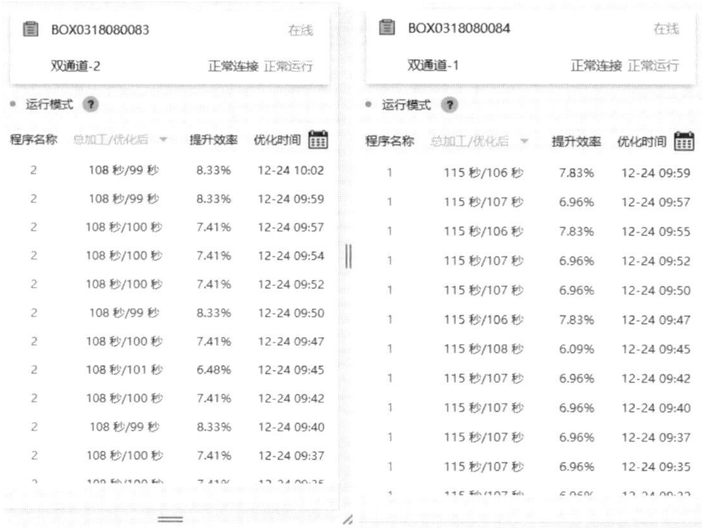

图 9-13　智能增效优化界面

（3）数字化工厂运营管理类工业 APP 的应用

浙江某汽车零部件生产企业，三十多年来专注于汽车水泵的生产，生产超过 2500 种汽车水泵，是典型的多品种小批量生产模式，因此在生产组织上面临多个问题。

① 设备台账采用电子表格，设备信息更新依靠人工进行，效率较低；

② 受制于设备台账，原有维保管理体系依托纸质流程执行，按计划执行点检流程与时间耗费较长；

③ 仓储部门原有库存管理依靠各部门提报需求执行，针对紧急情况（例如设备损坏备件、紧急订单原材料）无法做到提前预警，影响整体储备与响应速度；

④ 生产排程需要车间管理人员根据车间设备状态目视后结合相关库存等因素进行生产安排，耗费大量时间与人力成本。

智能云科根据客户现场实际情况，通过应用数字化工厂运营管理类工业 APP，按需打造适配企业需求的工厂数字化制造运营系统，提供设备管理、生产排程与仓储管理这三类通用生产管理模块。

设备部门通过车间设备的实时联网，建立了信息化设备台账，根据实时采集与存储的设备状态与加工信息，合理规划日常点检与保养计划，提升 70% 的设备管理效率，通过获取实时设备告警信息，提升 80% 的故障维修响应速度。

生产部门根据制造运营系统的各类数据汇总进行排程，将计划制订时间缩短了 40%，实现了滚动排程和灵活插单调整，发现了 5% 的历史管理不合理问题，有效提高了排程效率及达成率。

仓储部门通过信息化的仓库运营，实现了透明供应链仓储管理，针对各部门需求进行灵活配置，自定义专属的仓储流程与规则。

基于设备部门、生产部门的各类点检保养计划与生产订单进度、排产计划等数据，提前为设备部门零部件的保养需求准备备件，缩短了故障维修的完成工时。根据生产排程计划采购原材料，减少库存积压，有效将库存周转率提升了 25%。

9.3

数字孪生应用案例

9.3.1 机床行业数字孪生车间案例

1）背景

随着工业 4.0 和智能制造的快速发展，数字孪生技术作为连接物理世界与数字世界的重要桥梁，正日益受到关注。数字孪生是指通过数字化手段对物理实体及其动态行为进行实时映射与分析的技术。对于机床制造车间而言，数字孪生系统能够实现对设备状态、生产流程、质量控制等的全面监控与优化。

机床制造行业面临着复杂的生产环境、设备维护挑战，以及对生产效率和产品质量的高要求。传统的制造流程往往依赖于经验和定期检查，缺乏实时数据支持，容易导致资源浪费和生产停滞。通过引入数字孪生技术，企业能够实现对生产设备和过程的实时监控，及时发现和解决潜在问题，从而提高生产效率和降低成本。

数字孪生系统的实施将使机床制造车间具备以下优势：

① 实时监控：通过传感器和物联网技术，实时获取设备状态与生产数据，实现对生产过程的全面监控。

② 预测维护：通过数据分析，提前识别设备故障，优化维护计划，减少停机时间。

③ 优化生产流程：利用数字模型模拟不同生产场景，寻找最优的生产流程与资源配置，提高生产效率。

④ 质量控制：通过数据分析，实时监测产品质量，减少不合格品的产生，提高客户满意度。

某机床集团厂区内部的车间构建数字孪生系统，并以数字孪生系统作为载体，结合人工智能、工业互联网、物联网、大数据等先进技术，在设备监控、质量管控、企业展示等方面提供定制化的智能应用，实现设备三维高精度、全场景监控、生产大数据展示等功能，并提供丰富的人机交互入口，帮助企业提升管理效率，降低生产成本。

2）总体架构和技术实现

系统的总体架构见图 9-14。数字孪生系统采用前后端分离架构，其中后端采用微服务架构，具备高扩展性和稳定性。前端客户端分为 PC 端、Web 端和安卓端。后端服务根据功能不同，可以分为应用服务、中台服务、技术服务。应用服务分为实时数据服务、数据看板服务、系统管理服务等。中台服务包括数据中台

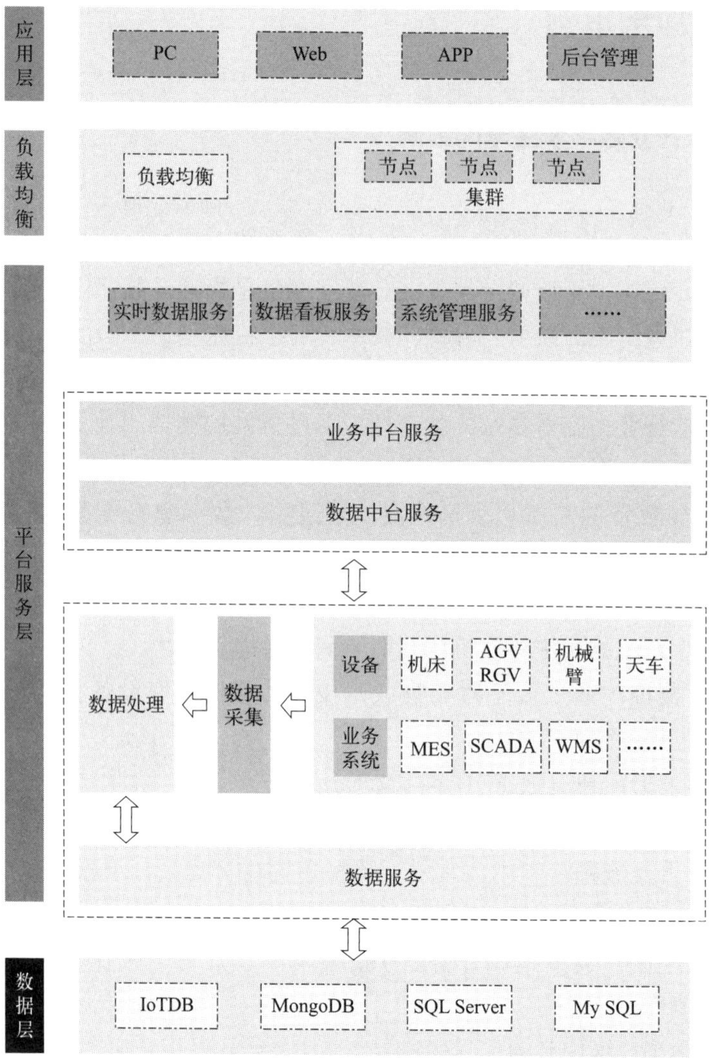

图 9-14　系统架构图

服务、业务中台服务。技术服务包括微服务结构、分布式数据库、分布式缓存、消息队列等。数据库采用关系型数据库、非关系型数据库和时序型数据库相结合的方式。

3）主要功能

（1）模型构建和渲染

模型构建和渲染模块包括工厂、车间、设备、部件等不同级别的模型制作和渲染。工厂层级对厂区街道、建筑、办公楼、广场等进行建模渲染，展示厂区整体效果。车间级对车间内部如办公室、标语、宣传板等进行建模渲染，还原车间真实情况。设备级对机床、RGV/AGV、机械臂、天车等设备进行建模渲染，部件级对机床设备内部如主轴、卡盘、刀具等进行建模渲染。

（2）设备数据映射

设备数据映射分为机床数据映射、辅机数据映射和其他设备动画。机床接入生产数据并实现数字孪生网格模型和逻辑模型与现实设备同步运行。辅机设备如RGV（Rail Guided Vehicle，有轨制导车辆）/AGV（Automated Guided Vehicle，自动导引车）、机械臂等，同样接入现场设备的实时数据，实现虚实同步映射。其他设备运行无法提供实时数据的，数字孪生系统通过添加运行仿真动画，并添加虚拟信号的方式，实现和机床设备、辅机设备等虚实联动。

数字孪生系统内部包含世界坐标系、父坐标系和自身坐标系三种坐标体系，并且可以实现三者之间的相互转换。系统内置多轴联动算法，能够方便地实现三轴、五轴、多轴等联动仿真，适配常见的机床类型。通过机床的实时数据和业务数据，在三维环境中映射出设备各运动实体、运动部件的平移、旋转、缩放等变换。

（3）数据展示看板

数据展示看板分为四种样式：大数据看板、车间数据看板、设备数据看板和部件数据看板。这些看板利用各种定制图表（包括但不限于热力图、甘特图、折线图、柱状图、饼图等）实现数据可视化，看板包含至少8种类型的图表，且图表数量不少于20个。大数据看板负责展示车间的全局生产数据，例如设备信息、统计数据和质检数据等。而车间数据看板则嵌入到数字孪生系统中，主要展示车间设备的生产和运行信息。这些信息包括设备开动率、设备利用率、设备稼动率、成品物料数据和生产计划数据等（图9-15）。设备数据看板直接呈现在数字孪生系统的三维模型上，展示每个设备的实时运行数据和历史数据统计。部件数据看板则专注于监控和展示设备关键部件的运行状态、电压、功率等信息。所有大数据看板、车间数据看板和设备数据看板都包含异常报警视图。对于任何异常信息，系统都会提供清晰的提示并进行记录。此外，数字孪生系统还支持处理异常信息和设定报警提示的操作。

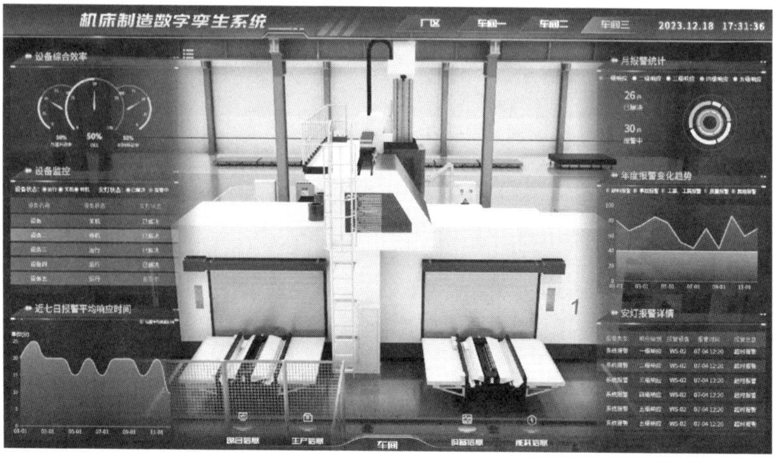

图 9-15 车间数据看板

（4）系统人机交互

系统需提供丰富的人机交互功能，包括多种视角切换、设备树浏览、多媒体播放、自动导览、仿真演示和层级切换等。其中，视角切换让用户可以自由切换第一人称、第三人称或空中俯瞰角度，或通过 VR 设备实现沉浸式的三维场景漫游。通过使用鼠标和键盘，用户可以轻松控制视角的移动和旋转。设备树浏览功能则允许用户通过点击某个设备来将其作为焦点，并进行视角跳转。多媒体播放将音频和视频集成在数字孪生系统内，当人物漫游接近时，它们会自动播放。自动导览需提供多条导览路线，并配有音频字幕来全面展示厂区和车间的效果。仿真演示功能允许用户使用历史数据或仿真数据来驱动数字孪生场景运行，可为用户提供多维度的数字孪生运行数据。层级切换功能使用户可以在工厂级、车间级、设备级、部件级等不同的三维层级中自由切换查看，从而提供全流程、全方位的数字孪生环境。

（5）数据接入和存储

系统需对接到车间设备数据和信息系统（如 ERP、MES 等）的业务数据。首先，需要定义各类车间设备数据，包含设备数据模型（如机床、RGV/AGV、机械臂、天车等车间设备）、车间工位数据模型、生产信息模型以及现场视频数据模型等。其次，通过工业网络通信来获取车间数据，系统支持 OPC-UA 以及包括基于 RESTful 的 HTTP、MQTT、WebSocket 等通用数据通信协议。然后，车间数据的显示不仅要实时呈现在数字孪生系统中，还需要结合数据管理中心实现多种分布式数据库存储，其中包括关系型数据库、非关系型数据库及时序数据库。最后，系统还需支持多维度数据存储、数据持久化、数据分析和快速查询等功能，满足不同种类的数据处理需求。

（6）系统管理功能

系统的管理功能分为：用户管理、权限管理、数据管理、日志管理，以及数据备份与恢复。用户管理功能允许在系统中进行添加或删除用户、修改用户信息，以及重置密码等操作。权限管理功能可通过给予不同用户不同权限组以实现对用户权限的管理，同时系统还提供超级管理员账号，通过此账号可以实现对系统内所有数据和权限的全面管理。数据管理包含对设备静态数据、设备动态数据、设备运行数据、产线生产数据、异常数据等的综合管理。日志管理能实现用户登录、用户导览以及其他用户操作的日志记录和管理，系统还提供了检索功能，方便快速查找对应信息。数据备份与恢复功能负责备份数字孪生系统的关键数据，例如设备静态数据、用户信息数据、用户权限数据、日志数据等，并可根据备份文件实现指定日期的数据恢复，并且备份文件采用了安全的加密方式，系统也提供相应的加解密功能。

4）实施效果与分析

基于国产化的数字孪生开发系统，借助软件工具化的功能，开发网页版车间数字孪生系统。同时基于主流的 Unreal Engine（虚幻引擎）三维引擎打造本地客户端运行的车间数字孪生系统。数字孪生系统软件，综合利用虚拟仿真技术和工业大数据等技术，实现车间三维虚拟透视，既包含模型虚拟映射，又包含信息化看板和现场实时监控视频；系统能够实现车间多种设备设施快速查询定位，生产安全相关数据的实时汇集展现，为生产设备效率优化提供可视化方案，提升了车间整体管理水平，并为后续数字孪生技术升级和推广打下基础。

9.3.2 智慧水厂数字孪生案例

1）背景

某工业水厂设计规模 10 万 m^3/d，分两期建设。一期工程 5 万 m^3/d，建设内容主要包括取水浮船、输水管道、净水厂区、滤池、沉淀池、污泥浓缩池、综合楼、泵房、加氯间、加药间等 20 个单体构筑物。水厂采用出水水质好、运行稳定、维护量少、应用广泛、运行经验成熟的净水工艺。工业水厂建成投产后，将极大满足某市集中化工区、产城新区、绿色涂料产业园、附近乡镇经济发展的供水需求，进一步优化该市水厂布局及供水输配调度，推进城乡供水一体化建设。

在工业水厂的建设过程中，不仅注重实体设施的完善，还特别关注智能化管理系统的引入与应用。基于智能化信息运管平台，在数字化空间中进行水厂设备的物理投射，搭建水厂三维监控场景。融合三维仿真、数据交互、运行模拟、仿真控制等要素，实现对真实水厂的数字映射。智能水厂是利用数字孪生技术构建的现代化水务管理系统，通过集成多种先进技术，实现对水厂全生命周期的智能化管理。这种系统不仅提高了水厂的运行效率和管理效果，还为水务行业的数字化转型提供了有力支持。

2）总体架构和技术实现

智能水厂数字孪生系统是一个多层次、多维度的系统，总体架构见图 9-16，包括 3D 平台、信息平台、SCADA（Supervisory Control And Data Acquisition，数据采集与监视控制）系统、BIM 模型系统、视频监视系统和人员定位系统。信息平台将 SCADA 实时监控数据、BIM 数字模型数据、视频监视、人员定位巡检等底层数据与信息平台相结合，在 3D 平台层面进行应用展示及操作。信息平台和 3D 平台进行数据共享及操作互补，信息平台提供完整的历史数据存储、可靠的专家预测判断、完善的运维管理，3D 平台提供 2D 图纸及文字数据信息无法展现的空间信息，在操作及视觉效果上更进一步，为用户提供全方位的智能运维支持。

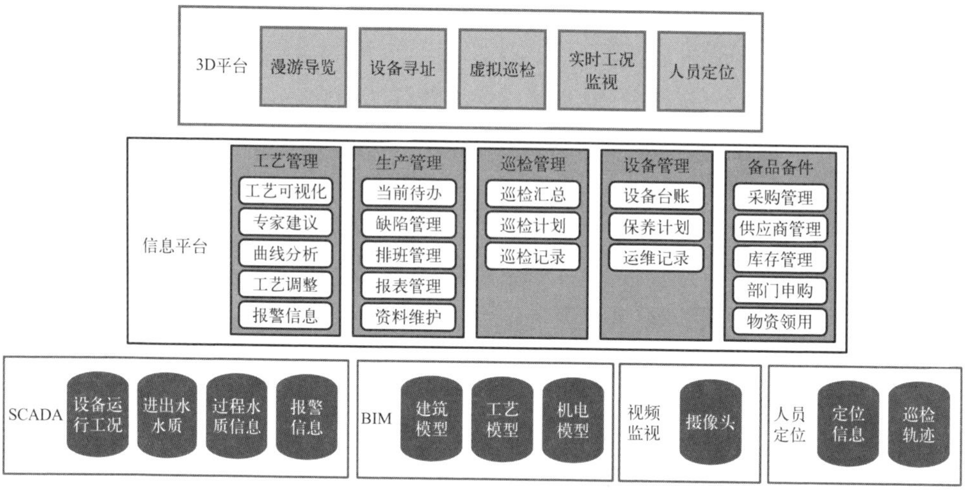

图 9-16　智慧水厂数字孪生系统总体架构

通过本次项目建设，提高水厂日常运维管理能力，加强水厂问题诊断分析。借助信息化手段，提高水厂日常运营管理水平，实现水厂标准化、规范化、现代化管理，达成水厂运营管理降本增效目的，加强新技术在水厂中的试点应用。一体化综合管控平台将厂、网统一监管，相互之间有联动、有交互，有机地将生产、人员、资产等有效融合，实现厂、网的全流程、全闭环的管理，可以有效提高整体的管控水平。

3）主要功能

智能水厂利用数字孪生技术构建了一套现代化的水务管理系统，通过集成多种先进技术，实现了对水厂全生命周期的智能化管理。该系统不仅提高了水厂的运行效率和管理效果，还为水务行业的数字化转型提供了有力支持。以下是对智能水厂实施效果的详细介绍。

（1）厂区3D浏览

用户可以以鸟瞰模式和自由漫游模式对整个水厂进行3D浏览，可以通过键盘和鼠标对3D场景进行常规的缩放、移动、旋转操作。

用户可以以第一人称视角在场景中进行自由漫游，可以进入详细建模的工艺段及构筑物进行虚拟巡检。漫游模式具有自动碰撞检测功能，防止漫游过程中出现穿墙、掉落等误操作。用户可以按预设的漫游路径进行自动导览，也可以直接选择详细工艺段而跳转进入该工艺段场景，配合讲解字幕了解厂区重点工艺段。

厂区内的关键设备按照树形目录进行分层展示，一级为区域名称，二级为区域内的设备名称，点击设备名称可以在3D场景中自动寻址到该设备，即视角镜头直接切换到该设备的特写镜头，并在小地图中标出该设备在厂区平面图中的地理位置，如图9-17所示。

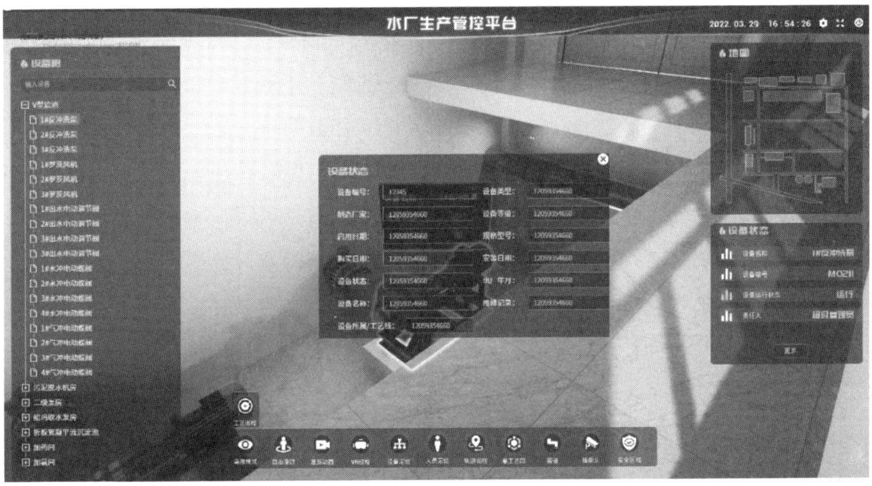

图9-17　水厂设备状态显示

系统提供小地图功能，用于在全厂俯视图上定位当前焦点所在位置，适用于自由漫游、设备寻址、人员巡检、设备故障报警等场景。

通过视频流的方式把摄像头接入3D场景中，用户可自定义查看不同位置摄像头的实时监控画面。

（2）设备展示

以核心工艺段为目标，通过系统数据接口获取数据后，展示该工艺段工艺运行情况；针对核心工艺段内重点设备做运行动画——根据获取的现场设备的运行状态，对于设备运行、停止、故障等状态进行相应的动画展示，以及设备的运行参数的看板展示，如图9-18所示。

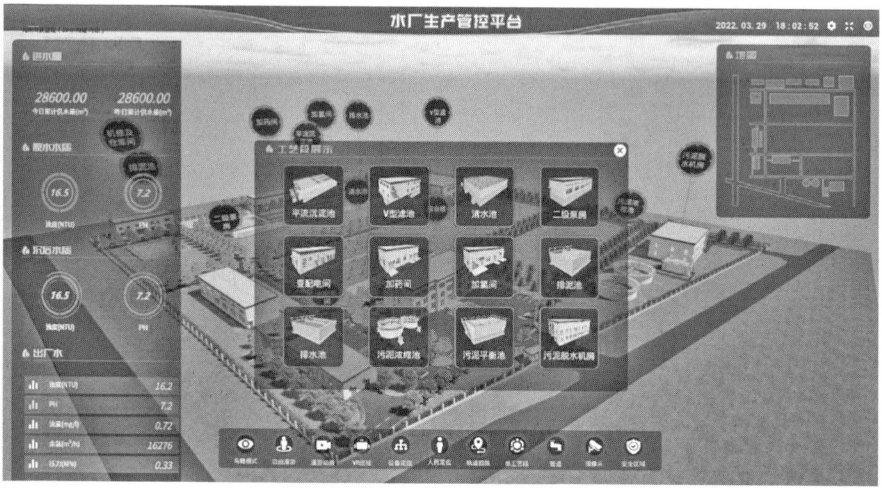

图 9-18　水厂工艺段展示

在 3D 场景中，每一个设备上方都有一个设备卡片，卡片显示的数据根据设备所体现的内容来进行展示。用户在鸟瞰模式或自由漫游模式下操作时，靠近设备时将弹出设备卡片，远离设备时设备卡片自动隐藏。

系统对管道种类进行分类，对每一种管道都可以单独进行高亮显示。针对每一段的管道，通过鼠标的点击或悬浮可以看到管道的流向、压力、流速等参数。阀门可根据阀门状态显示阀门开关和开度状态。

（3）人员定位

通过厂区中的定位机制获取到人员的位置坐标，把坐标信息转换到 3D 场景中，同时生成对应的虚拟人物，实现场景中对人员的实时定位功能，并用特定的标签来区分不同的工作人员（管理人员、技术工程师、普通员工等）。

用户可自定义查看员工在厂区中巡检的历史轨迹。场景中执行的轨迹回放任务将会以巡检人员为主体，采用第三人称视角的形式，按照绘制完成的巡检轨迹，进行事件回放。

（4）VR 漫游

虚拟系统通过数据的采集和获取与真实车间工艺段、设备、产线等建立起数据连接。操作人员佩戴 VR 眼镜，可以在整个虚拟系统中进行巡检操作，在虚拟系统中可以自由行走，还可以以自由视角观看并点击设备等。当巡检靠近设备时，能自动检测弹出范围内设备的运行工况窗口，离开时窗口自动关闭。

VR 漫游中建有电子围栏，在 3D 场景中用户可以自定义查看每个区域的安全等级。如果在自由漫游或 VR 巡检过程中闯入危险区域，则 3D 场景中会做出危险报警。

4）实施效果与分析

智能水厂数字孪生项目的实施，不仅提升了水厂的日常运营管理水平，还在多个维度上实现了显著的效果提升。

（1）运营效率显著提升

通过数字孪生技术，水厂的各个工艺段、设备以及管道的运行状态得到了实时监控和动态展示。这种直观的可视化管理方式，使得运营人员能够快速准确地掌握水厂的运行状态，从而做出及时有效的调度决策。同时，系统的自动化和智能化特性也大大降低了人工干预的频率和强度，进一步提高了运营效率。

（2）运维成本有效降低

数字孪生系统通过实时监测设备的运行状态和参数，能够提前预警设备故障，缩短因设备故障导致的停机时间，降低维修成本。此外，系统还能够对设备的运行数据进行深度分析，为设备的预防性维护和优化提供科学依据，进一步降低了运维成本。

（3）安全管理水平提升

数字孪生系统通过人员定位功能，实现了对厂区人员位置的实时监控和追踪。这不仅有助于提升应急响应速度，还能有效防止人员误入危险区域，保障人员安全。同时，系统还具备电子围栏和危险报警功能，进一步增强了厂区的安全管理水平。

（4）智能化决策支持

数字孪生系统通过集成多种先进技术，如大数据分析、人工智能等，能够实现对水厂运营数据的深度挖掘和分析。这些分析结果能够为运营人员提供智能化的决策支持，帮助他们更好地优化水厂的运营策略，提高水厂的整体效益。

（5）促进水务行业数字化转型

智能水厂数字孪生项目的成功实施，不仅为水厂自身的数字化转型提供了有力支持，还为整个水务行业的数字化转型树立了典范。通过推广和应用类似的技术和模式，水务行业可以进一步提升自身的智能化水平和管理效率，推动行业的可持续发展。

9.3.3 绿色园区管理平台应用案例

1）立项背景

为响应《“十四五”国家信息化规划》，某民航公司坚定实施数字化转型战略，开创环保管理信息化发展新局面。传统环境管理模式难以满足企业管理要求、适应企业精细化管控预期，企业环境管理思路亟待转换。信息化技术的快速发展为企业环境管理模式提供了新思路，探索基于物联网云平台的环境管理模式成为发展趋势。

针对绿色园区管控实时性要求高、风险控制点位多且风险大、应急处置要求高等特点，以及实时监控、动态预警和应急联动等业务需求，该公司依据国家和上海市环保监测相关规定，采取以下措施。

① 为加强各厂区环保排放在线监测系统建设，充分利用现有环保排放监测设备，实现与政府环保监测部门的数据同步，确保对排放数据的实时监测，设置排放数据预警值，提前发现和定位排放隐患，采取措施及时处置，有效避免排放超标报警事件及其不良影响。

② 为提升现场设备运行、污水处理和排放的实时数据采集能力，计划实现移动版远程视频监控，并形成与现场设备定位、设备运行状态监控的有效集成。

③ 在环保设备维护保养方面，为了保障按时保质保量地完成各类维护保养工作，拟建设环保设备维护保养管理模块；在生产车间排风设备运行方面，按照环保规定，定时开启排风设备，并形成台账备案。

2）主要内容

该公司面向民航安全环保的系统性保障任务，运用产学研高效协同模式，建设产品制造过程绿色安全智慧管理平台，研制如下核心技术。

① 产品喷漆厂房非甲烷总烃（NMHC）排放浓度预测与人机协同管控。针对喷漆厂房空间广阔、NMHC 浓度分布不均和传统机理模型模拟方法对计算资源要求高等难题，为达到 NMHC 70mg/m^3 的国家排放标准，引入高速公路区间测速数学模型，研制面向废气在线监测的智能迭代式预测引擎，NMHC 浓度预测准确率达到 95.01%，实时同步环保监控系统物联网数据，解决了 NMHC 等废气浓度的动态推演和预测每小时内可用排放指标等问题；精准管控活性炭更换，提高活性炭使用效率，实现降本增效，降低活性炭吸附材料成本 70.83%，实际节省年度成本 90 万元；同时，降低超标排放风险，确保环保风险可控。通过人机协同操作，合理控制飞机零件喷漆设备流量，实现了连续 4 年达标排放（图 9-19）。废气排放实时智能预警系统安装于飞机喷漆厂房，从 2020 年开始建设，运行至今，废气浓度预测准确率达到 95.01%，VOCs（挥发性有机物）平均去除率较技术实施前提高了 60.52%。

② 污水排放云监控与多主体协同运维。针对工业污水水质指标预测困难、精度低和污水自动化处理程度低等问题，通过区环保局数据共享和厂区多排污点的水质监控装置实时采集水质数据，设计深度卷积神经网络提取多种水质指标之间的耦合特性，建立污水排放口水质预测模型。该模型可准确预测污水排放口水质状况的变化趋势与演化规律，预测准确率达到 95.43%，为自适应自动化污水处理装置提供水质指标未来态势信息。通过建立业主方、监测方和云服务方等多

序号	测点名称	时间戳	瞬时浓度/(mg/m³)	烟气流速/(m/s)	平均浓度/(mg/m³)	预警提示
1	大场■喷烘房	2024-10-22 14:03:30	2.6829	7.6224	3.933	
2	大场■#喷烘房	2024-10-22 14:03:29	0.0000	13.2775	0.044	
3	大场■喷烘房	2024-10-22 14:03:30	5.0738	12.7336	5.177	
4	大场■喷烘房	2024-10-22 14:03:30	0.3098	8.2473	0.376	
5	■干式喷烘房	2024-10-22 14:03:29	4.5961	10.0365	4.557	

图 9-19　废气排放实时预警界面

主体、零时延的协同运维体系，将废水预测超标事件的人机协同响应时间缩短到 3s，实现污水排放精准管控与自动化处理。该协同运维技术有效降低年度运维成本 38.56%。

③ 针对单一环保评估指标存在局限性的问题，面向产品绿色环保多要素，构建自适应的动态权重和环保（固废、废气和废水）能效指数 EPI 模型：

$$\mathrm{EPI}=\sum_{i=1}^{6}\omega_i P_i, P_i\in\{\text{台账，检测，环境，废固，废气，废水}\}$$

$$P_{\text{废气}}=\sum_{j=1}^{5}p_j, p_j\in\{\text{61\#喷烘房，61\#喷烘房，1\#喷烘房，7\#喷烘房，81\#喷烘房}\}$$

$$P_{\text{1\#喷房预测}}=\left(4200-\sum_{i=1}^{59}\phi_t\right)/(60-i),\text{if}\begin{cases}V_t>0.2\mathrm{m/s}\\ \phi_{\max}=70\mathrm{mg/m^3}\\ \phi_{\min}=0\mathrm{mg/m^3}\\ \phi_t\in[\phi_{\min},\phi_{\max}]\end{cases}$$

结合 17 种国家标准固体废弃物动态感知技术、废气排放浓度预测技术与污水水质状况预测技术，支持 EPI 态势演化，实现可视化态势研判。17 种国家标准固体废弃物、废气和废水各监测点位到绿色园区平台指标演化周期缩短到 3s，较技术实施前缩短 90.23%；EPI 指数保持在 96.34% 以上，解决了绿色园区环保与效能的综合评估与趋势演化分析问题。绿色园区管理平台运行态势界面见图 9-20。

④ 本质安全驱动的危废处理设备移动化巡检与数字化台账。针对危废处理设备的安全运行状态难以精准评估的问题，通过智能仪表等物联网设备实时采集和监控硝盐槽 30kW 排风机、喷胶车间活性炭吸附用 50kW 排风机等危废处理设

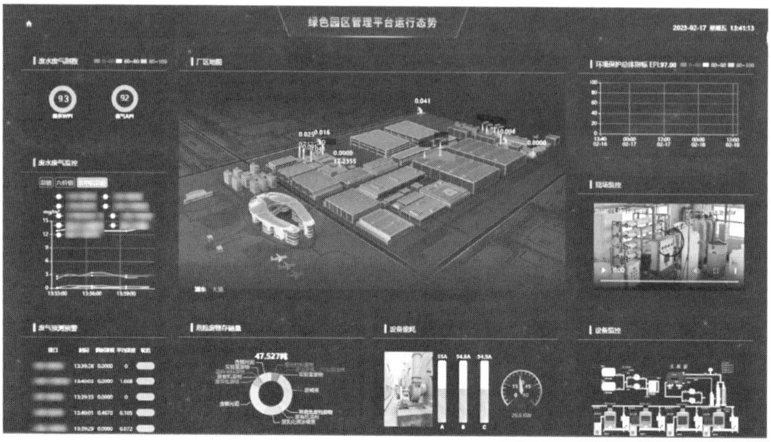

图 9-20　绿色园区管理平台运行态势界面

备的工作电流、电压、负载等关键运行参数和活性炭层温度等材料工作温度。面向动态产能需求，建立 4 项输入 1 项输出、3 层径向反传 BP 神经网络，实现对车间动态负载设备关键运行参数和活性炭等废气处理材料工作条件的安全阈值自适应机器学习和逼近，实现了由原来的关键运行参数固定阈值模式向自适应阈值转变的设备本质安全预警模式，进而研发无人干预的设备开关机与自动数字化台账功能。通过移动端（图 9-21）可实现危废处理各环节中的移动化巡检，有效减少了人工记录的工作量。

图 9-21　移动 APP 功能矩阵

3）实施效果与分析

历经三年开发研制，某制造过程绿色智慧管理平台建设在管理、技术、经济和能力方面取得显著成效，具体包括：

① 纵向循序渐进，由公司—车间两级环境保护，向公司—车间—班组三级环保管理发展。通过平台建设，有效支撑了班组在环保日常管理中的自查自改工作。按照“成熟一级，推进一级”的工作部署，由公司安全环保部牵头实现了公司—车间层面的环保业务闭环管理，继而推广到车间内部的作业班组，实现了纵向业务全覆盖。

② 横向串珠成链，管理范围由点及面，由单一环节向产品制造全过程扩展。全方位管控环境风险，深入分析风险要素的时空演化特征，及时发现隐患，落实临时管控措施，确定整改方案和整改完成时间。并借助公司 5G 工业园区通信设施，实现了隐患视频数据、现场协调处置会议、自动代办提醒的大数据、高速度传输和便捷通知、督促整改等业务新模式，使得环保管理驶入快车道，有效支撑了横向业务全覆盖。

9.3.4 数字孪生快速开发平台 FDSim 及其应用

1）背景

随着工业互联网和智能制造等领域的快速发展，数字孪生技术已成为企业数字化转型的关键工具，然而，该技术的具体实施面临多重挑战：首先，数字孪生技术涉及多学科交叉和复杂算法，要求开发人员具备高水平的技术和专业知识。传统的开发方式需要经过繁琐的需求分析、设计、编码、测试等多个阶段，这不仅延长了开发周期，还增加了技术实现的难度。其次，由于开发周期长和技术门槛高，传统开发方式需要投入大量的人力、物力和财力，整体开发成本高昂。再者，传统开发方式通常基于固定的需求和场景进行，难以灵活应对快速变化的市场和用户需求。最后，数字孪生系统需要与多个外部系统进行集成，而传统开发方式在集成和部署过程中可能会遇到较大的技术挑战，进一步增加了实施的复杂性。

综上所述，传统数字孪生应用开发方式在技术实现、成本、灵活性以及系统集成等方面均存在不足。

2）平台介绍

FDSim（Factory Design Simulation）数字孪生系统开发平台是一款技术自主可控的国产自研平台，它基于 B/S 架构，专为工厂仿真、工艺仿真以及三维运维监控而设计。该平台不仅支持 PC 端和移动端的浏览器编辑与查看，还配套了丰富的 3D 模型库和各项仿真工具，助力用户以低成本、高效率、低代码的方式快速开发各类数字孪生三维应用。

该平台主要面向离散制造行业。通过 FDSim 平台，企业能够快速实现物理车间与数字车间的“状态感知—实时采集—精准执行”闭环，实现全要素、全流程、全业务数据的集成与融合。

在开发工具方面，FDSim 提供了易于上手的数字孪生开发工具和丰富的接口，使得普通用户经过短时间的学习和训练后，即可快速搭建出自己想要的 3D 场景，并添加交互及运动逻辑。对于掌握 JavaScript 语言编程的用户，平台则提供了更大的自由度去搭建数字孪生三维系统。

FDSim 平台支持私有化部署，确保数据安全和操作自主性。同时，其在线开发和多人协同功能，使得不同领域的人才能够发挥各自优势，共同搭建数字孪生项目。

在高级功能方面，FDSim 平台提供车间状态映射、历史数据追溯、透明化看板与人机交互、几何与逻辑模型资源构建、多样化布局工具、贴图库与材质库、机器人仿真与示教编程、虚拟调试、AGV 路径规划与仿真、传感器与 RFID 仿真等功能，以满足用户对数字孪生应用的多样化需求。FDSim 平台的操作界面见图 9-22，主要功能见图 9-23。

图 9-22　FDSim 平台操作界面

（1）平台核心功能

① 工厂仿真与工艺仿真：通过构建与现实工厂 1∶1 的数字模型，实现生产状态的全面还原。在工艺仿真方面，该平台能够模拟各个生产工序的流程，深度融合仿真数据与三维设备模型，实现设备运行的仿真及未来状态的预测。

② 三维运维监控：通过数据集成和融合功能，用户可以实现物理车间与数字车间的无缝连接；通过对车间运行状态的实时监控，及时发现并解决问题，确保生产线的稳定运行。

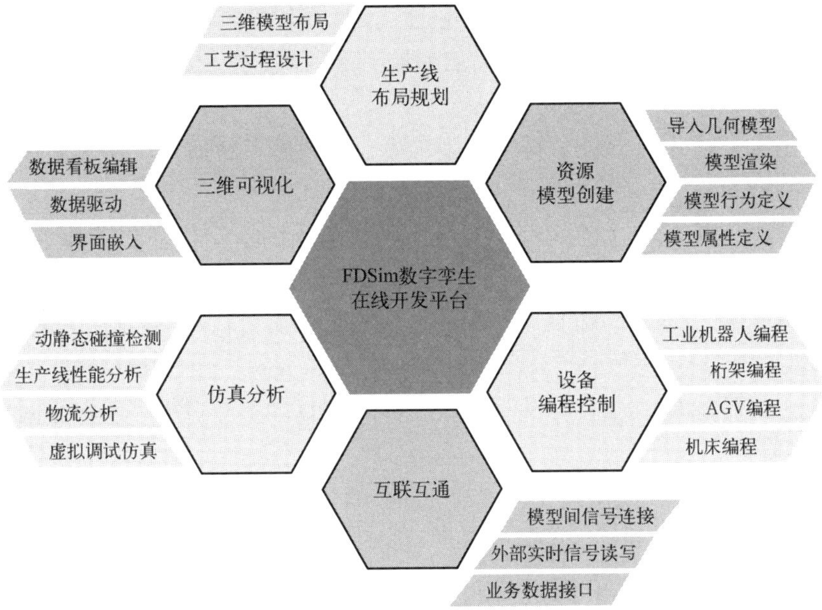

图 9-23　FDsim 平台主要功能

③ 虚拟调试：在平台上构建离散制造的虚拟产线，并通过平台的数据通信功能，实现实体控制设备与虚拟产线之间的数据对接。用户可以利用实体控制设备来操控虚拟产线，以此验证控制程序的准确性和功能完整性。利用虚拟调试可以极大地降低传统调试过程中所需的成本，缩短调试时间，使用户能够在不干扰实际生产的情况下，对控制系统进行充分的测试和验证，确保其在正式投入运行时的稳定性和可靠性。

（2）开发工具与资源

① 3D 模型库：平台提供了丰富的标准设备模型和参数化组件，用户只需通过拖拽即可完成布局设计。

② 低代码开发：内置 3D 逻辑编辑工具，使非专业开发人员也能快速上手，进行简单的编程和逻辑设计。

③ 在线开发与协同：支持团队协作功能，允许团队成员在线共同编辑项目，实现模块化拆分和协作开发。

（3）高级功能

① 车间状态映射：平台能够实时同步物理车间与数字车间的设备状态，确保用户能够随时掌握车间的运行情况。

② 历史数据追溯：通过录制和回放数据，平台支持历史数据追溯功能，帮助用户分析生产过程中的问题和瓶颈。

③ 模型资源构建：支持用户自主创建几何和逻辑模型资源，满足个性化需求。

④ 布局工具：提供丰富的布局和测量工具，并支持 CAD 文件导入功能，使得用户能够轻松进行工厂布局设计。

⑤ 渲染与材质：提供多样化渲染工具、贴图库和材质库，帮助用户打造逼真的三维场景。

⑥ 机器人仿真与示教编程：支持多种机器人的运动仿真和示教编程功能，为自动化生产线的规划和优化提供支持。

⑦ AGV 路径规划与仿真：实现 AGV 路径规划、自主寻路和任务调度功能，提高物流效率。

⑧ 传感器与 RFID 仿真：模拟传感器和 RFID 的运行逻辑，为物联网技术的应用提供支持。

⑨ 多种通信协议支持：支持 TCP/UDP、HTTP/HTTPS、OPC-UA/DA、MQTT 等多种通信协议，确保平台能够与各种设备和系统进行无缝连接。

⑩ 工厂三维布局：实现工厂规划仿真和三维布局设计功能，为用户提供直观的工厂规划方案。

3）应用

（1）面向教育的应用

随着智能制造技术的快速发展，企业对具备自动化产线调试、PLC（可编程逻辑控制器）编程及 MES 系统（现代制造执行系统）管理能力的高技能人才需求日益增加。南京某学院为了提升学生的实践能力和就业竞争力，决定引入 FDSim 平台，结合 MES、PLC 以及机器人示教器等先进技术，构建一个高度仿真的虚拟实训环境。该项目的核心目标是让学生在不接触实际生产风险的前提下，全面掌握从产线规划、机器人调试到智能制造管理的全过程技能。

① FDSim 平台：FDSim 提供了高精度的物理仿真和逻辑仿真能力，能够模拟真实生产线上的各种机械运动、传感器信号、物料流动等，为学习者提供一个接近真实的操作环境。

② 虚拟调试产线：基于 FDSim 平台，学院构建了一条包含多个工作站（如装配、检测、包装等）的虚拟产线。每个工作站均配备有虚拟机器人、PLC 控制器等，学生可以在此环境中进行机器人路径规划、动作编程、故障排查等训练。

③ MES 系统：集成到虚拟实训系统中，模拟生产计划排程、物料追踪、质量控制等智能制造管理流程。学生可以通过 MES 系统学习如何监控产线状态、优化生产流程、分析生产数据，理解智能制造的精髓。

④ PLC 编程控制：利用现实中的 PLC，学生编写、测试 PLC 程序，实现对虚拟产线设备的精确控制。通过模拟不同场景下的控制需求，学生能够深刻理解

PLC 在自动化产线中的关键作用。

⑤ 机器人示教器：结合 FDSim 平台的机器人仿真功能，学生可以在现实中操作机器人示教器（图 9-24），控制虚拟产线上的机器人，进行机器人的离线编程、调试和路径优化，提升对机器人技术的掌握程度。

图 9-24　示教器虚拟调试

通过平台应用，为学生提供了一个接近真实的操作环境，提升了他们的实践能力和就业竞争力。

（2）面向工业的应用

齐齐哈尔某工厂，作为制造业的重要一环，面临着生产效率提升、成本控制以及灵活应对市场变化等多重挑战。为了在新一轮的工业 4.0 浪潮中保持竞争力，该工厂决定采用先进的数字化技术，特别是数字孪生技术，来优化其生产流程和管理模式。

① 基础构建：基于 FDSim 平台，技术人员首先为齐齐哈尔工厂内的特定车间构建了精确的数字孪生模型。这一模型不仅包含了车间的物理布局、设备配置等基本信息，还通过高精度 3D 建模技术，实现了车间环境的真实还原。

② 系统集成：数字孪生车间与工厂的 MES 和 ERP 进行了深度集成。MES 系统负责实时收集车间内各设备的运行数据，如运行状态、故障报警、产量统计等，这些数据被实时传输至 FDSim 平台，驱动数字孪生模型中的 3D 设备动态模拟，实现虚拟与现实的同步映射。

③ 生产计划与可视化：ERP 系统则提供了设备订单和生产计划的信息，这些信息被整合到数字孪生的 2D 看板中，使得管理人员可以直观地看到每个设备的生产任务安排、预计完成时间等关键信息。通过 3D 环境中的交互功能，点击任意虚拟设备，即可快速查看其当前的生产状态、维护记录以及即将执行的生产计划，极大地提高了管理的透明度和效率。

通过上述集成，该工厂建立了一个综合的数字孪生监控管理系统。该系统不仅提供了实时全面的生产监控能力，还能够根据数据分析结果，预测潜在的生产瓶颈，提前调整生产计划，优化资源配置。此外，该系统还支持历史数据回溯，为持续改进和决策支持提供了宝贵的数据基础。

FDSim 平台不仅是一个强大的数字孪生展示和管理工具，还为该工厂提供了一个开放式的数字孪生编辑平台。当调整车间布局、引入新设备或升级现有设备时，工厂无须依赖外部供应商进行数字孪生模型的重新开发。员工经过简短培训后，即可利用 FDSim 平台的编辑功能，自主完成模型的更新和维护。开放式的编辑平台大大降低了数字孪生项目的长期维护成本，使工厂能够更灵活地适应市场变化和技术迭代。员工在参与数字孪生模型编辑的过程中，对生产流程有了更深入的理解，还激发了创新思维和实践能力，为工厂的持续优化和升级提供了源源不断的动力。

综上所述，通过 FDSim 平台建立的数字孪生车间及其综合管理系统，齐齐哈尔某工厂不仅实现了生产过程的全面数字化监控，还极大地提升了生产效率和灵活性，降低了运营成本，为工厂的智能化转型和可持续发展奠定了坚实的基础。

4）实施效果

FDSim 数字孪生系统开发平台通过提供低代码开发、丰富的 3D 模型库和接口等功能，显著降低了数字孪生应用开发的技术门槛和成本，提升了开发效率和灵活性。在教育领域，FDSim 平台为学生提供了一个接近真实的操作环境，提升了他们的实践能力和就业竞争力；在工业领域，FDSim 平台为企业提供了实时全面的生产监控能力，支持历史数据回溯，为持续改进和决策支持提供了宝贵的数据基础。FDSim 平台的主要实施效果如下所述。

（1）技术实现与效率提升

① 降低技术门槛：FDSim 平台通过低代码开发和丰富的 3D 模型库，显著降低了数字孪生应用开发的技术门槛。即使是普通用户，经过短时间的学习和培训，也能快速搭建 3D 场景，实现高效的开发。

② 缩短开发周期：FDSim 平台提供的易上手工具和丰富的接口，使得开发过程更加简洁，避免了繁琐的需求分析、设计、编码和测试阶段，从而大幅缩短了开发周期。

（2）成本控制

① 降低开发成本：由于开发周期的缩短和技术门槛的降低，企业无须投入大量的人力、物力和财力进行数字孪生应用的开发，从而有效控制了整体开发成本。

② 减少维护成本：FDSim 平台的开放式编辑功能使得企业能够自主完成模型的更新和维护，避免了依赖外部供应商进行高昂的重新开发成本。

（3）灵活性与适应性

① 快速响应市场需求：平台支持快速搭建和修改数字孪生模型，使得企业能够灵活应对快速变化的市场和用户需求，提升市场竞争力。

② 支持多场景应用：FDSim 平台不仅适用于工厂仿真和工艺仿真，还支持三维运维监控、虚拟调试等多种功能，满足企业在不同场景下的应用需求。

（4）系统集成与数据融合

① 无缝集成：平台支持多种通信协议，能够与各种设备和系统进行无缝连接，实现数据的实时同步和融合。

② 数据驱动决策：通过集成 MES 和 ERP 系统，FDSim 平台提供了实时全面的生产监控能力，支持历史数据回溯，为企业的持续改进和决策支持提供了宝贵的数据基础。

未来，随着工业互联网和智能制造领域的持续发展，FDSim 平台将继续发挥其技术优势，为企业数字化转型和智能化升级提供更加全面、高效和灵活的支持。同时，平台也将不断优化和完善其功能和服务，以满足企业在不同场景下的应用需求。

附录

缩略语表

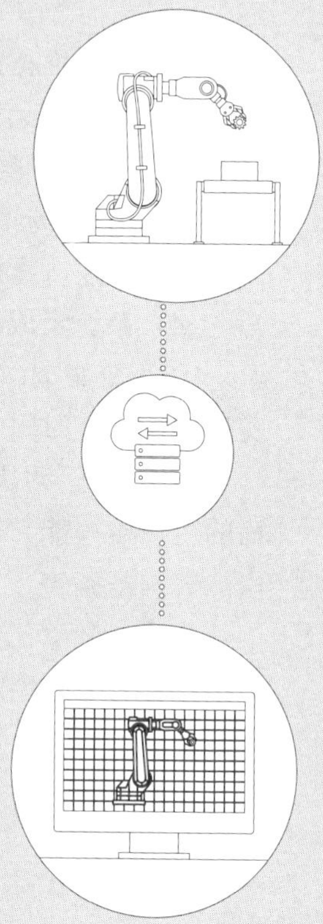

缩略语	英文全称	中文全称
4G/5G/6G	4th Generation/5th Generation/6th Generation	第 4 代（移动通信技术）/ 第 5 代（移动通信技术）/ 第 6 代（移动通信技术）
AGV	Automated Guided Vehicle	自动导引车
AI	Artificial Intelligence	人工智能
AM	Agile Manufacturing	敏捷制造
API	Application Programming Interface	应用程序接口 / 应用编程接口
APM	Assert Performance Management	资产性能管理
AR	Augmented Reality	增强现实
ASP	Application Service Provider	应用服务提供商
B/S	Browser/Server	浏览器 / 服务器
BGP	Basic graph Pattern	基本图模式
BIC	Bayesian Incentive Compatibility	贝叶斯激励相容
BOM	Bill of Material	物料清单
BPEL	Business Process Execution Language	业务过程执行语言
C/S	Client/Server	客户端 / 服务器
CAD	Computer Aided Design	计算机辅助设计
CAE	Computer Aided Engineering	计算机辅助工程
CAM	Computer Aided Manufacturing	计算机辅助制造
CAPP	Computer Aided Process Planning	计算机辅助工艺规划
CDN	Content Delivery Network	内容分发网络
CIM	Computer Integrated Manufacturing	计算机集成制造
CMfg	Cloud Manufacturing	云制造
CODP	Customer Order Discoupling Point	客户订单分离点
COM	Component Object Model	组件对象模型
CPS	Cyber-Physical Systems	信息物理系统
CPU	Central Processing Unit	中央处理器
CRM	Customer Relationship Management	客户关系管理
DaaS	Database as a Service	数据库即服务
dAGVA	d'Aspremont, Gérard-Varet, and Arrow（mechanisms）	dAGVA（机制）/AGV（机制）
DAML	DAPPA Agent Markup Language	DARPA 代理标记语言
DCOM	Distributed Component Object Model	分布式组件对象模型
DF	Digital Factory	数字化工厂
DMU	Digital Mock-Up	数字样机
DQN	Deep Q-network	深度 Q 网络

续表

缩略语	英文全称	中文全称
DSIC	Dominant Strategy Incentive Compatibility	占优策略激励相容
EDD	Earliest Due Date	最早交付日期
EET	Earliest End Time	最早可用时间
ERP	Enterprise Resource Planning	企业资源计划
ESS	Evolutionary Stable Strategy	演化稳定策略
FIFO	First In First Out	先进先出
FMS	Flexible Manufacturing System	柔性制造系统
GA	Genetic Algorithm	遗传算法
HCPS	Human Cyber-Physical Systems	人 - 信息物理系统
HCS	Human-Cyber Systems	人 - 信息系统
HTTP	Hyper Text Transfer Protocol	超文本传输协议
IaaS	Infrastructure as a Service	基础设施即服务
ICT	Information and Communications Technology	信息与通信技术
IDEF0	Integration Definition for Function Modeling	功能建模的集成定义
IMS	Intelligent Manufacturing System	智能制造系统
IoT	Internet of Things	物联网
IT	Information Technology	信息技术
JIT	Just in Time	准时化
JSON	JavaScript object notation	JavaScript 对象标记
LB	Load Balancing	负载均衡
MaaS	Manufacturing as a Service	制造即服务
MBD	Model Based Definition	基于模型的定义
MBSE	Model Based Systems Engineering	模型驱动的系统工程
MDP	Markov Decision Process	马尔可夫决策过程
MES	Manufacturing Execution System	制造执行系统
MOR	Most Operations Remaining	剩余最多操作数
MQTT	Message Queuing Telemetry Transport	消息队列遥测传输
MR	Mixed Reality	混合现实
MRAP	Machine Resource Assignment Policy	机器资源指派策略
MRP	Material Requirement Planning	物料需求计划
MRP Ⅱ	Manufacturing Resource Planning	制造资源计划
MWKR	Most Work Remaining	剩余工作量最多

续表

缩略语	英文全称	中文全称
NASA	National Aeronautics and Space Administration	美国航空航天局
NC	Numerical Control	数字控制
NFT	Non-Fungible Token	非同质化通证
NIST	National Institute of Standards and Technology	美国国家标准技术研究院
NSGA-Ⅱ	Non-dominated Sorting Genetic Algorithm Ⅱ	二代非支配排序遗传算法
OA	Office Automation	办公自动化
ODM	Original Design Manufacturer	原始设计商
OEE	Overall Equipment Effectiveness	综合设备效率
OEM	Original Equipment Manufacturer	原厂设备制造商
OLE	Object Linking and Embedding	对象链接与嵌入
OWL	Web Ontology Language	网络本体语言
OWL-S	Web Ontology Language for Services	服务网络本体语言
PaaS	Platform as a Service	平台即服务
PDM	Product Data Management	产品数据管理
PDR	Priority Dispatching Rule	优先级调度规则
PLC	Programmable Logic Controller	可编程（逻辑）控制器
PLM	Product Lifecycle Management	产品全生命周期管理
PPaaS	Process Planning as a Service	工艺即服务
PSO	Particle Swarm Optimization	粒子群优化
QoS	Quality of Service	服务质量
RDF	Resource Description Framework	资源描述框架
RDFS	Resource Description Framework Schema	资源描述框架模式
REST	Representational State Transfer	表述性状态转移
RFID	Radio Frequency Identification	无线射频识别
RGV	Rail Guided Vehicle	有轨制导车辆
SA	Simulated Annealing	模拟退火
SaaS	Software as a Service	软件即服务
SCADA	Supervisory Control and Data Acquisition	数据采集与监视控制（系统）
SCM	Supply Chain Management	供应链管理
SCR	Smallest Critical Ratio	最小临界值
SIMaaS	Simulation as a Service	仿真即服务
SMTP	Simple Mail Transfer Protocol	简单邮件传输协议

续表

缩略语	英文全称	中文全称
SOA	Service Orient Architecture	面向服务的架构
SOAP	Simple Object Access Protocol	简单对象访问协议
SOC	Service Orient Computing	面向服务的计算
SOM	Service Orient Manufacturing	面向服务的制造
SPARQL	SPARQL Protocol and RDF Query Language	SPARQL 协议和 RDF 查询语言（一种 RDF 查询语言和数据获取协议）
SPT	Shortest Processing Time	最短加工时间
SQT	Shortest Queue Time	最短排队时间
SSL	Secure Socket Layer	加密套接字层
TOPSIS	Technique for Order Preference by Similarity to an Ideal Solution	逼近理想解排序法，或称优劣解距离法、双基点法
TS	Tabu Search	禁忌搜索
UDDI	Universal Description，Discovery and Integration	通用描述、发现和集成服务
UML	Unified Modeling Language	统一建模语言
URI	Uniform Resource Identifier	统一资源标识符
URL	Uniform Resource Locator	统一资源定位符
UUID	Universally Unique Identifier	通用唯一标识码
VCG	Vickrey-Clarke-Groves（Mechanisms）	VCG（机制）
VP	Virtual Prototyping	虚拟样机
VR	Virtual Reality	虚拟现实
W3C	World Wide Web Consortium	万维网联盟
WS-BPEL	Web Service Business Process Execution Language	Web 服务业务过程执行语言
WS-CDL	Web Service Choreography Description Language	Web 服务编排描述语言
WSDL	Web Services Description Language	Web 服务描述语言
XML	Extensible Markup Language	可扩展标记语言
XR	Extended Reality	扩展现实，也可以看作是 VR/AR/MR 技术的总称